www.bragelonne.fr

KIM HARRISON

SORCIÈRE BLANCHE, CŒUR NOIR

Traduit de l'anglais (États-Unis) par Arnaud Demaegd

L'Ombre de **Bragelonne**

Collection *L'Ombre* de Bragelonne dirigée par Stéphane Marsan et Alain Névant

Titre original: *Every Which Way but Dead*
Copyright © 2005 by Kim Harrison
Publié en accord avec HarperTorch, une maison d'édition de HarperCollins Publishers.
Tous droits réservés.

© Bragelonne 2008, pour la présente traduction.

Illustration de couverture:
Photo de Claire Arnaud. Montage: Anne-Claire Payet

ISBN: 978-2-35294-239-9

Bragelonne
35, rue de la Bienfaisance – 75008 Paris

E-mail: info@bragelonne.fr
Site Internet: http://www.bragelonne.fr

À l'homme qui m'a donné ma première paire de menottes.
Merci d'être là pour moi.

Remerciements

J'aimerais remercier mes proches pour leur compréhension pendant les longs moments où je pataugeais dans la fange du monde du Cloaque. Par-dessus tout, je voudrais remercier mon agent, Richard Curtis, qui a vu les possibilités qu'offrait ce monde avant que je sache moi-même qu'elles existaient, et mon éditrice, Diana Gill, qui m'a guidée et a permis à ces possibilités de devenir réalité.

Chapitre premier

J e pris une grande inspiration pour me calmer et rabattis les revers de mes gants sur mes poignets nus en secouant les mains. J'allai poser l'une de mes plus grosses marmites près d'une pierre tombale ébréchée en faisant attention à ne pas renverser le médium de transfert. Je ne sentais plus mes doigts à travers la laine. Avec le froid, mon haleine faisait de la vapeur à la lumière de la bougie blanche bon marché achetée en solde la semaine précédente.

Je versai un peu de paraffine sur la stèle et y collai la bougie. Mon attention se porta sur le voile lumineux à l'horizon, à peine visible à cause des lumières de la ville, et mon estomac se noua. La lune tout juste décroissante ne tarderait pas à faire son apparition. Ce n'était pas un bon moment pour invoquer des démons, mais Algaliarept viendrait même si je ne l'appelais pas. Je préférais le rencontrer selon mes propres termes – autrement dit, avant minuit.

Un coup d'œil derrière moi à l'église bien éclairée où Ivy et moi habitions m'arracha une grimace. Ivy était de sortie. Elle ne savait pas que j'avais conclu un pacte avec un démon et pouvait encore moins se douter qu'il était temps de le rétribuer pour ses services. Je suppose que j'aurais pu le faire à l'intérieur, au chaud dans ma belle cuisine, avec mon matériel de magie et tout le confort moderne, mais le cimetière s'était insidieusement imposé comme le lieu idéal pour appeler un démon, et ce malgré le froid et la neige.

Et puis c'était mieux de le rencontrer dehors pour ne pas obliger Ivy à passer le lendemain à nettoyer du sang au plafond.

Le sang du démon ou le mien? Je n'étais pas pressée de répondre à cette question. Je ne comptais pas me laisser aspirer dans l'au-delà pour servir de familier à Algaliarept jusqu'à la fin des temps. Je ne pouvais pas me le permettre. Je l'avais déjà blessé une fois; je l'avais fait saigner. Et, s'il pouvait saigner, il pouvait mourir. *Mon Dieu, aidez-moi à survivre à cette épreuve. Aidez-moi à trouver un moyen de faire quelque chose de bien.*

Le tissu de mon manteau crissa lorsque je croisai les bras pour me tenir chaud. Je me servis tant bien que mal de la semelle de ma botte pour dégager un cercle d'une quinzaine de centimètres de ciment rouge argile dans la gangue de neige gelée qui entourait la stèle sur laquelle j'avais repéré un grand cercle gravé. L'énorme bloc de pierre rectangulaire était immanquable; il marquait l'endroit où s'arrêtait la grâce de Dieu et où commençait le chaos. Le précédent occupant de l'église l'avait posé pour couvrir un point souillé de terre jadis bénie, histoire de s'assurer que personne d'autre ne serait accidentellement mis en terre à cet endroit, ou tout simplement pour fixer au sol l'ange guerrier ouvragé qui, de lassitude, avait posé un genou sur son socle. On avait effacé le nom sur la pierre tombale à coups de burin; il ne restait que les dates. Quelle qu'ait été son identité, la personne était morte en 1852 à l'âge de vingt-quatre ans. J'espérai que ce n'était pas un présage.

Poser une dalle cimentée pour empêcher quelqu'un de se relever fonctionnait… parfois. En tout cas, la zone n'était plus sanctifiée, et comme elle était entourée de terre qui, elle, l'était toujours, c'était l'endroit parfait pour invoquer un démon. Au pire, je pourrais toujours me mettre à l'abri sur la terre bénie en attendant que le soleil se lève et qu'Algaliarept soit obligé de retourner dans l'au-delà.

D'une main tremblante, je sortis de la poche de mon manteau un sac de soie blanche plein de sel récupéré dans ma réserve de douze kilos. Il y en avait trop, mais je voulais dessiner un cercle bien épais, et une partie de ce sel allait se diluer dans la neige fondue. Je jetai un coup d'œil au ciel pour repérer la direction du nord et découvris une marque sur le cercle gravé, exactement là où je m'attendais à la trouver. Le fait que quelqu'un ait déjà utilisé ce cercle pour invoquer des démons ne me rasséréna pas le moins du monde. Ce n'était pas un acte illégal, ni même immoral – seulement stupide. Vraiment stupide.

Je marchai lentement en tournant dans le sens des aiguilles d'une montre à partir du nord, mes semelles dessinant dans la neige un chemin parallèle à la traînée de sel dont j'entourais l'ange monolithique et une bonne partie de la zone profanée. Le cercle à l'extérieur duquel j'évoluai allait faire cinq bons mètres de diamètre. Normalement, il fallait au moins trois sorcières pour créer et tenir une barrière de cette taille, mais j'étais assez forte pour canaliser toutes ces lignes d'énergie à moi toute seule. En y pensant, c'était peut-être pour cette raison que le démon avait tellement envie de me mettre le grappin dessus et de faire de moi son nouveau familier.

Ce soir, j'allais découvrir si le contrat oral passé trois mois plus tôt et formulé avec les plus grandes précautions allait me permettre de rester en vie et du bon côté des lignes d'énergie. J'avais accepté de mon plein gré de devenir la servante d'Algaliarept s'il témoignait contre Piscary, l'astuce résidant dans le fait que j'avais le droit de garder mon âme.

Le procès s'était officiellement terminé deux heures après le coucher du soleil, mettant un terme à la part du démon dans ce marché et me laissant avec ma propre part à honorer. Que le vampire mort qui contrôlait la plupart de l'Outremonde de Cincinnati ait été condamné à cinq siècles pour les meurtres des meilleures gardiennes des lignes d'énergie de la ville n'avait plus guère d'importance, à présent. Surtout que j'étais prête à parier que ses avocats le feraient sortir au bout d'une misérable année.

Pour l'instant, ce que tout le monde se demandait des deux côtés de la loi, c'était si Kisten, son ancien scion, allait être capable d'empêcher que tout s'effondre jusqu'au retour du vampire. En tout cas, même si elle avait pris la place de Kisten, il ne fallait pas compter sur Ivy. Si je parvenais à survivre à cette nuit et à garder mon âme intacte, je m'intéresserais un peu moins à moi et un peu plus à ma colocataire. Mais d'abord, je devais m'occuper du démon.

Les épaules tellement crispées qu'elles me faisaient mal, je sortis des bougies d'un vert laiteux de mon manteau, et les disposai le long du cercle pour figurer les sommets d'un pentagramme invisible. Je les allumai avec la bougie blanche que j'avais utilisée pour fabriquer le médium de transfert. Les flammes minuscules vacillèrent. J'attendis d'être sûre qu'elles n'allaient pas s'éteindre avant de reposer la bougie sur la pierre tombale cassée, en dehors du cercle.

Le bruit étouffé d'un moteur de voiture attira mon attention sur les hauts murs qui séparaient le cimetière du terrain des voisins. Histoire de retrouver mon calme avant de puiser l'énergie de la ligne qui passait à proximité, je baissai mon bonnet sur mon front, tapai sur mon jean pour faire tomber la neige accumulée sur les ourlets et vérifiai une dernière fois que j'avais emporté tout ce dont j'avais besoin. Malheureusement, je n'avais plus de prétexte pour reculer l'échéance.

Après une dernière inspiration, lente et profonde, je me servis de ma volonté pour toucher la minuscule ligne d'énergie qui traversait le cimetière. Mon nez se mit à siffler et je me raidis. Le bouleversement de l'équilibre des forces faillit me faire tomber. On aurait dit que la ligne d'énergie s'était chargée du climat hivernal. Elle me transperça, étonnamment froide. Je tendis une main gantée pour m'appuyer contre la pierre éclairée par les bougies pendant que l'énergie continuait à monter.

Une fois les forces équilibrées, le surplus d'énergie serait renvoyé dans la ligne. Jusque-là, je n'aurais qu'à serrer les dents et à supporter les sensations désagréables dans les extrémités théoriques de mon esprit, extrémités qui étaient le reflet de mes doigts et de mes orteils. Chaque ressac était pire que le précédent. Plus rapide. Plus violent.

Même si cela sembla durer une éternité, les forces s'équilibrèrent en l'espace d'un battement de cœur. Mes mains étaient moites, et j'eus l'impression déplaisante d'avoir à la fois chaud et froid, comme si j'avais de la fièvre. Je retirai mes gants et les fourrai au plus profond d'une poche. Les charmes de mon bracelet tintèrent, cristallins, dans l'atmosphère hivernale silencieuse. Ils ne me seraient d'aucune aide. Pas même la croix.

Je devais refermer mon cercle au plus vite. D'une manière ou d'une autre, Algaliarept savait quand je puisais dans une ligne, et il fallait que je l'invoque avant qu'il se montre de lui-même et me prive de l'ascendant dont je pouvais jouir en tant qu'invocatrice. Je pris la marmite en cuivre glacée qui contenait le médium de transfert et fis une chose à laquelle aucune sorcière n'avait survécu : j'avançai d'un pas et pénétrai dans le cercle même dans lequel j'allais appeler Algaliarept.

Debout devant le monument funéraire cimenté au sol, je laissai échapper un soupir. La statue était couverte d'une couche noirâtre de pollution urbaine et de bactéries qui lui donnait l'air d'un ange déchu. La position du personnage, en larmes, penché sur son épée qu'il présentait à plat sur ses mains comme une offrande, ne faisait qu'accentuer son côté effrayant. Un oiseau avait fait son nid au creux de ses ailes incurvées autour de son corps, et quelque chose clochait dans le visage. En plus, les bras étaient trop longs pour appartenir à un humain ou à un Outre. Même Jenks ne laissait pas ses enfants jouer à côté de cette statue.

— Je t'en prie, fais que je trouve la force, murmurai-je à l'intention de la statue en déplaçant mentalement le petit ruisseau de sel de cette réalité à celle de l'au-delà.

Je titubai en sentant le gros de l'énergie qui s'était amoncelée en moi quitter mon corps pour forcer le passage. Le médium faillit se renverser et, comme je n'avais toujours pas trouvé mon équilibre, je préférai reposer la marmite dans la neige. Mes yeux se posèrent sur les bougies vertes, devenues étrangement transparentes ; elles étaient passées de l'autre côté en même temps que le sel. Cependant, les flammes existaient dans les deux mondes, et leur lueur se superposait à la nuit.

La puissance de la ligne d'énergie se remit à augmenter lentement. La sensation n'était pas moins désagréable que l'influx violent que l'on essuyait lorsque l'on commençait à puiser dans une ligne, mais le ruban de sel avait laissé place à une portion comparable de l'autre réalité. Elle avait formé un dôme à une bonne hauteur au-dessus de ma tête. Rien de plus consistant que de l'air ne pouvait traverser les bandes de changement de réalité, et comme c'était moi qui avais refermé le cercle, j'étais la seule à pouvoir le briser – à condition bien sûr de l'avoir bien formé.

— Algaliarept, je t'invoque, murmurai-je, le cœur battant à tout rompre.

La plupart des gens utilisaient toutes sortes de matériels pour appeler et retenir un démon, mais comme nous avions passé un accord, le simple fait de prononcer son nom et d'exiger sa présence allait le forcer à traverser les lignes. Petite chanceuse.

Mes tripes se nouèrent lorsqu'une mince étendue de neige se mit à fondre entre l'ange guerrier et moi. Un nuage de vapeur rougeâtre s'éleva en volutes et dessina les contours d'un corps qui n'avait pas encore pris forme. J'attendis, de plus en plus tendue. La silhouette d'Algaliarept changeait encore et encore. Il s'insinuait dans mon esprit à mon insu pour choisir l'apparence qui m'effraierait le plus. Jadis, ça avait été Ivy. Ensuite, Kisten – jusqu'à ce que je le coince dans un ascenseur, dans un accès stupide de passion comme seuls les vampires peuvent en provoquer. Difficile d'avoir peur de quelqu'un après lui avoir roulé une pelle. Nick, mon petit ami, avait toujours droit à un chien baveux de la taille d'un poney.

En tout cas, cette fois-ci, la vapeur adoptait clairement une forme humaine, ce qui me fit penser que le démon allait m'apparaître sous la forme de Piscary – le vampire que je venais de faire enfermer – à moins qu'il choisisse sa vision habituelle d'un jeune gentleman anglais en queue-de-pie de velours vert.

—Tu n'as plus peur ni de l'un, ni de l'autre, dit la brume d'une voix qui me fit lever la tête.

C'était ma voix.

—Et merde, jurai-je en ramassant ma marmite. (Je faillis briser mon cercle en reculant ; il allait prendre mon apparence et cette idée me rebutait.) Je n'ai pas peur de moi-même ! criai-je avant même qu'il ait terminé de se reconstituer.

—Oh que si.

C'était bien ma voix, mais l'imitation péchait au niveau du rythme et de l'accent. Paralysée, je l'observai pendant qu'il adoptait mon corps, faisant courir ses mains de manière suggestive le long de sa silhouette, aplatissant sa poitrine pour copier mes maigres attributs, m'affublant de hanches qui étaient peut-être un peu trop généreuses. Il s'habilla en pantalon de cuir noir, avec un petit haut rouge et des sandales noires à talons hauts passablement ridicules au beau milieu d'un cimetière enneigé.

Les paupières mi-closes et les lèvres ouvertes, il secoua la tête pour donner forme à mes cheveux roux mi-longs à travers le halo résiduel d'au-delà qui l'entourait. Il me fit plus de taches de rousseur que j'en avais en réalité. De plus, mes yeux à moi étaient verts, pas rouges comme les orbes qu'il me révéla en écartant les paupières. Et puis je n'avais pas les pupilles fendues comme une chèvre.

—Pour les yeux, tu as tout faux, dis-je en posant ma marmite au bord du cercle.

Je serrai les dents, car l'idée qu'il entende ma voix trembler me déplaisait.

Le démon se déhancha, avança un pied en sandale et claqua des doigts. Une paire de lunettes noires apparut dans sa main ; il les mit pour cacher ses yeux surnaturels.

—Voilà, c'est mieux comme ça, lança-t-il.

Je tremblai en entendant combien sa voix était semblable à la mienne.

—Tu ne me ressembles absolument pas, répliquai-je.

Je pris conscience que j'avais perdu énormément de poids ; j'allais pouvoir me remettre aux milk-shakes et aux frites.

Algaliarept sourit.

— Et si je relève mes cheveux comme ça ? me railla-t-il d'un ton faussement modeste.

Il prit la masse difficilement maîtrisable de ses cheveux et la maintint sur ma – euh, pardon – sur *sa* tête. Tout en se mordant les lèvres pour les faire rougir, il gémit et s'agita comme s'il avait les mains attachées au-dessus de lui. On aurait dit une scène sadomaso. Il se laissa tomber sur l'épée de l'ange et posa comme une putain.

Je me recroquevillai encore un peu plus dans mon manteau – celui avec le col imitation fourrure. Au loin, j'entendis le bruit d'une voiture qui passait au ralenti dans la rue.

— On pourrait passer aux choses sérieuses ? Je commence à avoir les pieds gelés.

Il releva la tête et sourit.

— Quelle rabat-joie tu fais, Rachel Mariana Morgan, dit-il avec ma voix mais en reprenant son accent habituel d'intello british. Cependant je dois dire que tu es très réglo. Tu fais montre d'une belle force d'esprit, en ne m'obligeant pas à te traîner jusque dans l'au-delà. Te briser va être particulièrement amusant.

Je sursautai en voyant une éclaboussure d'au-delà s'abattre sur lui. Il se remit à changer de forme. Mais mes épaules se décrispèrent lorsqu'il reprit l'apparence de l'avatar vêtu de dentelles et de velours vert auquel j'étais habituée. Ses longs cheveux bruns se coiffèrent d'eux-mêmes et des lunettes rondes apparurent. Un visage au teint pâle et aux traits pleins de caractère se modela, aussi élégant que sa silhouette mince à la taille de guêpe. Des bottes à talons hauts et un manteau à la coupe exquise achevèrent le costume du démon, le grimant en jeune homme d'affaires charismatique, fortuné et plein d'avenir du XVIIIe siècle.

Mes pensées revinrent à l'automne précédent, et en particulier à l'horrible scène de crime que j'avais contaminée en essayant de coincer Trent Kalamack pour les meurtres des meilleures sorcières travaillant sur les lignes d'énergie de Cincinnati. Al les avait massacrées pour le compte de Piscary. Chacune d'elles avait péri dans d'atroces souffrances pour le divertissement de ce dernier. Peu importait l'apparence qu'il prenait, Al était un sadique.

—Tu as raison, passons aux choses sérieuses, reprit-il.

Il sortit une petite boîte de sa poche, prit une pincée de poussière noire à la forte odeur de soufre et inhala profondément. Il se frotta le nez et s'avança pour fouler mon cercle du bout de la botte. Je grimaçai.

—Joliment fait, ce cercle. Mais il y fait froid. Ceri préfère la chaleur.

Ceri ? me demandai-je en voyant toute la neige à l'intérieur du cercle s'évaporer en un éclair. Une odeur de chaussée mouillée envahit l'atmosphère puis disparut lorsque le revêtement sécha et retrouva sa teinte rouge pâle.

—Ceri, dit Algaliarept. (Son ton doux et flatteur mais péremptoire me choqua.) Viens.

Je dévisageai la femme qui venait d'apparaître derrière Algaliarept, sortie de nulle part. Elle était très mince. Son visage en forme de cœur avait le teint jaune, et ses pommettes étaient un peu trop saillantes. Du fait de sa taille – elle était nettement plus petite que moi –, sa mine évoquait presque celle d'une enfant. Elle avait la tête baissée, et ses cheveux, raides et clairs au point d'en être translucides, lui arrivaient jusqu'au milieu du dos. Elle portait une belle robe qui tombait sur ses pieds nus. Elle était exquise, cette robe – faite d'une soie épaisse colorée de riches teintes vertes, violettes et dorées – et elle collait à sa silhouette plantureuse comme si elle avait été peinte à même sa peau. Elle avait beau être petite, elle était bien proportionnée, encore qu'un peu frêle.

—Ceri, reprit Algaliarept. (Il tendit sa main gantée de blanc pour lui faire relever la tête ; elle avait de grands yeux verts sans expression.) Ne t'ai-je pas déjà dit de ne pas marcher pieds nus ?

Un soupçon d'agacement traversa le visage de la femme, presque imperceptible dans l'état de distraction où elle se trouvait. Mon attention fut attirée par une paire de chaussons brodés qui apparut à ses pieds.

—C'est mieux.

Algaliarept se détourna d'elle. Je fus frappée par l'image du couple parfait qu'ils formaient dans leurs beaux atours. Elle était magnifique dans sa robe, mais son esprit était aussi vide qu'elle était belle. Le démon se servait d'elle pour filtrer l'énergie des lignes qui risquait de le blesser, et tant de magie pure l'avait rendue folle. Mon estomac se tordit sous l'effet de la peur. J'avais la bouche sèche.

—Ne la tue pas, murmurai-je. Tu en as fini avec elle. Laisse-la vivre.

Algaliarept abaissa ses lunettes fumées et me regarda par-dessus les verres. Les orbes rouges de ses yeux étaient fixés sur moi.

—Elle te plaît? demanda-t-il. Elle est belle, hein? Elle a plus de mille ans, et elle n'a pas vieilli d'une seconde depuis l'instant où j'ai pris son âme. Pour être honnête, c'est grâce à elle que j'étais invité à la plupart des fêtes. Elle ne fait jamais d'esclandre. Enfin, bien sûr, les cent premières années, c'étaient crises de larmes et compagnie. C'est d'ailleurs divertissant, mais on finit par s'en lasser. Tu as l'intention de me résister, n'est-ce pas?

Ma mâchoire se crispa.

—Rends-lui son âme, maintenant que tu n'as plus besoin d'elle.

Algaliarept rit.

—Oh! Tu es un amour! dit-il en claquant une seule fois de ses mains gantées. Mais je comptais la lui rendre, de toute façon. Je l'ai souillée au-delà de toute rédemption pour que la mienne reste raisonnablement pure. Et je la tuerai avant qu'elle ait l'occasion d'implorer le pardon de son dieu. (Ses lèvres épaisses s'écartèrent en un vilain rictus.) De toute façon, tu sais, il n'existe pas.

Je fus prise d'un frisson en voyant la femme brisée s'effondrer en un petit tas vert, violet et doré aux pieds d'Algaliarept. Je préférais mourir plutôt que me laisser entraîner dans l'au-delà pour finir comme… comme ça.

—Salaud, murmurai-je.

Algaliarept fit un geste de la main comme pour dire: «Et alors?» Il se tourna vers Ceri, trouva sa petite main dans le monticule de tissu et l'aida à se relever. Elle était de nouveau pieds nus.

—Ceri, dit le démon d'un ton enjôleur. (Il se tourna vers moi.) J'aurais dû la remplacer il y a quarante ans, mais le Tournant a tout compliqué. Elle n'entend même plus ce qu'on lui dit, à moins de commencer par prononcer son nom. (Il se retourna vers la femme.) Ceri, sois un amour, va me chercher le médium de transfert que tu as fait au crépuscule.

J'avais mal au ventre.

—J'en ai préparé, intervins-je.

Debout devant la statue d'ange, Ceri cligna des yeux – c'était le premier signe de compréhension qui traversait son expression. Ses grands yeux vides pleins de solennité, elle me regarda comme si elle me voyait pour la première fois. Son attention se porta sur la marmite posée à mes pieds, puis sur les bougies vertes disposées autour de nous. La panique s'inscrivit au fond de ses yeux. Je crois qu'elle venait de comprendre ce qui se passait.

—Merveilleux, dit Algaliarept. Tu essaies déjà de te rendre utile. Mais je veux le médium de Ceri. (Il regarda sa servante, dont la bouche ouverte laissait entrevoir ses minuscules dents blanches.) Oui, amour. L'heure de la retraite a sonné. Apporte-moi mon chaudron et le médium de transfert.

Tendue, avec réticence, Ceri fit un geste et un minichaudron aux parois de cuivre aussi épaisses que mon poignet apparut entre nous. Il était déjà rempli d'un liquide ambré et des mouchetures de géranium sauvage étaient en suspension, comme s'il s'agissait d'un gel.

Une odeur d'ozone emplit l'atmosphère. Il faisait de plus en plus chaud, à tel point que je dus abaisser la fermeture Éclair de mon manteau. Manifestement de bonne humeur, Algaliarept chantonnait. Il me fit signe d'approcher. Je fis un pas dans sa direction en touchant le couteau d'argent caché dans ma manche. Mon pouls s'accéléra. Je me demandai si mon contrat allait suffire à me sauver. Un couteau ne me serait pas d'une grande utilité.

Le démon m'adressa un grand sourire qui révéla ses dents plates et régulières et fit un signe à l'intention de Ceri.

—Mon miroir, ordonna-t-il.

La femme délicate se baissa pour ramasser un miroir magique qui n'était pas là un instant plus tôt. Faisant office de table, elle le tint devant Algaliarept.

J'avalai ma salive en me rappelant l'horrible sensation que j'avais éprouvée, l'automne précédent, en me séparant de mon aura pour la mettre dans mon propre miroir magique. Le démon enleva ses gants l'un après l'autre et posa ses mains rougeaudes aux phalanges épaisses au sommet de l'objet ; il écarta ses longs doigts au maximum, ferma les yeux et frissonna au moment où son aura s'engouffra dans le miroir, dégoulinant de sa main comme de l'encre, tourbillonnant et se mélangeant à son reflet.

—Dans le médium, Ceri, mon amour. Allez, fais vite.

Pantelante, elle emporta le miroir qui contenait l'aura d'Algaliarept jusqu'au chaudron. Ce n'était pas le poids de l'objet qui l'essoufflait, mais celui des événements. Je suppose qu'elle était en train de revivre la nuit où elle s'était trouvée à ma place, à regarder la personne qui l'avait précédée tout comme je la regardais à présent. Elle devait savoir ce qui allait arriver, mais elle était tellement endormie qu'elle ne pouvait qu'exécuter les ordres. Cette panique évidente, pleine d'impuissance, me fit penser qu'il restait en elle quelque chose qui valait la peine d'être sauvé.

— Libère-la, dis-je, recroquevillée dans mon horrible manteau. (Mon attention passa de Ceri au chaudron, puis à Algaliarept.) Commence par la libérer.

— Pourquoi ?

Il examina nonchalamment ses ongles avant de remettre ses gants.

— Je vais te tuer avant que tu me traînes dans l'au-delà, et je veux que tu la libères d'abord.

Algaliarept partit d'un rire long et franc. Le démon posa une main sur l'ange et se plia presque en deux. Il tapa du pied par terre – le choc sourd se propagea jusque dans mes pieds – et le socle de pierre craqua avec le bruit d'un coup de feu. Ses lèvres pâles entrouvertes, Ceri observait la scène. Ses yeux glissèrent rapidement sur moi. On aurait dit que quelque chose en elle se remettait à fonctionner. Des souvenirs, des pensées longuement réprimées.

— Alors tu vas vraiment te défendre, exulta Algaliarept. Magnifique. Si tu savais comme je l'espérais. (Son regard croisa le mien et il m'adressa un sourire de dédain en touchant le cerclage de ses lunettes.) *Adsimulo calefacio.*

Le couteau caché dans ma manche prit feu. Je poussai un jappement et me contorsionnai pour enlever mon manteau. Il toucha le bord de ma bulle et glissa contre la paroi. Le démon me fixa.

— Rachel Mariana Morgan. Ma patience a des limites. Viens ici et récite cette maudite invocation.

Je n'avais pas le choix. Si je ne m'exécutais pas, il proclamerait que je n'avais pas respecté ma part du contrat ; il prendrait mon âme en guise de compensation et me traînerait dans l'au-delà. Ma seule chance : remplir ma part du marché. Je jetai un coup d'œil à Ceri en souhaitant en vain qu'elle s'écarte d'Algaliarept, mais elle faisait courir ses doigts sur les dates gravées sur la pierre tombale fendue. Son teint privé de soleil était encore plus blanc, à présent.

— Tu te souviens de la formule ? demanda Algaliarept lorsque je fus à côté du chaudron, qui m'arrivait à hauteur des genoux.

Je jetai un coup d'œil discret à l'intérieur et ne fus pas surprise de voir que son aura était noire. J'acquiesçai. Je me sentis faible en repensant au jour où j'avais, par accident, fait de Nick mon familier. Ne s'était-il vraiment écoulé que trois mois ?

— Je peux la dire en français, murmurai-je.

Nick. Oh, mon Dieu. Je ne lui avais pas dit au revoir. Il s'était montré si distant, ces derniers temps, que je n'avais pas trouvé le courage de lui parler. Ni à lui, ni à personne d'autre.

— Ça me va.

Les lunettes du démon disparurent, et ses maudits yeux fendus de chèvre me fixèrent. Mon cœur battait la chamade, mais j'avais fait mon choix, quitte à perdre la vie.

La voix profonde et sonore d'Algaliarept semblait s'échapper d'entre ses lèvres immobiles. J'avais l'impression qu'elle résonnait au plus profond de mon être. Il parlait en latin ; les mots m'étaient à la fois familiers et étrangers, comme dans un rêve.

— *Pars tibi, totum mihi. Vinctus vinculis, prece factis.*

— Une partie pour toi, répétai-je en français, mais tout pour moi. Liée par des liens créés par choix.

Le sourire du démon s'élargit. Sa confiance me fit froid dans le dos.

— *Luna servata, lux sanata. Chaos statutum, pejus minutum.*

Je m'efforçai d'avaler ma salive.

— La lune est sauve, la lumière saine, murmurai-je. Le chaos est décrété, le pire peut arriver.

Algaliarept agrippait le chaudron, ses phalanges blanches trahissant son impatience.

— *Mentem tegens, malum ferens. Semper servus dum duret mundus,* poursuivit-il. (Ceri laissa échapper un sanglot d'une petite voix de chaton qu'elle s'empressa d'étouffer.) Allez, vas-y, ordonna Algaliarept. (Il était si excité que sa silhouette perdait de sa précision.) Dis-le et plonge les mains dans le chaudron.

J'hésitai en voyant la silhouette de Ceri ratatinée devant la stèle, sa robe faisant une petite flaque colorée autour d'elle.

— D'abord, acquitte-moi d'une de mes dettes.

— Rachel Mariana Morgan, tu n'es qu'une petite garce arrogante.

— Fais-le ! exigeai-je. Tu as dit que tu le ferais. Efface une de tes marques, comme promis.

Il se pencha au-dessus de la marmite jusqu'à ce que je voie dans ses lunettes le reflet de mon visage figé par l'effroi.

—Ça ne changera rien. Prononce la malédiction et finissons-en.

—Tu veux dire que tu ne vas pas respecter les termes de notre marché ?

Il rit à cette provocation.

—Non. Pas du tout, et si tu comptais casser notre contrat sur ce seul prétexte, tu es bien naïve. Je vais retirer l'une de mes marques, mais tu me devras encore une faveur. (Il se lécha les lèvres.) Et, étant ma familière… tu m'appartiens.

Un mélange de terreur et de soulagement à vous donner la nausée s'empara de moi, et je dus retenir ma respiration pour ne pas vomir. Mais j'allais devoir remplir ma part du contrat avant de savoir si mes espoirs étaient fondés et si j'allais réussir à m'extirper du collet qui se refermait sur moi en jouant sur les mots.

—Voile d'esprit, dis-je en tremblant. Porteur de douleur. Esclave jusqu'à ce que les mondes se meurent.

Algaliarept émit un son de satisfaction. Les dents serrées, je plongeai les mains dans le chaudron. Le froid me transperça, me brûla les doigts jusqu'à ce qu'ils ne ressentent plus rien. Je retirai mes mains à la hâte. Je les regardai, horrifiée, sans voir le moindre changement dans mes doigts décorés de vernis rouge.

C'est alors que l'aura d'Algaliarept s'insinua plus profondément en moi et atteignit mon chi.

La souffrance était telle que j'eus l'impression que mes yeux allaient sortir de leurs orbites. Je pris une grande inspiration pour hurler, mais l'air resta prisonnier de mes poumons. J'entrevis Ceri qui fermait les yeux ; la mémoire lui était revenue. De l'autre côté du chaudron, Algaliarept souriait. Je luttais pour ne pas étouffer ; l'air semblait s'être changé en huile. Je tombai à quatre pattes, m'esquintant les paumes et les genoux sur le béton. Le visage caché sous les cheveux, j'essayais de réprimer un haut-le-cœur. Je n'arrivais pas à respirer. Je n'arrivais même pas à penser !

L'aura du démon était comme une couverture mouillée, dégoulinante d'acide, qui m'étouffait. Elle m'enveloppait à l'intérieur comme à l'extérieur, et mon énergie était endiguée par sa puissance. Ma volonté était réduite à rien. J'entendis mon cœur battre une fois, puis deux. Je repris tant bien que mal ma respiration et ravalai une giclée piquante de vomi. J'allais vivre. Son aura seule ne suffirait pas à me tuer. Je pouvais le faire. Je pouvais y arriver.

Tremblante, je levai les yeux en attendant que le choc redevienne gérable. Le chaudron avait disparu et Ceri était presque totalement cachée derrière l'énorme stèle, à côté d'Algaliarept. Je pris encore une inspiration sans pouvoir sentir le goût de l'air à travers l'aura du démon. J'essayai de me déplacer, insensible à la rugosité du béton contre le bout de mes doigts. Tout était assourdi. Tout était atténué, comme perçu à travers du coton.

Tout sauf l'énergie de la ligne. Je la sentais bourdonner comme une ligne à haute tension, à trente mètres de là. Haletante, je me remis sur pieds avec difficulté. Je découvris avec surprise que je la voyais. Je voyais tout comme si j'avais utilisé le pouvoir de double vue, ce qui n'était pas le cas. Mon estomac se tordit lorsque je découvris que mon cercle, auparavant teinté d'un soupçon de jaune d'or par mon corps astral, était à présent enveloppé de noir.

Je me tournai vers le démon, vis l'épaisse aura noire qui l'entourait et compris qu'elle souillait aussi mon propre halo. Je regardai alors Ceri. L'aura d'Algaliarept était si puissante que je distinguais à peine ses traits. Ayant abandonné son âme au démon, elle n'avait plus de fluide propre pour la défendre. C'était sur ce point que tout mon plan reposait.

En gardant mon âme, j'avais conservé mon aura, même si elle était étouffée sous celle d'Algaliarept. Et avec mon âme, j'avais gardé mon libre arbitre. Contrairement à Ceri, je pouvais dire non. Lentement, je commençais à me rappeler comment on faisait.

— Libère-la, dis-je d'une voix grinçante. J'ai accepté ta maudite aura. Maintenant, libère-la.

— Oh, pourquoi pas ? gloussa le démon en se frottant les mains. La tuer sera un sacré moyen de commencer ton apprentissage. Ceri ?

La femme frêle se leva précipitamment, la tête haute, son visage en forme de cœur trahissant sa panique.

— Ceridwen Merriam Dulciate, dit Algaliarept, je te rends ton âme avant de te tuer. Tu peux remercier Rachel pour ce cadeau.

Je sursautai. Rachel ? Jusque-là, il m'avait toujours appelée Rachel Mariana Morgan. Manifestement, maintenant que j'étais sa familière, je n'avais plus droit à mon nom complet. Ça me saoulait.

Ceri poussa un petit gémissement et tituba. Grâce à ma toute nouvelle vision, je vis tomber la laisse d'Algaliarept. Une lueur extrêmement faible d'un bleu absolument pur l'entoura – elle venait de retrouver son âme, et celle-ci essayait de la baigner de son nimbe protecteur – puis disparut sous le voile ténébreux entretenu par mille années passées à la botte du démon. Sa bouche s'ouvrait, mais elle ne parvenait pas à parler. Elle était en hyperventilation. Son regard se troubla. Je m'élançai pour la rattraper avant qu'elle tombe. Je m'efforçai de la traîner de mon côté du cercle.

Algaliarept tendit la main vers Ceri. Je la laissai tomber par terre. Je me redressai et tirai de l'énergie de la ligne.

— *Rhombus !* hurlai-je.

C'était l'invocation à laquelle je m'entraînais depuis trois mois – elle permettait de créer un cercle sans avoir à le dessiner.

Mon nouveau cercle apparut dans une explosion. L'onde de choc me fit vaciller. Ceri et moi étions à présent à l'abri d'un second cercle inscrit dans le premier. Il lui avait manqué un objet pour s'ancrer, aussi l'excès d'énergie était-il parti dans tous les sens, au lieu de simplement retourner dans la ligne d'énergie comme c'est normalement le cas. Soufflé par l'explosion, le démon lança une volée d'injures et alla heurter mon premier cercle, toujours actif. Sa paroi se brisa, produisant une impulsion qui se répercuta en moi, et Algaliarept tomba à terre.

Je me penchai en avant et appuyai les mains sur mes cuisses en respirant lourdement. Toujours allongé sur le béton, Algaliarept me regarda, incrédule, puis un sourire mauvais se dessina sur ses lèvres.

— On partage une aura, amour, dit-il. Ton cercle ne peut plus m'arrêter. (Son sourire s'élargit.) Surprise, chantonna-t-il avec légèreté en se relevant.

Il prit le temps d'épousseter son manteau de velours froissé.

Oh, mon Dieu.

Si mon premier cercle ne pouvait pas le retenir, le second n'en serait pas davantage capable. Mais j'avais pensé à cette éventualité.

— Ceri ? murmurai-je. Levez-vous. Il faut qu'on se bouge.

Algaliarept me suivit des yeux. J'entraînai Ceri vers la terre sanctifiée qui nous entourait. Mes muscles se tendirent.

Le démon bondit. Je poussai un cri et me jetai en arrière avec Ceri. Je remarquai à peine la poussée d'au-delà qui monta en moi lorsque je brisai le cercle. Mon souffle se coupa au moment où nous heurtâmes le sol. Ceri était tombée sur moi. Sans prendre le temps de respirer, je poussai des pieds contre la neige afin de reculer encore un peu. Je sentis la rugosité de la bordure dorée de la robe de bal de Ceri sous mes doigts. Je la tirai vers moi jusqu'à être certaine que nous soyons toutes les deux à l'abri de la terre sanctifiée.

—Soyez maudites! hurla Algaliarept depuis le bord du ciment.

Je me relevai, tremblant de tout mon corps, et dévisageai le démon fou de frustration le temps de reprendre mon souffle.

—Ceri! intima Algaliarept. (Une odeur d'ambre brûlé s'éleva lorsqu'il essaya de passer le pied à travers la barrière invisible; il le retira bien vite.) Pousse-la vers moi! Sinon je noircis ton âme au point que ton dieu chéri ne te laissera jamais entrer, même si tu passes l'éternité à l'implorer!

Ceri gémit. Elle s'agrippa à ma jambe et se blottit contre moi en se cachant le visage. Elle essayait de lutter contre mille ans de conditionnement. Mon visage se crispa sous l'effet de la colère. *J'aurais pu me retrouver à sa place. D'ailleurs, ça pourrait encore arriver.*

—Je ne le laisserai pas te refaire du mal, dis-je en posant une main sur son épaule. Si je peux l'en empêcher, je le ferai.

Ses mains tremblèrent. On aurait dit un enfant battu.

—Tu es ma familière! hurla le démon en crachant en tous sens. Rachel, viens ici!

Je secouai la tête. J'avais froid. Bien trop froid pour que la neige soit seule en cause.

—Non, dis-je simplement. Je n'irai pas dans l'au-delà. Tu ne peux pas me forcer.

Algaliarept s'étrangla, incrédule.

—Si, tu vas venir! tonna-t-il. (Ceri resserra sa prise sur ma jambe.) Tu es à moi! Tu es ma putain de familière. Je t'ai donné mon aura. Ta volonté m'appartient!

—Certainement pas, répliquai-je en tremblant intérieurement.

Mon plan fonctionnait. Dieu me préserve, il fonctionnait. Les yeux me piquèrent, et je m'aperçus que j'étais sur le point de pleurer de soulagement. Il ne pouvait pas me prendre. J'étais peut-être sa familière, mais il ne détenait pas mon âme. Je pouvais dire non.

—Tu es ma familière! enragea-t-il.

Ceri et moi laissâmes échapper un cri en le voyant essayer de pénétrer la terre sanctifiée. Il dut reculer une fois de plus, mais je n'en étais pas moins effrayée.

—Je suis bien ta familière, criai-je en retour. Mais je dis non! J'ai promis que je serais ta familière et je le suis devenue, mais je refuse de t'accompagner dans l'au-delà, et tu ne peux pas me forcer !

Les yeux aux pupilles fendues d'Algaliarept s'étrécirent. Il recula d'un pas. Je me raidis en sentant le froid de sa colère.

—Tu as accepté d'être ma familière, murmura-t-il. (De la fumée s'échappait de ses bottes à boucles lustrées qui touchaient presque le bord du cercle de terre blasphématoire.) Viens ici tout de suite, ou je déclarerai notre contrat brisé et ton âme sera mienne par défaut.

Double incrimination. Je savais qu'on en viendrait là.

—J'ai ton aura puante tout autour de moi, dis-je en sentant Ceri frissonner. Je suis ta familière. Si tu penses qu'il y a eu enfreinte, alors fais venir quelqu'un pour juger de ce qui s'est passé avant que le soleil se lève. Et retire l'une de tes maudites marques de mon corps ! exigeai-je en montrant mon poignet.

Mon bras tremblait. Algaliarept émit un son guttural abject. Cette longue exhalation me fit trembler au plus profond de moi-même. Ceri se risqua à jeter un coup d'œil au démon.

—Je ne peux pas utiliser tes services si tu es du mauvais côté des lignes, pensa-t-il tout haut. Le lien n'est pas assez fort…

—Ce n'est pas mon problème, le coupai-je.

Mes jambes tremblaient.

—Non, reconnut Algaliarept. (Il joignit ses mains gantées de blanc dans son dos et posa son regard sur Ceri ; une profonde fureur se lisait dans ses yeux – j'en aurais chié dans mon froc.) Mais ça va le devenir. Tu m'as volé ma familière et tu m'as laissé sans rien. Tu m'as trompé pour éviter de payer ce que tu me devais en échange d'un service rendu. Si je ne peux pas te forcer à m'accompagner, je trouverai un moyen de t'utiliser à travers les lignes d'énergie. Et je ne te laisserai jamais mourir. Demande à Ceri. Demande-lui, elle a connu l'enfer sans discontinuer pendant mille ans. C'est ce qui t'attend, Rachel. Et je ne suis pas du genre patient. Tu ne peux pas passer l'éternité à te cacher sur des terres sanctifiées.

—Va-t'en, dis-je d'une voix tremblante. Je t'ai appelé. Maintenant, je te demande de partir. Retire une de ces marques de mon poignet, et pars. Tout de suite.

Je l'avais invoqué, et il était donc assujetti aux lois de l'invocation, quand bien même j'étais sa familière.

Il expira lentement et je crus sentir le sol bouger. Ses yeux devinrent noirs. Noirs, noirs, noirs, et puis encore un peu plus noirs. *Oh, merde.*

— Je trouverai un moyen de créer avec toi un lien suffisamment fort à travers les lignes, dit-il d'une voix monocorde. Alors je te traînerai de l'autre côté avec ton âme. Ton temps de ce côté-ci des lignes est compté.

— J'ai déjà été une sorcière morte vivante, répliquai-je. Et mon nom, c'est Rachel Mariana Morgan. Utilise-le. Et retire-moi une de ces marques, ou ça remettra tout le contrat en cause.

Je vais m'en tirer. J'ai été plus maligne qu'un démon. La pensée était grisante, mais j'avais trop peur pour en comprendre toute la signification.

Algaliarept me lança un regard glacial. Ses yeux glissèrent sur Ceri, puis il disparut.

Mon poignet s'enflamma. Je poussai un cri mais accueillis la douleur, penchée en avant en tenant mon poignet marqué de mon autre main. J'avais mal – comme si les chiens de l'enfer me mâchaient le bras – mais lorsque ma vision redevint claire, le cercle cicatriciel n'était plus barré que d'un seul trait au lieu de deux.

Haletante, j'attendis que la douleur finisse de s'évanouir. Je me laissai tomber par terre, inerte. Je relevai la tête et pris une bouffée d'air pur pour essayer de me dénouer l'estomac. Il ne pouvait pas se servir de moi si nous n'étions pas du même côté des lignes d'énergie. J'étais toujours moi-même, malgré l'aura d'Algaliarept qui m'enveloppait. Ma double vue déclina progressivement et la traînée rouge de la ligne disparut. L'aura du démon devenait moins difficile à supporter ; maintenant que son propriétaire était parti, elle se muait en une sensation à peine perceptible.

Ceri me lâcha, se rappelant ainsi à mon souvenir. Je me baissai pour lui tendre la main. Elle l'observa, éberluée, et se regarda mettre la sienne, frêle et pâle, dans la mienne. Toujours à mes pieds, elle déposa un baiser sur ma paume, signe formel de remerciement.

— Non, ne faites pas ça, dis-je.

Je la saisis et l'aidai à se relever du sol enneigé.

Les yeux de Ceri s'emplirent de chagrin et elle pleura en silence pour sa liberté retrouvée. Cette femme maltraitée était si belle, dans ses magnifiques atours, avec ses larmes de joie muettes. Je passai mon bras autour de ses épaules, faisant de mon mieux pour la réconforter. Ceri se voûta et trembla de plus belle.

Laissant tout en plan, y compris les bougies qui finiraient bien par s'éteindre d'elles-mêmes, je me dirigeai vers l'église d'un pas incertain.

Les yeux rivés sur la neige, je regardai nos empreintes recouvrir celles que j'avais laissées en venant. Je me demandais ce que j'allais bien pouvoir faire d'elle.

Chapitre 2

Nous étions à mi-chemin lorsque je m'aperçus avec consternation que Ceri était pieds nus.

—Ceri, m'exclamai-je. Où sont vos chaussures?

La femme éplorée eut un hoquet violent. Elle s'essuya les yeux et regarda ses pieds. Une tache rouge et floue d'au-delà tourbillonna autour de ses orteils, et une paire de chaussons brodés mais brûlés recouvrit ses pieds minuscules. À la lumière du porche, je vis clairement la surprise s'abattre sur ses traits délicats.

—Ils sont brûlés, dis-je en la regardant secouer les jambes pour se débarrasser des chaussons. (Des morceaux calcinés restèrent collés sur ses pieds comme des escarres noirâtres.) Peut-être que ce vieil Al nous pique une crise et qu'il brûle vos affaires.

Ceri acquiesça en silence. Un début de sourire se dessina sur ses lèvres bleuies en entendant le surnom irrévérencieux que j'utilisais pour ne pas prononcer le nom du démon devant ceux qui ne le connaissaient pas déjà.

Je nous remis en marche.

—C'est pas grave, j'ai une paire de chaussons que vous… que tu peux utiliser. Et du café, ça te dirait? Je suis complètement gelée.

Du café? On vient d'échapper à un démon, et je lui offre du café?

Elle ne dit rien. Ses yeux se posèrent sur le porche en bois qui conduisait aux quartiers derrière l'église. Son regard se promena sur le sanctuaire au-delà, puis sur le clocher et son beffroi.

—Prêtre? murmura-t-elle.

Sa voix était à l'image du jardin couvert de neige, pure et cristalline.

—Non, dis-je en m'efforçant de ne pas glisser sur les marches. C'est juste l'endroit où je vis. Ce n'est plus une vraie église. (Ceri cilla et j'ajoutai:) C'est un peu difficile à expliquer. Allez, viens.

J'ouvris la porte de derrière et entrai la première car Ceri n'en prendrait pas l'initiative – elle avait de nouveau baissé la tête. La chaleur du salon fut comme une vague de bénédiction sur ma joue glacée. Ceri s'arrêta net sur le seuil en voyant quelques filles pixies s'envoler en hurlant du manteau de la cheminée éteinte, fuyant le froid du dehors. Deux pixies adolescents lancèrent un regard lourd de sens à Ceri avant de suivre le mouvement à un rythme plus tranquille.

—Pixies? l'incitai-je en me rappelant qu'elle avait plus de mille ans. (Si elle n'était pas de l'Outremonde, elle n'en avait sans doute jamais croisé et devait croire qu'ils appartenaient, heu… aux contes de fées.) Tu connais les pixies? demandai-je en tapant des pieds pour enlever la neige de mes bottes.

Elle acquiesça en fermant la porte derrière elle, et je me sentis mieux. Il lui serait plus facile de s'adapter à la vie moderne si elle n'était pas obligée de se mettre dans la tête que les sorcières, les garous, les pixies, les vampires et autres existaient réellement. Je me disais qu'il allait déjà y avoir fort à faire avec la télé et les portables, mais en voyant ses yeux glisser sur l'équipement électronique dernier cri d'Ivy sans que cela éveille spécialement son intérêt, j'étais prête à parier que la technologie était aussi avancée de l'autre côté des lignes d'énergie.

—Jenks! appelai-je vers l'avant de l'église où le pixie passait l'hiver avec sa famille. Je peux te voir une minute?

Il y eut un bourdonnement aigu d'ailes de libellule, à peine perceptible dans l'atmosphère chaude.

—Salut, Rache, dit le pixie en entrant. C'est quoi, ce que me racontent mes gosses, à propos d'un ange?

Il se mit à faire du surplace, les yeux écarquillés. Ses cheveux blonds coupés courts se balancèrent lorsqu'il se pencha pour regarder derrière moi.

Un ange, hein? pensai-je en me tournant vers Ceri pour faire les présentations.

—Oh, seigneur, non! m'exclamai-je en la forçant à se redresser. Elle avait ramassé la neige que j'avais fait tomber de mes bottes, et elle la tenait dans le creux de la main. La vue de cette femme minuscule vêtue d'une robe exquise qui nettoyait mes cochonneries, c'en était trop pour moi.

—S'il te plaît, Ceri, dis-je en lui prenant la poignée de neige pour la laisser tomber sur la moquette. Ne fais pas ça.

Un léger plissement de son front lisse m'indiqua qu'elle était elle-même agacée par ce qu'elle venait de faire. Elle prit une expression désolée et soupira. Je crois qu'elle ne s'était même pas aperçue de ce qu'elle faisait jusqu'à ce que je l'interrompe.

Je me retournai vers Jenks et vis que ses ailes avaient pris une légère teinte rouge, signe que sa circulation sanguine s'emballait.

—Diable! marmonna-t-il en baissant les yeux sur les pieds de Ceri.

Sous l'effet de la surprise, il laissa échapper un nuage de poussière de pixie qui fit une tache de soleil scintillante sur la moquette grise. Il portait sa tenue de jardinage décontractée. La soie verte le faisait ressembler à un Peter Pan miniature, le chapeau en moins.

—Jenks, dis-je en posant une main sur l'épaule de Ceri et en la tirant vers nous. Voici Ceri. Elle va habiter avec nous un moment. Ceri, je te présente Jenks, mon partenaire.

Passablement agité, Jenks s'avança puis recula. Ceri prit un air étonné et son regard passa de moi à Jenks.

—Partenaire? demanda-t-elle en jetant un coup d'œil à ma main gauche.

Je fus frappée par un éclair de compréhension.

—Mon partenaire en affaires, précisai-je en rougissant à l'idée qu'elle ait pu nous croire mariés.

Mais comment diable pourrait-on épouser un pixie? Et qui le voudrait?

—Nous travaillons ensemble en tant que coureurs, ajoutai-je.

Je retirai mon bonnet de laine rouge et le jetai dans l'âtre, sur la pierre duquel il allait pouvoir sécher. Je passai les mains dans mes cheveux pour effacer les traces laissées par le couvre-chef. J'avais laissé mon manteau dehors, mais je n'avais aucune intention de retourner le chercher pour l'instant.

Embarrassée, Ceri se mordit la lèvre. La chaleur de la pièce les avait rendues rouges, et ses joues retrouvaient des couleurs.

Avec un claquement sec, Jenks se rapprocha en voletant. Les boucles de mes cheveux se soulevèrent sous l'effet du déplacement d'air.

31

— On dirait que c'est pas une flèche, commenta-t-il.

Agacée, j'agitai le bras pour le faire reculer. Il posa ses mains sur les hanches. Faisant du surplace devant Ceri, il s'adressa à elle en parlant fort et lentement, comme si elle était dure d'oreille.

— Nous – sommes – gentils. Nous – arrêtons – les – méchants.

— Des guerriers, fit Ceri sans le regarder.

Ses yeux se posèrent sur les rideaux de cuir d'Ivy, sur ses chaises et son canapé cossus en daim. Cette pièce était un hommage à la notion de confort – tout avait été acheté avec le portefeuille d'Ivy, pas avec le mien.

Jenks rit. Le son faisait penser à un carillon éolien.

— Des guerriers, répéta-t-il avec un sourire. Ouais. On est des guerriers. Je reviens. Celle-là, il faut que j'aille la raconter à Matalina.

Il fila de la pièce en volant à hauteur de tête. Mes épaules se décrispèrent.

— Désolée, déclarai-je. J'ai proposé à Jenks de mettre sa famille au chaud pour l'hiver quand il m'a dit qu'il perdait en moyenne deux enfants par an au printemps à cause du mal de l'hibernation. Ils nous rendent dingues, Ivy et moi, mais je préfère ne pas avoir d'intimité pendant quatre mois plutôt que de voir Jenks attaquer le printemps en fabriquant des cercueils miniatures.

Ceri acquiesça.

— Ivy, dit-elle doucement. C'est ta partenaire ?

— Ouais. Exactement comme Jenks, ajoutai-je nonchalamment histoire d'être sûre qu'elle avait bien compris. (Ses yeux passaient sans cesse d'un objet à l'autre ; je me dirigeai lentement vers le couloir.) Euh, Ceri ? (J'hésitai jusqu'à ce qu'elle m'emboîte le pas.) Tu préfères peut-être que je t'appelle Ceridwen ?

Elle jeta un coup d'œil dans le couloir sombre qui menait au sanctuaire faiblement éclairé, cherchant l'origine des cris des enfants pixies. Ils étaient censés rester dans la partie avant de l'église, mais ils allaient partout, et il était habituel de les entendre couiner et hurler.

— Ceri, s'il te plaît.

Sa personnalité lui revenait plus vite que je l'aurais imaginé. Elle était passée du mutisme complet à de courtes phrases en quelques instants. Il y avait dans sa manière de parler un mélange curieux de modernité et de charme de l'ancien monde. C'était probablement parce qu'elle avait passé beaucoup de temps à côtoyer des démons. Elle s'arrêta sur le seuil de ma cuisine, les yeux écarquillés devant le spectacle. Je ne pense pas que c'était le choc des cultures ; la plupart des gens ont la même réaction en découvrant ma cuisine.

Elle était imposante. Il y avait deux cuisinières : une à gaz, et une électrique, histoire de pouvoir cuisiner avec l'une tout en préparant un sort avec l'autre. Le frigo était en acier inoxydable, et suffisamment grand pour pouvoir y faire entrer une vache. Une fenêtre coulissante donnait sur le jardin et le cimetière enneigés. Mon Betta, Monsieur Poisson, nageait gaiement dans un verre posé sur le rebord. Des néons illuminaient les chromes scintillants et le grand plan de travail qui n'aurait pas déparé devant les caméras d'une émission de cuisine.

Une tablette centrale, surplombée par une étagère où étaient rangés mon matériel de sorts et des herbes séchées cueillies par Jenks et sa famille, remplissait une bonne partie de l'espace. La grosse table antique d'Ivy occupait le reste. La moitié qui lui servait de bureau était soigneusement organisée, entre son ordinateur – qui était plus rapide et puissant qu'une boîte de laxatifs de taille industrielle –, ses dossiers avec des codes couleur, des cartes, et les marqueurs dont elle se servait pour organiser ses courses. L'autre moitié de la table m'était réservée. Elle était vide. J'aimerais pouvoir dire que c'était parce que j'étais soigneuse, mais quand j'avais une course, je courais. Je ne passais pas ma vie à étudier la question.

—Assieds-toi, dis-je d'un ton détaché. Tu veux du café ?

Du café ? pensai-je en allant à la cafetière pour jeter le filtre précédent. Qu'allais-je faire d'elle ? Ce n'était quand même pas un chat perdu. Elle avait besoin d'aide. De l'aide d'un professionnel.

Ceri me fixait. Son visage avait retrouvé son expression vide.

—Je…, bredouilla-t-elle.

Elle avait l'air si petite et si effrayée dans sa belle robe. Je jetai un coup d'œil à mon jean et à mon sweat-shirt rouge. J'avais gardé mes Moon Boots. On aurait dit une plouc.

—Tiens, repris-je en lui tirant une chaise. Je vais faire du thé.

Trois pas en avant, un en arrière, pensai-je en la voyant esquiver la chaise que je lui proposais pour prendre celle qui était rangée devant l'ordinateur d'Ivy. Le thé était peut-être plus approprié, étant donné qu'elle avait plus de mille ans. *Connaissaient-ils seulement le thé, au Moyen Âge ?*

J'étais concentrée sur mon placard, m'efforçant de me souvenir si nous avions une théière, lorsque Jenks et une quinzaine de ses gosses déboulèrent en parlant tous en même temps. Leurs voix étaient si aiguës et ils parlaient si vite que je commençais à avoir la migraine.

—Jenks, implorai-je en jetant un coup d'œil dans la direction de Ceri, qui avait déjà l'air bien assez dépassée. Je t'en prie!

—Ils ne vont rien faire, protesta-t-il avec véhémence. En plus, je veux qu'ils la reniflent un bon coup. Je ne sais pas ce qu'elle est, tellement elle pue l'ambre brûlé. Et puis d'abord, qui est-elle? Et qu'est-ce qu'elle faisait pieds nus dans notre jardin?

—Euh…, commençai-je.

Soudain, j'étais inquiète. Les pixies avaient d'excellents nez. Ils étaient capables de dire à quelle espèce quelqu'un appartenait rien qu'en le sentant. J'avais mon idée sur ce qu'était Ceri, et je n'avais vraiment aucune envie que Jenks le découvre.

Ceri leva une main en guise de perchoir et sourit béatement aux deux filles qui ne tardèrent pas à se poser dessus, leurs robes vertes et roses voletant sous l'effet de l'air déplacé par leurs ailes de libellules. Elles papotaient gaiement à la manière des fillettes pixies, qui donnaient l'impression d'être sans cervelle mais étaient conscientes du moindre détail, jusqu'à la souris cachée derrière le frigo. Il était clair que Ceri avait déjà vu des pixies. Elle était donc originaire de l'Outremonde, si elle avait bien mille ans. Le Tournant, le moment où nous avions tous quitté notre retraite secrète pour venir vivre parmi les humains, ne datait que de quarante ans.

—Eh là! s'exclama Jenks en voyant ses enfants monopoliser Ceri.

Ils s'égaillèrent et sortir de la cuisine dans un chaos de couleurs et de bruit. Il prit immédiatement leur place en faisant signe à Jax, son fils aîné, d'aller se percher devant elle sur l'écran de l'ordinateur.

—Tu as la même odeur que Trent Kalamack, dit-il brusquement. Qu'es-tu, au juste?

Prise d'un accès d'angoisse, je leur tournai le dos. *Bon sang, j'avais raison*, pensai-je. *C'est une elfe.* Si Jenks l'apprenait, la nouvelle se répandrait dans tout Cincinnati à l'instant même où la température repasserait au-dessus de zéro et où il pourrait quitter l'église. Trent ne voulait pas que le monde sache que des elfes avaient survécu au Tournant. Il lâcherait l'Agent Orange sur le quartier pour faire taire le pixie.

Je me retournai et fis des signes frénétiques à l'attention de Ceri en faisant mine de fermer ma bouche comme une fermeture Éclair. M'apercevant qu'elle ne devait pas avoir la moindre idée de ce que cela signifiait, je mis mon doigt sur mes lèvres. La femme me lança un regard interrogateur puis se tourna vers Jenks.

—Ceri, déclara-t-elle avec sérieux.

—Oui, oui, dit le pixie d'un ton impatient. (Il avait les mains sur les hanches.) Je sais. Toi Ceri. Moi Jenks. Mais qu'est-ce que tu es? Une sorcière? Rachel, c'est une sorcière.

Ceri jeta un coup d'œil dans ma direction, puis détourna le regard.

—Je suis Ceri.

Les ailes de Jenks se mirent à battre si vite qu'elles devinrent quasi invisibles. Le voile trouble qui les remplaçait vira du bleu au rouge.

—Oui, répéta-t-il. Mais tu es de quelle espèce? Tu vois, moi je suis un pixie, Rachel est une sorcière. Et toi, tu es...?

—Ceri, insista-t-elle.

—Euh, Jenks? intervins-je.

Les yeux de la femme s'étrécirent. La vérité sur l'espèce à laquelle appartenaient les Kalamack avait toujours échappé aux pixies depuis la naissance de la famille. Si Jenks réussissait à percer ce mystère, il en tirerait plus de prestige au sein de la société des pixies qu'en abattant tout un clan de fées à lui seul. Je compris qu'il était à bout lorsqu'il alla faire du surplace devant le nez de Ceri.

—Malédiction! jura-t-il de frustration. De quelle espèce es-tu, femme?

—Jenks!

J'avais crié pour avertir le pixie, mais la main de Ceri s'était emparée de lui en un éclair. Jax laissa échapper un jappement et partit en flèche vers le plafond en laissant derrière lui un petit nuage de poussière de pixie. Jih, la fille aînée de Jenks, risqua un coup d'œil depuis le plafond du couloir. Ses petites ailes n'étaient plus qu'un flou rose.

—Eh! Lâche-moi! s'exclama Jenks.

Ses ailes vrombissaient furieusement, mais il n'irait nulle part. Ceri tenait une jambe de son pantalon entre le pouce et l'index. Pour être aussi précise, elle devait avoir de meilleurs réflexes qu'Ivy elle-même.

—Je suis Ceri, répéta-t-elle d'un ton péremptoire. (Ses lèvres minces étaient crispées; elle regardait Jenks qui volait sur place, pris au piège.) Et même mon ravisseur démon avait assez de respect pour ne pas me maudire, petit guerrier.

—Oui, madame, dit Jenks. (Il était tout péteux, à présent.) Je peux m'en aller?

Elle leva l'un de ses sourcils clairs – un talent que je lui enviai – puis regarda dans ma direction pour savoir quoi faire. J'acquiesçai exagérément. Sa rapidité m'avait laissée sous le choc. Sans sourire, Ceri le laissa partir.

—Je crois que tu n'es pas aussi lente que je le pensais, marmonna Jenks.

Contrarié, le pixie battit en retraite et vint se poser sur mon épaule dans une traînée de terreau. Je fronçai les sourcils en me retournant pour farfouiller sous le plan de travail à la recherche d'une théière. J'entendis les cliquetis familiers des stylos sur le bureau, et je compris que Ceri rangeait les affaires d'Ivy. Ses siècles d'esclavage parlaient une fois de plus. Ce mélange de servitude molle et d'orgueil rapide faisait que je ne savais pas du tout comment je devais la traiter.

—Qui est-ce ? murmura Jenks à mon oreille.

Je m'accroupis pour prendre dans le placard une théière en cuivre tellement foncé qu'il en était presque marron.

—C'était la familière d'Al.

—Al ! couina le pixie, qui s'envola et alla se poser sur le robinet. C'est ça que tu trafiquais, là, dehors ? Par la culotte de Clochette, Rachel, tu deviens aussi grave que Nick ! Tu sais que c'est dangereux !

Maintenant que tout était terminé, je pouvais lui dire la vérité. Tout à fait consciente de la présence de Ceri qui nous écoutait, je fis couler de l'eau dans la théière et l'agitai pour la nettoyer.

—Ce n'est pas par générosité qu'Al a accepté de témoigner contre Piscary. Je devais le payer en contrepartie.

Avec un frottement d'ailes sec, Jenks s'envola et vint faire du surplace devant moi. La surprise, le choc, puis la colère se lurent tour à tour sur son visage.

—Qu'as-tu promis à ce type ? demanda-t-il froidement.

—Ce n'est pas un type, c'est un démon. Et c'est fait. (Je n'arrivais pas à le regarder dans les yeux.) J'ai promis d'être sa familière s'il acceptait de me laisser mon âme.

—Rachel ! (Une bouffée de poussière de pixie illumina l'évier.) Quand ? Quand vient-il te chercher ? On doit pouvoir trouver un moyen de te tirer de là. Il y a forcément quelque chose à faire ! (Laissant une traînée lumineuse derrière lui, il vola jusqu'à mes livres de sorts rangés au-dessus de la tablette centrale, puis revint vers moi.) Ils parlent de ça, dans tes livres ? Appelle Nick. Il saura quoi faire !

Je n'aimais pas le voir s'agiter comme ça. J'essuyai le dessous de la théière. Les talons de mes bottes produisirent des coups sourds sur le lino lorsque je traversai la cuisine. Le gaz s'alluma dans un souffle, et mon visage chauffa à cause de l'embarras que j'éprouvais.

—C'est trop tard, insistai-je. Je suis sa familière. Mais le lien n'est pas assez fort pour qu'il m'utilise si je suis de ce côté des lignes d'énergie et, tant que j'arriverai à l'empêcher de m'attirer dans l'au-delà, tout ira bien. (Je me détournai de la cuisinière et vis que Ceri, qui était toujours assise devant l'ordinateur, me fixait, le regard plein d'admiration.) Je peux refuser ses ordres. C'est fait.

Jenks s'immobilisa devant moi et resta un instant bouche bée.

—C'est fait? s'exclama-t-il. (Il était trop près pour que mes yeux fassent la mise au point.) Mais Rachel, pourquoi? Mettre Piscary à l'ombre ne vaut pas un tel sacrifice!

—Je n'avais pas le choix! (Je croisai les bras de frustration et m'appuyai contre le plan de travail.) Piscary essayait de me tuer et, tant qu'à survivre, je préférais qu'il aille en prison plutôt qu'il s'en prenne encore à moi. C'est fini. Le démon ne peut pas m'utiliser. Je l'ai baisé, ce salaud – ou cette salope.

—Salaud, intervint Ceri d'une voix douce.

Jenks se retourna brusquement. J'avais oublié qu'elle était là, tellement elle était silencieuse.

—Al est un mâle. Les démons femelles ne se laissent pas attirer de l'autre côté des lignes. C'est à ça qu'on les reconnaît. En gros.

J'accueillis l'information avec étonnement.

—J'ai toujours cru que les démons étaient asexués, dis-je.

Elle haussa les épaules avec une nonchalance très contemporaine.

J'expirai une petite bouffée d'air et me retournai vers Jenks. Je sursautai en le voyant faire du surplace juste devant mon nez. Ses ailes étaient écarlates.

—Tu es vraiment trop conne, lança-t-il. (Ses traits minuscules étaient déformés par la colère.) Tu aurais dû nous en parler. Que se serait-il passé s'il t'avait eue? Qu'est-ce qu'on serait devenus, Ivy et moi? Hein? On n'aurait jamais su ce qui te serait arrivé, et on t'aurait cherchée partout. Au moins, si tu nous en avais parlé, on aurait pu chercher un moyen de te ramener. Vous avez déjà pensé à tout ça, mademoiselle Morgan? On forme une équipe, et tu as fait une croix dessus!

Mon accès de colère suivant mourut dans l'œuf.

—Vous n'auriez rien pu faire, dis-je faiblement.

—Comment peux-tu le savoir ? répliqua-t-il d'un ton sec.

Je soupirai, embarrassée qu'un homme de dix centimètres me fasse la leçon – et qu'en plus, il ait toutes les raisons de le faire.

—Oui, tu as raison. (J'étais vaincue ; je décroisai les bras lentement.) C'est juste… c'est juste que je n'ai pas l'habitude d'avoir quelqu'un sur qui je peux compter, Jenks. Je suis désolée.

Jenks tomba d'un mètre tellement il était surpris.

—Tu… tu es d'accord avec moi ?

Ceri tourna la tête avec grâce vers l'entrée de la cuisine. Son expression, déjà vide, le devint encore plus. Je suivis son regard et vis la silhouette mince d'Ivy dans l'obscurité du couloir. Elle se tenait déhanchée, une main posée sur sa taille de guêpe, très élégante dans son pantalon de cuir moulant.

Prise d'inquiétude, je me redressai et m'écartai du plan de travail. Je détestais qu'elle apparaisse comme ça. Je n'avais même pas senti de variation dans la pression de l'air, quand elle avait ouvert la porte d'entrée.

—Salut Ivy, dis-je d'un ton encore marqué par ma discussion avec Jenks.

Les yeux marron d'Ivy étaient aussi vides que ceux de Ceri lorsqu'elle posa son regard sur cette dernière. La petite femme était assise sur *sa* chaise. Elle se mit en mouvement avec sa grâce de vampire vivant. Le bruit de ses bottes était presque imperceptible. Elle ramena derrière son oreille ses longs cheveux noirs dont j'enviais la raideur et alla jusqu'au frigo. Elle sortit le jus d'orange. Avec son pantalon décontracté et son tee-shirt noir rentré, elle ressemblait à une bikeuse sophistiquée. Elle avait les joues rouges à cause du froid, et, en dépit de sa courte veste de cuir, elle avait l'air gelée.

Jenks voleta à côté de moi. Notre dispute était oubliée. Il y avait un nouveau problème plus urgent : Ivy venait de trouver une inconnue dans sa cuisine. La dernière fois que j'avais eu un invité, elle l'avait collé au mur en menaçant de le saigner. Ivy n'aimait pas les surprises. Par contre, qu'elle boive du jus d'orange était plutôt bon signe. J'en déduisis qu'elle avait déjà étanché sa maudite soif de sang. Jenks et moi allions seulement avoir à gérer une vampire rongée par la culpabilité. C'était toujours mieux qu'une vampire irritable, affamée et rongée par la culpabilité. Elle était beaucoup plus facile à vivre maintenant qu'elle s'était remise au sang.

—Ah! Ivy, je te présente Ceridwen, dis-je. Elle va habiter quelque temps chez nous, histoire de se retourner.

Ivy fit volte-face et s'appuya contre le plan de travail histoire d'avoir l'air carnassier et sexy. Elle déboucha la boîte de jus d'orange et but au goulot. *Cause toujours*, pensai-je. Ivy étudia Ceri. Son regard se porta ensuite sur Jenks, qui était très visiblement agité, et enfin sur moi.

—Alors comme ça…, commença-t-elle de sa voix mélodieuse qui me rappelait le bruissement d'un morceau de soie grise lacérée sur de la neige. Tu as réussi à te tirer de ton accord avec ce démon. C'est du bon boulot. Tu t'es bien débrouillée.

J'en restai comme deux ronds de flan.

—Co… comment sais-tu…? bégayai-je au moment où Jenks poussait un cri de surprise.

Un léger sourire, aussi honnête qu'il était rare, se dessina aux commissures de ses lèvres, laissant entrevoir un de ses crocs. Ses canines n'étaient pas plus longues que les miennes, mais elles étaient beaucoup plus pointues – comme celles d'un chat. Elle devrait attendre d'être morte pour avoir droit à la version allongée.

—Tu parles en dormant, dit-elle avec légèreté.

—Tu étais au courant? demandai-je avec étonnement. Tu n'as jamais rien dit!

—Elle s'est bien débrouillée? (Les ailes de Jenks cliquetèrent comme des insectes d'été.) Tu trouves que c'est bien, d'être le familier d'un démon? Tu t'es fait renverser par un train sur le chemin du retour ou quoi?

Ivy alla se chercher un verre dans le placard.

—Si Piscary avait été remis en liberté, Rachel serait morte avant le lever du soleil, expliqua-t-elle en se versant du jus. Alors comme ça, c'est la familière d'un démon? Qu'est-ce que ça peut faire? Elle a dit qu'il ne pourrait pas se servir d'elle à moins de l'entraîner dans l'au-delà. Et elle est en vie. On ne peut rien faire quand on est mort. (Elle prit une gorgée de jus d'orange.) Enfin, à part les vampires.

Jenks émit un son désagréable et alla bouder dans un coin de la pièce. Jih en profita pour entrer. Elle vint se cacher dans une louche en cuivre qui pendait au-dessus du plan de travail. Le bout rouge vif de ses ailes dépassait du bord de l'objet.

Ivy me regardait par-dessus son verre. Nos yeux se croisèrent. Son visage à l'ovale parfait était presque dénué d'expression. Elle

39

cachait ses émotions derrière la façade de froideur indifférente qu'elle affichait toujours lorsqu'il y avait quelqu'un d'autre que moi dans la pièce – Jenks y compris.

—Je suis heureuse que ça ait fonctionné, reprit-elle en posant son verre sur le plan de travail. Tu vas bien ?

J'acquiesçai et vis son soulagement, car ses longs doigts de pianiste tremblaient légèrement. Elle ne me dirait jamais à quel point elle s'était inquiétée pour moi. Je me demandai combien de temps elle était restée dans le couloir à nous écouter et à se reprendre. Elle cligna plusieurs fois des yeux et crispa la mâchoire dans un effort pour réprimer son émotion.

—Je ne savais pas que c'était pour cette nuit, dit-elle doucement. Je ne serais pas sortie, sinon.

—Merci.

Jenks avait raison : j'avais été bien conne de ne pas leur en parler. Mais je n'étais pas habituée à ce que qui que ce soit s'inquiète pour moi hormis ma mère.

Déconcertée, Ceri observait très attentivement Ivy.

—Partenaire ? risqua-t-elle.

Ivy se tourna vers la petite femme.

—Oui, répliqua-t-elle. Partenaire. Qu'est-ce que ça peut te faire ?

—Ceri, je te présente Ivy, déclarai-je lorsque l'elfe se leva.

Ivy fronça les sourcils en voyant que l'ordre précis de son bureau avait été perturbé.

—C'était la familière d'Al, prévins-je. Elle a juste besoin de quelques jours pour se retourner.

Jenks fit un bruit d'ailes à vous vriller les tympans, et Ivy me lança un regard lourd de sens. Elle prit une expression d'agacement teinté d'inquiétude lorsque Ceri vint se planter devant elle. La petite femme dévisageait Ivy avec confusion.

—Tu es une vampire, dit-elle en tendant la main vers le crucifix d'Ivy.

Ivy fit un bond en arrière d'une rapidité hallucinante. Ses yeux virèrent au noir.

—Oh là, oh là, oh là ! m'interposai-je en me préparant à toutes les éventualités. Ivy, du calme. Elle a passé mille ans dans l'au-delà. Elle n'a peut-être jamais vu de vampire vivant. Je crois qu'elle est de l'Outremonde, mais elle sent l'au-delà, du coup, Jenks n'arrive pas à dire à quelle race elle appartient.

Je me tus, espérant que ma dernière phrase, ainsi qu'un regard appuyé, avaient fait comprendre à Ivy que Ceri était une elfe et, par conséquent, une vraie menace en matière de magie.

Les pupilles d'Ivy s'étaient dilatées au point que ses yeux de vampire étaient presque intégralement noirs. Elle avait pris une attitude dominante, sexuellement chargée, mais comme elle venait d'étancher sa soif de sang on pouvait lui faire entendre raison. Je jetai un rapide coup d'œil à Ceri, soulagée de voir qu'elle avait eu la sagesse de ne pas bouger.

—Ça va, tout le monde est calmé, là ? demandai-je d'une voix insistante pour les forcer à s'écarter l'une de l'autre.

Les lèvres serrées, Ivy nous tourna le dos. Jenks revint se poser sur mon épaule.

—Bien joué. Je vois que tu as toutes tes garces en main.

—Jenks ! sifflai-je.

Je sus qu'Ivy l'avait entendu, car autour de son verre, ses phalanges avaient viré au blanc. Je repoussai Jenks d'un revers de la main. Il s'envola en riant, puis se reposa sur mon épaule.

Les bras le long du corps, Ceri avait l'air confiante. Elle observait Ivy qui, elle, était de plus en plus tendue.

—Ooooooh ! fit Jenks. On dirait que ta nouvelle amie va faire quelque chose.

—Euh, Ceri ? commençai-je.

Mon cœur se mit à battre à tout rompre lorsque la petite femme alla se planter à côté d'Ivy, devant l'évier. Elle comptait clairement attirer son attention.

Ivy se tourna vers elle. Son visage était tendu par la colère contenue.

—Quoi ? demanda-t-elle d'une voix monocorde.

Ceri inclina royalement la tête sans que ses yeux verts quittent ceux d'Ivy, qui s'étaient encore dilatés.

—Excuse-moi, dit-elle de sa voix claire. (Elle prononçait chaque syllabe avec soin.) Je t'ai manqué d'égards. (Son attention se porta sur le crucifix ouvragé qui pendait au cou d'Ivy, au bout de sa chaîne en argent.) Tu es une guerrière vampire, et pourtant tu peux porter la Croix ?

La main de Ceri se crispa, et je sus qu'elle avait envie de toucher l'objet. Ivy l'avait compris, elle aussi. Impuissante, je la regardai se tourner vers Ceri et lui faire face dans une pose arrogante. Elle la regarda de manière plus approfondie, considéra ses larmes séchées, sa magnifique robe de bal, ses pieds nus, son maintien fier et droit. Retenant ma respiration, je regardai Ivy enlever son crucifix. La chaîne ramena ses cheveux en avant.

—Je suis une vampire vivante, concéda-t-elle en mettant le symbole religieux dans la main de l'elfe. Je suis née porteuse du virus vampire. Tu sais ce qu'est un virus, non?

Les doigts de Ceri se promenèrent sur l'objet d'argent ouvragé.

—Mon démon me laissait lire ce que je voulais. Un virus tue les miens. (Elle releva les yeux.) Pas le virus vampire. Un autre.

Ivy me décocha un regard, puis revint à la petite femme qui se tenait juste un peu trop près d'elle.

—Le virus m'a changée alors que je me formais dans l'utérus de ma mère, ce qui fait de moi un mélange des deux espèces. Je peux vivre au soleil et fréquenter les églises sans en souffrir, expliqua Ivy. Je suis plus forte que toi, ajouta-t-elle en mettant discrètement de l'espace entre Ceri et elle. Mais pas aussi forte qu'un véritable vampire mort. Et j'ai une âme.

Elle avait parlé comme si elle s'était attendue que l'elfe nie qu'elle puisse avoir une âme. L'expression de Ceri redevint vide.

—Tu vas la perdre.

Les yeux d'Ivy s'étrécirent.

—Je sais.

Je retins une fois de plus mon souffle en écoutant le tic-tac de l'horloge et le bourdonnement presque subliminal des ailes du pixie. Le regard solennel, l'elfe tendit son crucifix à Ivy.

—Je suis désolée. C'est de cet enfer que Rachel Mariana Morgan m'a sauvée.

Ivy regarda la croix dans la main de Ceri sans que son visage trahisse la moindre émotion.

—J'espère qu'elle pourra en faire autant pour moi.

J'eus envie de rentrer sous terre. Ivy avait parié sa santé mentale sur l'espoir qu'il existait une magie susceptible de la purger du virus vampire et qu'avec le bon sort, elle pourrait en finir avec le sang et la violence. Mais un tel sort n'existait pas. J'attendis que Ceri dise à Ivy que nul n'était au-delà de la rédemption, mais elle se contenta d'acquiescer en faisant flotter ses cheveux fins.

—J'espère qu'elle y arrivera.

—Moi aussi. (Ivy jeta un coup d'œil au crucifix que Ceri lui tendait.) Garde-le. Il ne m'est plus d'aucune utilité.

Je restai bouche bée. Jenks se posa sur mes grandes boucles d'oreilles pendant que Ceri passait le collier. L'argent ouvragé de la croix allait parfaitement avec sa robe de bal violette et verte.

—Ivy…, commençai-je.

Je sursautai lorsqu'elle me regarda, les yeux plissés.

—Il ne m'est plus d'aucune utilité, dit-elle sèchement. Elle le veut. Je le lui donne.

Ceri leva les mains. L'icône la faisait se sentir en paix.

—Merci, murmura-t-elle.

Ivy fronça les sourcils.

—Touche encore une fois mon bureau et je te pète tous les doigts.

Ceri prit cette menace avec une légèreté qui me surprit. Manifestement, elle avait déjà connu des vampires. Je me demandai où, puisque les vampires étaient incapables de manipuler les lignes d'énergie et faisaient donc de bien mauvais familiers.

—Bon, je vais préparer du thé, dis-je.

J'avais besoin de me trouver quelque chose de normal à faire. Le thé n'était pas tout à fait normal pour moi, mais c'était déjà ça. La théière bouillait. Je fouillai l'armoire à la recherche d'une tasse à peu près digne d'un invité. Jenks ricanait en faisant de la balançoire sur ma boucle d'oreille ; ses enfants entraient par groupes de deux ou trois, attirés par la nouvelle venue. Ils se mirent à tourbillonner au-dessus de sa tête, Jih voletant en première ligne.

Leur intrusion n'était pas vraiment au goût d'Ivy. Elle était postée devant son ordinateur, si bien qu'après un temps d'hésitation Ceri alla s'asseoir sur la chaise la plus éloignée de la vampire. Elle triturait la croix pendue à son cou, l'air perdu et seule. Tout en cherchant un sachet de thé dans le garde-manger, je me demandai comment j'allais pouvoir me tirer de cette situation. Ivy n'accepterait jamais une autre colocataire. Où allions-nous bien pouvoir la mettre ?

Ivy remit de l'ordre dans sa boîte à stylos en faisant un maximum de bruit, histoire de bien montrer son mécontentement.

—J'en ai trouvé un, dis-je avec soulagement en sortant un sachet du placard.

Chassé de ma boucle d'oreille par la vapeur qui s'éleva lorsque je versai l'eau bouillante dans la tasse, Jenks alla ennuyer Ivy.

— Tiens, Ceri. (J'agitai la main pour que les pixies s'éloignent d'elle, puis je posai la tasse sur la table.) Tu veux quelque chose avec ton thé ?

Elle regarda la tasse comme si elle n'en avait jamais vu. Elle écarquilla les yeux et fit non de la tête. J'hésitai, me demandant ce que j'avais bien pu faire. Elle semblait prête à se remettre à pleurer.

— Ça va ? m'inquiétai-je.

Elle acquiesça et prit la tasse de sa petite main tremblante.

Jenks et Ivy la fixaient.

— Tu es sûre que tu ne veux pas du sucre ?

Elle secoua de nouveau la tête. Son menton étroit tremblait lorsqu'elle porta la tasse à sa bouche.

Sourcils froncés, j'allai prendre le café en poudre dans le frigo. Ivy se leva pour rincer la cafetière. Elle s'approcha de moi et fit couler de l'eau pour masquer ses murmures.

— C'est quoi son problème ? Elle pleure sur son thé.

Je fis volte-face.

— Ceri ! m'exclamai-je. Si tu veux du sucre, ce n'est pas un problème !

Nos yeux se croisèrent. Des larmes coulaient sur ses joues pâles.

— Je n'ai rien mangé depuis… mille ans, avoua-t-elle dans un sanglot.

J'eus l'impression qu'on venait de me donner un coup de poing dans le ventre.

— Tu veux du sucre ?

Elle secoua la tête sans s'arrêter de pleurer.

Je me retournai vers l'évier. Ivy m'attendait.

— Elle ne peut pas rester ici, Rachel, dit-elle en fronçant les sourcils.

— Ça va aller, murmurai-je. (J'étais effrayée qu'Ivy soit prête à la jeter dehors.) Je vais descendre mon ancien lit du beffroi et l'installer dans le salon. Je vais lui donner de vieux tee-shirts à moi, le temps de l'emmener faire du shopping.

Jenks, qui était revenu se percher sur le robinet, bourdonna des ailes pour attirer mon attention.

— Et après ? demanda-t-il.

Je fis un geste d'impuissance.

— J'en sais rien. Elle va déjà beaucoup mieux. Il y a à peine une demi-heure, elle ne parlait même pas, et regardez-la, maintenant.

Nous nous tournâmes et la regardâmes boire son thé par petites gorgées polies en sanglotant en silence. Les fillettes pixies faisaient du surplace au-dessus d'elle. Trois d'entre elles caressaient ses longs cheveux blonds tandis que la dernière lui chantait une chanson.

— OK, dis-je. (Nous nous retournâmes vers l'évier.) Mauvais exemple.

Jenks secoua la tête.

— Rache, je suis vraiment désolé pour elle, mais Ivy a raison. Elle ne peut pas rester ici. Elle a besoin de l'aide de professionnels.

— Ah ! Vraiment ? lançai-je avec agressivité. (Je commençais à avoir chaud.) Je n'ai jamais entendu parler de thérapies de groupe pour les ex-familiers de démons, et vous ?

— Rachel…, commença Ivy.

Soudain, Jenks s'envola du robinet en entendant ses enfants crier. Ivy et moi suivîmes son regard ; les gosses plongeaient en piqué sur la souris qui avait tenté une sortie vers le salon pour se retrouver au beau milieu de sa vision personnelle de l'enfer.

— Si vous voulez bien m'excuser…, dit Jenks en volant à la rescousse de l'animal.

— Non, répondis-je à Ivy. Pas question que je la case dans une institution quelconque.

— Je ne suis pas en train de te dire que c'est ce que tu devrais faire. (Son visage pâle prit des couleurs et les poches brunes autour de ses yeux diminuèrent ; ses instincts avaient été déclenchés par l'accélération de mon cœur et le réchauffement de mon sang.) Mais elle ne peut pas rester ici. Elle a besoin de normalité, Rachel, et c'est pas exactement ici qu'elle va en trouver.

Je pris ma respiration pour protester, mais me contentai d'expirer. Je jetai un coup d'œil à Ceri en soupirant. Elle s'essuyait les yeux d'une main et secouait sa tasse de l'autre pour faire des ronds à la surface du thé. Mon attention se porta sur les enfants, qui se disputaient le droit de chevaucher la souris en premier. Ce fut la petite Jessie qui l'emporta, et la fillette minuscule poussa des cris de joie lorsque le rongeur détala de la cuisine en la portant sur son dos. À part Jih, tous les enfants lui filèrent le train dans un nuage d'étincelles dorées. Peut-être qu'Ivy avait raison, après tout.

—Que veux-tu que je fasse, Ivy ? demandai-je d'un ton plus calme. Je proposerais bien à ma mère de l'accueillir, mais elle-même n'est qu'à un pas de finir dans une institution.

Jenks revint en bourdonnant.

—Et Keasley ?

Surprise, je regardai Ivy.

—Le vieux de l'autre côté de la rue ? s'écria-t-elle avec inquiétude. On ne sait rien de lui.

Jenks se posa sur le rebord de la fenêtre à côté de Monsieur Poisson et mit les mains sur les hanches.

—Il est vieux, et il touche une retraite. Qu'est-ce qu'il y a de plus à savoir ?

Je réfléchis à son idée pendant que Ceri reprenait ses esprits. J'aimais bien le vieux sorcier, dont le parler lent cachait l'intelligence développée et aiguisée. Il m'avait recousue après qu'Algaliarept m'avait ouvert le cou. Il avait aussi recousu ma volonté et ma confiance. Ce vieil homme arthritique cachait quelque chose, et je ne croyais pas qu'il s'appelait Keasley ni qu'il possédait plus d'équipement médical qu'une petite salle d'urgences parce qu'il n'aimait pas les médecins. Mais j'avais confiance en lui. C'était parfait.

—Il n'aime pas les autorités et il sait se la fermer, dis-je. (Sourcils froncés, je regardai Ceri parler à Jih à voix basse ; Ivy avait l'air dubitatif, mais je me décidai, non sans une pointe d'irritation.) Je l'appelle.

Je fis signe à Ceri que j'allais revenir, puis j'allai téléphoner dans le salon.

Chapitre 3

— **C**eri, dit Jenks pendant que j'appuyais sur le bouton pour lancer un café. Si le thé te fait pleurer, tu devrais essayer les frites. Viens, je vais te montrer comment on se sert du micro-ondes.

Keasley était en chemin. Ça allait peut-être lui prendre un certain temps ; il était rongé par l'arthrite au point que même les sorts purs ne pouvaient rien pour lui. Ça me dérangeait de le faire sortir dans la neige, mais il aurait été encore plus incorrect de débarquer chez lui.

Avec une résolution inexplicable, Jenks se percha sur l'épaule de Ceri et lui enseigna l'art de décongeler des frites au micro-ondes. Elle se pencha pour voir la petite boîte tourner. Mes chaussons roses étaient trop grands pour elle et lui donnaient un air pataud. Des fillettes pixies virevoltaient autour d'elle dans un tourbillon de soie pastel et de bavardages que personne n'écoutait. Le brouhaha incessant avait poussé Ivy à s'exiler dans le salon avec ses écouteurs sur les oreilles.

Je levai la tête en sentant une variation de pression atmosphérique. Une voix puissante et rocailleuse s'éleva depuis l'entrée de l'église.

— Y a quelqu'un ? Rachel ? Les pixies m'ont ouvert. Où êtes-vous, mesdemoiselles ?

Je jetai un coup d'œil à Ceri et lus une soudaine inquiétude dans ses yeux.

— C'est Keasley, un voisin, la rassurai-je. Il va vérifier que tu es en bonne santé.

— Je vais bien, m'assura-t-elle pensivement.

Pensant que ça allait être plus difficile que prévu, j'allai en chaussettes dans le couloir pour parler à Keasley avant qu'il rencontre Ceri.

— Salut, Keasley, on est par ici.

Sa silhouette voûtée et ratatinée éclipsa la lumière. Il remontait le couloir en boitant, escorté par nombre d'enfants pixies qui tournoyaient autour de lui en l'habillant de poussière dorée. Keasley tenait un sac d'épicerie en papier kraft. Il avait apporté avec lui la froide senteur de la neige, qui se mélangeait avantageusement avec l'odeur de séquoia propre aux sorciers.

— Rachel. (Il plissa ses yeux bruns en arrivant à ma hauteur.) Comment va ma rousse préférée ?

— Bien.

Je lui fis une rapide accolade en me disant qu'après m'être montrée plus futée qu'Algaliarept, « bien » tenait de la litote. Son bleu de travail était usé et sentait le savon. Je le voyais à la fois comme le vieux sage du quartier et un grand-père de substitution ; qu'il nous cache son passé ne me gênait pas. C'était un homme bon – c'était tout ce qui m'intéressait.

— Entrez. Je voudrais vous présenter quelqu'un, dis-je.

Il ralentit, l'air un peu inquiet.

— Elle a besoin de votre aide, ajoutai-je à voix basse.

Ses lèvres épaisses se crispèrent et ses rides brunes s'accentuèrent. Il prit une lente inspiration. Ses mains percluses d'arthrite se refermèrent sur le sac de commissions et le firent craquer. Il acquiesça. Son mouvement révéla une zone de son cuir chevelu où ses cheveux frisottés grisonnants se raréfiaient. Je le conduisis dans la cuisine avec un soupir de soulagement. Je restai en retrait pour observer la réaction qu'il aurait en voyant Ceri.

Le vieux sorcier s'immobilisa et resta planté à l'entrée en équilibre instable. En voyant la femme frêle dans ses pantoufles duveteuses roses et sa robe de bal élégante debout devant le micro-ondes avec un cornet de frites fumantes, je compris pourquoi.

— Je n'ai pas besoin d'un médecin, dit Ceri.

Jenks s'envola de son épaule.

— Salut, Keasley. Vous allez examiner Ceri ?

Keasley opina et alla tirer une chaise en boitant. Il fit signe à Ceri de venir s'asseoir puis s'abaissa précautionneusement sur le siège d'à côté. La respiration sifflante, il posa son sac entre ses pieds et l'ouvrit pour en sortir un tensiomètre.

—Je ne suis pas docteur, la rassura-t-il. Je m'appelle Keasley.

Ceri ne s'assit pas. Elle me regarda, puis le regarda lui.

—Je suis Ceri, répondit-elle.

Sa voix était à peine plus forte qu'un murmure.

—Eh bien Ceri, heureux de vous rencontrer.

Il posa le tensiomètre sur la table et tendit sa main déformée par l'arthrite. L'air peu sûr d'elle, Ceri mit maladroitement la main dans la paume du vieil homme. Keasley la lui serra. Son sourire révéla ses dents tachées par le café. Il désigna la chaise et Ceri s'installa, posant ses frites avec réticence. Elle jetait des coups d'œil inquiets au tensiomètre.

—Rachel veut que je voie si vous allez bien, expliqua-t-il en sortant du matériel médical de son sac.

Ceri me regarda. Vaincue, elle acquiesça en soupirant.

Le café était terminé. Pendant que Keasley prenait la température de Ceri, contrôlait ses réflexes, sa pression sanguine et lui faisait faire « Aaaaah », j'en portai une tasse à Ivy dans le salon. Elle était assise en travers de son fauteuil rembourré, le casque sur les oreilles, la tête reposant sur un bras du siège, les pieds sur l'autre. Elle avait les yeux fermés, mais elle tendit le bras sans me regarder et prit la tasse au moment même où je la posais.

—Merci, articula-t-elle en silence.

Je quittai la pièce sans avoir vu ses yeux. Parfois, Ivy me filait la chair de poule.

—Du café, Keasley? demandai-je en retournant dans la cuisine.

Le vieil homme jeta un coup d'œil au thermomètre avant de l'éteindre.

—Oui, merci. (Il fit un sourire à Ceri.) Vous êtes en bonne santé.

—Merci, monsieur, répondit-elle.

Elle avait mangé ses frites pendant que Keasley travaillait. Elle regardait sombrement le fond du cornet.

Jenks arriva immédiatement à la rescousse.

—Tu en veux encore? Essaie avec du ketchup.

Soudain, l'empressement du pixie à faire manger des frites à Ceri devint très clair. Ce n'étaient pas les frites qui l'intéressaient, mais le ketchup.

— Jenks, le réprimandai-je d'un ton fatigué. (J'apportai son café à Keasley et allai m'appuyer contre le plan de travail.) Elle a plus de mille ans. Même les humains mangeaient des tomates à cette époque. (J'eus une hésitation.) Euh… Ils connaissaient les tomates, quand même ?

Le bourdonnement des ailes de Jenks se fit tout à coup presque inaudible.

— Et mince, marmonna-t-il avant de se dérider. Bon, alors vas-y, dit-il à Ceri. Essaie de te servir du four sans mon aide, cette fois-ci.

— Le four ? demanda-t-elle.

Elle s'essuya les mains avec soin dans une serviette et se leva.

— Ouais. Ils n'ont pas de micro-ondes, dans l'au-delà ?

Elle secoua la tête, ce qui fit voler le bout de ses mèches.

— Non. Je me servais de la magie des lignes pour faire la cuisine à Al. Votre four est… vieillot.

Keasley faillit renverser son café en sursautant. Il suivit des yeux l'elfe qui alla ouvrir le congélateur d'un mouvement plein de grâce. Encouragée par Jenks, elle en sortit une autre boîte de frites. La lèvre entre les dents, elle appuya sur les boutons avec beaucoup d'application. Je trouvais bizarre qu'ayant plus de mille ans, elle considère le micro-ondes comme primitif.

— L'au-delà ? dit doucement Keasley.

Mon attention se porta sur lui. Je tenais ma tasse devant moi des deux mains pour me réchauffer les doigts.

— Comment va-t-elle ?

Il haussa les épaules.

— Elle est plutôt en bonne santé. Peut-être un peu maigre. Mentalement, on voit qu'elle a été abusée. Je ne sais pas par qui ou comment. Elle a besoin d'aide.

Je pris une grande inspiration, les yeux rivés sur mon café.

— J'ai un grand service à vous demander.

Keasley se raidit.

— Non, dit-il en mettant son sac sur ses genoux pour y ranger ses instruments. Je ne sais pas qui elle est – ni même ce qu'elle est.

— Je l'ai enlevée au démon qui m'avait fait ce pour quoi vous m'avez recousue à l'automne dernier, poursuivis-je en me touchant le cou. C'était sa familière. Je paierai pour sa chambre et sa nourriture.

— Ce n'est pas ça, protesta-t-il. (Il avait son sac à la main et ses yeux marron, fatigués, exprimaient de l'inquiétude.) Je ne sais rien d'elle, Rachel. Je ne peux pas courir le risque de la prendre chez moi. Ne me demandez pas de faire ça.

Je me penchai en avant, sur le point de me remettre en colère.

—Elle a passé les mille dernières années dans l'au-delà. Je ne crois pas qu'elle ait envie de vous tuer, dis-je d'un ton accusateur. (Son visage tanné prit une expression surprise, voire alertée ; je me sentis un peu morveuse d'avoir identifié l'une de ses craintes.) Tout ce dont elle a besoin, c'est d'un cadre de vie normal pour pouvoir retrouver sa personnalité. Et une sorcière, une vampire et un pixie qui habitent dans une église et qui chassent les méchants, ce n'est pas ce que j'appelle un cadre normal.

Jenks nous observait depuis l'épaule de Ceri pendant que cette dernière regardait ses frites chauffer dans le micro-ondes. Le pixie arborait une expression sérieuse ; il aurait mieux entendu la conversation s'il avait été sur la table. Ceri lui posa une question à voix basse. Il se tourna vers elle et lui répondit gaiement. À part Jih, il avait chassé tous ses enfants de la cuisine, qui était merveilleusement calme.

—S'il vous plaît, Keasley, insistai-je dans un murmure.

Jih entonna une chanson de sa voix éthérée, et le visage de Ceri s'illumina. L'elfe se joignit à elle. Sa voix était aussi claire que celle de la pixie, mais elle ne parvint à chanter que trois notes avant de se mettre à pleurer. Impuissante, je vis un nuage de pixies débouler dans la cuisine et la submerger. Un cri énervé s'éleva du salon : Ivy se plaignait que les pixies recommencent à faire des interférences radio.

Jenks hurla après ses gosses et ils filèrent tous sauf Jih. Le père et la fille consolèrent Ceri. Jih murmurait d'un ton rassurant, tandis que Jenks était plutôt maladroit. Keasley s'affala dans sa chaise. Je compris qu'il allait nous aider.

—OK, dit-il. Je vais essayer pendant quelques jours, mais si ça ne fonctionne pas, elle retourne chez vous.

—Ça me va.

Je sentis un grand poids quitter ma poitrine.

Ceri releva la tête. Ses yeux étaient toujours mouillés.

—Vous ne m'avez pas demandé mon avis, souligna-t-elle.

Mes yeux s'écarquillèrent et je devins rouge comme une pivoine. Son ouïe était aussi aiguisée que celle d'Ivy.

—Euh… euh…, bégayai-je. Je suis désolée, Ceri. Ce n'est pas que je ne veux pas de toi ici…

Avec une expression solennelle sur son visage en forme de cœur, elle acquiesça.

— Je suis comme une pierre qui tombe dans une forteresse pleine de soldats. Je serais honorée d'habiter chez le guerrier retraité et d'adoucir ses souffrances, déclara-t-elle d'un ton péremptoire.

Le guerrier retraité ? pensai-je. Je me demandai ce qu'elle voyait en Keasley que je ne voyais pas. J'entendis une dispute provenant d'un coin de la pièce ; c'était Jenks et sa fille aînée. La jeune fille, qui implorait son père, entortillait l'ourlet de sa robe vert pâle, dévoilant ses petits pieds.

— Oh, attendez un moment, dit Keasley en pliant le haut de son sac en papier. Je peux prendre soin de moi. Je n'ai pas besoin qu'on « adoucisse mes souffrances ».

Ceri sourit. Mes chaussons aux pieds, elle traversa le lino sans un bruit et vint s'agenouiller devant lui.

— Ceri ! protestai-je à l'unisson de Keasley.

Mais la jeune femme repoussa nos mains. Ses yeux verts avaient tout à coup pris une expression aiguisée ; elle ne souffrirait pas d'intervention de notre part.

— Levez-vous, grogna Keasley d'un ton bourru. Je sais que vous avez été la familière d'un démon, et c'est peut-être le genre de choses qu'il vous demandait, mais…

— Tenez-vous tranquille, Keasley, le coupa Ceri. (Ses mains pâles étaient voilées par une lueur rougeâtre d'au-delà.) Je veux bien vous suivre, mais seulement si vous me permettez de vous rendre votre gentillesse. (Elle sourit au vieil homme assis devant elle et ses yeux verts se troublèrent.) Cela me donnera l'impression de servir à quelque chose, et j'en ai bien besoin.

Ma respiration se coupa lorsque je la sentis puiser l'énergie de la ligne, au-dehors.

— Keasley ? dis-je d'une voix aiguë.

Le vieil homme écarquilla les yeux et se figea sur sa chaise lorsque Ceri posa les mains sur son bleu de travail usé. Je vis son visage se ramollir, ses rides se mélanger, le faisant plus vieux qu'il l'était en réalité. Il se raidit et prit une profonde inspiration.

Agenouillée devant lui, Ceri frissonna. Ses mains retombèrent.

— Ceri, murmura Keasley. (Sa voix rocailleuse se brisa et ses yeux fatigués devinrent humides ; il se toucha les genoux.) C'est parti.

Oh, ma chère enfant, dit-il en se redressant pour l'aider à se lever. Ça fait tellement longtemps que je souffre. Merci.

Ceri acquiesça en souriant. Des larmes débordèrent de ses yeux.

— Moi aussi, ça fait longtemps. Ça aide.

Je me détournai, la gorge serrée.

— Je peux te prêter des tee-shirts le temps qu'on aille faire quelques achats. Tu peux garder mes chaussons. Ils devraient au moins t'emmener de l'autre côté de la rue.

Keasley prit son sac d'une main et le bras de Ceri de l'autre.

— Je l'emmènerai faire du shopping demain, dit-il en se dirigeant vers le couloir. Ça fait trois ans que je ne me sens pas assez en forme pour aller au centre commercial. Ça va me faire du bien de sortir un peu. (Il se tourna, son vieux visage ridé était transformé.) Par contre, je vous enverrai la facture. Je pourrai raconter que c'est la nièce de ma sœur. Et qu'elle vient de Suède.

Je partis d'un rire qui n'était pas très éloigné des larmes. Tout fonctionnait bien mieux que prévu, et je ne pouvais m'empêcher de sourire.

Jenks produisit un bruit aigu, et sa fille descendit lentement pour aller se poser sur le micro-ondes.

— C'est bon, je vais demander! cria-t-il. (Jih remonta de quelques centimètres, le visage plein d'espoir, les mains jointes devant elle.) Si c'est bon pour ta mère et pour Keasley, c'est bon pour moi, ajouta-t-il.

Ses ailes étaient d'un bleu maussade. Jenks alla faire du surplace devant Keasley pendant que Jih montait et descendait, nerveux.

— Euh, vous n'auriez pas chez vous des plantes dont Jih pourrait s'occuper? demanda-t-il d'un air terriblement embarrassé. (Il balaya une mèche blonde de ses yeux et prit une expression narquoise.) Elle veut accompagner Ceri, mais je ne la laisserai pas partir à moins qu'elle puisse se rendre utile.

J'en restai bouche bée. Je regardai Ceri et vis qu'elle avait retenu son souffle, signe qu'elle désirait la compagnie de Jih.

— J'ai un pot avec du basilic, répondit Keasley avec réticence. Si elle veut rester quand le temps sera plus clément, elle pourra travailler dans le jardin, pour ce que ça vaut.

Jih couina. De la poussière dorée s'échappa d'elle et vira au blanc.

— Demande l'avis de ta mère! lança Jenks.

L'air contrarié, il la regarda filer dans le couloir. Il vint se poser sur mon épaule. Ses ailes s'affaissèrent. Il me sembla sentir l'odeur de l'automne. Avant que j'aie eu le temps d'interroger Jenks, une vague rose et verte s'engouffra dans la cuisine en poussant des cris perçants. Je me demandai avec consternation s'il y avait dans cette église un seul pixie qui ne soit pas à moins d'un mètre de Ceri.

Une expression de résignation sur son visage ridé, Keasley rouvrit son sac en papier pour que Jih fasse le voyage à l'abri du froid. Elle se laissa tomber dedans. Tous les pixies vinrent lui dire au revoir et lui faire un signe de main par l'ouverture froissée du sac.

Keasley leva les yeux au ciel et tendit le sac à Ceri.

—Ces pixies ! l'entendis-je marmonner. (Il prit Ceri par le coude, me fit un signe de tête et retourna dans le hall d'un pas plus rapide que d'ordinaire – et le dos plus droit.) J'ai deux chambres. Vous dormez la nuit ou le jour ?

—Les deux, dit-elle doucement. Ce n'est pas gênant ?

Son sourire dévoila encore une fois ses dents tachées.

—Vous aimez faire la sieste, hein ? C'est bien. Je me sentirai moins vieux quand je piquerai du nez.

Heureuse, je les regardai se diriger vers l'avant de l'église. Un tas de bonnes choses allaient ressortir de tout ça.

—Quel est le problème, Jenks ?

Il était sur mon épaule pendant que le reste de sa famille raccompagnait Ceri et Keasley à l'entrée.

Il renifla.

—Je croyais que Jax serait le premier à partir pour commencer son propre jardin.

Un soupir de compréhension m'échappa.

—Je suis désolée, Jenks. Tout va bien se passer.

—Je sais, je sais. (Ses ailes se mirent en mouvement, m'arrosant d'une odeur de feuilles mortes.) Un pixie de moins dans l'église, murmura-t-il. C'est plutôt une bonne chose. Mais on ne m'avait pas dit que ça ferait aussi mal.

Chapitre 4

Appuyée sur ma voiture, je scrutai le parking par-dessus mes lunettes de soleil en plissant les yeux. Mon cabriolet rouge cerise n'était pas à sa place au milieu des minibus et des voitures rouillées dont les modèles ne se fabriquaient plus. Au fond, à l'abri des risques de rayures et de coups, était garée une voiture de sport grise, basse sur ses roues. Elle devait appartenir à la personne chargée des relations publiques du zoo – autrement, il n'y avait que des employés à temps partiel et un biologiste qui ne devait pas tellement s'intéresser aux voitures.

Il était tôt. Malgré le soleil, il faisait si froid que je crachais de la vapeur. J'essayais de me détendre, mais je sentais mes tripes se nouer au fur et à mesure que l'agacement me gagnait. Nick devait venir me retrouver pour un footing rapide au zoo. Tel que ça s'annonçait, il allait me poser un lapin. Pour changer.

Je décroisai les bras et secouai les mains pour les décrisper, puis je me baissai sans fléchir les jambes et posai les paumes sur le goudron gelé et boueux du parking. Je soufflai en m'étirant et sentis mes muscles se tendre. J'entendais autour de moi les bruits familiers du zoo qui se préparait avant l'ouverture des portes et sentais l'odeur exotique du fumier. Si Nick ne se montrait pas dans les cinq minutes qui venaient, nous n'aurions plus assez de temps pour faire un footing digne de ce nom.

Des mois plus tôt, je nous avais acheté des passes pour pouvoir venir à n'importe quel moment entre minuit et midi, pendant la fermeture du parc. Je m'étais levée deux heures plus tôt que d'habitude pour venir. Je faisais de mon mieux pour que ça fonctionne ; j'essayais de trouver un moyen de concilier mon emploi du temps de sorcière, qui allait de midi au lever du soleil, à l'horloge humaine de Nick qui le poussait à vivre du lever du soleil à minuit. Avant, ce n'était pas un problème. Nick faisait des efforts. Ces derniers temps, j'étais la seule à en faire.

Je me redressai en entendant un frottement aigu. On sortait les poubelles. Mon agacement s'intensifia. Où était-il ? Il ne pouvait pas avoir oublié. Nick n'oubliait jamais rien.

—À moins qu'il ait envie d'oublier, murmurai-je.

Je me secouai mentalement et levai la jambe droite pour poser ma basket sur le capot de la voiture.

—Aïe, soufflai-je en sentant mes muscles protester.

Malgré la douleur, je me penchai en avant. J'avais un peu levé le pied sur les exercices, dernièrement, et en plus, nous ne nous entraînions plus ensemble avec Ivy depuis qu'elle avait recommencé à succomber à sa soif de sang. Je commençai à avoir des tics dans les yeux. Je les fermai en me penchant plus avant. J'attrapai ma cheville et tirai dessus.

Nick n'avait pas oublié – il était trop futé pour ça. Il m'évitait. Je savais pourquoi, mais ça n'en était pas moins déprimant. Trois mois s'étaient écoulés, et il était toujours distant et hésitant. Le pire, c'était que je n'avais pas l'impression qu'il comptait me plaquer. Ce gars-là invoquait des démons dans son placard à linge, et il avait peur de me toucher.

L'automne précédent, j'avais essayé de me lier à un poisson pour satisfaire à une condition d'adhésion particulièrement stupide à une classe de magie des lignes, et, à la place, j'avais fait de Nick mon familier. *Idiote, idiote, idiote.*

En tant que sorcière de la terre, ma magie venait de ce qui pousse et était stimulée par la chaleur, ainsi que par mon sang. Je ne connaissais pas grand-chose à la magie des lignes d'énergie – à part qu'elle me déplaisait. En général, je l'utilisais seulement pour refermer un cercle protecteur quand je préparais un sort particulièrement sensible. Et pour forcer les Hurleurs à me payer ce qu'ils me devaient. Et, à l'occasion, pour repousser ma coloc' quand elle ne contrôlait plus sa soif de sang. Je m'en étais aussi servie pour faire tomber Piscary sur le cul, histoire de le soumettre à coups de pied de chaise. C'est cette fois-là qui nous avait fait passer d'une relation chaude-bouillante, de « peut-être que c'est le bon », aux bisous timides sur la joue et aux conversations exclusivement téléphoniques.

Je commençais à m'apitoyer sur moi-même. Je laissai retomber ma jambe droite et posai la gauche sur le capot.

L'afflux d'énergie lié à la magie des lignes était entêtant ; il pouvait rendre une sorcière folle, et ce n'était pas un hasard s'il y avait plus de sorcières des lignes noires que de sorcières de terre noires. Il était moins dangereux de filtrer l'énergie des lignes à travers l'esprit simple d'un animal, alors que pour pratiquer la magie de terre on se servait de plantes. Pour des raisons évidentes, seuls les animaux servaient de familiers – du moins de ce côté-ci des lignes – et, pour dire la vérité, il n'existait pas de sort de sorcière pour s'attacher les services d'un familier humain. Mais étant à la fois pressée par le temps et relativement ignorante de la magie des lignes, j'avais utilisé le premier sort que j'avais trouvé pour assujettir un familier.

J'avais donc involontairement fait de Nick mon familier – ce que nous essayions de défaire – et, pour couronner le tout, les choses avaient furieusement empiré lorsque j'avais fait passer en lui une grande quantité d'énergie pour maîtriser Piscary. Depuis, il m'avait à peine touchée. Pourtant, tout ça datait de plusieurs mois. Je n'avais pas recommencé. Il faudrait bien qu'il s'y fasse. Ce n'était pas comme si je pratiquais la magie des lignes. Enfin, pas comme si je la pratiquais souvent.

Mal à l'aise, je me redressai en soufflant mon angoisse, et fis quelques torsions en envoyant valser ma queue-de-cheval. Après avoir entendu dire qu'il était possible de former un cercle sans l'avoir dessiné au préalable, j'avais passé trois mois à apprendre comment faire, sachant que ce serait peut-être ma seule chance d'échapper à Algaliarept. Je m'entraînais à 3 heures du matin, lorsque j'étais sûre que Nick dormait – et je puisais toujours l'énergie directement dans la ligne pour qu'elle ne passe pas d'abord par Nick – mais peut-être qu'après tout, ça le réveillait. Il n'en avait rien dit mais, le connaissant, il ne le ferait jamais.

Je m'immobilisai en entendant le bruit de raclement que fit la porte quand on l'ouvrit. Mes épaules s'affaissèrent. Le zoo était ouvert. Quelques joggers s'égaillèrent. Ils étaient épuisés, avaient les joues rouges et arboraient des expressions satisfaites, encore dans l'euphorie de la course. *Bon sang. Il aurait pu appeler.*

Passablement agacée, j'ouvris la trousse pendue à ma ceinture et en sortis mon portable. Appuyée sur ma voiture, baissant les yeux pour ne pas croiser le regard des passants, je fis défiler mon répertoire. Nick y était classé en deuxième position, juste après Ivy et avant ma mère.

J'avais les doigts gelés ; je les réchauffai en soufflant dessus pendant que le téléphone sonnait.

J'inspirai en entendant décrocher, et retins ma respiration lorsqu'une voix féminine enregistrée m'informa que la ligne n'était plus en service. *Un problème d'argent ?* me demandai-je. Peut-être était-ce pour cette raison que nous n'étions pas sortis depuis trois semaines. Inquiète, j'essayai sur son portable.

Avant qu'il ait fini de sonner, le grondement poussif familier du camion de Nick se fit entendre. Je refermai mon portable en soupirant. Le camion Ford bleu déglingué quitta la rue en cahotant et entra dans le parking, manœuvrant lentement à cause des voitures qui quittaient les lieux et traversaient l'esplanade sans se préoccuper du marquage au sol. Je rangeai mon portable et attendis, bras et chevilles croisés.

Au moins, il est venu, pensai-je en ajustant mes lunettes de soleil et en m'efforçant de ne pas froncer les sourcils. On allait peut-être pouvoir aller prendre un café. Ça faisait des jours que je ne l'avais pas vu, et je ne voulais pas que ma mauvaise humeur gâche tout. En plus, j'avais été malade d'inquiétude pendant trois mois en attendant de savoir si j'allais réussir à entourlouper Al, et maintenant que c'était fait j'avais envie de me sentir bien pendant un moment.

Je n'en avais pas parlé à Nick, et laver ma conscience me soulagerait d'un grand poids. Je me mentais à moi-même en me disant que je m'étais tue de peur qu'il essaie d'assumer mon fardeau, chevaleresque comme il l'était, mais en réalité je craignais qu'il me traite d'hypocrite : j'étais toujours après lui à lui rabâcher qu'il était dangereux de fricoter avec les démons, et tout à coup j'étais devenue la familière de l'un d'eux. Nick était d'une témérité malsaine, en matière de démons ; il pensait que tant qu'on les utilisait avec précaution, ils n'étaient pas plus dangereux que… disons… un crotale.

Je restai donc plantée là, à gigoter dans le froid, pendant qu'il garait son horrible camion taché par le sel à quelques places de ma voiture. Sa silhouette indistincte s'agita à l'intérieur de l'habitacle, puis il finit par sortir et claquer la portière avec une force qui, je le savais, n'était pas dirigée contre moi, mais était nécessaire pour fermer l'antique loquet.

—Coucou, Ra-ra, dit-il en brandissant son téléphone et en contournant l'avant de son véhicule d'un pas rapide. (Il était grand et sa minceur lui allait bien ; un sourire illuminait son visage, dont la maigreur lui donnait finalement un air rude et sévère assez avenant.) Tu viens d'appeler ?

J'acquiesçai en laissant retomber mes bras. Manifestement, il ne s'était pas préparé à courir : il portait un vieux jean et des bottes. Son manteau épais était ouvert et laissait voir une chemise en flanelle, terne et déboutonnée. Elle était rentrée avec soin dans la ceinture de son jean, et son visage allongé était bien rasé, mais il était néanmoins légèrement dépeigné, et ses cheveux noirs étaient un brin trop longs. Il avait l'allure d'un rat de bibliothèque, alors que j'aimais que mes petits copains aient un côté dangereux. Peut-être que ce que je trouvais dangereux chez Nick, c'était son intelligence.

C'était l'homme le plus brillant que je connaissais ; sa logique implacable était bien cachée derrière une apparence raffinée et un tempérament faussement doux. En y repensant, c'était sans doute ce mélange rare d'intellect supérieur et d'individu inoffensif qui m'attirait chez lui. À moins que ce soit le fait qu'il m'ait sauvée en liant Al alors que ce dernier essayait de m'ouvrir la gorge.

Et malgré son intérêt pour les vieux livres et les nouveautés électroniques, ce n'était pas un *geek* : ses épaules étaient trop larges et ses fesses trop musclées. Ses longues jambes minces pouvaient suivre mon rythme lorsque nous courions, et ses bras étaient d'une force surprenante, comme en témoignaient nos séances de simulation de catch – jadis fréquentes et, à présent, désespérément inexistantes – qui, bien souvent, s'étaient terminées en une forme de sport plus, comment dire, plus intime. Ce fut le souvenir de notre proximité passée qui m'empêcha de froncer les sourcils en le regardant contourner son camion, ses yeux marron plissés dans un rictus contrit.

— Je n'ai pas oublié, dit-il. (Son visage sembla encore plus allongé lorsqu'il écarta les mèches qui tombaient raides sur ses yeux et j'entrevis, en haut de son front, la marque du démon qu'il avait gagnée la nuit même où j'avais eu celle qui restait sur mon poignet.) J'étais à fond dans ce que je faisais et j'ai perdu la notion du temps. Désolé, Rachel. Je sais que tu avais très envie de courir, mais je n'ai même pas dormi et je suis lessivé. Tu veux qu'on reporte à demain ?

Faisant un effort pour contenir ma déception, je me contentai d'un long soupir.

— Non.

Il tendit les bras, m'enserra légèrement. Je m'abandonnai.

L'embrassade fut aussi hésitante que prévu. J'aurais voulu en avoir plus. Cette distance était installée depuis si longtemps qu'elle semblait presque normale. Il se recula en traînant les pieds.

—Tu as beaucoup de boulot? demandai-je.

C'était la première fois que je le voyais en une semaine, sans compter le coup de téléphone bizarre, et je ne voulais pas qu'on se sépare sans parler un peu.

Nick non plus n'avait pas l'air pressé de partir.

—Oui et non. (Le soleil lui fit plisser les yeux.) Je ne me suis pas couché parce que je passais en revue de vieux messages sur Internet – quelqu'un avait fait référence à ce bouquin qu'Al a pris.

Je me sentis tout à coup très intéressée. Mon pouls s'accéléra.

—Tu… tu as…, bégayai-je.

Il regarda ses pieds et secoua la tête. Mon soudain espoir fut écrasé dans l'œuf.

—C'était rien qu'un taré qui voulait se faire passer pour ce qu'il n'est pas. Il ne possède pas le bouquin. Il a tout inventé.

Je lui touchai brièvement le bras. Le lapin qu'il m'avait posé était pardonné.

—Tu verras, on trouvera un moyen, tôt ou tard.

—Ouais, marmonna-t-il. Mais je préférerais que ça arrive tôt.

Frappée par une vague de tristesse, je m'immobilisai. Nous avions passé tellement de bons moments ensemble, et à présent, tout ce qui restait, c'était cette horrible distance. Voyant que j'étais mélancolique, Nick me prit les mains, s'avança et déposa un baiser sur ma joue.

—Ça va aller, Ra-ra, murmura-t-il. On va trouver quelque chose. Je fais de mon mieux. Je veux que ça marche.

Je ne me dérobai pas. Tout en inhalant son odeur, mélange de vieux livres et d'après-rasage, je passai les mains dans son dos, cherchant du réconfort. J'en trouvai enfin.

Je retins ma respiration pour ne pas pleurer. Nous cherchions l'antisort depuis des mois, mais il n'existait en tout et pour tout qu'un exemplaire de ce livre qu'Al avait écrit, dans lequel il expliquait comment transformer des humains en familiers. Ce n'était pas comme si nous pouvions faire paraître une pub dans un journal pour demander l'aide d'un professeur spécialisé dans les lignes d'énergie – il ou elle me dénoncerait probablement pour pratique des arts obscurs. Et là, je serais vraiment coincée. Ou morte. Ou pire.

Lentement, Nick me lâcha. Je reculai d'un pas. Au moins, j'étais sûre qu'il n'y avait pas d'autre femme dans sa vie.

—Dis, euh… le zoo est ouvert, annonçai-je. (Ma voix trahissait mon soulagement : cette distance maladroite qui nous séparait semblait enfin se résorber.) Tu veux qu'on entre et qu'on aille se prendre un café ? Je me suis laissé dire que leur Maki Moka est à tomber raide.

—Non, répondit-il.

Mais sa voix exprimait un réel regret. Je me demandai s'il n'avait pas passé tous ces mois à souffrir du stress que j'avais éprouvé en attendant d'être confrontée à Al. Peut-être avait-il pensé que j'étais fâchée contre lui et s'était-il éloigné en conséquence. Après tout, j'étais peut-être plus fautive que je l'avais pensé. J'aurais pu renforcer notre lien en lui disant la vérité, au lieu de le repousser en la lui cachant.

L'étendue des conséquences possibles de mon silence me frappa. Je sentis mon visage devenir pâle.

—Nick, je suis désolée, soufflai-je.

—Ce n'était pas ta faute. (Ses yeux étaient pleins de pardon ; il ne connaissait pas mes pensées.) C'est moi qui lui ai dit qu'il pouvait prendre le livre.

—Non, en fait…

Il me fit taire en me prenant dans ses bras. Ma gorge se serra. J'étais incapable de parler ; je posai le front sur son épaule. J'aurais dû lui parler. J'aurais dû le faire dès la première nuit.

Nick sentit un changement en moi. Lentement, après quelques instants de réflexion, il m'embrassa sur la joue. Il y avait de l'hésitation dans son geste mais, contrairement aux derniers mois, c'était par manque d'habitude plus que par manque d'envie.

—Nick ? commençai-je en sentant les sanglots monter dans ma voix.

Il recula soudain.

—Eh, me coupa-t-il en posant sa longue main sur mon épaule. Je dois partir. Je suis debout depuis hier, alors il faut que je dorme.

Je reculai avec réticence, espérant qu'il n'avait pas remarqué à quel point j'étais près de fondre en larmes. Ces trois mois de solitude avaient été interminables. Au moins, il semblait que quelque chose s'arrangeait.

—D'accord. Tu veux venir dîner à la maison, ce soir ?

Enfin, après des semaines de refus hâtifs, il prit le temps de réfléchir à ma proposition.

—Et si on allait plutôt au ciné et au restau? C'est moi qui invite. Un vrai rendez-vous… en quelque sorte.

Je me redressai, me sentis grandir.

—Un rendez-vous, en quelque sorte, répétai-je en passant maladroitement d'un pied sur l'autre comme une adolescente nunuche qu'on invite pour la première fois à danser. Tu as quelque chose en tête?

Il fit un léger sourire.

—Quelque chose avec des tas d'explosions, des tas de flingues… (Il ne me toucha pas, mais je lus dans ses yeux qu'il en avait envie.)… des costumes moulants…

J'acquiesçai en souriant. Il consulta sa montre.

—À ce soir, dit-il. (Je le regardai retourner à son véhicule.) Dix-neuf heures?

—Dix-neuf heures, lançai-je.

Mon sentiment positif grandissait. Nick monta dans l'habitacle de son camion, qui trembla lorsqu'il claqua la portière. Le moteur s'éveilla dans un grondement. Nick s'éloigna en me faisant un signe guilleret.

—Dix-neuf heures, répétai-je en regardant ses feux arrière s'allumer avant qu'il s'engage dans la rue.

Chapitre 5

Les cintres en plastique cliquetèrent lorsque j'empilai les vêtements sur le comptoir, à côté de la caisse enregistreuse. La fille au carré teint en blond, qui avait l'air de s'ennuyer à mourir, ne leva même pas les yeux sur moi en défaisant ces vilaines pinces en métal. Elle pointa son pistolet sur tous les articles que j'avais achetés pour Ceri. Elle avait la tête penchée sur le côté, un téléphone à l'oreille. Entre deux bulles de chewing-gum, elle parlait sans discontinuer à son petit ami de sa coloc' qui s'était pétée au Soufre la nuit précédente.

Je la regardai pensivement. J'inhalai l'arôme passé de la drogue qui restait accroché à elle. Elle était encore plus stupide qu'elle en avait l'air, si elle jouait avec le Soufre, surtout en ce moment. Ces derniers temps, la drogue était coupée et des gens de toutes les classes sociales mouraient un peu partout. C'était peut-être l'idée que Trent se faisait du cadeau de Noël idéal.

Elle m'avait tout l'air d'être mineure. Je pouvais soit lui coller les Services de Santé au cul, soit l'emmener par la peau des fesses à un représentant de la Sécurité de l'Outremonde pour qu'ils la mettent au frais. La seconde option pouvait s'avérer amusante, mais elle me ralentirait dans mon shopping du solstice. Je ne savais toujours pas quoi prendre à Ivy. Les bottes, le jean, les chaussettes, les sous-vêtements et les deux pulls empilés sur le comptoir étaient pour Ceri. Hors de question qu'elle sorte de chez Keasley habillée avec mon tee-shirt et mes pantoufles à poils roses.

La caissière plia le dernier pull de ses doigts aux ongles peinturlurés en rouge. Des amulettes s'entrechoquaient à son cou, mais elle allait devoir renouveler le charme de joli teint qui cachait son acné. Elle devait être une simple magicienne, car une sorcière digne de ce nom aurait préféré mourir que d'être vue avec un charme aussi merdique et primitif. Je jetai un coup d'œil à l'anneau en bois que je portais à l'auriculaire. Il était peut-être petit, mais il était devenu assez puissant pour cacher mes taches de rousseur sans que j'aie besoin de le réactiver trop souvent. *Pauvre minable*, pensai-je. Je me sentis soudain beaucoup mieux.

J'entendis un bourdonnement venu de nulle part, et je ressentis une certaine satisfaction à ne pas sursauter comme la caissière lorsque Jenks fit un atterrissage en catastrophe sur le comptoir. Il portait deux collants noirs l'un sur l'autre, un bonnet rouge et des bottes pour se protéger du froid. Le temps était vraiment trop rude pour lui ; il n'aurait pas dû être dehors, mais le départ de Jih l'avait déprimé, et il n'avait jamais fait de shopping du solstice. Les yeux écarquillés, je regardai la poupée brune qu'il avait trimballée jusqu'au comptoir. Elle faisait trois fois sa taille.

— Rache! s'exclama-t-il à bout de souffle. (Il s'efforça de mettre debout la poupée de plastique, plantureux hommage aux rêves mouillés des adolescents.) Regarde ce que j'ai trouvé! C'était dans le rayon des jouets.

— Jenks…, dis-je d'un ton de reproche attendri.

Derrière moi, un couple ricana.

— C'est une poupée Mimi Mords-Moi! s'écria-t-il en agitant furieusement les ailes pour rester d'aplomb. (Il avait les mains sur les cuisses de la poupée.) Je la veux. C'est pour Ivy. Elles se ressemblent comme deux gouttes d'eau.

Je jetai un coup d'œil à la jupe brillante en plastique imitation cuir et au bustier en vinyle rouge, m'apprêtant à protester.

— Regarde… tu vois? reprit-il d'une voix excitée. Quand tu appuies sur le levier dans son dos, elle crache du faux sang. C'est super, quand même!

Je sursautai lorsqu'une substance gélatineuse gicla de la bouche de la poupée aux yeux vides et décrivit un arc de trente bons centimètres avant de tomber sur le comptoir. Du liquide rouge dégoulina sur son menton pointu. La caissière regarda le jouet et raccrocha son téléphone.

Il voulait offrir ça à Ivy?

J'écartai le jean de Ceri en soupirant. Jenks rappuya sur le levier, absorbé par la giclée écarlate qui s'échappa avec un bruit grossier.

Derrière moi, le couple rit ; la femme se pendit au bras de son mari et lui chuchota quelques mots à l'oreille. Sentant le rouge me monter aux joues, je pris la poupée.

—Je te l'achète si tu arrêtes ça, dis-je d'un ton presque méchant.

Les yeux brillants, Jenks vint se poser sur mon épaule et se fourra entre mon cou et mon écharpe pour se tenir chaud.

—Elle va adorer, s'écria-t-il. Tu vas voir.

Je poussai la poupée vers la caissière et jetai un coup d'œil par-dessus mon épaule au couple qui ricanait. C'étaient des vampires vivants. Ils étaient bien habillés, et semblaient incapables de passer trente secondes sans se toucher. En voyant que je les observais, la femme ajusta le col de la veste en cuir de son compagnon, histoire que je voie bien les légères cicatrices sur son cou. Je souris en pensant à Nick. C'était la première fois depuis des semaines.

Pendant que la jeune fille recalculait le total de mes achats, je pris mon chéquier dans mon sac. C'était quand même agréable d'avoir de l'argent. Très agréable, même.

—Rache, intervint Jenks, tu peux me mettre aussi un sachet de M&M's ?

Il se mit à vibrer des ailes pour générer de la chaleur, si bien qu'il m'envoya de l'air froid dans le cou. Il ne pouvait pas porter de manteau à cause de ses ailes, et n'importe quel vêtement un peu lourd aurait été handicapant.

Je pris un sachet au prix exagérément élevé. Sur la pancarte, on avait écrit à la main que le produit de la vente des sucreries irait à la reconstruction des refuges détruits par les incendies. La fille avait déjà calculé le montant, mais elle pouvait bien ajouter un sachet de bonbons à la note. Et si ça posait un problème aux vampires derrière moi, ils pouvaient aller crever deux fois. C'était pour les orphelins, bon sang !

La fille prit le sachet et scanna le code-barres en me jetant un regard de morveuse. La caisse bipa et me donna le nouveau total, et pendant que tout le monde m'attendait, j'ouvris mon chéquier. Je m'immobilisai, les yeux écarquillés. Quelqu'un avait fait les comptes d'une belle écriture appliquée. Je n'avais pas pris la peine de le faire car je savais qu'il me restait un tas d'argent, mais on s'en était chargé à ma place. Soudain, j'approchai le chéquier, n'en croyant pas mes yeux.

—C'est tout ? m'exclamai-je. C'est tout ce qui me reste ?

Jenks s'éclaircit la voix.

— Surprise, dit-il faiblement. Il traînait sur ton bureau, alors je me suis dit que je pouvais te faire tes comptes. (Il eut une hésitation.) Désolé.

— Mais il ne reste presque plus rien ! m'écriai-je.

Je devais avoir le visage aussi rouge que les cheveux. La caissière se mit à me regarder avec méfiance.

Embarrassée, je finis de remplir mon chèque. Elle le prit et appela le responsable pour l'analyser et vérifier qu'il n'était pas en bois. Le couple de vampires se lança dans des commentaires sarcastiques. Je les ignorai et feuilletai mon chéquier pour voir où était passé mon argent.

Près de 2 000 dollars pour mon nouveau bureau et l'ameublement de ma chambre, 4 000 de plus pour faire isoler l'église et 3 500 pour le garage de ma nouvelle voiture – je n'allais quand même pas la laisser dormir sous la neige. Et puis il y avait l'assurance et l'essence. J'avais donné un bon paquet à Ivy pour payer l'arriéré du loyer. Encore un bon paquet pour ma nuit passée aux urgences avec un bras cassé, surtout qu'à l'époque je n'avais pas d'assurance. Un autre bon paquet pour en avoir une. Et le reste… J'avalai ma salive. Bien sûr, il restait de l'argent sur le compte, mais le bon temps que je m'étais payé m'avait fait passer juste sous la barrière des cinq chiffres alors que j'étais partie de vingt mille dollars, et ce, en moins de trois mois.

— Euh, Rache ? fit Jenks. Je voulais te demander ça plus tard, mais je connais un comptable… Tu veux que je lui demande de s'occuper de ton compte rapidement ? J'ai regardé l'état de tes finances, et je me suis dit que tu aurais peut-être besoin d'un abri fiscal, cette année, étant donné que tu n'as rien mis de côté pour les impôts.

— Un abri fiscal ? (Je commençais à me sentir mal.) Mais il ne reste rien à mettre dedans. (Je pris les sacs que la fille me tendait et me dirigeai vers la porte.) Et comment se fait-il que tu surveilles l'état de mes finances ?

— Je te signale que je vis dans le tiroir de ton bureau, dit-il d'un ton narquois. J'ai tout sous le nez.

Je soupirai. Mon bureau. Mon beau bureau en chêne, avec ses nœuds et ses fissures, et son petit compartiment secret au fond du tiroir de gauche. Mon bureau tout neuf qui m'avait à peine servi trois semaines avant que Jenks et sa famille s'installent dedans. Mon bureau qui était tellement couvert de pots de fleurs qu'il ressemblait à un accessoire de film d'horreur sur des plantes tueuses qui envahissent le monde. Mais c'était ça ou les loger dans le placard de la cuisine. Non. Pas dans ma cuisine. Les voir jouer à se battre au milieu des récipients et des ustensiles pendus était déjà bien assez terrible.

Perdue dans mes pensées, je tirai sur le col de mon manteau et plissai les yeux lorsque la porte coulissante s'ouvrit, éblouie par la lumière qui se réverbérait sur la neige.

— Oh! Attends! hurla Jenks dans mon oreille quand un souffle de vent glacé nous frappa. Mais qu'est-ce que tu fais, sorcière? Tu crois vraiment que j'ai de la fourrure sur le corps?

— Excuse-moi.

Je tournai rapidement vers la gauche pour éviter le courant d'air et ouvris mon sac à main à Jenks. Il alla s'abriter dedans en jurant. Il détestait ça, mais il n'y avait pas d'alternative. Si la température descendait durablement en dessous de sept degrés, il risquait d'entrer en hibernation, et il serait alors dangereux de le réveiller avant le printemps. Mais, normalement, il devait être en sécurité dans mon sac.

Un garou emmitouflé dans un gros manteau de laine qui lui descendait jusqu'aux bottes me contourna, l'air mal à l'aise. J'essayai de croiser son regard, mais il baissa son chapeau de cow-boy sur son front et tourna la tête dans une autre direction. Je fronçai les sourcils; je n'avais pas eu de client garou depuis que j'avais forcé les Hurleurs à me payer pour leur ramener leur mascotte. J'avais peut-être commis une erreur.

— Eh, tu me les donnes, ces M&M's? grogna Jenks. (Ses cheveux blonds coupés courts encadraient ses traits délicats rougis par le froid.) Je meurs de faim, moi.

Après avoir fouillé dans mes sacs, je laissai tomber les M&M's dans mon sac à main et tirai les lacets pour le refermer. Je n'aimais pas l'emmener en sortie par ce temps, mais j'étais sa partenaire, pas sa mère. Ça lui plaisait, d'être le seul pixie adulte mâle de Cincinnati à ne pas être en sommeil. À ses yeux, la ville entière devait être son jardin, si froide et neigeuse soit-elle.

Je m'arrêtai un moment pour extirper la clé de ma voiture de ma poche avant. Le couple qui avait fait la queue derrière moi me dépassa et sortit du magasin en flirtant sans se préoccuper des gens autour d'eux. C'était du sexe en cuir. Il lui avait finalement acheté une poupée Mimi Mords-Moi, et ça les faisait rire. Mes pensées revinrent à Nick. J'avais tellement hâte de le revoir qu'une vague de chaleur m'envahit.

Je remis mes lunettes de soleil et sortis sur le trottoir dans un tintement de clés, le sac à main serré contre le corps. Même en faisant le trajet dans mon sac, Jenks allait se refroidir. Je me promis de cuisiner des cookies pour qu'il puisse lézarder à la chaleur du four. Ça faisait une éternité que je n'avais pas fait de cookies du solstice. J'étais sûre d'avoir vu des emporte-pièces tachés de farine dans un vilain sac zippable, quelque part au fond d'un placard. Il ne me manquait que du sucre coloré pour bien faire les choses.

Je me sentis de meilleure humeur lorsque, enfoncée dans la neige fondue jusqu'aux chevilles, je vis enfin ma voiture. Oui, elle coûtait aussi cher à entretenir qu'une princesse vampire, mais elle était à moi, et j'étais vraiment belle, derrière le volant, la capote baissée, le vent tirant sur mes longs cheveux roux… Non, décidément, il m'aurait été impossible d'économiser sur le garage.

La voiture bipa gaiement quand je l'ouvris. Je laissai tomber mes sacs sur la banquette arrière inutilisable. Je me contorsionnai pour prendre place derrière le volant, posai Jenks avec précaution sur mes cuisses pour lui tenir chaud. Le chauffage sortit plein pot dès que j'allumai le moteur. Je passai une vitesse et me préparai à sortir de la place lorsqu'une longue voiture blanche vint se mettre en double file, son moteur silencieux tournant au ralenti.

Elle m'empêchait de sortir. Offensée, je fusillai le conducteur du regard.

—Eh! m'exclamai-je en le voyant descendre de son putain de véhicule au milieu de la rue pour aller ouvrir la portière à son employeur.

Agacée, je mis ma voiture au point mort, sortis et remontai sèchement mon sac sur mon épaule.

—Eh là! Je suis en train de partir! criai-je.

Je résistai à l'envie de tambouriner sur le toit de leur véhicule.

Mais mes protestations moururent dans ma gorge lorsque la portière s'ouvrit et qu'un homme mûr portant une flopée de colliers dorés passa la tête dans l'embrasure. Ses cheveux blonds frisés pointaient dans toutes les directions. Ses yeux bleus brillants trahissaient une excitation contenue. Il me fit signe d'approcher.

—Mademoiselle Morgan, dit-il doucement. Puis-je vous parler?

Éberluée, j'enlevai mes lunettes de soleil.

—T… Takata? bégayai-je.

Le rockeur vieillissant grimaça. Il jeta un coup d'œil aux quelques piétons qui passaient par là ; de légères rides se dessinèrent sur son visage. Les gens avaient remarqué la limousine, et avec l'esclandre que j'avais fait la messe était dite, si j'ose m'exprimer ainsi. Les yeux plissés par l'exaspération, Takata tendit sa longue main osseuse et me tira dans la limousine. Le souffle coupé, je m'agrippai à mon sac pour ne pas écraser Jenks en tombant dans le siège en fourrure en face du musicien.

—Démarre ! cria-t-il.

Le chauffeur referma la portière et courut se mettre au volant.

—Ma voiture ! protestai-je. Ma portière est ouverte et la clé est sur le contact.

—Arron ? dit Takata en faisant signe à un homme en tee-shirt noir tassé dans un coin du gigantesque véhicule.

Il se glissa devant moi pour descendre, et je sentis l'odeur de sang caractéristique des vampires. Un vent glacé s'engouffra lorsqu'il sortit de la voiture. Il se dépêcha de claquer la porte derrière lui. À travers les vitres fumées, je le regardai s'installer sur mon siège en cuir. Au volant de ma voiture, il avait tout d'un prédateur, avec son crâne rasé et ses lunettes noires. J'espérais avoir l'air moitié aussi cool. Le moteur de mon véhicule lâcha deux grognements étouffés, et nous démarrâmes alors que les premières groupies commençaient à taper au carreau.

Le cœur battant à cent à l'heure, je me retournai pour regarder la scène par le pare-brise arrière. Ma voiture contourna doucement les gens plantés sur la route qui nous criaient de revenir. Une fois en terrain dégagé, elle accéléra et grilla un feu rouge pour nous rattraper.

Soufflée par la rapidité avec laquelle les événements s'étaient enchaînés, je fis volte-face.

La pop-star vieillissante portait un pantalon orange extravagant, ainsi qu'une veste – elle aussi orange – par-dessus une chemise dont la couleur terre contrastait avec le reste. Tous ses vêtements étaient en soie ; à mon avis, c'était ce qui le sauvait. Seigneur, même ses chaussures étaient orange ! Et ses chaussettes. Je grimaçai. Sa tenue allait particulièrement bien avec ses chaînes en or et ses cheveux blonds étaient coiffés en une touffe si grosse qu'il devait effrayer les petits enfants. Il avait le teint plus blanc que moi. J'avais très envie de sortir les lunettes en bois que j'avais enchantées pour voir à travers les sorts de terre – histoire de savoir s'il avait des taches de rousseur.

—Euh… salut ? dis-je avec hésitation.

L'homme sourit, ce qui lui donna un air diaboliquement intelligent et fougueux, et celui de quelqu'un qui aurait tendance à tout trouver drôle, quand bien même le monde s'écroulerait autour de lui. En fait, c'était exactement la démarche cet artiste révolutionnaire : son *garage band* était devenu célèbre au moment du Tournant ; ils avaient capitalisé sur le fait d'être le premier groupe ouvertement originaire de l'Outremonde. C'était un petit gars de Cincinnati qui avait réussi, et il retournait la politesse en reversant les bénéfices de ses concerts du solstice d'hiver aux œuvres de charité de la ville. Ce geste aurait une importance particulière cette année à cause de la série d'incendies criminels qui avait détruit nombre de refuges de sans-abri et d'orphelinats.

— Mademoiselle Morgan, commença-t-il en touchant l'aile de son gros nez. (Son attention se porta sur mon épaule, puis sur la fenêtre arrière.) J'espère que je ne vous ai pas fait peur.

Il parlait d'une voix profonde et distinguée. Très belle. Les belles voix, ça me fait tomber raide.

— Euh, non, non. (J'enlevai mes lunettes et dénouai mon écharpe.) Comment ça va ? Votre coiffure est... super.

Il rit et je me sentis moins nerveuse. Nous nous étions rencontrés cinq ans plus tôt ; nous avions pris un café en discutant des mauvais côtés des cheveux frisés. Je trouvai flatteur qu'il se rappelle de moi, et plus encore qu'il veuille me parler.

— Elle est horrible, répondit-il en touchant ses longues frisures. (À l'époque de notre première rencontre, il avait des dreadlocks.) Mais mon attachée de presse dit que ça fait monter mes ventes de 2 %

Il étendit ses longues jambes, occupant la moitié de l'espace disponible dans la limousine.

Je souris.

— Vous avez besoin d'un nouveau sort pour maîtriser vos cheveux ? demandai-je en tendant la main vers mon sac.

Apeurée, je retins mon souffle.

— Jenks ! m'exclamai-je en ouvrant le sac.

Jenks sortit en fulminant.

— Il était temps que tu te souviennes de mon existence ! rugit-il. Nom d'un petit Tournant, qu'est-ce qui se passe, ici ? J'ai failli me casser les ailes en tombant sur ton portable. Il y a des M&M's partout dans ton sac, et que je sois maudit si c'est moi qui les ramasse ! Où on est, par le jardin de Clochette ?

J'adressai un petit sourire gêné à Takata.

—Ah! Takata, je vous présente…

Jenks l'aperçut. Une explosion de poussière dorée illumina la voiture et me fit sursauter.

—Putain de merde! s'exclama le pixie. Mais c'est Takata! Je croyais que Rachel me bourrait le mou, quand elle me racontait qu'elle vous connaissait. Par la sainte mère de Clochette! Attendez que je raconte ça à Matalina! C'est vraiment vous. Bon sang! C'est vraiment vous!

Takata tendit le bras et tourna un bouton sur une console élaborée. Les aérations crachèrent de l'air chaud.

—Oui, c'est vraiment moi. Vous voulez un autographe?

—Bon sang, oui! Personne ne voudra me croire.

Je m'enfonçai dans mon siège en souriant. Le spectacle de Jenks léchant les bottes d'une star avait réussi à me détendre. Takata sortit d'une chemise une photo de lui et de son groupe devant la Grande Muraille de Chine.

—À quel nom? demanda-t-il.

Jenks s'immobilisa.

—Euh… (Ses ailes cessèrent de battre, et je dus tendre la main pour le rattraper; je sentis à peine le poids plume qui me tomba dans la paume.) Euh…, répéta-t-il d'un air paniqué.

—Signez-le au nom de Jenks, intervins-je.

Le pixie poussa un minuscule soupir de soulagement.

—C'est ça, Jenks. (Il eut la présence d'esprit d'aller se poser sur la photo pendant que Takata y apposait sa signature, illisible.) Mon nom c'est Jenks.

Takata me tendit la photo pour que je me charge de la rapporter à la maison.

—Heureux de vous rencontrer, Jenks.

—Oui! couina le pixie. Moi aussi!

Il émit un autre cri, tellement haut qu'il me fit mal aux paupières, et fonça vers Takata comme une luciole frappée de folie.

—Arrête un peu, Jenks, murmurai-je.

Je savais que le pixie avait une ouïe bien meilleure que celle de Takata.

—Mon nom c'est Jenks, répéta-t-il en se posant sur mon épaule.

Tout tremblant, il me regarda ranger la photo dans mon sac. Il n'arrêtait pas de battre des ailes ; le souffle d'air régulier était bienvenu dans la chaleur étouffante de la limousine.

Revenant à Takata, je fus surprise par la vacuité de son expression. J'avais l'impression qu'il y avait un problème.

—Quoi ? demandai-je.

Il se redressa instantanément.

—Rien. J'ai entendu dire que vous aviez quitté la Sécurité de l'Outremonde pour vous mettre à votre compte. (Il expira longuement.) Il faut des tripes, pour faire ça.

—Il faut surtout être idiot, affirmai-je en repensant à la menace de mort que j'avais reçue de mon ex-employeur en représailles. Cela dit, je ne changerais pour rien au monde.

Il sourit d'un air satisfait.

—Vous aimez opérer seule ?

—C'est difficile de travailler sans le soutien d'une corporation, mais j'ai des gens qui sont là pour me rattraper si je tombe. Je leur fais davantage confiance qu'à la SO – il n'y a pas photo.

Takata acquiesça, ce qui fit rebondir ses longs cheveux frisés.

—Là, je veux bien vous croire.

Il avait les pieds écartés pour ne pas tanguer à chaque embardée de la voiture. Je commençais à me demander ce que je faisais dans sa limousine. Mais je n'avais pas vraiment de raison de m'en plaindre. Nous faisions le tour de la ville sur la voie express, ma décapotable quelques voitures derrière nous.

—Puisque je vous tiens, déclara-t-il soudain, je voudrais votre opinion sur quelque chose.

Son esprit passait du coq à l'âne encore plus vite que celui de Nick.

—Bien sûr.

Je défis la ceinture de mon manteau ; il commençait à faire sacrément chaud.

—Formidable, dit-il en ouvrant l'étui de guitare posé à côté de lui. (Il sortit un magnifique instrument de l'écrin en velours vert froissé ; j'écarquillai les yeux.) Je veux sortir un nouveau morceau pour le concert du solstice d'hiver. (Il hésita.) Vous saviez que je jouais au Coliseum, j'espère ?

—J'ai des billets.

J'étais de plus en plus excitée. C'était Nick qui les avait achetés. J'avais eu peur qu'il annule ; si ç'avait été le cas, je serais allée passer le solstice place de la Fontaine, comme d'habitude. J'aurais inscrit mon nom au tirage au sort pour gagner l'honneur de fermer le cercle cérémoniel. Le grand cercle incrusté était réservé aux «personnes autorisées», sauf au moment des solstices et pour Halloween. En tout cas, depuis les événements du matin, j'avais l'impression que Nick et moi allions passer le solstice ensemble.

—Super! dit Takata. C'est ce que j'espérais. Bon, alors j'ai ce morceau sur un vampire qui se languit de quelqu'un qu'il ne peut pas avoir, et j'hésite entre deux refrains. Ripley aime le plus sombre des deux, mais d'après Arron, l'autre rend mieux.

Il soupira. Il était inhabituel de le voir exprimer de l'agacement. Ripley était sa batteuse garou; le seul membre du groupe à avoir suivi Takata depuis le début ou presque. On racontait que c'était à cause d'elle que tous les autres musiciens ne restaient qu'un an ou deux avant de se lancer seuls de leur côté.

—J'avais prévu de le chanter en *live* pour la première fois au solstice, reprit Takata. Mais je voudrais qu'il soit diffusé ce soir sur WVMP pour que Cincinnati l'entende en exclusivité. (Il sourit, ce qui le fit paraître nettement plus jeune.) C'est encore plus le pied quand ils chantent avec moi.

Il regarda la guitare posée sur ses cuisses et gratta un accord. La vibration des cordes envahit l'habitacle. Mes épaules s'affaissèrent et Jenks émit un gargouillis comme s'il s'étouffait. Takata releva la tête et nous interrogea du regard.

—Vous me dites lequel vous préférez, d'accord?

J'acquiesçai en silence. Un concert rien que pour moi? Aucun problème, j'étais partante. Jenks refit son gargouillis.

—OK, alors ça s'appelle *Rubans rouges*.

Takata s'enfonça dans son siège en prenant une longue inspiration. L'œil vide, il modifia l'accord qu'il jouait jusque-là. Ses doigts fins bougeaient avec élégance. Concentré sur sa musique, il se mit à chanter.

—«Tu chantes derrière le rideau, tu souris derrière la vitre. Sèche tes larmes dans mes pensées, ça change rien au passé. J'savais pas que ça allait me brûler, personne m'a dit que ça allait durer.» (Sa voix baissa et prit cette couleur torturée qui l'avait rendu célèbre.) «Personne m'a dit. Personne m'a dit, finit-il dans un quasi-murmure.»

—Supeeeeer, m'exclamai-je en me demandant s'il me croyait vraiment capable de juger.

Il me sourit, rangeant sans transition sa présence scénique au placard.

— OK, reprit-il en se remettant en position. Maintenant, l'autre version.

Il joua un accord plus sombre, qui sonnait presque faux. Un frisson monta le long de ma colonne vertébrale. Je le réprimai. Takata changea de position, prit l'air abattu par la souffrance. La vibration des cordes sembla se répercuter en moi ; je me laissai tomber dans la banquette en cuir, le vrombissement du moteur portant la musique au plus profond de moi.

— « Tu es à moi, dit-il d'une voix à peine plus forte qu'un souffle. C'est à de petites choses que je le vois. Tu es à moi, même si tu ne le sais pas. Tu es à moi, lien né de la passion. Tu es à moi, mais tout à fait toi. Par ta volonté, par ta volonté, par ta volonté. »

Il avait les yeux fermés, si bien que je n'étais pas certaine qu'il se rappelle que j'étais là.

— Euh…, commençai-je. (Ses yeux bleus s'ouvrirent brusquement ; je crus y lire de la panique.) Je dirais le premier ? suggérai-je pendant qu'il retrouvait ses esprits. (Ce type était plus instable qu'un tiroir plein de geckos.) Je préfère le second, mais le premier colle mieux au thème de la vampire qui observe ce qu'elle ne peut pas avoir. (Je clignai des yeux.) Enfin, je veux dire *du* vampire, corrigeai-je en rougissant.

Le Seigneur me vienne en aide, je dois avoir l'air d'une idiote. Il savait sans doute que je vivais sous le même toit qu'une vampire. Par contre, on n'avait pas dû lui dire que je ne donnais pas mon sang à Ivy. Ce n'était pas elle qui m'avait fait cette cicatrice au cou, mais Al. Je tirai sur mon écharpe pour dissimuler la marque.

Il tremblait presque en reposant sa guitare.

— Le premier ? s'enquit-il. (On aurait dit qu'il avait eu envie de dire autre chose ; j'acquiesçai.) Bien, déclara-t-il avec un sourire forcé. Ce sera donc le premier.

Jenks gargouilla encore une fois. Je me demandai s'il arriverait à reprendre le dessus et à produire autre chose que ce son abject.

Takata fit claquer les fermetures de son étui de guitare, et je compris que le temps des bavardages était passé.

— Mademoiselle Morgan. (Le riche habitacle de la limousine semblait bien vide, maintenant qu'il n'était plus rempli de musique.) J'aimerais pouvoir dire que je vous ai contactée pour avoir votre opinion sur le choix de mon refrain, mais je suis dans une situation délicate, et un associé en qui j'ai une entière confiance vous a recommandée à moi. M. Felps a dit qu'il avait travaillé avec vous et que vous étiez d'une discrétion totale.

—Appelez-moi Rachel.

Takata avait deux fois mon âge. Il était un peu ridicule qu'il m'appelle «mademoiselle Morgan».

—Rachel, reprit-il.

Jenks s'étouffa de nouveau. Takata m'adressa un sourire incertain; je le lui rendis, ne sachant pas trop ce qui se passait. A priori, il avait une course à me confier. Une mission qui demandait une discrétion que la SO ou le BFO ne pouvaient lui offrir.

Gargouillant pour la énième fois, Jenks me pinça l'oreille. Je me redressai, croisai les jambes et sortis mon petit agenda de mon sac pour avoir l'air un tant soit peu professionnelle. Ivy me l'avait acheté deux mois plus tôt – c'était une nouvelle tentative pour amener un peu d'ordre dans ma vie chaotique. Je ne le prenais avec moi que parce que ça la rassurait, mais cette course pour le compte d'une pop-star nationale semblait être l'occasion idéale de commencer à m'en servir.

—Un M. Felps m'a recommandée? demandai-je.

Je fouillai ma mémoire en vain.

Takata leva ses gros sourcils expressifs pour montrer sa confusion.

—Il a dit qu'il vous connaissait. En fait, il m'a même semblé très amoureux de vous.

Je fus frappée par un éclair de compréhension.

—Ah, ce ne serait pas un vampire, par hasard? Un blond qui croit avoir été offert par Dieu aux morts et aux vivants? me renseignai-je en espérant m'être trompée de personne.

Il sourit.

—Eh bien, je vois que vous le connaissez, en fin de compte. (Il jeta un coup d'œil à Jenks, qui tremblait, incapable d'ouvrir la bouche.) Je commençais à croire qu'il s'était fichu de moi.

Je fermai les yeux et rassemblai mes forces. Kisten. Pourquoi n'étais-je pas surprise?

—Oui, je le connais, marmonnai-je en rouvrant les yeux. (Je ne savais pas si je devais me mettre en colère ou me sentir flattée que le vampire vivant m'ait recommandée à Takata.) J'ignorais qu'il s'appelait Felps.

Dégoûtée, j'abandonnai ma tentative d'avoir l'air professionnelle. Je jetai mon agenda dans mon sac et me vautrai dans le coin de la banquette d'un mouvement moins gracieux que je l'aurais voulu à cause de la voiture qui avait fait une embardée pour changer de file.

— Bref, repris-je. Qu'est-ce que je peux faire pour vous ?

Le vieux magicien se redressa et tira sur sa salopette orange pour la défroisser. Je n'avais jamais vu personne avoir la classe en orange, mais Takata y parvenait.

— C'est à propos du prochain concert, dit-il. Je voulais savoir si votre société est disponible pour en assurer la sécurité.

— Ah. (Déconcertée, je me passai la langue sur les lèvres.) Bien sûr. Aucun problème, mais vous n'avez pas déjà des gens qui s'occupent de ça ?

Je me rappelai les importantes mesures de sécurité qui avaient été prises au concert auquel nous nous étions rencontrés. Les vampires devaient mettre des capuchons sur leurs dents, et personne n'avait le droit d'entrer avec plus d'un sort de maquillage. Comme de bien entendu, une fois à l'intérieur, on enlevait les capuchons et les amulettes cachées dans les chaussures reparaissaient…

Il acquiesça.

— Oui, et c'est bien là qu'est le problème.

J'attendis. Il se pencha en avant et je sentis une odeur de séquoia. Ses longs doigts de musicien croisés, il avait les yeux vissés au sol.

— J'ai parlé de la sécurité avec M. Felps avant d'arriver en ville, comme d'habitude, reprit-il lorsqu'il se rappela ma présence. Mais un certain M. Saladan est venu me voir en affirmant qu'il s'occupait de la sécurité à Cincinnati et que toutes les sommes dues à Piscary devaient lui être adressées à lui.

Je soufflai de soulagement – je venais de comprendre. *Ah, protection. OK, je vois le topo.* Kisten agissait comme s'il était le scion de Piscary, puisque peu de personnes savaient qu'Ivy avait pris sa place et détenait ce titre convoité. Kisten continuait d'assumer les affaires des vampires morts tant qu'Ivy refusait de s'en charger. *Dieu merci.*

— Vous payez pour obtenir une protection ? demandai-je. Vous voulez que je parle à Kisten et à ce M. Saladan pour qu'ils arrêtent de vous faire chanter ?

Takata renversa la tête en arrière. Il éclata de rire, de sa belle voix tragique amortie par l'épaisse moquette et les sièges en cuir.

—Non, dit-il enfin. Piscary se débrouille très bien pour que les Outres restent à leur place. Ce qui m'inquiète, c'est M. Saladan.

Consternée, mais loin d'être surprise, je ramenai mes boucles rousses derrière mon oreille, regrettant de ne pas m'être coiffée cet après-midi-là. Moi-même j'utilisais le chantage, c'est vrai, mais c'était une question de survie, pas d'argent. Il y avait quand même une différence.

—C'est du chantage, insistai-je avec dégoût.

Il retrouva son sérieux.

—C'est un service, et je ne regrette pas un *cent* de l'argent que je lui consacre. (Voyant que je fronçais les sourcils, Takata se pencha en avant dans un cliquetis de chaînes en or et me fixa de ses yeux bleus.) Mon spectacle a un PPM, comme les foires ou les cirques itinérants. Il me sert uniquement parce qu'on m'offre une protection dans chacune des villes où nous jouons. C'est comme ça, quand on est dans les affaires.

Le PPM, ou Permis de population mixte, garantissait la présence d'un service de sécurité pour éviter les effusions de sang sur les lieux d'une manifestation ; c'était indispensable quand on mélangeait des Outres et des humains. Quand un trop grand nombre de vampires se réunissaient, si l'un d'eux succombait à sa soif, les autres avaient du mal à ne pas suivre. Je ne comprenais pas comment un morceau de papier pouvait suffire à forcer des vampires affamés à garder leurs dents dans leur bouche, mais en tout cas les établissements travaillaient dur pour avoir un A sur leur PPM, car les humains et les Outres étaient prêts à boycotter tout endroit dont le permis n'avait pas la note maximale. Il était trop facile de se retrouver mort, ou mentalement lié à un vampire qu'on ne connaissait même pas. Et, personnellement, je préférais être morte plutôt que le jouet d'un vampire, toutes considérations sur ma coloc' mises à part.

—C'est quand même du chantage, répétai-je.

Nous venions de passer le pont qui traversait le fleuve Ohio. Je me demandais où nous allions, sinon dans le Cloaque.

Takata bougea ses minces épaules.

—Quand je suis en tournée, je séjourne un jour, voire deux, dans chaque ville. Si quelqu'un se met à faire des siennes, nous ne pouvons pas le retrouver : nous ne restons pas assez longtemps, et tous les voyous du coin le savent. Dans ces conditions, qu'est-ce qui oblige un vampire ou un garou un peu excité à se tenir ? Piscary fait passer le message que toute personne qui causerait des problèmes en répondra devant lui.

Je levai les yeux ; tout ça était magnifiquement logique, mais ça me chiffonnait.

— Il n'y a jamais d'incidents pendant mes concerts, reprit-il en souriant, et Piscary touche 7 % sur les ventes de tickets. Tout le monde est gagnant. Jusqu'à maintenant, j'ai toujours été très satisfait des services de Piscary. Ça ne m'a même pas gêné, quand il a augmenté ses tarifs pour se payer un avocat.

Je reniflai en baissant les yeux.

— Ça c'est ma faute.

— C'est ce qu'on m'a dit, répondit sèchement le grand rockeur maigre. M. Felps a été très impressionné. Mais Saladan ? (Takata avait l'air de plus en plus inquiet ; ses doigts expressifs tapotaient un rythme compliqué pendant qu'il promenait son regard sur les immeubles qui défilaient au-dehors.) Je ne peux pas me permettre de payer les deux. Il ne resterait rien pour reconstruire les refuges, et c'est le but du concert.

— Vous voulez que je m'assure qu'il ne se passera rien, conclus-je.

Il acquiesça. Je regardai l'usine d'embouteillage Jim Beam au bord de la voie express. Il fallait que je digère l'info. Saladan essayait de jouer les gros bras sur le terrain de Piscary, maintenant que le maître vampire était en prison pour meurtres. Et c'était moi qui l'avais fait inculper.

Je tordis le cou, essayant en vain de voir Jenks sur mon épaule.

— Je dois parler à mon autre associée, mais je ne vois pas de problème. Nous serons trois. Moi, un vampire vivant et un humain.

Je voulais que Nick en soit, même s'il ne faisait pas officiellement partie de notre firme.

— Et moi ! couina Jenks. Moi aussi. Moi aussi.

— Je ne voulais pas parler en ton nom, Jenks. Il va peut-être faire froid.

Takata ricana.

— Avec toute cette chaleur corporelle, et sous tous ces projecteurs ? Aucun risque.

— Bon, alors c'est réglé, dis-je. (J'étais terriblement contente, pour dire la vérité.) Je suppose que nous allons avoir des passes spéciaux ?

— Oui. (Takata se tourna et prit des badges sous le classeur dans lequel étaient rangées ses photos.) Avec ça, Clifford vous laissera passer. Après, il ne devrait pas y avoir de problèmes.

— Super, m'exclamai-je gaiement en cherchant une carte dans mon sac. Voici mes coordonnées, au cas où vous chercheriez à me joindre d'ici là.

Les choses commençaient à s'accélérer. Je lui donnai ma carte de visite noire et pris la pile de bristols épais qu'il me tendait en échange. Il lut mes coordonnées en souriant, puis rangea la carte dans sa poche de chemise. Il se retourna, l'air toujours aussi doux, et frappa à la vitre qui nous séparait du chauffeur. Je serrai mon sac contre moi lorsque nous fîmes une embardée vers le trottoir.

— Merci Rachel, dit-il pendant que la voiture s'arrêtait en pleine voie express. Nous nous verrons le 22, vers midi, au Coliseum, pour que vous organisiez la sécurité du concert avec mon équipe.

— Ça me va.

J'étais encore sous le choc. La porte s'ouvrit et l'air froid s'engouffra. Jenks se précipita dans mon sac en jurant. Je plissai les yeux, éblouie par la luminosité du dehors. Ma voiture était derrière nous. Il comptait me laisser là ?

— Rachel ? Merci, dit-il en tendant la main. (Je la pris et la serrai avec fermeté ; il avait la main fine et osseuse, mais sa poigne était dynamique – professionnelle.) J'apprécie vraiment, ajouta-t-il en me lâchant la main. Vous avez bien fait de quitter la SO, ça vous réussit. Vous êtes resplendissante.

Je ne pus m'empêcher de sourire.

— Merci, dis-je en laissant le chauffeur m'aider à sortir de la limousine.

Le vampire qui avait conduit ma voiture se faufila dans la limousine et disparut dans le recoin le plus sombre du véhicule. Je serrai la ceinture de mon manteau et enroulai mon écharpe autour de mon cou. Takata me fit un signe d'adieu pendant que le chauffeur fermait la portière. Le petit homme soigneux s'inclina, puis contourna la voiture. Les pieds dans la neige, je regardai la limousine s'infiltrer dans la circulation de la voie express et disparaître.

Le sac à la main, je jaugeai le trafic, puis montai dans ma voiture. Le chauffage était à fond. J'inhalai l'odeur du vampire qui venait de conduire ma voiture, m'en remplissant les poumons.

La musique que Takata avait partagée avec moi résonnait dans ma tête. J'allais assurer la sécurité à son concert du solstice. Les choses ne pouvaient pas aller mieux.

Chapitre 6

Nous avions rebroussé chemin, retraversé le fleuve et étions retournés dans le Cloaque, et Jenks n'avait toujours pas dit un mot. Encore sous le coup de sa rencontre avec la star, le pixie s'était posté, comme à son habitude, sur le rétroviseur intérieur. Il regardait les nuages chargés de neige qui gagnaient du terrain et rendaient sombre et déprimant ce qui était jusque-là un bel après-midi lumineux. Ses ailes avaient viré au bleu, mais je ne pensais pas que c'était dû au froid, car j'avais mis le chauffage à fond. C'était à cause de l'embarras qu'il ressentait.

—Jenks? commençai-je.

Ses ailes vibrèrent au point de devenir presque invisibles.

—Ne dis rien, marmonna-t-il d'une voix à peine audible.

—Jenks, tu n'as pas été si ridicule que ça.

Il se tourna vers moi, l'air dégoûté par son propre comportement.

—J'ai oublié mon nom, Rache.

Je ne pus m'empêcher de sourire.

—Je ne le dirai à personne.

Ses ailes reprirent une teinte rosée.

—C'est vrai?

J'acquiesçai. Inutile d'être un génie pour comprendre que notre pixie à l'ego surdimensionné voulait à tout prix avoir l'air de maîtriser, d'être sûr de lui. J'étais certaine que c'était de là que venaient son mauvais caractère et son côté mal embouché.

— Ne le répète pas à Ivy, dis-je, mais la première fois que j'ai rencontré Takata, j'étais à plat ventre devant lui. Il aurait pu en profiter, se servir de moi et me jeter comme un Kleenex usagé, mais il ne l'a pas fait. Il a fait en sorte que je me sente intéressante et importante, même si je n'étais qu'un sous-fifre à la Sécurité, à l'époque. Il est sympa, tu sais? C'est une personne digne de ce nom. Je suis sûre qu'il a à peine remarqué que tu avais oublié ton nom.

Jenks soupira si fort que son corps tout entier s'affaissa.

— Le feu est rouge.

Je secouai la tête et pilai derrière un horrible utilitaire qui me bouchait la vue. Sur le pare-chocs taché de sel, il y avait un autocollant qui disait: «Certains de mes meilleurs amis sont humains. Miam.» Cela me fit sourire. Il n'y avait que dans les Cloaques qu'on trouvait des trucs pareils.

— Je veux voir si Nick est encore réveillé, tant qu'on est là. (Je jetai un coup d'œil à Jenks.) Tu vas tenir encore un peu?

— Ouais. Je vais bien, mais je pense que tu fais une bêtise.

Le feu repassa au vert. Je faillis caler. Nous traversâmes l'intersection en dérapant sur la neige boueuse dans un hurlement de moteur.

— On s'est parlé au zoo, aujourd'hui. (Une vague de chaleur m'envahit.) Je crois que ça va bien finir. Et puis je veux lui montrer les passes pour les coulisses.

Ses ailes bourdonnèrent assez fort.

— Tu es sûre, Rachel? Je veux dire, il a dû avoir la peur de sa vie, quand tu t'es servie de lui pour puiser dans la ligne d'énergie. Peut-être que tu ne devrais pas précipiter les choses… Laisse-le un peu tranquille.

— Je lui ai laissé trois mois, grommelai-je. (Le type de derrière devait croire que je flirtais avec lui, comme j'avais les yeux vissés sur le rétroviseur, mais je n'en avais rien à faire.) Si je le laisse prendre plus de recul, il va se retrouver sur la Lune. Je ne vais pas changer la déco de son appartement, je vais juste lui montrer les laissez-passer.

Jenks ne dit rien. Son silence me rendait nerveuse. Mon inquiétude se changea en stupéfaction lorsque je me garai à côté du vieux camion bleu de Nick. Il y avait une valise sur le siège passager. Elle n'était pas là quand nous nous étions vus le matin.

Bouche bée, j'interrogeai Jenks du regard. Il haussa les épaules, l'air mécontent. Un sentiment froid et implacable s'insinua en moi. Je repensai à notre conversation au zoo. Nous devions aller au cinéma le soir même. Et pourtant, il avait fait ses bagages. Il allait quelque part ?

— Rentre dans mon sac, dis-je doucement.

Je refusais de croire au pire. Ce n'était pas la première fois que j'arrivais chez Nick et qu'il était parti ou sur le point de le faire. Il avait souvent quitté Cincinnati, ces trois derniers mois. Généralement, je n'étais pas au courant de son absence jusqu'à ce qu'il revienne. Et là, sa ligne fixe était coupée et il avait fait ses valises ? Avais-je mal déchiffré ses sentiments ? Et si le rendez-vous de ce soir s'avérait être un rendez-vous de rupture ? J'en mourrais.

— Rachel…

— J'ouvre la portière, dis-je sèchement en mettant les clés dans mon sac. Tu préfères attendre ici en espérant qu'il ne va pas faire trop froid ?

Jenks s'envola et vint faire du surplace devant moi. Il avait les mains sur les hanches, mais ses yeux trahissaient son inquiétude.

— Tu me laisses sortir dès qu'on sera à l'intérieur, exigea-t-il.

J'acquiesçai, la gorge serrée. Lentement, avec réticence, il alla se mettre dans mon sac à main. Je refermai soigneusement les lacets et descendis. Une sensation de plus en plus douloureuse me fit claquer la portière, ce qui fit tanguer ma petite voiture. Je jetai un coup d'œil à la benne de son camion et vis qu'elle était parfaitement sèche, vide de neige. Nick n'avait sans doute pas non plus passé les derniers jours à Cincinnati. Pas étonnant que je ne l'aie pas vu de la semaine.

Des pensées en pagaille plein la tête, je remontai le trottoir glissant qui menait à la porte commune, tirai cette dernière et empruntai l'escalier. Les morceaux de neige que je laissais derrière moi au fur et à mesure que je montais devenaient de plus en plus petits. Je pensai à libérer Jenks une fois sur le palier du deuxième étage. Conscient de ma colère, il voleta en silence.

— On devait sortir ce soir, dis-je en enlevant mes gants et en les fourrant dans ma poche. Ça fait des semaines que c'est sous mon nez, Jenks. Les coups de fil en douce, les voyages à mon insu, l'absence de contacts intimes depuis Dieu sait combien de temps.

— Dix semaines, intervint Jenks, qui n'avait aucun mal à rester à ma hauteur.

— Ah, vraiment, fis-je amèrement. Merci beaucoup pour la précision.

—Du calme, Rache. (Inquiet, le pixie lâcha une traînée de poussière dorée.) Ce n'est peut-être pas ce que tu crois.

Je m'étais déjà fait larguer. Je n'étais pas idiote. Mais ça faisait mal. Bon sang, ça faisait toujours aussi mal.

Jenks n'avait nulle part où se poser, dans le couloir désert. Malgré sa réticence, il dut se mettre sur mon épaule. La mâchoire tellement crispée qu'elle me faisait mal, je me préparai à frapper du poing sur la porte de Nick. Il était forcément chez lui – il ne se déplaçait jamais sans son camion. Avant que je puisse frapper, la porte s'ouvrit.

Laissant retomber mon bras, je fixai Nick. Ma surprise se reflétait sur son visage allongé. La fermeture de son manteau n'était pas remontée, mais son bonnet bleu ciel tricoté main était tiré jusqu'aux oreilles. Je le regardai l'enlever, le faire passer avec ses clés dans son autre main, dans laquelle il tenait une mallette toute neuve qui jurait avec son accoutrement de pouilleux. Il avait les cheveux en bataille ; il les recoiffa d'un geste adroit, le temps de retrouver sa contenance. Il y avait de la neige sur ses bottes. Contrairement à son camion.

Il posa sa mallette par terre dans un tintement de clés. Il inspira, puis expira lentement. La culpabilité que je lus dans ses yeux me confirma que j'avais raison.

—Salut, Ra-ra.

—Salut, Nick, dis-je en faisant excessivement claquer le k. J'ai l'impression que notre rendez-vous est annulé.

Jenks vrombit en guise de salut. Le regard d'excuse qu'il lui lança me déplut. Qu'ils fassent dix centimètres ou un mètre quatre-vingt-cinq, ils appartenaient décidément tous au même club. Nick ne fit pas mine de m'inviter à entrer.

—Tu comptais me larguer, ce soir ? demandai-je brusquement.

Je voulais en finir au plus vite.

Il écarquilla les yeux.

—Non ! protesta-t-il.

Mais, l'espace d'un instant, son regard se porta sur sa mallette.

—Il y a quelqu'un d'autre, Nick ? Parce que tu sais, je suis une grande fille. Je peux le supporter.

—Non, répéta-t-il moins fort.

Il eut un mouvement de frustration. Il tendit la main mais arrêta son geste à quelques centimètres de mon épaule. Son bras retomba.

—Non.

J'avais envie de le croire. Vraiment.

—Alors quoi? insistai-je.

Pourquoi ne me propose-t-il pas d'entrer? Pourquoi faut-il qu'on fasse ça sur son putain de palier?

—Ra-ra, murmura-t-il. (Il avait les sourcils froncés.) Ce n'est pas toi.

Je fermai les yeux pour rassembler mes forces. Combien de fois avais-je entendu ça?

Il poussa sa mallette onéreuse du pied dans le couloir. En entendant le bruit de frottement, j'ouvris brusquement les yeux. Je m'écartai pour le laisser sortir. Il ferma la porte derrière lui.

—Ce n'est pas toi, répéta-t-il d'une voix soudainement beaucoup plus dure. Et ce n'était pas un dîner de rupture. Je ne veux pas qu'on arrête, toi et moi. Mais il s'est passé quelque chose et, franchement, ça ne te regarde absolument pas.

Surprise, j'en restai comme deux ronds de flan. Les paroles de Jenks me revinrent à l'esprit. Nick avait toujours peur que je tire une ligne à travers lui. Ça me gonflait.

—Tu as encore peur de moi, dis-je.

—Non, répliqua-t-il avec colère. (Il verrouilla sa porte d'un geste raide et fit volte-face en brandissant sa clé entre nous, l'air agressif.) Tiens. Prends ma clé. Je vais quitter la ville pour un temps. Je comptais te la donner ce soir, mais puisque tu es là, ça m'évitera le déplacement. Je me suis occupé de mon courrier, et le loyer est payé jusqu'en août.

—Jusqu'en août! m'écriai-je.

Soudain, j'eus peur. Nick jeta un coup d'œil à Jenks.

—Jenks, est-ce que Jax peut venir s'occuper de mes plantes jusqu'à mon retour? Il s'en est bien tiré, la dernière fois. Je ne serai peut-être absent qu'une semaine, mais le chauffage et l'électricité sont réglés sur automatique, des fois que ce soit plus long.

—Nick…, protestai-je d'une petite voix.

Comment la situation s'était-elle retournée aussi vite?

—Bien sûr, dit humblement Jenks. Tu sais quoi, je crois que je vais aller vous attendre en bas.

—Non, j'en ai terminé. (Nick ramassa sa mallette.) Ce soir, je vais être occupé, mais je passerai plus tard prendre Jax, avant de quitter la ville.

—Nick, attends!

J'avais un nœud à l'estomac et la tête qui tournait. J'aurais mieux fait de fermer ma gueule. J'aurais mieux fait de ne pas prêter attention à ses bagages, de jouer la petite amie stupide. J'aurais mieux fait d'aller dîner et de commander un homard. C'était mon premier vrai petit ami en cinq ans et, au moment où les choses redevenaient normales, je le faisais fuir. Comme tous les autres.

Jenks émit un son embarrassé.

— Euh, je vais attendre à l'entrée, dit-il.

Il disparut dans la cage d'escalier en laissant une traînée dorée jusqu'au palier du dessous.

Son visage allongé crispé dans une expression mécontente, Nick mit la clé dans ma main. Il avait les doigts froids.

— Je ne peux pas…

Il prit sa respiration et plongea les yeux dans les miens. J'attendis. J'avais peur de ce qu'il allait dire. Tout à coup, je n'avais plus du tout envie de l'entendre.

— Rachel, j'allais te dire ça ce soir, au dîner, mais… J'ai essayé. Vraiment. Mais je n'y arrive pas pour l'instant, expliqua-t-il doucement. Je ne te quitte pas, se dépêcha-t-il d'ajouter avant que j'aie eu le temps d'ouvrir la bouche. Je t'aime, et j'ai envie d'être avec toi. Peut-être même jusqu'à la fin de ma vie. Je ne sais pas. Mais chaque fois que tu puises l'énergie d'une ligne, je le sens, c'est comme si j'étais de nouveau en train de faire une crise d'épilepsie dans la voiture de patrouille du BFO à cause de cette ligne que tu as tirée à travers moi. Je ne peux plus respirer. Ni penser. Je ne peux plus rien faire. Quand je m'éloigne, c'est plus facile. Il faut que je prenne mes distances un moment. Je ne t'en ai pas parlé parce que je ne voulais pas que tu sois triste.

Mon visage était froid. Je n'avais rien à lui répondre. Il ne m'avait jamais dit qu'il avait fait une crise d'épilepsie. Seigneur, je l'ignorais. Jenks était avec lui, pourtant. Pourquoi ne m'avait-il rien dit ?

— Je dois reprendre ma respiration, murmura-t-il en pressant mes mains. Je dois partir quelques jours sans avoir ça sans cesse dans la tête.

— J'arrête ! m'écriai-je, paniquée. Je ne puiserai plus jamais d'énergie dans une ligne. Nick, tu n'es pas obligé de partir !

— Si. (Il me lâcha les mains et me caressa la joue. Son sourire était teinté de souffrance.) Je veux que tu le fasses. Je veux que tu t'entraînes. Un jour, la magie des lignes te sauvera la vie, alors bon sang, je veux que tu deviennes la meilleure sorcière des lignes de Cincinnati. (Il prit une inspiration.) Mais je dois mettre de la distance entre nous. C'est momentané. Et j'ai des choses à faire hors de l'État. Ça n'a rien à voir avec toi. Je reviendrai.

Mais il avait dit août!

— Tu ne reviendras pas, dis-je. (Ma gorge se serra.) Tu reviendras chercher tes livres, et tu disparaîtras.

— Rachel…

— Non, dis-je en lui tournant le dos. (La clé froide me rentrait dans la paume; *respire*, pensai-je.) Vas-t'en. J'amènerai Jax demain. Va-t'en.

Je fermai les yeux lorsqu'il posa la main sur mon épaule, mais il n'était pas question que je me retourne. Je les rouvris quand il se rapprocha et que la senteur de vieux livres et d'électronique récente m'emplit.

— Merci, Rachel, murmura-t-il en m'effleurant les lèvres. Je ne te quitte pas. Je reviendrai.

Je retins ma respiration, les yeux rivés sur l'horrible moquette grise. Je ne voulais pas pleurer. Bon sang, je refusais de pleurer.

Il hésita, puis j'entendis le bruit étouffé de ses pas dans l'escalier. Je commençais à avoir mal à la tête. Le grondement sourd de son camion fit vibrer la fenêtre, au bout du couloir. J'attendis de ne plus l'entendre avant de tourner les talons et de sortir d'un pas lent, sans voir où j'allais.

J'avais remis ça.

Chapitre 7

Je rentrai ma voiture avec précaution dans mon minuscule garage. J'éteignis les phares, puis le moteur. Déprimée, je regardai le mur rebouché à l'enduit, à soixante centimètres à peine de la calandre. Seul le cliquetis du moteur qui refroidissait venait perturber le silence. Le vélo d'Ivy était tranquillement appuyé contre le mur latéral. Elle l'avait recouvert d'une bâche toilée et l'avait remisé pour l'hiver. Il allait bientôt faire nuit. Je savais qu'il était préférable de se dépêcher de rentrer Jenks, mais je ne parvenais pas à trouver la volonté de déboucler ma ceinture et de descendre de voiture.

Jenks vint se poser sur le volant et se racla la gorge pour attirer mon attention. Mes mains retombèrent sur mes cuisses et mes épaules s'affaissèrent.

—Bon, ben au moins, maintenant, tu sais où tu en es, dit-il.

La frustration explosa en moi, puis mourut, submergée par une vague d'apathie.

—Il a dit qu'il reviendrait, répliquai-je avec solennité.

J'avais besoin de croire à ce mensonge jusqu'à être assez solide pour accepter la vérité.

Jenks croisa les bras pour se tenir chaud. Ses ailes de libellule étaient immobiles.

—Rache, fit-il avec douceur. J'aime bien Nick, mais tu vas recevoir deux coups de fil : un où il te dira qu'il se sent mieux et que tu lui manques, et un second où il dira qu'il est désolé et te demandera de rendre ses clés pour lui à son proprio.

Mes yeux restèrent rivés sur le mur.

—Tu veux bien me laisser le croire comme une idiote pendant un moment?

Le pixie acquiesça, mi-figue mi-raisin. Il avait littéralement l'air gelé; pris de tremblements, il se voûta et je vis que ses ailes étaient noires. En faisant ce détour chez Nick, je l'avais poussé au-delà de ses limites. Décidément, il fallait vraiment que je fasse des cookies, ce soir. Il ne devait pas s'endormir en ayant froid comme ça. Il risquait de ne pas pouvoir se réveiller avant le printemps.

—On y va? proposai-je en ouvrant mon sac.

Il sauta maladroitement dedans au lieu de voler. Inquiète, je me demandai si je devais cacher le sac sous mon manteau. Je décidai de le mettre dans le sac du magasin et d'en enrouler les bords autant que possible.

Quand j'en eus terminé, j'ouvris la portière en faisant attention de ne pas heurter le mur. Le sac à la main, je remontai le chemin désenneigé qui menait à l'entrée principale de l'église. Une Corvette noire aux lignes pures était garée sur le trottoir. Elle avait l'air de ne pas être à sa place – elle donnait presque l'impression d'être dangereuse – au milieu de tout ce blanc. Je reconnus la voiture de Kisten, et mon visage se crispa. Je l'avais vu un peu trop souvent à mon goût, ces derniers temps.

Je sentais le froid mordant du vent aux endroits où ma peau n'était pas recouverte. Je levai les yeux sur le clocher qui se découpait sur les nuages de plus en plus gris. Marchant lentement pour ne pas glisser sur le verglas, je dépassai la voiture de Kisten, symbole mouvant de sa virilité, et montai les marches de pierre jusqu'à l'épaisse porte en bois à double battant. Elle n'était pas dotée d'une serrure conventionnelle, même si elle fermait de l'intérieur grâce à une grosse barre de sécurité en chêne que je mettais en place à chaque lever de soleil, avant de me coucher. Je me penchai maladroitement et sortis une bombe de dégivreur dont j'arrosai les marches avant que la neige qui avait fondu dans l'après-midi regèle.

Je poussai la porte et fus décoiffée par l'air chaud qui s'échappa de l'église, emportant avec lui une douce mélodie jazzy. Je me glissai dans l'embrasure et refermai la porte en silence. Je n'avais pas particulièrement envie de voir Kisten – même s'il était agréable à regarder – mais je me dis que je devais sans doute le remercier de m'avoir recommandée à Takata.

Il faisait noir dans le petit vestibule ; la faible lueur crépusculaire qui provenait du sanctuaire ne suffisait pas à y voir clair. L'air sentait le café et les choses qui poussent, sorte de mélange entre une serre et un salon de thé. Pas désagréable. Je posai les affaires de Ceri sur la petite table antique qu'Ivy avait piquée à ses parents, puis j'ouvris mon sac. Jenks leva les yeux vers moi.

— Dieu merci, marmonna-t-il en s'élevant lentement dans les airs. (Il eut un temps d'hésitation ; il inclina la tête et tendit l'oreille.) Où sont-ils tous passés ?

J'enlevai mon manteau et le pendis à la patère.

— Peut-être qu'Ivy a encore engueulé tes gosses et qu'ils se cachent. Tu t'en plains ?

Il secoua la tête. Cela dit, il avait raison. C'était calme. Beaucoup trop calme. D'habitude, les enfants jouaient à chat en poussant des cris à vous fendre le crâne ; à l'occasion retentissait le fracas d'un ustensile de cuisine qui tombait par terre, et on entendait parfois les rugissements d'Ivy qui chassait les garnements de son salon. Nous n'avions la paix que lorsqu'ils faisaient la sieste, c'est-à-dire quatre heures après midi, et de nouveau quatre heures après minuit.

Jenks s'imprégnait de la chaleur de l'église. Ses ailes étaient déjà redevenues translucides, et il les agitait sans problème. Je décidai de laisser les affaires de Ceri jusqu'au moment où je pourrais traverser la rue pour les lui apporter. Je tapai des pieds par terre près des flaques laissées par les bottes de Kisten avant de suivre Jenks dans le sanctuaire silencieux.

Je me détendis en entrant dans la pièce à l'éclairage tamisé provenant des hauts vitraux qui montaient jusqu'au plafond. Le demi-queue majestueux d'Ivy occupait le coin le plus proche. Elle l'époussetait et le bichonnait, mais n'en jouait que quand je n'étais pas là. Mon bureau à cylindre, encombré de pots de fleurs, était dans le coin opposé, juché à l'avant de la scène de vingt centimètres sur laquelle se trouvait jadis l'autel. Au-dessus, une ombre immense en forme de croix se découpait, rassurante et protectrice, sur le mur de pierre. On avait enlevé les bancs bien avant que j'emménage ; il ne restait qu'un espace sonore fait de bois et de verre, et qui évoquait la paix, la solitude, la grâce et la sécurité. Ici, au moins, je ne me sentais pas en danger.

Jenks se crispa, éveillant mes instincts.

— Maintenant ! cria une voix perçante.

Jenks partit en flèche vers le plafond, laissant un nuage de poussière dorée suspendu dans l'air comme l'encre d'une pieuvre. Le cœur battant à tout rompre, je me laissai tomber au sol et fis une roulade.

Des projectiles crépitèrent sur le plancher autour de moi. Sous le coup de l'adrénaline, je roulai jusque dans un coin. La force entêtante de la ligne d'énergie du cimetière me transperça lorsque je fis appel à elle.

— Rachel ! Ce sont mes enfants ! cria Jenks.

Une grêle de boules de neige miniatures me frappa. Je ravalai le mot d'invocation de mon cercle, rattrapant in extremis la vague d'énergie. Elle se brisa en moi, et je ne pus réprimer un grognement quand le même espace fut soudain empli d'une quantité d'énergie deux fois plus importante. Je titubai et mis un genou à terre. Je m'efforçai de respirer le temps que l'excédent retourne dans la ligne. Oh ! Seigneur. J'avais l'impression d'être en feu. J'aurais mieux fait de finir mon cercle.

— Par la culotte de Clochette, mais qu'est-ce que vous fabriquez ? hurla Jenks. (Il planait au-dessus de ma tête pendant que j'essayais de reprendre mes esprits.) Vous ne savez pas qu'on ne fait pas ce genre de farce à une coureuse ? C'est une professionnelle ! Vous allez vous faire tuer ! Et je vais vous laisser pourrir sur place. On est invités, ici ! Filez dans le tiroir du bureau. Allez, déguerpissez tous ! Jax, tu me déçois beaucoup.

Je repris ma respiration. Mince. Ça faisait sacrément mal. *Note mentale : ne jamais s'arrêter en plein milieu d'un sort de ligne.*

— Matalina ! cria Jenks. Tu sais ce que font les gosses ?

Je me passai la langue sur les lèvres.

— Ça va aller, dis-je. (Je relevai la tête, mais le sanctuaire était désert ; même Jenks n'était plus là.) J'adore ma vie, grommelai-je.

Petit à petit, avec maintes précautions, je me remis sur pieds. Le fourmillement douloureux sous ma peau avait diminué. Le cœur battant la chamade, je relâchai complètement la ligne. Je sentis ce qui restait d'énergie s'échapper de mon chi, ce qui me laissa tremblante.

Jenks revint du fond de l'église en bourdonnant comme une abeille en colère. Il s'arrêta devant moi.

— Rachel, je suis désolé. Ils ont trouvé la neige que Kist a ramenée sur ses chaussures, et il leur a parlé des batailles de boules de neige de son enfance. Oh, regarde. Tu es toute mouillée.

Matalina, la femme de Jenks, entra dans le sanctuaire dans un nuage de soie bleue et grise. Elle m'adressa une grimace embarrassée et se glissa dans l'ouverture de mon bureau à cylindre. J'eus soudain mal à la tête et mes yeux se mirent à pleurer. Elle enguirlandait ses enfants d'une voix si aiguë qu'elle était inaudible.

Épuisée, je me redressai de toute ma hauteur et tirai sur mon pull pour le défroisser. Il y avait de petits points mouillés aux endroits où j'avais été touchée. S'il s'était agi de fées tueuses, au lieu de pixies jouant aux boules de neige, je serais morte. Mon cœur retrouva un rythme acceptable. Je ramassai mon sac d'un geste sec.

— Ça va, dis-je avec embarras. (Je ne voulais qu'une chose : que Jenks se la ferme.) C'est pas très grave. Tu sais comment sont les gosses.

Apparemment indécis, Jenks faisait du surplace.

— Oui, mais là, il s'agit de mes gosses, et on est invités. Entre autres choses, ils vont devoir te présenter leurs excuses.

Je lui fis signe que c'était inutile et, sentant une bonne odeur de café, je m'engageai dans le couloir sombre d'un pas chancelant. *Au moins, personne ne m'a vue me rouler par terre pour échapper à une pluie de boules de neige miniatures*, pensai-je. Mais ce genre d'agitation était monnaie courante depuis que la famille de Jenks s'était installée chez nous au moment du premier gel important. Il m'était difficile de faire semblant de ne pas être rentrée. D'ailleurs, ils avaient probablement senti le courant d'air frais s'engouffrer quand j'avais ouvert la porte.

Je passai devant les toilettes, l'une en face de l'autre – dans le temps, une pièce était réservée aux hommes, l'autre aux femmes, puis elles avaient été respectivement converties en salle d'eau traditionnelle et en combiné salle d'eau / laverie. Le combiné, à droite du couloir, était réservé à mon usage personnel. La pièce d'Ivy était exactement en face. Juste après, il y avait la cuisine ; je tournai donc à gauche dans l'espoir de prendre une tasse de café et d'aller me cacher directement dans ma chambre pour éviter Kisten.

J'avais commis l'erreur de l'embrasser dans un ascenseur, et il ne ratait jamais une occasion de me le rappeler. Ce jour-là, pensant ne jamais revoir le soleil se lever, j'avais baissé ma garde et pris du bon temps ; j'avais failli céder à l'attrait de la passion vampirique. Pire encore, Kisten savait qu'il m'avait presque fait basculer et que j'avais été à un cheveu de dire oui.

Épuisée, j'appuyai sur l'interrupteur avec le coude et posai mon sac sur le plan de travail. Les néons clignotèrent et Monsieur Poisson tourbillonna frénétiquement dans son bocal. Les murs laissaient filtrer de la musique d'ambiance et le flux et les échanges animés d'une conversation. Le bruit venait du salon. Le manteau en cuir de Kisten était posé sur la chaise d'Ivy, devant son ordinateur. La cafetière était à moitié pleine. Après une légère hésitation, je remplis mon énorme mug. Je refis du café en essayant de ne pas faire de bruit. Loin de moi l'idée d'écouter aux portes, mais la voix de Kisten était aussi lisse et chaude qu'un bain avec de la mousse.

— Ivy, mon amour, implorait-il pendant que je sortais le café du frigo. C'est seulement pour une nuit. Peut-être même une heure, aller-retour.

— Non.

La voix d'Ivy était froide et l'avertissement était évident. Kisten la poussait au-delà des limites que je ne me permettais jamais de dépasser, mais ils avaient grandi ensemble. C'étaient des enfants de riches, et leurs parents s'étaient attendus qu'ils lient leurs deux familles et aient de petits garnements vampires pour perpétuer la lignée de Piscary avant de mourir et de devenir de véritables vampires. Ça n'arriverait pas – enfin, le mariage, pas la mort. Ils avaient déjà essayé de vivre ensemble, et, bien qu'aucun d'eux ne parle jamais de ce qui s'était passé, ils s'étaient éloignés l'un de l'autre jusqu'à ce qu'il ne reste de leur relation qu'une sorte d'amour fraternel.

— Tu n'es pas obligée de parler, insista-t-il en forçant sur son accent britannique bidon. Tu n'auras qu'à être présente. C'est moi qui parlerai.

— Non.

Quelqu'un éteignit la musique. J'ouvris en silence le tiroir des couverts pour prendre la cuiller à café. Trois fillettes pixies en jaillirent en poussant des cris stridents. Je ravalai un jappement de surprise et les regardai disparaître dans le couloir sombre, le cœur battant. Je farfouillai dans le tiroir pour trouver la cuiller manquante, les gestes vifs à cause de l'adrénaline. Je finis par la repérer dans l'évier. C'était Kisten qui avait dû faire le café; si ç'avait été Ivy, poussée par son amour compulsif pour l'ordre, elle aurait lavé la cuiller, puis elle l'aurait essuyée et rangée.

— Pourquoi tu ne veux pas? (À présent, Kisten semblait irascible.) Il ne demande pas grand-chose.

Au contraire, le ton d'Ivy, précis et contrôlé, était rassurant.

— Je ne veux pas que ce connard entre ne serait-ce qu'une seule seconde dans ma tête. Pourquoi le laisserais-je voir à travers mes yeux? Et sentir mes pensées?

J'étais penchée au-dessus de l'évier, une carafe à la main. J'aurais préféré ne pas entendre cette conversation.

—Mais il t'aime, murmura Kisten. (Il avait l'air à la fois blessé et jaloux.) Tu es son scion.

—Il ne m'aime pas. Il aime que je lui résiste, répliqua-t-elle avec amertume.

Je pouvais pour ainsi dire voir ses traits parfaits, légèrement orientaux, se crisper sous l'effet de la colère.

—Ivy, dit Kisten d'un ton doucereux. C'est si bon, si enivrant. Le pouvoir qu'il partage avec toi…

—C'est un mensonge! cria-t-elle. (Je sursautai.) Tu veux le prestige? Le pouvoir? Tu veux continuer à gérer les intérêts de Piscary? Faire semblant d'être toujours son scion? Je m'en fiche! Mais pas question qu'il entre dans ma tête, même pour te couvrir!

Je fis du bruit en remplissant ma cafetière pour les prévenir que je les entendais. Je ne voulais pas en savoir davantage; je souhaitais vraiment qu'ils s'arrêtent.

Kisten poussa un soupir long et profond.

—Ce n'est pas comme ça que ça marche. S'il veut vraiment entrer, tu ne pourras pas l'en empêcher, Ivy, ma chérie.

—Ferme-la.

Ses paroles étaient si pleines d'une colère contenue que je dus réprimer un frisson. La carafe déborda, et je sursautai en sentant l'eau sur ma main. Je coupai le robinet et versai l'excédent dans l'évier en grimaçant.

J'entendis du bois craquer dans le salon. Mon estomac se serra. L'un des deux vampires venait d'immobiliser l'autre sur sa chaise.

—Allez, vas-y, murmura Kisten par-dessus les clapotements de l'eau dont je remplissais la machine à café. Plante-les, ces dents. Tu sais que tu en as envie. Comme au bon vieux temps. Piscary sent tout ce que tu fais, que tu le veuilles ou non. Pourquoi crois-tu que tu n'as pas réussi à te passer de sang, ces derniers temps? Trois ans d'abstinence, et maintenant, tu n'arrives plus à tenir trois jours? Laisse tomber, Ivy. Il aimerait beaucoup sentir de nouveau que nous nous amusons. Et peut-être que ta colocataire finirait par comprendre. Elle a failli dire oui, l'aiguillonna-t-il. Pas à toi. À moi.

Je me crispai. Cette pique m'était destinée. Je n'étais pas dans le salon, mais ça ne changeait rien.

Il y eut un nouveau craquement.

— Touche à son sang et je te tue, Kist. Je le jure.

Je regardai autour de moi à la recherche d'une échappatoire, mais il était trop tard : un bruit de bottes, et Ivy apparut dans l'encadrement de la porte. Elle eut un instant d'hésitation. D'un air chiffonné auquel elle ne m'avait pas habituée, elle mesura instantanément mon malaise grâce à son étonnante capacité à lire le langage corporel, cette faculté qui rendait quasiment impossible de lui cacher quoi que ce soit. Ses sourcils étaient encore froncés sous le coup de la colère. Même si elles n'étaient pas dirigées contre moi, sa frustration et son agressivité ne présageaient rien de bon. Elle s'efforça de se calmer, ce qui fit rosir sa peau pâle et fit nettement ressortir la légère cicatrice à son cou. Elle avait eu recours à la chirurgie pour essayer de faire disparaître le signe physique qui montrait qu'elle appartenait à Piscary, mais elle reparaissait quand elle s'énervait. En plus, elle ne voulait pas de mes charmes de teint, et je n'avais pas trouvé de sort adéquat pour effacer sa cicatrice.

J'étais restée immobile devant l'évier. Ses yeux sombres passèrent de mon mug fumant à la cafetière vide. Je haussai les épaules et appuyai sur l'interrupteur pour lancer le café. Que pouvais-je dire ?

Ivy se mit en mouvement. Elle posa une tasse vide sur le plan de travail puis lissa ses cheveux noirs raides comme la justice. Au moins avait-elle l'air calmée, même si ce n'était qu'une apparence.

— Tu es contrariée, dit-elle. (Encore en colère contre Kisten, elle n'était pas parvenue à adoucir son ton.) Que se passe-t-il ?

Je sortis mes passes pour le concert et les fixai au frigo avec un aimant en forme de tomate. Mes pensées se portèrent sur Nick, puis sur l'épisode des boules de neige. Sans oublier le plaisir de l'entendre se disputer avec Kisten à propos de mon sang qu'elle ne goûterait jamais. *Ça en fait, des raisons d'être contrariée*, pensai-je.

— Rien, répondis-je doucement.

Élégante et élancée dans son jean et sa chemise bleue, elle croisa les bras et s'appuya sur le plan de travail à côté de la cafetière en attendant que le café soit terminé. Ses lèvres fines se serrèrent et elle inspira profondément.

— Tu as pleuré. Qu'est-ce qu'il y a ?

La surprise m'arrêta net. Elle savait que j'avais pleuré ? Mince alors. Je n'avais pas eu plus de trois larmes. Au feu rouge. Et je les avais essuyées avant même qu'elles coulent. Je jetai un coup d'œil vers le couloir désert ; je ne voulais pas que Kisten sache.

—Je t'en parlerai plus tard, d'accord ?

Ivy suivit mon regard, déconcertée. La peau fine autour de ses yeux se plissa. Puis un éclair de compréhension la frappa ; elle savait que Nick m'avait larguée. Elle cligna des yeux. Je me contentai de la regarder, soulagée que le début de soif de sang qu'elle avait ressenti en comprenant que j'étais désormais célibataire ait disparu aussi vite.

Les vampires vivants n'avaient pas besoin de sang pour rester sains d'esprit, contrairement aux vampires morts. Cependant, ils n'en avaient pas moins envie d'assouvir leur soif, et ils choisissaient les gens dont ils buvaient le sang avec beaucoup de soin ; ils suivaient généralement leurs préférences sexuelles au cas où les choses se finiraient à l'horizontale. Mais le partage du sang pouvait aller de la confirmation d'une profonde amitié platonique à la superficialité d'une aventure d'une nuit. Comme la plupart des vampires, Ivy disait qu'elle n'assimilait pas le sang au sexe, mais moi si. Les sensations qu'un vampire éveillait en moi étaient trop proches de l'extase sexuelle pour qu'il en soit autrement.

Après s'être retrouvée deux fois collée au mur par l'énergie des lignes, Ivy avait fini par comprendre que, bien que je sois son amie, je ne lui dirais jamais oui. Jamais. Il faut dire que c'était devenu plus facile depuis qu'elle avait recommencé à céder à sa soif : comme elle l'étanchait ailleurs, quand elle rentrait à la maison elle était repue, détendue, et se méprisait en silence pour sa faiblesse.

En l'espace d'un été, elle avait cessé de consacrer son énergie à me convaincre que le fait qu'elle me morde n'avait rien de sexuel ; à la place, elle s'était assurée qu'aucun autre vampire ne me ferait d'avances. Si elle ne pouvait pas avoir mon sang, alors personne ne le pourrait. Elle s'était donc dévouée tout entière à sa volonté – dérangeante mais néanmoins flatteuse – d'empêcher les vampires de tirer avantage de ma cicatrice démonique et de m'attirer dans leurs filets pour n'être plus que leur ombre. En vivant avec elle, j'étais protégée d'eux. C'était une protection dont je n'avais pas honte : en retour, j'étais son amie inconditionnelle. Et bien que cette relation puisse sembler déséquilibrée, elle ne l'était pas.

Ivy était très exigeante en amitié. Elle était jalouse dès que quelqu'un attirait mon attention, même si elle le cachait bien. Elle arrivait à peine à tolérer Nick. Kisten, lui, semblait exempté, ce qui me troublait et me rendait toute chose. Si bien qu'en prenant mon mug, je me surpris à espérer qu'elle sorte étancher sa maudite soif de sang ce soir-là, histoire qu'elle ne passe pas le reste de la semaine à me regarder comme une panthère affamée.

Sentant l'atmosphère tendue passer de la colère à la spéculation, je jetai un coup d'œil au café qui passait. Je voulais à tout prix trouver un moyen de quitter la pièce.

—Tu veux le mien ? demandai-je. Je n'ai pas encore bu dedans.

Je tournai la tête en entendant le ricanement très masculin de Kisten. Il était apparu sans prévenir dans l'encadrement de la porte.

—Moi non plus, je n'en ai pas bu, dit-il d'un ton suggestif. J'en veux bien, si tu m'en offres.

Je rougis en repensant à Kisten et moi dans cet ascenseur : mes doigts jouant avec les mèches blondes décolorées soyeuses à la base de son cou, la barbe naissante qu'il cultivait pour donner un côté rugueux à ses traits délicats et qui me brûlait la peau, ses lèvres à la fois douces et agressives qui goûtaient le sel de mon visage, la sensation de ses mains dans le bas de mon dos, qui me serraient contre lui. Bon sang.

Je me forçai à le quitter des yeux et à baisser la main, qui touchait inconsciemment la cicatrice démonique pour la sentir palpiter, sti-mulée qu'elle était par les phéromones vampiriques émises tout aussi inconsciemment par Kisten. Re-bon sang.

Content de lui, il s'assit sur la chaise d'Ivy. Il était clair qu'il avait deviné la tournure de mes pensées. Mais, en voyant son corps bien bâti, il était difficile d'avoir autre chose en tête.

Kisten était lui aussi un vampire vivant, dont la lignée remontait aussi loin que celle d'Ivy. Il avait été le scion de Piscary, et il irradiait encore d'avoir partagé le sang avec le vampire mort. Il jouait au play-boy, avec sa veste de biker en cuir et sa mauvaise imitation d'accent british, mais cette apparence lui servait à cacher son talent en affaires. Il était futé. Et rapide. Et même s'il était moins puissant qu'un vampire mort, il était plus fort que sa petite taille et sa minceur le suggéraient.

Ce soir-là, il était habillé de manière assez classique : une chemise en soie enfoncée dans son pantalon noir, des chaussures immaculées. Il essayait clairement d'avoir l'air pro ; maintenant que Piscary se languissait en prison, Kisten avait pris une grande partie de ses affaires en charge. Rien ne rappelait son côté mauvais garçon, à part la chaîne en bronze autour de son cou – jumelle de celle qu'Ivy portait à la cheville – et les deux clous à tête en diamant dans chacune de ses oreilles. L'un des brillants avait été arraché ; il n'en restait qu'une vilaine déchirure.

Kisten se vautra sur la chaise d'Ivy en écartant les jambes dans une attitude provocante. Il pencha la tête en arrière pour absorber les humeurs qui flottaient dans la pièce. Je surpris ma main en train de remonter insidieusement vers mon cou, ce qui me fit grimacer. Il essayait de m'ensorceler, d'entrer dans ma tête et de passer au crible mes pensées et mes décisions. Ça ne marcherait pas. Seuls les vampires morts pouvaient ensorceler les gens non consentants, et il ne pouvait plus se reposer sur la force de Piscary pour augmenter ses capacités.

Le café était prêt. Ivy sortit la cafetière de l'entonnoir à filtres.

—Laisse Rachel tranquille, dit-elle. (C'était elle la moitié dominante, cela ne faisait aucun doute.) Nick vient de la larguer.

Je la dévisageai, le souffle coupé, effarée. Moi qui ne voulais pas qu'il soit au courant !

—Eh bien…, murmura Kisten en posant les coudes sur les genoux. De toute façon, il ne t'apportait rien de bon, chérie.

Agacée, je mis le plan de travail central entre nous.

—C'est Rachel. Pas « chérie ».

—Rachel, répéta-t-il doucement.

Mon cœur se mit à battre plus fort à ces mots. Je jetai un coup d'œil par la fenêtre au jardin enneigé et aux tombes, un peu plus loin. Par le Tournant, qu'est-ce que je faisais, enfermée dans ma cuisine avec deux vampires affamés alors que le soleil était en train de se coucher ? N'avaient-ils nulle part où aller ? N'avaient-ils personne à mordre, à part moi ?

—Il ne m'a pas larguée, dis-je en nourrissant Monsieur Poisson. (Je vis le reflet de Kisten dans la fenêtre sombre ; il m'observait.) Il est parti quelques jours. Il m'a laissé ses clés pour jeter un œil à son appartement et ramasser son courrier.

—Ah. (Kisten jeta un regard oblique à Ivy.) Un grand voyage ?

Je reposai nerveusement la nourriture pour poissons et fis volte-face.

—Il a dit qu'il reviendrait, protestai-je.

Mon visage se figea lorsque je subodorai l'horrible vérité derrière mes paroles. Pourquoi Nick avait-il jugé bon de préciser qu'il reviendrait, si l'idée de ne pas revenir ne l'avait pas traversé ?

Les deux vampires continuaient à échanger des regards en silence. Je sortis un livre de cuisine « normal » de ma bibliothèque de sorts et le posai bruyamment sur le plan de travail. J'avais promis le four à Jenks.

— N'essaie pas de m'attraper au tournant, Kisten, menaçai-je.

— Je ne m'autoriserais même pas à en rêver.

La douceur de son ton, la lenteur de son débit contredisaient ses paroles.

— Parce que tu n'arrives pas à la cheville de Nick, ajoutai-je comme une idiote.

— Je vois qu'on a de sacrées références, répliqua-t-il d'un ton moqueur.

Ivy s'assit sur le plan de travail à côté de la cuve de quarante litres où je faisais bouillir mon eau salée. Elle arrivait encore à avoir l'air d'une prédatrice en sirotant son café. Elle enroula un bras autour de ses genoux en regardant Kisten jouer avec mes sentiments.

Je fronçai les sourcils en voyant Kisten jeter un coup d'œil dans sa direction, comme pour lui demander son feu vert. Il se leva alors dans un bruissement soyeux et vint s'accouder sur le plan de travail, juste en face de moi. Son collier se balança, attirant mon attention sur son cou, avec ses cicatrices presque invisibles.

— J'aime les films d'action, déclara-t-il.

Ma respiration s'accéléra. Je discernai l'odeur persistante du cuir sous celle, plus sèche, de la soie.

— Et alors ? répliquai-je avec animosité.

J'étais en rogne après Ivy ; elle avait dû lui parler de Nick et moi, et de nos week-ends passés à regarder Adrenaline Channel.

— Et alors je peux te faire rire.

J'ouvris le livre que j'avais piqué à ma mère et le feuilletai jusqu'à la page la plus abîmée et la plus tachée. Je savais que c'était la page des cookies sucrés.

— Bozo le clown aussi, mais je ne sors pas avec lui pour autant.

Ivy se lécha le doigt et marqua un point dans un tableau invisible.

Kisten sourit, révélant un début de croc. Il se redressa. Le coup avait manifestement porté.

— Laisse-moi te sortir. Un premier rendez-vous platonique, juste pour te prouver que Nick n'a rien de spécial.

— Oh, je t'en prie, implorai-je avec un faux sourire.

J'avais du mal à croire qu'il s'abaissait à ce point.

Souriant à son tour, Kisten se retransforma en petit richard trop gâté.

—Si tu t'amuses, alors tu admettras que Nick n'avait rien de spécial.

Je m'accroupis pour prendre la farine.

—Non, dis-je en posant sèchement le sac sur le plan de travail.

Il prit un air blessé qui, pour être simulé, n'en était pas moins efficace.

—Mais pourquoi?

Je jetai un coup d'œil à Ivy qui nous observait en silence, postée derrière moi.

—Tu as de l'argent. N'importe qui peut offrir du bon temps à une fille, en en payant le prix.

Ivy marqua un nouveau point.

—Et de deux, lança-t-elle.

Kisten fronça les sourcils.

—Je suppose que Nick est un pouilleux sans le sou, dit-il en essayant de dissimuler sa colère.

—Attention à ce que tu dis, répliquai-je.

—Oui, mademoiselle Morgan.

La soumission voluptueuse qui perçait dans sa voix me ramena de force dans cet ascenseur. Un jour, Ivy m'avait dit que Kisten prenait son pied à jouer à l'homme soumis. Pour ma part, j'avais découvert qu'un vampire, même soumis, restait trop agressif pour la plupart des gens. Mais je n'étais pas la plupart des gens. J'étais une sorcière.

Je plongeai mes yeux dans les siens, qui étaient d'un beau bleu bien homogène. Contrairement à Ivy, Kisten assouvissait librement sa soif de sang pour qu'elle ne devienne pas la chose la plus importante de sa vie.

—Cent soixante-quinze dollars? proposa-t-il.

Je me baissai pour prendre le sucre. Ce type évaluait le prix d'un rendez-vous pas cher à près de deux cents dollars?

—Cent?

Je lus une authentique surprise dans ses yeux.

—Un rendez-vous normal nous coûtait soixante dollars.

—Diable! jura-t-il. (Il hésita un instant.) J'ai le droit de dire « diable », hein?

—Bon Dieu oui!

Perchée sur son plan de travail, Ivy ricana. Perdu dans ses pensées, Kisten fronça les sourcils. Il avait vraiment l'air inquiet.

—OK, fit-il. Une soirée à soixante dollars.

Je lui lançai un regard parlant.

—Je n'ai pas encore dit oui.

Il inhala longuement pour goûter mon humeur dans l'air.

—Tu n'as pas non plus dit non.

—Non.

Ses épaules s'affaissèrent théâtralement, ce qui m'arracha un sourire malgré moi.

—Je promets de ne pas te mordre, protesta-t-il.

Ses yeux bleus exprimaient à la fois l'innocence et l'espièglerie.

Je sortis ma plus grosse marmite posée sous le plan de travail. Je comptais m'en servir pour mélanger la pâte. Elle n'était plus viable pour faire de la magie, car elle était bosselée depuis que j'en avais donné un coup sur la tête d'Ivy. Le petit pistolet de paintball que je rangeais dans le récipient produisit un bruit rassurant en frottant sur le métal lorsque je l'en sortis pour le remettre dans le placard, à hauteur de chevilles.

—Et je suis censée te croire parce que…?

Kisten jeta un coup d'œil à Ivy.

—Parce qu'elle me tuera deux fois, si je te mords.

J'allai chercher les œufs, le lait et le beurre dans le frigo en espérant qu'aucun des deux vampires n'avait perçu l'accélération de mon pouls. Mais je savais que la tentation ne venait pas des phéromones subliminales qu'ils émettaient inconsciemment. J'avais envie de me sentir désirée, de sentir qu'on avait besoin de moi. Et Kisten était un haut diplômé en matière de cour, même si c'était un scélérat et que ses motivations étaient très égoïstes. Il me semblait qu'il buvait du sang à la légère, tout comme des hommes couchent à la légère. Et je ne voulais pas devenir l'une des ombres qu'il traînait dans son sillage, happées par l'ivresse que procurait sa morsure. Je ne voulais pas désirer qu'il me touche, être euphorique à l'idée qu'il plonge ses dents en moi. Merde alors, je recommençais mes conneries.

—Pourquoi devrais-je accepter? demandai-je en sentant la chaleur m'envahir. Si au moins je t'aimais bien, mais même pas.

Je revins vers le plan de travail. Kisten se pencha dessus. Il plongea ses yeux d'un bleu parfait dans les miens et soutint mon regard. À voir son sourire désinvolte, il était évident qu'il m'avait sentie faiblir.

— C'est d'autant plus une raison pour sortir avec moi. Si j'arrive à te faire passer du bon temps avec soixante misérables dollars, imagine ce que pourrait faire quelqu'un que tu apprécies. Tout ce que je demande, c'est une promesse.

L'œuf était glacé. Je le posai sur le plan de travail.

— C'est-à-dire ? demandai-je.

Ivy remua.

Le sourire de Kisten s'élargit.

— Interdit de se défiler.

— Pardon ?

Il ouvrit la barquette de beurre et trempa le doigt dedans avant de le lécher jusqu'à ce qu'il soit parfaitement propre.

— Je ne peux pas t'aider à te sentir attirante si tu te braques chaque fois que je te touche.

— Je ne me suis jamais braquée, protestai-je en repensant à l'ascenseur.

Seigneur, dire que j'avais failli me le taper debout contre le mur.

— C'est différent cette fois. C'est un rendez-vous, et je donnerais mes canines pour savoir pourquoi les femmes s'attendent à ce que nous nous comportions différemment au cours d'un rendez-vous.

— Parce que c'est ce que vous faites.

Il regarda Ivy en levant un sourcil. Il se redressa, tendit le bras par-dessus le plan de travail et mit la main en coupe autour de ma mâchoire. Furieuse, j'eus un mouvement de recul.

— Nan, dit-il en se retirant. Je ne risquerai pas ma réputation en t'emmenant passer une soirée dehors pour soixante dollars sans rien gagner en échange. Si je n'ai pas le droit de te toucher, c'est non.

Je le fixai. Mon cœur battait la chamade.

— Bien.

Sous le choc, Kisten écarquilla les yeux. Ivy avait un petit sourire en coin.

— Bien ?

— Oui, confirmai-je en tirant la barquette de beurre pour en prendre une cuillerée. De toute façon, je n'avais aucune envie de sortir avec toi. Tu es trop imbu de toi-même. Tu es persuadé de pouvoir faire faire n'importe quoi aux gens. Ton ego sous le niveau de la ceinture me rend malade.

Ivy se déplia en riant et sauta au sol sans un bruit.

—Je te l'avais dit. Débourse.

Les épaules de Kisten se soulevèrent lorsqu'il soupira. Il prit son portefeuille dans la poche arrière de son pantalon et en sortit un billet de cinquante, qu'il mit dans la main d'Ivy. Elle leva un sourcil et dessina une nouvelle marque dans son tableau imaginaire. Elle souriait, ce qui était inhabituel chez elle. Elle tendit le bras pour mettre le billet dans la corbeille à cookies posée sur le frigo.

—C'est typique, commenta Kisten. (Ses yeux exprimaient une tristesse caricaturale.) Essayez d'être gentil avec les gens, rendez-leur le sourire, et qu'est-ce que vous récoltez? On vous maltraite et on vous vole.

En trois grandes enjambées, Ivy fut derrière lui. Elle passa un bras autour de son torse, se plaqua contre lui.

—Pauvre bébé, murmura-t-elle à son oreille déchirée.

Ils allaient bien ensemble, elle avec sa sensualité soyeuse, lui avec sa confiance virile.

Il ne réagit pas du tout lorsque les doigts d'Ivy s'insinuèrent entre les boutons de sa chemise.

—Tu te serais amusée, me dit-il.

J'avais l'impression d'avoir passé un examen. Je fis tomber le beurre de la cuiller puis me léchai le doigt.

—Comment peux-tu le savoir?

—Parce que ce qui vient de se passer t'a amusée, répliqua-t-il. Tu as oublié cet humain égoïste et superficiel qui ne sait pas reconnaître sa chance, même quand elle le mord... (Il se tourna vers Ivy.) Où as-tu dit qu'elle l'avait mordu, déjà, Ivy chérie?

—Au poignet.

Ivy se redressa et me tourna le dos pour reprendre sa tasse.

—Qui ne sait pas reconnaître sa chance, même quand elle le mord... au poignet, termina Kisten.

J'avais le visage en feu.

—C'est la dernière fois que je te confie quelque chose! criai-je à Ivy. En plus, c'est pas comme si je lui avais sucé le sang. Bon Dieu!

—Allez, admets-le, insista Kisten. Ça t'a plu de discuter avec moi, de mesurer ta volonté à la mienne. Ça aurait été amusant. (Il me regarda par-dessous sa frange.) Tu as l'air d'avoir besoin de t'amuser. Tu es confinée dans cette église depuis Dieu sait quand. C'était quand, la dernière fois que tu t'es mise sur ton trente et un? Que tu t'es sentie belle? Désirable?

Je restai parfaitement immobile, équilibrée ; je sentais le flux et le reflux de ma respiration. Mes pensées se posèrent sur Nick, sur son départ à mon insu, sur nos câlins, notre proximité – toutes ces choses qui s'étaient arrêtées si abruptement. Ça faisait si longtemps. Le contact de ses mains me manquait, ce contact qui me faisait me sentir désirée, éveillait mes passions, me rendait vivante. Je voulais retrouver ces sensations, même si c'était pour de faux. Rien que pour une nuit, histoire de ne pas oublier ce que ça faisait jusqu'à ce que je redécouvre l'amour.

— Pas de morsure, dis-je.

J'étais persuadée de commettre une erreur. Ivy sursauta mais garda un visage impassible.

Kisten, lui, n'avait pas l'air surpris. Son regard était plein d'une compréhension entêtante.

— Interdit de se défiler, répliqua-t-il doucement.

Ses yeux pleins de vie brillaient. Il lisait en moi comme dans un livre.

— Soixante dollars maximum, contrai-je.

Kisten se leva et prit son manteau pendu au dossier de sa chaise.

— Je passerai te chercher après-demain, à une heure du matin. Mets quelque chose de joli.

— On ne joue pas avec ma cicatrice, ajoutai-je.

J'étais à bout de souffle. Pour une raison ou une autre, je n'arrivais plus à respirer. Mais, bon sang, qu'est-ce que je fabriquais ?

Il mit son manteau avec une grâce prédatrice. Il hésita un instant.

— Pas un souffle sur ta cicatrice, dit-il pensivement.

Il eut un sourire rusé. Il se réjouissait d'avance. Il alla se placer sur le pas de la porte et tendit la main vers Ivy.

Cette dernière alla récupérer le billet de cinquante dans la corbeille à cookies et le lui rendit d'un geste sec.

— Merci, Ivy chérie. Maintenant, j'ai assez d'argent pour un rendez-vous et une coupe de cheveux. (Il posa ses yeux dans les miens et soutint mon regard jusqu'à ce que j'aie le souffle coupé.) À plus tard, Rachel.

Ses pas résonnèrent dans l'église de plus en plus sombre. Je l'entendis dire quelque chose à Jenks, puis la porte d'entrée claqua légèrement.

Ivy n'était pas contente.

— C'était stupide, grogna-t-elle.

— Je sais, répondis-je sans la regarder.

Je mélangeais mon sucre et mon beurre d'un mouvement un peu trop rapide.

—Alors pourquoi as-tu fait ça?

—Peut-être parce que, contrairement à toi, j'aime qu'on me touche, soupirai-je d'un ton fatigué sans m'arrêter de touiller. Peut-être parce que Nick me manque. Peut-être parce qu'il est parti depuis trois mois et que j'ai été trop bête pour le remarquer. Laisse tomber, Ivy. Je ne suis pas ton ombre.

—Non, dit-elle. (Elle semblait moins en colère que je le pensais.) Je suis ta coloc', et Kisten est plus dangereux qu'il veut bien le montrer. Je l'ai déjà vu faire ça. Il veut te chasser. Te chasser lentement.

Soudain immobile, je la regardai.

—Plus lentement que toi? demandai-je avec amertume.

Elle me dévisagea.

—Je ne te chasse pas, s'offusqua-t-elle. Tu ne veux pas.

Je lâchai la cuiller, mis les mains autour du saladier et m'inclinai. On faisait une sacrée paire. L'une refusait de ressentir quoi que ce soit de peur de ne plus tenir ses émotions d'une main de fer, l'autre avait tellement faim de sensations qu'elle était prête à risquer son libre arbitre contre une nuit de folie. C'était un véritable miracle que je n'aie jamais fini à la botte d'un vampire.

—Il t'attend, dis-je en entendant le moteur de Kisten tourner à travers les murs isolés de l'église. Va te satisfaire. Je n'aime pas quand tu es frustrée.

Ivy se mit brusquement en mouvement. Sans dire un mot, elle sortit d'un pas raide, en faisant claquer ses talons sur le plancher. La porte de l'église ne fit presque pas de bruit en se refermant. Peu à peu, le tic-tac de l'horloge au-dessus de l'évier devint de plus en plus audible. Je relevai lentement la tête en inspirant. Je me demandai comment j'avais pu devenir le chaperon d'Ivy.

Chapitre 8

Les secousses rythmiques de la course dans ma colonne vertébrale détournaient mes pensées de Nick. Le ciel était clair, et le soleil se réverbérait sur les tas de neige, me forçant à plisser les yeux malgré mes nouvelles lunettes. J'avais laissé mon ancienne paire dans la limousine de Takata, et celle-ci n'était pas aussi bien ajustée. C'était le second jour de suite que je me levais à une heure indue – en l'occurrence 10 heures – pour aller courir. Et cette fois-ci j'étais bien décidée à courir. Après minuit, le jogging n'était pas aussi marrant – trop de tarés. En plus, j'avais rendez-vous avec Kisten le soir même.

Cette pensée siffla à mon oreille comme une balle et me fit presser le pas. Mes expirations étaient synchronisées avec mes foulées. Le rythme avait un effet hypnotique qui me plongeait dans l'ivresse de la course. J'accélérai encore, me repaissant de la sensation de vitesse. Devant moi, un couple de vieux sorciers alternait rapidement la marche et la course. Je passai devant l'enclos des ours. Ils m'observèrent d'un air intéressé – les ours, pas les sorciers. Je crois que c'est pour ça que la direction acceptait les joggers. Ça donnait autre chose à regarder aux grands prédateurs que des gosses en poussettes et leurs parents fatigués.

En fait, c'est avec cette idée à l'esprit que la petite communauté des coureurs avait pris sur elle d'adopter les tigres d'Indochine. Nos laissez-passer finançaient intégralement leurs soins et l'entretien de leur enclos. Ils mangeaient très bien.

— Pardon ! criai-je en rythme avec mes foulées et mes expirations. (Les deux sorciers s'écartèrent pour que je puisse passer.) Merci, dis-je en les dépassant.

L'air frais et terriblement sec porta jusqu'à mes narines leur forte odeur de séquoia. Je laissai derrière moi leur conversation amicale. J'eus une pensée à la fois confuse et énervée pour Nick. Je n'avais pas besoin de lui pour courir ; je pouvais me débrouiller seule. De toute façon, il ne m'avait pas souvent accompagnée, ces derniers temps ; en tout cas, pas depuis que j'avais fait l'acquisition d'une voiture et que je n'avais plus besoin de l'implorer de m'emmener.

Ouais, c'est ça, pensai-je. Ma mâchoire se crispa. Ce n'était pas une question de voiture. C'était autre chose. Une chose dont il ne voulait pas me parler. Une chose qui « ne me regardait vraiment pas ».

Perdue dans mes pensées, j'entendis à peine quelqu'un me dire « pardon », pas très loin derrière.

La voix était basse et maîtrisée. Qui que ce soit, cette personne tenait le rythme sans la moindre difficulté. Tous mes drapeaux d'alerte se levèrent. *On va voir si tu sais courir*, pensai-je en prenant une grande inspiration.

Le cœur battant, les poumons transpercés par la fraîcheur de l'air, j'accélérai. Comme si j'avais passé une vitesse, de nouveaux muscles se mirent à fonctionner. J'allais déjà vite ; ma vitesse de croisière se situait quelque part entre le sprint et le fond, ce qui avait fait de moi la meilleure en 800 mètres, au lycée. Ça s'avérait aussi utile quand je travaillais à la SO et qu'une filature se terminait en course-poursuite. À présent que j'avais accéléré, mes mollets se révoltaient et mes poumons commençaient à me brûler. En tournant à gauche après les rhinocéros, je me promis de venir plus souvent ; je me ramollissais.

Il n'y avait personne devant moi. Même pas un gardien. Tendant l'oreille, j'entendis la foulée de mon poursuivant accélérer au même rythme que la mienne. Je jetai un coup d'œil derrière moi en prenant un virage serré à gauche.

C'était un garou, du genre petit et maigre, élégant dans son pantalon de survêt' gris et sa chemise manches longues coordonnée. Ses cheveux étaient retenus en arrière par un bandeau, et il avait le visage parfaitement calme – il tenait le rythme que je lui imposais sans sourciller.

Merde. Mon cœur s'emballa encore davantage. Même sans son chapeau de cow-boy et son cache-poussière en laine, je le reconnaissais. *Merde, merde, merde.*

L'adrénaline me permit d'accélérer ma foulée. C'était le même garou. Pourquoi me suivait-il ? Mes pensées remontèrent à la veille, puis au-delà. Je l'avais déjà vu. Souvent. La semaine précédente, il était au comptoir des montres pendant qu'Ivy et moi choisissions un nouveau parfum suffisamment fort pour cacher le mélange de nos odeurs naturelles. Deux semaines plus tôt, il regonflait ses pneus alors que je faisais le plein d'essence – je m'étais retrouvée enfermée hors de ma voiture. Et trois mois avant, il était appuyé contre un arbre pendant que je parlais avec Trent à Eden Park.

Ma mâchoire se crispa. *Il est peut-être temps que nous bavardions*, pensai-je au moment où nous passions devant la maison des félins.

Le terrain allait amorcer une descente au niveau des aigles. Je tournai à droite et m'engageai dans la pente, penchée en arrière pour en compenser l'inclinaison. Monsieur Garou me suivit. Alors que je longeais l'arrière de la cage des aigles, je fis la liste de ce que j'avais sur moi. La trousse accrochée à ma ceinture contenait un trousseau de clés, un téléphone, une amulette de douleur légère déjà utilisée, et un minipistolet de paintball chargé avec des potions de sieste. Ça ne me serait d'aucune utilité ; je voulais lui parler, pas l'endormir.

L'allée s'élargit. Elle était toujours déserte. Personne ne courait dans cette portion à cause de la pente, qui était infernale à remonter. Parfait. Le cœur battant, je tournai à gauche au lieu de me diriger vers l'entrée de Vine Street. Je souris en entendant sa foulée faiblir. Il ne s'était pas attendu à ça. Penchée en avant, je remontai la colline à fond de train. J'avais l'impression de courir au ralenti. Le chemin était étroit et couvert de neige. Il suivait toujours.

Ici, pensai-je en atteignant le sommet. Essoufflée, je jetai un coup d'œil à mon poursuivant et quittai rapidement le chemin pour m'enfoncer dans d'épais buissons. Mes poumons me brûlèrent lorsque je retins ma respiration.

J'entendis sa foulée résolue et sa respiration bruyante. Il hésita en atteignant le sommet, regarda autour de lui pour voir par où j'étais passée. Ses yeux sombres étaient plissés, et je vis à ses sourcils froncés qu'il commençait à avoir un coup de mou.

Je pris ma respiration et bondis hors du buisson.

Il m'entendit, mais trop tard. Je lui tombai dessus au moment où il se retournait. Je le plaquai contre un vieux chêne. Sous le choc, ses poumons se vidèrent et il écarquilla les yeux. Mes doigts se resserrèrent sur sa gorge et le maintinrent en place ; je lui donnai un coup de poing dans le plexus solaire.

Il se voûta, le souffle coupé. Je le lâchai. Il tomba assis au pied de l'arbre en se tenant la poitrine. Son petit sac à dos faillit passer par-dessus sa tête.

— Bon sang, qui vous êtes, et pourquoi vous me suivez depuis trois mois ? criai-je.

Comme le zoo était fermé et l'heure tardive, je n'avais pas peur d'être entendue.

Le menton sur la poitrine, le garou leva la main. Pour une main d'homme, elle était plutôt petite, mais épaisse, avec des doigts courts et puissants. Sa chemise en élasthanne imbibée de sueur était devenue gris foncé. Il déplaça lentement ses jambes pour s'installer dans une position moins inconfortable.

Les mains sur les hanches, je reculai d'un pas. Ma poitrine se gonflait et se dégonflait au rythme effréné de ma respiration. Je n'avais pas encore récupéré après cette montée abrupte. En colère, j'enlevai mes lunettes de soleil, les accrochai à ma ceinture et attendis.

— David, dit-il d'une voix rocailleuse.

Il me regarda dans les yeux mais dut baisser la tête pour respirer. Ses yeux marron trahissaient sa douleur et un certain embarras. Son visage rude couvert d'une barbe de trois jours aussi noire que ses longs cheveux était luisant de sueur.

— Bon sang ! s'exclama-t-il les yeux rivés au sol. Vous n'étiez pas obligée de me cogner ! Mais qu'est-ce que vous avez, vous, les rousses, à taper sur tout ce qui bouge ?

— Pourquoi me suivez-vous ? insistai-je.

Il leva une main pour me faire signe d'attendre. Je patientai donc en gigotant nerveusement jusqu'à ce qu'il reprenne son souffle. Il laissa enfin retomber sa main et me regarda.

— Je m'appelle David Hue. Je suis expert en sinistres. Je peux me relever ? Je commence à être trempé.

Bouche bée, je reculai de quelques pas sur le chemin et le regardai se redresser et épousseter la neige de son dos.

— Un expert en sinistres ? (La surprise balaya ce qui me restait d'adrénaline ; je me frottai les bras et regrettai de ne pas avoir pris mon manteau, car l'air semblait soudain plus frais, maintenant que je ne courais plus.) J'ai payé ma cotisation, m'énervai-je. Je n'ai jamais raté un paiement. Pour six cents dollars par mois, on pourrait penser que vous me laisseriez tran…

—Six cents dollars par mois ! s'exclama-t-il. Oh là là, chérie, il faut vraiment qu'on parle.

Je reculai, choquée par sa familiarité. Il devait avoir dans les trente-cinq ans, à voir sa mâchoire carrée et la très légère brioche que sa chemise moulante ne parvenait pas à cacher. Elle ne pouvait pas davantage dissimuler ses épaules étroites mais musclées. Et ses jambes… elles étaient fabuleuses. Il y a des gens qui devraient éviter de porter de l'élasthanne ; je devais bien avouer que ce n'était pas le cas de David, même si mes goûts me portaient vers des hommes un peu plus jeunes.

—Alors c'est ça ? dis-je. (J'étais à la fois agacée et soulagée.) C'est comme ça que vous gagnez des clients ? En les suivant dans la rue ? (Énervée, je lui tournai le dos.) C'est pathétique. Même pour un garou.

—Attendez un peu, lança-t-il en s'engageant à son tour sur le chemin dans un craquement de brindilles. Ce n'est pas ça. En fait, c'est à propos du poisson.

Je m'arrêtai net, les pieds au soleil et la tête à l'ombre. Je repensai au poisson que j'avais volé dans le bureau de M. Ray, en septembre dernier. *Merde.*

—Euh… (Mes genoux se mirent à flageoler, mais ce n'était pas parce que j'avais couru.) Quel poisson ?

Je dépliai mes lunettes d'un geste maladroit et les chaussai en me dirigeant vers la sortie du zoo.

David m'emboîta le pas en se touchant la poitrine pour vérifier qu'il n'avait rien de cassé.

—Et voilà. (On aurait presque dit qu'il se parlait à lui-même.) C'est exactement pour ça que je vous filais. Maintenant, comme vous n'allez pas me répondre honnêtement, je ne pourrai pas boucler mon dossier.

J'avais mal au ventre. Je me forçai à accélérer le pas.

—C'était une erreur, dis-je en rougissant. Je croyais que ce poisson appartenait aux Hurleurs.

David retira son bandeau et tira ses cheveux en arrière avant de le remettre.

—Le bruit court que le poisson a été détruit. Je pense que c'est très improbable. Si vous pouvez vérifier, je bouclerai mon rapport, j'enverrai un chèque à la personne à qui M. Ray avait volé ce poisson, et vous ne me reverrez jamais.

Je lui lançai un regard en coin. J'étais soulagée qu'il ne me sorte pas une assignation, ou quelque chose de ce genre. Comme personne ne s'était lancé à ma poursuite, j'avais supposé que M. Ray avait volé le poisson. Mais ce qui se passait était carrément inattendu.

— Quelqu'un a assuré son poisson ? le raillai-je. (Je compris qu'il était sérieux.) Vous plaisantez.

Il secoua la tête.

— Je vous suivais pour savoir si c'est vous qui l'avez ou pas.

Nous avions atteint l'entrée. Je m'arrêtai ; je ne voulais pas qu'il me suive jusqu'à ma voiture, même s'il savait forcément laquelle c'était.

— Alors pourquoi ne pas me l'avoir demandé, monsieur l'agent d'assurances ?

Il prit l'air agacé et se planta devant moi dans une pose agressive. Nous faisions exactement la même taille – il n'était donc pas très grand pour un homme – mais la plupart des garous n'étaient pas grands vus de l'extérieur.

— Vous vous attendez vraiment à ce que je croie que vous ne savez pas ?

Je le regardai, l'œil vide.

— Je ne sais pas quoi ?

Il passa une main dans son poil épais et regarda le ciel.

— La plupart des gens mentent, quand ils mettent la main sur un poisson à vœux. Si c'est vous qui l'avez, dites-le-moi. Je m'en fous. Tout ce que je veux, c'est boucler mon dossier.

J'en restai comme deux ronds de flan.

— Un… un poisson…

Il acquiesça.

— Un poisson à vœux, c'est ça. (Ses sourcils épais s'arquèrent.) Vous ne le saviez vraiment pas ? Il est toujours en votre possession ?

Je m'assis sur un banc gelé.

— Jenks l'a mangé.

Le garou sursauta.

— Pardon ?

Je n'arrivais pas à lever les yeux. Je repensai à l'automne précédent et mon regard se promena sur ma belle décapotable rouge qui m'attendait dans le parking, de l'autre côté de la grille. J'avais souhaité avoir une voiture. Mince alors, j'avais désiré une voiture, et je l'avais eue. *Jenks a mangé un poisson à vœux ?*

L'ombre de David tomba sur moi. Je levai la tête et plissai les yeux pour regarder sa silhouette sombre qui se découpait sur le ciel bleu immaculé de midi.

— Mon associé l'a mangé avec sa famille.

David avait les yeux écarquillés.

— Vous rigolez ?

Commençant à me sentir mal, je ne soutins pas son regard.

— On ne savait pas. Il l'a fait cuire sur un feu et ils l'ont mangé.

Ses petits pieds s'agitèrent. Il se contorsionna et prit une feuille et un stylo dans son sac à dos. J'étais assise, les coudes appuyés sur les genoux, le regard dans le vague. David s'accroupit à côté de moi et griffonna quelque chose en se servant du banc de béton lisse comme d'un bureau.

— Si vous voulez bien signer ici, mademoiselle Morgan, dit-il en me tendant le stylo.

Soupirant malgré moi, je pris et le stylo et le papier. Son écriture, raide et précise, révélait que c'était un homme méticuleux, bien organisé. Ivy l'aurait adoré. Je regardai le contenu de la feuille et compris qu'il s'agissait d'un document légal. David y avait ajouté une mention précisant que j'avais assisté à la destruction du poisson sans connaître sa vraie nature. Résignée, je griffonnai mon nom et lui rendis le papier.

Il me regarda avec une incrédulité teintée d'amusement, prit le stylo et signa à son tour. Je ravalai un reniflement moqueur en le voyant sortir tout un équipement de notaire pour rendre le document tout à fait légal. Il ne me demanda pas mon identité mais, bon sang, ça faisait trois mois qu'il me suivait.

— Vous êtes notaire, en plus ? demandai-je.

Il acquiesça en remballant tout son matériel, puis referma son sac.

— C'est une nécessité dans mon métier. (Il se leva en souriant.) Merci, mademoiselle Morgan.

— Aucun problème.

J'étais en pleine confusion. Je ne savais pas encore si j'allais en parler à Jenks. Je m'aperçus que David me tendait sa carte. Je la pris, interloquée.

— Puisque je vous tiens, dit-il en se déplaçant pour que je puisse le regarder sans être éblouie par le soleil. Si ça vous intéresse, un meilleur taux pour votre assurance…

Je laissai tomber sa carte en soupirant. *Quelle mauviette.*

Il rit et se baissa d'un mouvement gracieux pour ramasser sa carte.

—Je paie deux cent cinquante par mois pour mon assurance santé et mon assurance hospitalisation, grâce à mon syndicat.

Soudain, j'étais intéressée.

—Les coureurs sont presque inassurables.

—C'est vrai. (Il sortit un blouson noir en nylon de son sac à dos et l'enfila.) Pareil pour les experts de terrain. Mais comme on est très peu nombreux comparés aux ronds-de-cuir qui constituent le gros de l'entreprise, on a un taux intéressant. Les frais de syndicat sont de cent cinquante dollars par an. Ça donne droit à des remises sur les assurances, à des prêts de voitures et, en prime, vous pouvez manger autant de steaks que vous le voulez au pique-nique annuel.

C'était trop beau pour être vrai.

—Pourquoi? demandai-je en reprenant sa carte.

Il haussa les épaules.

—Mon associé a pris sa retraite l'année dernière. J'ai besoin de quelqu'un.

Je restai un instant bouche bée en comprenant ce qu'il voulait. *Il croit vraiment que je veux devenir experte en sinistres? C'est pas possible...*

—Désolée, j'ai déjà un boulot, dis-je d'un ton narquois.

Il laissa échapper un bruit d'exaspération.

—Non. Vous n'avez pas compris. Je ne veux pas d'un associé. J'ai éconduit tous les stagiaires qu'ils m'ont refilés, et ils ont fini par comprendre que ce n'était pas la peine. J'ai deux mois pour trouver quelqu'un ou ils vont me couper les vivres. J'aime mon boulot et j'assure bien, mais je ne veux pas d'associé. (Il hésita; son regard acéré scruta le zoo par-dessus mon épaule avec une résolution toute professionnelle.) Je travaille en solo. Vous signez le papier, vous adhérez au syndicat, vous avez une ristourne sur votre assurance, vous ne me voyez qu'au pique-nique annuel, on fait comme si on était potes et on participe à la course à trois jambes. Je vous aide; vous m'aidez.

Je ne pouvais m'empêcher d'écarquiller les yeux. Mon regard se porta sur la carte que je tenais. Quatre cents dollars de moins par mois, voilà qui était intéressant. Et j'étais prête à parier qu'ils étaient aussi moins chers pour l'assurance voiture. J'étais tentée.

—C'est quoi, votre assurance hospitalisation?

Ses lèvres fines se retroussèrent, dévoilant ses petites dents.

—La Croix d'Argent.

J'acquiesçai. C'était une assurance spécifique pour les garous, mais elle était assez flexible pour que ça puisse fonctionner. Après tout, une fracture est une fracture.

—Aloooors, dis-je en m'appuyant contre le dossier du banc. Où est l'entourloupe ?

Son sourire s'élargit.

—Comme c'est moi qui me tape tout le boulot, votre salaire est détourné sur mon compte.

Aaaah, pensai-je. Il touchait deux salaires. C'était une sacrée arnaque. Je lui rendis sa carte avec un sourire en coin.

—Merci, mais non merci.

Il poussa un petit gémissement de déception, prit la carte et recula.

—Vous ne pouvez pas m'en vouloir d'avoir essayé. En fait, c'était l'idée de mon ancien associé. J'aurais dû me douter que vous ne voudriez pas. (Il hésita.) Votre associé a vraiment mangé le poisson ?

J'acquiesçai, et y repenser me déprima.

—Au moins, j'ai eu le temps d'avoir une voiture.

—Bon… (Il posa la carte sur le banc de béton en la faisant claquer.) Appelez-moi si vous changez d'avis. C'est mon numéro de poste, vous ne tomberez pas sur ma secrétaire. Quand je ne suis pas sur le terrain, je suis au bureau de 15 heures à minuit. Je pourrais envisager de vous prendre pour de vrai comme apprentie. Mon dernier associé était sorcier, et vous avez l'air de ne pas manquer de culot.

—Merci, répliquai-je d'un ton sournois.

—Ce n'est pas aussi ennuyeux que ça en a l'air. Et c'est moins dangereux que votre boulot actuel. Peut-être que quand vous vous serez pris une ou deux roustes supplémentaires, vous changerez d'avis.

Je finissais par me demander si ce gars était réel.

—Je ne travaille pour personne à part moi.

Il acquiesça, fit un salut militaire approximatif, tourna les talons et s'éloigna. Je me redressai quand sa silhouette musclée sortit du zoo. Il monta dans un coupé gris garé de l'autre côté du parking par rapport à ma voiture, démarra et quitta les lieux. J'eus un mouvement de recul en comprenant qu'il nous avait observés la veille, Nick et moi.

Je me levai et m'aperçus que j'avais le derrière gelé à force d'être assise sur du béton. Je pris sa carte, la déchirai en deux, allai à la poubelle la plus proche, mais, alors que j'étais sur le point de la jeter, je me ravisai. Lentement, je mis les deux morceaux dans ma poche.

Experte en sinistres ? se moqua une petite voix dans ma tête. Je ressortis la carte et la jetai à la poubelle en grimaçant. Retravailler pour quelqu'un d'autre ? Non. Jamais.

Chapitre 9

J e retrouvai enfin ma sérénité au moment où je saupoudrais de sucre jaune le cookie glacé en forme de soleil. Bon, d'accord, il était rond, mais avec le sucre, ça pouvait faire penser au soleil. J'en avais assez des nuits à rallonge, et la manifestation physique d'un changement de saison m'avait toujours emplie d'une force tranquille. Surtout pour le solstice d'hiver.

Je posai le cookie que je venais de terminer sur la serviette en papier et en pris un autre. Le silence régnait si l'on exceptait la musique qui provenait du salon. Takata avait finalement sorti *Rubans rouges* en exclusivité sur WVMP, et la station le jouait en boucle. Ça ne me dérangeait pas. Il avait opté pour le refrain dont je lui avais dit qu'il collait au thème de la chanson, et j'étais contente d'avoir joué un petit rôle dans sa création.

Tous les pixies dormaient dans le tiroir de mon bureau. Ils en avaient encore pour au moins deux heures. Ivy mettrait sans doute encore plus de temps à débarquer dans la cuisine, l'œil chassieux, à la recherche de café. Elle était rentrée avant le lever du soleil, l'air calme et détendue, et avait cherché maladroitement mon approbation pour avoir assouvi sa soif de sang auprès de quelque pauvre poire avant d'aller comater comme un accroc au Soufre. J'avais l'église pour moi toute seule, et je comptais bien profiter à fond de ce moment de solitude.

Me balançant au rythme lourd de la batterie (ce que je n'aurais pas fait si on m'avait observée), je souris. C'était bon d'être seule de temps en temps.

Jenks ne s'était pas contenté de pousser ses enfants à s'excuser ; quand je m'étais levée, cet après-midi-là, une cafetière pleine m'attendait dans une cuisine rutilante. Tout brillait, tout était lustré. Ils avaient même récuré le cercle que j'avais gravé dans le lino autour du plan de travail central et qui était particulièrement encrassé. Il n'y avait pas l'ombre d'un grain de poussière ou d'une toile d'araignée, ni sur les murs ni au plafond. Tout en plongeant le couteau dans le glaçage vert, je me jurai d'essayer de maintenir la pièce dans cet état.

Ouais, c'est ça, pensai-je en mettant des couches de glaçage sur le cookie en forme de couronne. Je remettrais le ménage au lendemain jusqu'à en revenir au chaos dont les pixies m'avaient tirée. Au mieux, je tiendrais deux semaines.

En rythme avec la musique, je disposai trois petits bonbons chauds représentant des baies. Je mis le gâteau de côté avec un soupir et m'attaquai au cookie en forme de bougie ; je réfléchis à la couleur que j'allais utiliser : allais-je choisir le violet pour la sagesse ou le vert pour le changement ?

Je venais d'opter pour le violet quand le téléphone du salon sonna. Je restai paralysée un instant avant de poser la barquette de beurre pleine de glaçage et de courir décrocher avant que les sonneries réveillent les pixies. C'était pire que s'il y avait eu un bébé à la maison. Je saisis au passage la télécommande posée sur le canapé et mis le volume du lecteur CD à zéro.

— Charmes vampiriques, dis-je en décrochant. (J'espérais ne pas avoir l'air trop essoufflée.) Rachel à l'appareil.

— Combien pour une escorte le 23 ? demanda une voix jeune à la limite de la mue.

— Ça dépend de la situation. (Je me mis en quatrième vitesse à la recherche d'un stylo et du calendrier, mais comme ce dernier n'était pas là où je l'avais laissé, je dus me résoudre à exhumer mon agenda de mon sac ; il me semblait que le 23 était un samedi.) Y a-t-il danger de mort, ou s'agit-il d'une simple protection ?

— Danger de mort ! s'exclama la voix. Tout ce que je veux, c'est une jolie fille pour que mes amis ne pensent pas que je suis un *loser*.

Je fermai les yeux pour reprendre mes esprits. *Trop tard, mon gars*, pensai-je en appuyant sur le stylo pour le refermer.

— Ici, c'est une société de coureurs indépendants, précisai-je d'un ton las. Pas une boîte d'escort girls. Oh, et à propos, petit gars, rends-toi service et intéresse-toi à la fille timide de ta classe. Elle est plus sympa que tu le penses et, au moins, elle ne possédera pas ton âme le lendemain matin.

Mon interlocuteur raccrocha. Je fronçai les sourcils ; c'était le troisième appel de ce genre ce mois-ci. Il valait peut-être mieux que j'ouvre les Pages jaunes pour regarder l'annonce qu'Ivy y avait mise.

Je m'essuyai les mains pour les débarrasser des résidus de sucre et allai chercher l'annuaire dans le placard sur lequel était installé le répondeur. Je le posai sur la table basse. Une lumière rouge clignotant indiquait qu'il y avait un message. J'appuyai sur le bouton « lecture » et feuilletai le gros volume à la recherche des pages « Détectives privés ». Je m'immobilisai en entendant la voix de Nick qui, d'un ton coupable et maladroit, me disait qu'il était passé prendre Jax vers 6 heures du matin et qu'il m'appellerait d'ici à quelques jours.

— Lâche, soufflai-je en pensant que c'était un crucifix de plus accroché à mon cercueil.

Il savait qu'à cette heure-là, seuls les pixies étaient debout. Je me promis de m'amuser, à ce rendez-vous avec Kisten, même si Ivy était obligée de me tuer après. Je donnai un coup sur le bouton « effacer » puis retournai à mon annuaire.

Nous étions parmi les derniers de la liste. Je haussai les sourcils en voyant la belle police de caractères dans laquelle était écrit « Charmes vampiriques ». Notre publicité était plus attirante que les annonces pleine page qui l'entouraient ; dans le fond, il y avait un dessin en filigrane représentant une femme mystérieuse avec un imperméable et un chapeau.

— Rapide. Discret. Aucune question, lus-je à haute voix. Prix variables selon prestation. Options de paiement. Assurance. Tarifs à l'heure, au jour ou à la semaine.

Nos noms, adresse et numéro de téléphone figuraient au bas de la publicité. Je ne comprenais pas. Rien de tout ça ne portait à croire que nous étions une maison de passe ou même un service de rencontres. Je remarquai alors une ligne de caractères minuscules me disant d'aller voir les autres entrées.

Je feuilletai l'annuaire jusqu'à la première page de la liste et trouvai la même publicité. Je regardai de plus près les annonces qui l'entouraient. Bon sang, mais cette fille était presque nue – elle avait un corps digne d'un dessin animé. Je jetai un coup d'œil à l'en-tête.

— « Sociétés d'escorte » ? dis-je en rougissant à la vue des publicités suggestives et torrides.

Je revins soudain à notre propre annonce, et les mots prirent une signification totalement différente. Aucune question ? Tarifs à l'heure, au jour ou à la semaine ? *Options de paiement* ? Les lèvres crispées, je refermai l'annuaire. Je le laissai sorti pour penser à en parler à Ivy. Pas étonnant qu'on reçoive ce genre de coups de fil.

Carrément furieuse, je remis le son et retournai dans la cuisine. Les Steppenwolf faisaient de leur mieux pour me rendre ma bonne humeur avec *Magic Carpet Ride*.

Je ralentis le pas en sentant un léger courant d'air, un début d'odeur de chaussée mouillée. Un poing jaillit de l'encadrement de la porte de la cuisine et manqua ma mâchoire.

— Bon sang ! jurai-je en me jetant en avant au lieu de reculer dans l'espace confiné du couloir.

L'attaque des pixies me revint à l'esprit ; je puisai l'énergie de la ligne la plus proche mais attendis avant de m'en servir. Je m'accroupis en position défensive entre l'évier et le plan de travail central. Je faillis m'étouffer en voyant qui se trouvait à côté de l'entrée du couloir.

— Quen ? m'étonnai-je sans changer de position. (Le chef de la sécurité de Trent, un homme athlétique au visage légèrement ridé me regardait, impassible ; il était habillé tout en noir, dans une tenue moulante qui ressemblait un peu à un uniforme.) Mais bon sang, qu'est-ce que vous foutez ? Vous savez que je pourrais appeler la SO et leur demander de virer votre cul de ma cuisine pour y être entré illégalement ! Si Trent veut me voir, il peut me rendre visite, comme tout le monde. Je lui dirai d'aller se faire foutre, mais au moins il pourrait avoir la décence de me laisser le lui dire en personne !

Quen secoua la tête.

— J'ai un problème, mais je ne pense pas que vous puissiez le résoudre.

Je lui fis une grimace.

— Ne me testez pas, Quen, dis-je. (J'arrivais à peine à me retenir de hurler.) Vous n'y arriverez pas.

— Nous verrons.

Ce fut le seul avertissement qu'il me donna avant de prendre appui sur le mur et de se jeter sur moi.

Je retins ma respiration et plongeai en avant plutôt qu'en arrière, comme j'aurais eu envie de le faire. Quen vivait et respirait la sécurité. En reculant, j'aurais seulement réussi à me faire coincer. Le cœur battant à tout rompre, je saisis ma marmite bosselée remplie de glaçage blanc et fis un moulinet.

Quen l'attrapa au passage et me repoussa violemment. L'afflux d'adrénaline me donna une sacrée migraine. Je lâchai la marmite et Quen la jeta. Elle s'écrasa avec un gros bruit métallique et roula jusque dans le couloir.

Je lui lançai la machine à café, mais elle fut retenue par son cordon et la cafetière alla se briser en mille morceaux sur le lino. Quen esquiva sans problème. Il posa ses yeux verts dans les miens; il avait l'air en rogne, comme s'il se demandait ce que je fabriquais. Mais, s'il me mettait la main dessus, j'étais cuite. J'avais un plein placard de charmes à portée de main, et pas une seconde pour en invoquer ne serait-ce qu'un seul.

Il prit son élan. Le revoyant échapper à Piscary en faisant des bonds incroyables, je me jetai sur la grosse cuve. Les dents serrées, je la fis basculer.

Quen poussa un cri de dégoût. Les quarante litres d'eau salée que contenait la cuve se déversèrent par terre et se mélangèrent au café et aux morceaux de verre. Il fit de grands moulinets avec ses bras et glissa.

Je me hissai sur le plan de travail central, piétinant mes cookies glacés et renversant les fioles pleines de sucre coloré. Je me baissai pour éviter les ustensiles pendus au-dessus de ma tête et sautai les pieds en avant lorsqu'il se redressa.

Je l'atteignis en pleine poitrine et nous tombâmes tous les deux.

Mais enfin, où sont-ils tous passés? me demandai-je lorsque ma hanche toucha le sol. Je ne pus réprimer un grognement de douleur. Je faisais assez de bruit pour réveiller les morts, mais, ces derniers temps, il y avait plus souvent du bruit que du silence; Ivy et Jenks devaient ignorer le tumulte et espérer que ça se termine.

Je m'écartai de Quen en dérapant. Je tâtonnai à la recherche de mon pistolet de paintball, que je rangeais volontairement à hauteur de cheville. Je le sortis du placard. Des récipients en cuivre valdinguèrent bruyamment.

—Ça suffit, hurlai-je. (J'étais assise dans la mare d'eau salée, bras tendus, le pistolet braqué sur lui; l'arme était chargée de capsules d'eau pour l'entraînement, mais il n'avait aucun moyen de le savoir.) Qu'est-ce que vous voulez?

Quen hésita. L'eau faisait des taches plus sombres sur son pantalon noir. Ses yeux se crispèrent. Une poussée d'adrénaline. Il allait risquer le coup.

Mon instinct et mes longues heures d'entraînement avec Ivy me firent appuyer sur la gâchette. Il bondit comme un chat sur la table. Je continuai à le viser et tirai jusqu'à la dernière capsule d'eau.

Il s'immobilisa en position accroupie et regarda d'un air offusqué les six nouvelles taches que je venais de faire sur son haut moulant. Mince. Je l'avais raté une fois. La mâchoire serrée, le regard plein de colère, il s'exclama d'un ton incrédule :

— De l'eau ? Vous chargez votre pistolet à sorts avec de l'eau ?

— Oui, vous avez de la chance, hein ? répliquai-je. Qu'est-ce que vous voulez ?

Il secoua la tête. Je retins ma respiration – j'avais l'impression de tomber. Il puisait dans la ligne d'énergie du cimetière.

Prise de panique, je me relevai brusquement et balançai la tête pour écarter la mèche que j'avais devant les yeux. Depuis sa position dominante, Quen se redressa de toute sa hauteur et bougea les mains en murmurant des mots en latin.

— Si vous croyez que je vais vous laisser faire ! criai-je en lui lançant mon pistolet.

Il se baissa pour l'éviter. Je lui jetai tout ce qui me tombait sous la main dans une tentative désespérée pour l'empêcher de terminer son sort.

Il esquiva la barquette pleine de glaçage. Elle alla s'écraser contre le mur et laissa une traînée verte. Je pris la boîte de cookies et contournai le plan de travail en faisant de grands moulinets. Il sauta par terre en jurant. Les cookies et les bonbons encore chauds volaient en tous sens.

Je le suivis et l'attrapai au niveau des genoux. Nous tombâmes avec un gros bruit mouillé. Il se contorsionna jusqu'à plonger ses yeux furax dans les miens. Je pris à tâtons des cookies détrempés et les lui fourrai dans la bouche pour qu'il ne puisse pas lancer de sort verbal.

Il me les recracha à la figure. Son visage très bronzé à la peau grêlée arborait une expression véhémente.

— Petite chienne, parvint-il à articuler avant que je lui bourre de nouveau la bouche de cookies.

Ses mâchoires se refermèrent sur mes doigts. Je retirai ma main avec un cri de douleur.

— Mais vous m'avez mordue! hurlai-je d'un ton outré.

Je lui donnai un coup de poing, mais il fit une roulade pour se remettre sur pieds, envoyant par la même occasion des chaises valdinguer.

Il se redressa, essoufflé. Il était trempé et couvert de giclures colorées de sucre glace. Il grogna un mot que je ne compris pas et me sauta dessus.

Je me redressai d'un bond pour fuir. Une onde de douleur parcourut mon cuir chevelu lorsqu'il me prit par les cheveux et me fit pivoter. Il se plaqua contre mon dos et passa un bras autour de ma gorge comme pour m'étrangler. Son autre main se glissa entre mes jambes et me souleva, me forçant à me tenir sur une jambe.

Furieuse, je lui donnai un coup de coude dans le ventre de mon seul bras libre.

— Enlevez vos sales pattes…, exigeai-je en faisant de petits bonds en arrière sur un pied… de mes cheveux!

Je l'écrasai contre le mur; sous le choc, ses poumons se vidèrent bruyamment et il relâcha sa prise sur mon cou.

Je fis volte-face pour le plaquer, mais il n'était déjà plus là. Incrédule, je fixai le mur jaune. Mes jambes se dérobèrent sous moi. Je poussai un cri en m'effondrant sur le sol trempé. Il me tomba dessus de tout son poids et m'immobilisa, les mains au-dessus de la tête.

— J'ai gagné, haleta-t-il.

Il était assis à califourchon sur moi; ses yeux verts étaient furibonds.

Je me débattis en vain, exaspérée que le combat se termine bêtement à l'avantage du plus lourd des deux.

— Vous avez oublié quelque chose, Quen, grognai-je. J'ai cinquante-sept colocataires.

Les ridules de son front se creusèrent.

Je pris une grande inspiration et sifflai de toutes mes forces. Il écarquilla les yeux. Je libérai ma main droite au prix d'un gros effort et donnai un coup de paume dans la direction de son nez.

Il esquiva, mais cela me permit de le repousser. Je roulai au sol et me mis à quatre pattes. Je fis un grand mouvement de tête pour écarter les cheveux trempés qui me collaient au front par paquets.

Quen s'était relevé, mais il ne revint pas à l'assaut. Il restait parfaitement immobile, ses paumes souillées de pâte à cookie levées au-dessus de la tête en signe de trêve. Jenks faisait du surplace devant lui. Il braquait l'épée qu'il gardait pour repousser les fées sur l'œil droit de l'homme de Trent. Le pixie était furieux ; la poussière qui s'échappait de lui faisait un rayon de soleil ininterrompu jusqu'au sol.

— Ose seulement respirer, menaça Jenks. Allez, essaie de cligner de l'œil. Donne-moi un prétexte, putain de monstre de la nature.

Je me remis tant bien que mal sur pieds. Ivy jaillit dans la pièce. Je n'aurais pas cru qu'elle pouvait se déplacer à cette vitesse. Sa robe de chambre défaite flottant derrière elle, elle prit Quen à la gorge.

Les lumières clignotèrent et les ustensiles se balancèrent lorsqu'elle le plaqua violemment contre le mur, près de l'entrée.

— Qu'est-ce que vous faites là ? grogna-t-elle.

Elle le serrait si fort que ses phalanges étaient blanches. Jenks avait suivi le déplacement de Quen ; la pointe de son épée n'avait pas quitté son œil.

— Attendez ! intervins-je de peur qu'ils le tuent. (Ça ne me gênait pas spécialement, mais il y aurait tout un tas de gars de la SO dans ma cuisine, et de la paperasserie – beaucoup de paperasserie.) Du calme.

Je jetai un coup d'œil à Ivy, qui ne lâchait pas sa prise. J'avais du gâteau sur la main ; je repris mon souffle en m'essuyant sur mon jean mouillé. J'étais couverte de taches de sel, et j'avais des miettes de cookies et du sucre dans les cheveux. Je regardai autour de moi. On aurait dit qu'il y avait eu un attentat dans une pâtisserie. Incrédule, je remarquai qu'il y avait des traces de glaçage violet au plafond. Quand était-ce arrivé ?

— Mademoiselle Morgan…, commença Quen.

Ivy serra plus fort, et il ne parvint plus à produire qu'un gargouillis. Dans le salon, le volume de la musique baissa, laissant place à la voix de l'animateur.

Je me tâtai les côtes en grimaçant. Furieuse, j'allai jusqu'à Quen d'un pas décidé.

— Mademoiselle Morgan ? hurlai-je à dix centimètres de son visage écarlate. Mademoiselle Morgan ? Alors maintenant, vous me servez du « mademoiselle » ? Mais, bon sang, c'est quoi votre problème ? Vous débarquez chez moi, vous ruinez mes cookies. Vous savez combien de temps ça va prendre pour nettoyer tout ça ?

Il me répondit par un nouveau gargouillis, et ma colère diminua. Ivy le dévisageait avec une intensité effrayante. L'odeur de sa peur l'avait entraînée au-delà de ses limites. Elle resterait une menace jusqu'à midi.

Ça ne présageait rien de bon. J'eus un mouvement de recul ; j'avais soudain recouvré mon calme.

—Euh, Ivy ?

—Je vais bien, dit-elle d'une voix enrouée. (Ses yeux disaient le contraire.) Tu veux que je le saigne pour le faire taire ?

—Non ! m'exclamai-je.

J'eus de nouveau une sensation de vertige. Quen puisait l'énergie de la ligne. Alarmée, je retins ma respiration. La situation n'allait pas tarder à devenir incontrôlable. Quelqu'un allait être blessé. Je pouvais faire un cercle, mais il serait autour de moi, pas de lui.

—Lâche-le, ordonnai-je. Jenks, toi aussi laisse-le. (Ils ne firent pas mine de m'obéir.) Tout de suite !

Ivy le souleva contre le mur avant de le lâcher et de s'écarter. Il s'affala par terre en toussant violemment, la main autour de la gorge. Il bougea lentement les jambes pour prendre une position normale. Il écarta ses cheveux très noirs de ses yeux et me regarda, les jambes croisées et les pieds nus.

—Morgan, dit-il d'une voix rauque en se cachant la gorge. J'ai besoin de votre aide.

Je jetai un coup d'œil à Ivy, qui défroissait sa robe de soie noire. Il avait besoin de mon aide ? Mais oui, c'est ça !

—Tout va bien ? demandai-je à Ivy.

Elle acquiesça. L'anneau brun autour de ses yeux était trop clair à mon goût, mais le soleil était haut dans le ciel, et l'atmosphère se détendait. Voyant que j'étais inquiète, elle fit la moue.

—Je vais bien, répéta-t-elle. Tu veux que j'appelle la SO maintenant, ou je le tue d'abord ?

Je contemplai la cuisine. Mes cookies étaient fichus ; il n'en restait que des monticules imbibés. Sur les murs, les morceaux de glaçage avaient commencé à couler. L'eau salée s'aventurait hors de la cuisine et menaçait d'atteindre le tapis du salon. Il était vraiment tentant de laisser Ivy le tuer.

—Je veux entendre ce qu'il a à me dire.

J'ouvris un tiroir et en sortis trois torchons que je mis en travers de la porte en guise de digue. Les enfants de Jenks nous regardaient, cachés derrière l'encadrement de la porte. Toujours sous le coup de la colère, leur père frotta ses ailes l'une contre l'autre, ce qui produisit un sifflement strident. Ils filèrent dans une cohue de pépiements.

Je pris un quatrième torchon, essuyai le glaçage sur mon coude, puis allai me planter devant Quen. Les jambes écartées, les poings sur les hanches, j'attendis. Ça devait être important, pour qu'il soit prêt à risquer que Jenks découvre que c'était un elfe. Je pensai à Ceri, de l'autre côté de la rue, et mon inquiétude grandit. Je refusais de parler de son existence à Trent. Il se servirait d'elle, et probablement d'une manière bien laide.

L'elfe se toucha le flanc à travers son haut noir.

— Je crois que vous m'avez cassé des côtes.

— J'ai réussi le test? demandai-je d'un ton sournois.

— Non. Mais je n'ai rien trouvé de mieux.

Ivy laissa échapper une exclamation incrédule et Jenks revint voler à son niveau, bien qu'à une distance raisonnable.

— Espèce de con, l'apostropha l'homme de dix centimètres. On aurait pu vous tuer trois fois.

Quen soutint son regard.

— «On», oui. Mais c'est elle qui m'intéressait, pas «on». Et elle a échoué.

— Donc, je suppose que ça signifie que vous vous en allez, dis-je tout en sachant que je n'aurais pas cette chance.

Je regardai sa tenue discrète et soupirai. Il était à peine plus de midi. Les elfes dormaient quand le soleil était au plus haut et au milieu de la nuit, tout comme les pixies. Quen était venu à l'insu de Trent.

Un peu rassurée, je pris une chaise et m'assis avant que l'elfe remarque que mes jambes tremblaient.

— Trent ne sait pas que vous êtes ici, dis-je.

Il acquiesça avec solennité.

— C'est moi qui ai un problème, pas lui. C'est moi qui paie, pas lui.

Je clignai des yeux pour cacher mon malaise. J'avais vu juste : Trent n'était pas au courant. Intéressant.

— Vous avez un boulot pour moi, et il n'en sait rien. De quoi s'agit-il ?

Le regard de Quen se posa sur Ivy et Jenks.

Agacée, je croisai les jambes en secouant la tête.

— On forme une équipe. Hors de question que je leur demande de partir pour que vous me racontiez le problème à deux balles dans lequel vous vous êtes fourré.

Le front du vieil elfe se plissa. Il poussa un soupir de mécontentement.

—Écoutez, repris-je en le pointant du doigt. Je ne vous aime pas. Jenks ne vous aime pas. Et Ivy veut vous manger. Parlez.

Il s'immobilisa. C'est alors que je vis le désespoir qui brillait au fond de ses yeux comme un miroitement sur l'eau.

—J'ai un problème, commença-t-il.

Je décelai l'ombre de la peur, une ombre à peine perceptible, dans sa voix basse et maîtrisée.

Je jetai un coup d'œil à Ivy. Sa respiration s'était accélérée ; elle se tenait bras croisés pour garder sa robe fermée. Elle avait l'air contrariée – son visage était encore plus blême que d'habitude.

—M. Kalamack va à une réunion et…

Je fis la moue.

—J'ai déjà décliné une offre pour faire la pute, aujourd'hui.

Quen me fusilla du regard.

—Fermez-la, dit-il froidement. Quelqu'un interfère dans les affaires secondaires de M. Kalamack. Le but de la rencontre, c'est de trouver un terrain d'entente. Je veux que vous y soyez pour vous assurer que c'est bien tout.

Un terrain d'entente ? C'était une réunion du genre je-suis-le-plus-fort-alors-tire-toi-de-ma-ville.

—Saladan ? suggérai-je.

Il eut l'air réellement surpris.

—Vous le connaissez ?

Jenks voletait au-dessus de Quen en essayant de déterminer ce qu'il était. De plus en plus frustré, le pixie tournait et virait brutalement en produisant des claquements d'ailes.

—J'ai entendu parler de lui, répondis-je en pensant à Takata. (Je plissai les yeux.) Qu'est-ce que ça peut me faire, qu'il prenne en charge les affaires secondaires de Trent ? C'est une histoire de Soufre, c'est ça ? Alors, comme acte de foi, je vous suggère d'aller piquer un petit plongeon en enfer pour aller y brûler. Trent tue des gens. Pas que ce soit nouveau, mais maintenant, il les tue sans raison. (Outrée, je ne pus m'empêcher de me lever.) Votre patron est une merde de mite. Je devrais le balancer, plutôt que le protéger. Et vous, ajoutai-je en haussant la voix et en le désignant, vous êtes encore plus bas qu'une merde de mite, parce que vous ne faites rien pour que ça change !

Quen rougit, et mon amour-propre remonta en flèche.

—Vous êtes vraiment stupide, ou vous faites semblant? demanda-t-il. (J'en restai comme deux ronds de flan.) Le mauvais Soufre ne vient pas de M. Kalamack, mais de Saladan. C'est à propos de ça, leur rencontre. M. Kalamack essaie de faire disparaître le Soufre de Saladan de la circulation, et, à moins que vous vouliez que Saladan mette la main sur la ville, vous feriez mieux d'essayer de maintenir M. Kalamack en vie, comme nous autres. Voulez-vous le boulot, oui ou non? C'est dix mille dollars.

Jenks produisit un ultrason de surprise à vous faire mal aux globes oculaires.

—Paiement immédiat, ajouta Quen en sortant une petite liasse de nulle part.

Il la jeta à mes pieds. Je la regardai. Ce n'était pas suffisant. Un million de dollars n'aurait pas suffi. Je poussai l'argent du pied et la liasse glissa jusqu'à Quen.

—Non, dis-je.

—On n'a qu'à prendre l'argent et le tuer, Rache, proposa Jenks depuis le rebord de fenêtre inondé de soleil.

L'elfe habillé de noir sourit.

—Ce n'est pas comme ça que Mlle Morgan travaille. (Son visage grêlé et ses yeux verts respiraient la confiance; ça me déplaisait.) Si elle prend l'argent, elle protégera M. Kalamack jusqu'à son dernier souffle. N'est-ce pas?

—Non, dis-je en sachant qu'il avait raison.

Mais il était hors de question que j'accepte ses dix mille dollars miteux.

—Et vous allez accepter et l'argent, et le boulot, insista Quen. Sinon, je parlerai à tout le monde de vos étés passés dans ce fameux petit camp qui a appartenu à son père. Vous êtes la seule personne à avoir l'ombre d'une chance de le garder en vie.

Mon visage devint froid. Je refusai de me laisser impressionner.

—Salaud, murmurai-je. Pourquoi vous ne me laissez pas tranquille? Pourquoi moi? Vous venez de me massacrer.

Il baissa les yeux.

—Il y aura des vampires, expliqua-t-il d'une voix à peine perceptible. Puissants. Il y a un risque… (Il prit une inspiration et me regarda dans les yeux.) Je ne sais pas si…

Je secouai la tête, un peu rassurée. Quen ne parlerait pas. Trent n'apprécierait pas qu'on m'emballe et qu'on m'envoie en Antarctique ; il espérait toujours m'embaucher un jour.

— C'est votre problème, si vous avez peur des vampires. Je refuse de vous laisser faire en sorte que ça devienne le mien. Ivy, sors-le de ma cuisine.

Elle ne bougea pas. Je me retournai et ma colère s'évapora lorsque je vis son regard vide.

— Il s'est fait mordre, murmura-t-elle pensivement.

Le vacillement que je perçus dans sa voix me choqua. Recroquevillée sur elle-même, elle s'appuya contre le mur, ferma les yeux et inspira lentement pour sentir Quen.

Soudain, je compris. Piscary l'avait mordu juste avant que je l'assomme. En tant qu'Outre, Quen ne pouvait pas contracter le virus vampire et changer de bord, mais il se pouvait qu'il soit lié mentalement au maître vampire. Je m'aperçus que j'avais mis la main devant ma gorge. J'eus froid dans le dos.

Al avait pris la forme et les pouvoirs d'un vampire, la fois où il avait essayé de me tuer et m'avait ouvert la gorge. Il avait empli mes veines du puissant cocktail de neurotransmetteurs qui courait en ce moment dans celles de Quen. C'était une particularité qu'avaient développée les vampires pour s'assurer une source de sang volontaire ; cette substance transformait la douleur en plaisir sous l'effet des phéromones vampiriques. Si le vampire était suffisamment expérimenté, il pouvait sensibiliser sa proie de manière que seule sa propre morsure soit agréable et donc faire en sorte que la personne lui soit attachée exclusivement afin d'éviter que d'autres viennent lui voler une proie facile.

Comme il essayait de me tuer, Algaliarept n'avait pas pris la peine de sensibiliser les neurotransmetteurs. Il m'avait laissé une cicatrice dont tous les vampires pouvaient se servir. Je n'appartenais à personne, et tant qu'aucun vampire ne poserait ses dents de ce côté de mon corps, ça continuerait. Dans l'ordre établi de la société vampirique, les mordus non liés étaient la lie de la lie, une simple gâterie, un reste pathétique si peu digne d'intérêt que n'importe quel vampire avait le droit d'en tirer ce qu'il voulait. On ne durait pas longtemps quand on n'était la propriété de personne ; on passait de vampire en vampire et on était vite vidé de sa vitalité et de sa volonté. Quand la laideur de la vie commençait à se voir sur le visage, il ne restait plus qu'à pourrir dans la solitude et l'impression confuse d'avoir été trahi. Sans la protection d'Ivy, j'en serais là depuis longtemps.

Quant à Quen, soit il avait été mordu sans être lié comme moi, soit il avait été mordu et lié par Piscary. Je le regardai avec pitié et décidai qu'il avait le droit d'avoir peur.

Voyant que j'avais compris, Quen se leva précipitamment. Ivy se crispa ; je lui fis signe qu'il n'y avait pas de problème.

—Je ne sais pas si sa morsure m'a lié à lui ou pas, dit-il d'une voix égale qui ne parvenait pas à cacher sa peur. Je ne peux pas laisser M. Kalamack me faire confiance. Je pourrais être… distrait dans un moment sensible.

Les vagues de bien-être et les promesses de plaisir qui irradiaient de la morsure pouvaient effectivement s'avérer être une sacrée source de distraction, même en plein combat. La compassion me rapprocha de lui. Les ridules de son front étaient parcourues de sueur. Il avait l'âge qu'aurait eu mon père s'il avait toujours été en vie, avec la force d'un jeune homme et la solidité que seule la maturité pouvait donner.

—Est-ce que d'autres vampires ont déjà fait battre votre cicatrice ? demandai-je.

C'était une question très personnelle mais, après tout, c'était lui qui était venu me voir.

Sans cesser de soutenir mon regard, il répondit :

—Je ne me suis encore jamais trouvé dans cette situation.

—Rache ? lança Jenks.

Il claqua des ailes puis vint voleter à côté de moi.

—Alors je n'ai aucun moyen de savoir si Piscary vous a lié ou pas, dis-je.

Je m'immobilisai en m'apercevant que ma cicatrice me picotait, m'envahissant de profondes sensations qui éveillèrent ma vigilance. Quen se crispa lui aussi. Nos regards se croisèrent et je compris à son air effrayé qu'il ressentait la même chose que moi.

—Rache ! hurla Jenks. (Les ailes rouges, il vint se planter sous mon nez et me força à reculer.) Quen n'est pas le seul à avoir un problème, ici !

Je suivis son regard apeuré et fis volte-face.

—Oh, merde, murmurai-je.

Ivy s'était plaquée dans un coin de la cuisine. Sa robe de chambre était ouverte et on voyait sa nuisette de soie noire. Elle avait perdu toute conscience de soi ; ses yeux noirs semblaient ne pas voir et sa bouche bougeait toute seule. Je ne comprenais pas ce qui se passait.

— Faites-le sortir d'ici, murmura-t-elle. (Une goutte de salive tomba de ses dents.) Oh, Seigneur, Rachel. Il n'est lié à personne. Piscary… il est dans ma tête. (Elle prit une inspiration chevrotante.) Il veut que je le prenne. Je ne sais pas si je peux m'arrêter. Sortez-le d'ici !

Je restai à la dévisager sans savoir que faire.

— Faites-le sortir de ma tête ! gémit-elle. Sortez-le ! (Horrifiée, je la regardai se laisser glisser jusqu'au sol, les mains sur les oreilles.) Sortez-le !

Le cœur battant, je me tournai vers Quen. Ma gorge n'était plus qu'une masse enflammée de promesses. Je vis à son expression que sa propre cicatrice était embrasée. Seigneur, comme c'était bon.

— Va à la porte ! lançai-je à Jenks.

Je pris Quen par le bras et l'entraînai dans le couloir. Un grognement guttural effrayant s'éleva derrière nous. Je me mis à courir en traînant Quen. Il se raidit et échappa à ma prise lorsque nous pénétrâmes dans le sanctuaire.

— Il faut que vous partiez ! criai-je en tendant la main vers lui. Tout de suite !

Tremblant, le dos voûté, le maître en arts martiaux semblait bien vulnérable. Des rides se dessinèrent sur son visage, trahissant son combat intérieur. Je lus dans ses yeux que son esprit était brisé.

— Vous allez accompagner M. Kalamack à ma place, dit-il d'une voix défaite.

— Non, pas question.

J'essayai de l'attraper par le bras.

Retrouvant de sa vitalité, il fit un bond en arrière.

— Vous allez accompagner M. Kalamack à ma place, répéta-t-il. (Son visage sombra de nouveau dans le désespoir.) Ou alors je laisse tomber et je retourne dans la cuisine. (Son visage se déforma et j'eus peur qu'il y retourne, que j'obtempère ou pas.) Il murmure dans ma tête, Morgan. Je l'entends à travers elle…

J'avais la bouche sèche. Mes pensées allèrent inévitablement vers Kisten. Si je le laissais me lier à lui, je finirais peut-être comme Quen.

— Pourquoi moi ? demandai-je. Il y a une pleine université de gens meilleurs que moi en magie.

—Tous les autres se reposent sur leur magie, haleta-t-il. (Il était presque plié en deux, à présent.) Vous vous en servez en dernier recours. Ça vous donne… un avantage. (Son souffle se coupa.) Elle faiblit. Je le sens.

—D'accord! m'exclamai-je. J'irai, bon sang! Mais sortez d'ici!

Un gémissement de souffrance, léger comme le vent, s'échappa de sa bouche.

—Aidez-moi, murmura-t-il. Je n'arrive plus à bouger.

Le cœur battant, je le pris par le bras et le traînai jusqu'à la porte d'entrée. Nous entendîmes Ivy pousser un cri torturé. Mon estomac se noua. Qu'est-ce qui m'était passé par la tête, pour que j'accepte le rendez-vous de Kisten?

Un poignard de lumière réfléchi par la neige envahit l'église. Jenks et ses enfants manipulaient le système élaboré de poulies que nous avions installé pour qu'ils puissent ouvrir la porte. Un courant d'air glacé les fit fuir. Quen hésita.

—Sortez! criai-je de frustration et de peur tout en le tirant sur le seuil.

Une longue limousine Gray Ghost paressait devant le trottoir. Je poussai un bruyant soupir de soulagement en voyant Jonathan, le laquais numéro un de Trent, ouvrir la portière côté conducteur pour venir à notre rencontre. Je n'aurais jamais pensé être heureuse de croiser le chemin de ce grand échalas répugnant. Ils étaient tous les deux de mèche, à opérer à l'insu de Trent. Cette erreur-ci était pire que les autres. Je le sentais déjà.

J'aidais un Quen pantelant à descendre les marches.

—Emmenez-le loin d'ici, ordonnai-je.

Jonathan se dépêcha d'ouvrir la portière du côté du passager.

—Vous allez le faire? demanda-t-il en voyant mes cheveux pleins de cookie et mon jean trempé.

—Oui! (Je poussai Quen à l'intérieur; il s'effondra sur le siège en cuir comme s'il était saoul.) Partez!

Le grand elfe referma la portière et me fixa.

—Que lui avez-vous fait? demanda-t-il froidement.

—Rien! C'est Piscary! Allez-vous-en!

Apparemment satisfait, il passa de l'autre côté de la voiture. Le véhicule démarra dans un silence étrange. Je restai là, à frissonner sur le trottoir glissant jusqu'à ce qu'ils aient tourné au coin de la rue.

Mon pouls se calma. Je me frottai les bras. Le soleil d'hiver était parti. Je me tournai lentement pour rentrer, sans savoir ce que j'allais trouver, recroquevillé sur le sol de ma cuisine.

Chapitre 10

Je me regardai dans le miroir posé sur ma nouvelle commode en frêne en mettant mes boucles d'oreilles – celles qui étaient assez grandes pour que Jenks se pose dessus. Cette petite robe noire m'allait bien, et les cuissardes qui l'accompagnaient me tiendraient chaud. Je ne pensais pas que Kisten ait prévu une bataille de boules de neige dans le parc, bien que ce soit l'activité ringarde et bon marché par excellence. Et puis il m'avait dit de mettre quelque chose de joli. Je contemplai mon profil. C'était joli. Très joli.

Satisfaite, je m'assis sur mon lit et boutonnai mes bottes en prenant soin de laisser les derniers centimètres ouverts pour pouvoir marcher librement. Je refusais d'être excitée à l'idée de sortir avec Kisten, mais j'avais eu si peu d'occasions de m'habiller et de m'amuser, ces derniers temps, qu'il m'était difficile de rester impassible. Je me rassurai en me disant que j'aurais été dans le même état pour une sortie entre filles. Ça n'avait rien à voir avec Kisten ; c'était juste le fait de sortir.

Comme je voulais un avis extérieur, je sortis dans le couloir à la recherche d'Ivy, à grand renfort de claquements de talons. Le souvenir de ma coloc' en train de combattre Piscary dans sa tête était encore très présent. Le vampire mort avait abandonné dès que Quen était parti, mais Ivy était restée très effacée le reste de la journée. Elle avait refusé d'en parler en m'aidant à nettoyer la cuisine. Elle ne voulait pas que je sorte avec Kisten, et j'avais moi-même tendance à penser que c'était une idée idiote. Mais j'étais capable de le repousser. Il avait promis de ne pas me mordre, et je ne comptais pas changer d'avis dans un moment d'égarement. Ni maintenant, ni jamais.

J'entrai dans le salon d'un pas hésitant en passant la main sur ma robe de soirée à paillettes. Recroquevillée sur le canapé, elle leva les yeux de son magazine. Je ne pus m'empêcher de remarquer qu'elle en était à la même page que lorsque je l'avais quittée pour me changer, une demi-heure plus tôt.

— Qu'est-ce que tu en penses ? demandai-je.

Je tournai lentement sur moi-même, perchée sur mes bottes à talons aiguilles.

Elle soupira et referma son magazine sur son doigt pour ne pas perdre la page.

— J'en pense que c'est une erreur.

Je baissai les yeux sur ma tenue, sourcils froncés.

— Ouais. Tu as raison, dis-je en passant mentalement en revue ma garde-robe. Je vais mettre autre chose.

Je me retournai, prête à m'en aller, lorsqu'elle lança son magazine sur le mur, juste devant moi.

— C'est pas ce que je veux dire ! s'exclama-t-elle.

Surprise, je fis volte-face.

Son visage ovale était froissé et ses sourcils fins étaient froncés. Elle s'était redressée sur son canapé et gigotait nerveusement.

— Rachel, commença-t-elle d'un ton doux.

Je sus immédiatement où cette conversation allait nous mener.

— Je ne le laisserai pas me mordre, répliquai-je. (Je recommençais à me mettre en colère.) Je suis une grande fille. Je peux prendre soin de moi. Et après cet après-midi, tu peux me croire quand je te dis qu'il est hors de question que ses dents s'approchent de moi.

Ses yeux marron trahissaient son inquiétude. Elle replia ses jambes sous elle, ce qui lui donna l'air peu sûr d'elle. C'était un air que je ne lui connaissais que très peu. Elle ferma les yeux et prit une inspiration, comme pour rassembler ses esprits.

— Tu es jolie, affirma-t-elle. (J'eus l'impression de sentir ma pression sanguine dégringoler.) Ne le laisse pas te mordre, ajouta-t-elle doucement. Je ne veux pas être forcée de le tuer s'il te lie à lui.

— Compris, dis-je en sortant.

Il était important de ne pas la contrarier. Je savais qu'elle était capable de le tuer. Ce serait la seule manière de mettre définitivement fin à son emprise sur moi. Le temps et l'éloignement auraient le même effet, mais Ivy n'était pas du genre à prendre des risques. De plus, si je me retrouvais liée à Kisten après lui avoir dit non à elle, elle aurait du mal à le supporter. Je retournai dans ma chambre d'un pas un peu plus lent. J'allais me changer pour une tenue un peu plus discrète. S'habiller comme ça, c'était vraiment chercher les problèmes.

Debout devant mon placard ouvert, je poussai les cintres en espérant qu'une robe allait me sauter à la figure en criant : « Porte-moi ! Porte-moi ! » J'avais déjà passé ma garde-robe complète en revue et commençais à me dire que je n'avais rien qui soit à la fois sage et digne d'une soirée en ville. Avec tout l'argent que j'avais dépensé à remplir mon placard ce mois-là, je devais pouvoir me trouver une robe potable. La pensée de mon compte en banque qui rétrécissait comme une peau de chagrin me donna mal au ventre. Mais Quen avait laissé ses dix mille dollars sur le sol de la cuisine, et comme j'avais accepté de jouer les baby-sitters avec Trent…

On frappa doucement à la porte. Je sursautai et fis volte-face, une main sur la clavicule.

— Euh…, proféra Ivy. (Son petit sourire me laissa penser qu'elle trouvait amusant de m'avoir surprise.) Je suis désolée. Je sais que tu ne vas pas te laisser mordre. (Elle leva sa longue main fine en signe d'exaspération.) C'est juste ces conneries de vampires.

J'acquiesçai. Je la comprenais ; j'avais passé assez de temps à la côtoyer pour savoir que ses instincts de vampire la poussaient à me considérer comme sa propriété, même si elle avait conscience qu'il en allait autrement. C'est pour cette raison que je ne m'entraînais plus avec elle, que je ne lavais plus mes vêtements avec les siens, que je n'évoquais pas les liens du sang et de la famille, ou que je ne la suivais pas quand elle quittait subitement une pièce sans raison apparente en plein milieu d'une conversation. Toutes ces situations ne feraient que déclencher ses instincts vampiriques et nous ramèneraient sept mois en arrière, quand nous en étions encore à essayer de comprendre comment vivre ensemble.

— Tiens, dit-elle en faisant un pas dans ma chambre et en me tendant un paquet vert de la taille d'un poing avec un ruban violet. C'est un cadeau de solstice en avance. Je me disais que tu aimerais peut-être l'utiliser pour ton rendez-vous de ce soir.

— Oh, Ivy ! m'exclamai-je. (Je pris le paquet tellement élaboré qu'il était forcément l'œuvre d'un professionnel.) Merci. Je, euh… je n'ai pas encore emballé le tien…

Pas encore emballé ? Je ne l'ai même pas acheté !

— Pas de problème, dit-elle d'un ton nerveux. Je voulais attendre, mais j'ai pensé que tu pourrais t'en servir. Pour ton rendez-vous, se força-t-elle à ajouter. (Elle jeta un regard avide à la boîte que je tenais.) Allez, vas-y. Ouvre-le.

— D'accord.

Je m'assis au bord de mon lit et défis soigneusement le ruban de tissu à liseré doré – il pourrait me resservir l'année suivante. Le papier était orné d'un logo Noir Baiser en relief. Je ralentis mes gestes pour prolonger le suspense. Le Noir Baiser était une boutique réservée aux vampires. Je ne m'autorisais même pas à regarder la vitrine ; le personnel aurait tout de suite vu que je n'avais pas les moyens de leur acheter ne serait-ce qu'un mouchoir.

J'enlevai finalement l'emballage et découvris une petite boîte en bois. À l'intérieur, enserré dans un écrin de velours rouge, il y avait un flacon de parfum en cristal.

— Oooh, soufflai-je. Merci.

Ivy m'offrait du parfum depuis que nous avions emménagé ; nous essayions de trouver une senteur qui couvrirait son odeur sur moi, afin de l'aider à refréner ses tendances vampiriques. Ce n'était pas un cadeau aussi romantique qu'on aurait pu le croire, mais plutôt une sorte d'anti-aphrodisiaque pour vampire. Ma commode était pleine de répulsifs plus ou moins efficaces. Dans le fond, le parfum était plus pour elle que pour moi.

— Il est très dur à trouver, dit-elle. (Elle avait l'air un peu mal à l'aise.) Il faut faire une commande spéciale. C'est mon père qui m'en a parlé. J'espère que tu vas l'aimer.

— Mmmm, fis-je en l'ouvrant et en m'en mettant un peu derrière l'oreille et sur les poignets.

J'inhalai profondément. Il sentait les agrumes et le bois vert : c'était une odeur nette, précise, avec une part d'ombre. Un délice.

— Oh, il est merveilleux, m'écriai-je en me levant pour la prendre dans mes bras.

Elle resta parfaitement immobile. J'allai m'affairer dans ma commode, faisant semblant de ne pas avoir remarqué sa surprise.

— Euh, dit-elle. (Je me tournai vers elle ; elle avait l'air perplexe.) Ça marche.

— Qu'est-ce que…, commençai-je d'un ton inquiet.

Je me demandais un peu ce que je venais de mettre.

Une expression d'extase sur le visage, elle me regarda dans les yeux.

—Ce parfum bloque l'odorat des vampires. Ou au moins les senteurs les plus sensibles, celles qui vont droit dans l'inconscient. (Elle m'adressa un sourire de travers qui lui donna un air inoffensif.) Je ne te sens pas du tout.

—Super, dis-je. (J'étais vraiment impressionnée.) Je devrais le porter en permanence.

Ivy prit une expression légèrement coupable.

—Ce serait une bonne idée, mais malheureusement j'ai acheté le dernier flacon et je ne suis pas sûre de pouvoir en retrouver.

J'acquiesçai. Elle voulait dire par là que c'était plus cher que de l'eau sur la lune.

—Merci, Ivy, répondis-je sincèrement.

—De rien. (Elle souriait sans se cacher.) Joyeux solstice en avance. (Quelque chose attira son attention, sur le parvis de l'église.) Il est là.

J'entendis le ronron d'un moteur à travers ma fine fenêtre en verre teinté. Je retins ma respiration et consultai mon réveille-matin.

—Ponctuel.

Je me tournai vers Ivy et l'implorai du regard de bien vouloir aller l'accueillir.

—Pas question, dit-elle avec un sourire qui révéla involontairement ses dents. Débrouille-toi.

Sur ce, elle quitta la pièce. Je regardai ma robe en pensant qu'elle était très inconvenante. Et en plus, il fallait que j'aille ouvrir la porte habillée comme ça.

—Ivy…, insistai-je en la suivant dans le couloir.

Elle ne fit même pas mine de ralentir. Elle leva la main en signe de refus et disparut dans la cuisine.

—Très bien, marmonnai-je.

J'allai dans la partie avant de l'église en faisant claquer mes talons aiguilles. En passant, j'allumai la lumière dans le sanctuaire. La pièce était haute de plafond ; la faible lueur du lustre ne suffisait pas vraiment à éclairer la pièce sombre. Il était plus de une heure du matin, et les pixies étaient tous à l'abri de mon bureau douillet. Ils n'en sortiraient pas avant 4 heures. Il n'y avait pas de lampe dans le hall. En poussant une moitié de la lourde porte en bois, je me demandai si nous ne devrions pas en installer une.

Kisten se décala. Ses semelles crissèrent légèrement sur le sel gemme.

—Salut, Rachel, dit-il.

Ses yeux se posèrent sur mes vêtements. Une légère crispation au niveau des yeux me laissa penser que j'avais vu juste ; je n'étais pas habillée pour ce qu'il avait prévu de faire. J'aurais aimé savoir ce qu'il portait sous son beau manteau de laine grise. Celui-ci lui descendait jusqu'en haut des chaussures. Il était particulièrement classe. Kisten s'était rasé – c'en était fini de sa sempiternelle barbe naissante – ce qui lui donnait un air sage auquel je n'étais pas habituée.

—Ce n'est pas ça que je compte porter, déclarai-je en guise d'introduction. Entre. Je dois me changer. Je n'en aurai que pour une minute.

—Bien sûr, vas-y.

Je vis sa corvette noire derrière lui. Les minces flocons de neige fondaient dès qu'ils la touchaient. Kisten se faufila à l'intérieur et je claquai la porte derrière lui.

—Ivy est dans la cuisine, déclarai-je en me dirigeant vers ma chambre. (Il m'emboîta le pas en silence.) Elle a passé un mauvais après-midi. Elle ne veut pas m'en parler, mais peut-être qu'avec toi elle voudra bien.

—Elle m'a appelé. (Au rythme de ses mots, je compris qu'il savait que Piscary avait affirmé son ascendant sur Ivy.) Tu vas changer de bottes, j'espère ?

Je m'arrêtai net sur le pas de ma porte.

—Qu'est-ce qui te gêne dans mes bottes ?

En réalité, c'était la seule chose que j'avais eu l'intention de garder sur moi. Enfin, je veux dire la seule partie de cette tenue…

Il les regarda. Ses sourcils teints en blond se soulevèrent.

—Les talons font quoi, dix centimètres ?

—Oui.

—C'est gelé, dehors. Tu vas glisser et te péter le cul. (Ses yeux bleus s'écarquillèrent.) Pardon, le derrière.

Je souris en m'apercevant qu'il s'était corrigé pour moi.

—Oui mais avec ces talons, je suis aussi grande que toi, dis-je fièrement.

—J'ai remarqué.

Il hésita. Il s'agita un peu et se faufila dans ma chambre.

—Eh là! protestai-je en voyant qu'il allait droit sur ma garde-robe. Sors de ma chambre!

Il m'ignora et alla directement fouiller au fond du placard, où j'entreposais tout ce que je n'aimais pas.

—J'ai vu quelque chose là-dedans, l'autre jour... Ah! Voilà, s'exclama-t-il en se penchant pour sortir une paire de vieilles bottes noires. Commence par ça.

—Ces bottes-là? m'écriai-je. (Il les mit de côté et replongea les mains dans le placard.) Mais elles n'ont même pas de talons. En plus elles ont quatre ans, elles sont démodées. Et puis qu'est-ce que tu faisais dans mon placard?

—Ce sont des bottes classiques, s'offusqua-t-il. Ça ne se démode pas. Mets-les. (Il se remit à fouiner dans mon placard et sortit un vêtement au jugé – il était vraiment impossible qu'il discerne quoi que ce soit, là-dedans; je rougis en redécouvrant ce vieux tailleur dont j'avais oublié l'existence.) Dis donc, qu'est-ce que c'est moche, ce truc, dit-il avant que je le lui arrache des mains.

—C'est la tenue que je mettais pour passer des entretiens. C'est censé être moche.

—Jette-le. Mais garde le pantalon. Tu vas le mettre.

—C'est hors de question! Kisten, je suis tout à fait capable de choisir mes vêtements!

Il haussa les sourcils sans rien dire et reprit sa fouille. Il sortit une chemise noire à manches longues de la partie « défense d'entrer » du placard. C'était ma mère qui me l'avait achetée trois ans plus tôt. Comme elle était en soie, je n'avais pas eu le cœur de la donner, même si elle était si longue qu'elle m'arrivait à mi-cuisse. Elle était trop décolletée et me rendait encore plus plate que je l'étais.

—Ça aussi, dit-il.

Je secouai la tête avec fermeté.

—Non. Elle est trop longue, et ma mère pourrait la porter.

—Alors elle a meilleur goût que toi, répliqua-t-il gaiement. Mets un corsage en dessous et, pitié, ne rentre pas la chemise dans le pantalon.

—Kisten, sors de mon placard!

Mais il repartit à l'attaque et ressortit penché sur quelque chose. Je pensai que ça pouvait être cet horrible sac à paillettes que j'aurais voulu ne jamais avoir acheté, mais je sentis l'humiliation monter en voyant qu'il tenait un livre d'apparence tout à fait inoffensive. Il n'avait pas de titre et la reliure était en cuir clair. À l'éclat de son regard, je compris que Kisten savait de quoi il s'agissait.

— Donne-moi ça, dis-je en essayant d'attraper le livre.

Un sourire mauvais sur le visage, Kisten le leva au-dessus de sa tête. Je pouvais peut-être l'atteindre, mais j'allais devoir lui grimper dessus.

— Eh ben, eh ben, eh ben…, me nargua-t-il. Mademoiselle Morgan. Vous me choquez et me comblez de plaisir. Où avez-vous trouvé cet exemplaire du guide de Rynn Cormel sur les rendez-vous avec les vampires morts ?

Je serrai les lèvres en fulminant. J'étais battue. Je ne pouvais rien faire d'autre que le regarder. Il recula et feuilleta le livre.

— Tu l'as lu ? (Il lâcha un « mmm » de surprise en s'arrêtant sur une page.) Je l'avais oubliée, celle-là. Je me demande si j'en suis encore capable.

— Oui, je l'ai lu. (Je tendis la main.) Donne-le-moi.

Kisten cessa de lire. Il berçait le livre de ses longues mains masculines. Ses yeux avaient pris une teinte légèrement plus sombre ; je m'en voulus de ressentir un frisson d'excitation. Foutues phéromones vampiriques.

— Oooooh, tu y tiens. (Il jeta un coup d'œil vers la porte en entendant Ivy faire tomber quelque chose dans la cuisine.) Rachel…, reprit-il d'une voix plus douce en faisant un pas vers moi. Tu connais tous mes secrets. (Ses doigts cornèrent une page sans qu'il me quitte des yeux.) Tu sais ce qui me plaît. Ce qui me… rend… dingue… (Il avait dit ces derniers mots avec soin ; je dus réprimer un frisson délicieux.) Tu sais comment… me manipuler, murmura-t-il. (Le livre oublié pendait dans sa main.) Existe-t-il un manuel pour les sorcières ?

Il avait réussi à s'approcher à moins de soixante centimètres de moi, et pourtant je ne me rappelais pas l'avoir vu bouger. L'odeur de son manteau de laine était envahissante, mais ne parvenait pas à cacher celle, entêtante, du cuir. Nerveuse, je lui arrachai le livre. Il recula d'un pas.

— Ne rêve pas, grognai-je. Ivy me l'a donné pour que j'arrête de déclencher ses instincts. C'est tout.

Je fourrai le livre sous mon oreiller. Le sourire de Kisten s'élargit. Bon sang, s'il me touchait, je le cognais.

— Tu as raison, c'est là sa place, pas dans un placard. Garde-le à portée de la main, en cas d'urgence.

—Sors de là, exigeai-je en désignant le couloir.

Son long manteau flottant au-dessus du sol, il alla jusqu'à la porte. Ses mouvements mêmes étaient pleins de grâce, de confiance et de séduction.

—Relève tes cheveux, dit-il en passant nonchalamment le seuil. (Il sourit, révélant ses dents.) J'aime ton cou. Page douze, troisième paragraphe.

Il se lécha les lèvres, cachant ses crocs au moment où je les vis.

—Dehors ! hurlai-je.

Je m'avançai et claquai la porte derrière lui.

Furieuse, je me tournai vers les vêtements qu'il avait mis sur mon lit (que j'étais d'ailleurs contente d'avoir fait, pour une fois.) Ma cicatrice m'élançait légèrement. Je plaquai ma paume sur le côté de mon cou et me concentrai pour faire partir la sensation. Je fixai mon oreiller puis, lentement, je sortis le livre. C'était Rynn Cormel qui l'avait écrit ? Mince alors, ce type avait dirigé le pays à lui tout seul pendant le Tournant, et il avait trouvé le temps de rédiger un guide sur les vampires ?

Une odeur de lilas s'en échappa lorsque je l'ouvris à la page marquée. Je m'attendais à tout ; je l'avais déjà lu deux fois, et j'avais été plus effrayée qu'excitée. Mais la page portait juste sur l'usage des colliers pour envoyer des signaux à votre amant. Apparemment, plus le cou était couvert, plus vous invitiez le vampire à le déballer. Sortir avec un de ces colliers métalliques gothiques particulièrement en vogue, c'était comme se retrouver dehors en tricot de peau. Le cou nu, c'était à peine mieux – une délicieuse revendication de virginité vampirique et, surtout, un sacré excitant.

—Hum, fis-je.

J'abandonnai le livre sur ma table de chevet toute neuve. Il faudrait peut-être que je le relise. Mon regard se posa sur la tenue que Kisten m'avait choisie. J'allais être mal fagotée, mais je comptais bien l'essayer, et quand Ivy lui dirait que j'avais l'air d'avoir quarante ans, il serait forcé d'attendre dix minutes de plus que je me change.

Je quittai mes bottes et les envoyai valser d'un geste vif. J'avais oublié que le pantalon gris était doublé de soie. La sensation sur mes jambes n'était pas désagréable. Je me choisis un petit haut noir – sans l'aide de Kisten – et mis la chemise longue par-dessus. Elle cachait complètement mes formes. Je me tournai vers le miroir, le sourcil froncé.

Sous le choc, je restai pétrifiée devant mon reflet.

—Mince, murmurai-je.

J'étais belle, avec ma robe noire et mes bottes, mais là… là, j'étais… sophistiquée. Me rappelant les enseignements de la page douze, je pris ma chaîne en or la plus longue et me la mis autour du cou.

—Re-mince, soufflai-je.

Je pivotai pour me voir sous un autre angle. Certes mes formes étaient cachées par les lignes droites toutes simples de ma tenue, mais le pantalon modeste, la chemise en soie et la chaîne en or avaient beau être discrets, avec eux, je respirais la confiance et la richesse décontractée. À présent, ma peau pâle faisait plus penser à la douceur de l'albâtre qu'à une blancheur maladive, et ma carrure athlétique passait pour élégante. C'était un look auquel je n'avais jamais pensé. Je ne savais pas que je pouvais avoir l'air riche et classe.

Je remontai mes cheveux avec hésitation et les maintins au-dessus de ma tête.

—Waouh, murmurai-je.

De sophistiquée, j'étais devenue élégante. Avoir une apparence pareille contrebalancerait l'embarras que j'allais éprouver lorsque Kisten verrait qu'il m'avait mieux habillée que j'aurais su le faire moi-même.

J'ouvris un tiroir et en sortis ma dernière amulette pour dompter ma tignasse frisée. Je l'invoquai et me relevai les cheveux en laissant quelques mèches pendre savamment sur les côtés. Je remis un peu de mon nouveau parfum, fis quelques raccords de maquillage, cachai l'amulette sous ma chemise et pris un petit sac à fermoir – un sac pendu à l'épaule aurait tout gâché. J'hésitai un instant en m'apercevant que je n'avais pas mes charmes habituels, mais, après tout, c'était un rendez-vous, pas une course. Et de toute façon, s'il fallait repousser Kisten, je le ferais avec la magie des lignes.

Je quittai ma chambre, sans claquements de talons, cette fois-ci. Ivy et Kisten discutaient à voix basse. Je suivis leurs voix qui me menèrent dans le sanctuaire. Je m'arrêtai sur le pas de la porte et jetai un coup d'œil dans la salle.

Ils avaient réveillé les pixies, qui voletaient un peu partout. Il y en avait une concentration autour du piano demi-queue d'Ivy ; ils jouaient à chat au milieu des cordes et des tirants. Il y avait un bourdonnement dans l'air. Je compris que leurs ailes, en vibrant, faisaient résonner les cordes du piano.

Ivy et Kisten se tenaient près de la porte du hall. Le visage de ma colocataire avait la même expression mal à l'aise et pleine de défi que dans l'après-midi, quand elle avait refusé de me parler. Kisten était penché sur elle, l'air inquiet, et avait posé une main sur son épaule.

Je m'éclaircis la voix pour attirer leur attention. La main de Kisten retomba. La posture d'Ivy retrouva son impassibilité, mais cette apparence ne parvenait pas à cacher sa confiance brisée.

—Ah, voilà qui est mieux, dit Kisten en se tournant vers moi.

Ses yeux ne s'arrêtèrent que brièvement sur mon collier.

Il avait déboutonné son manteau. Je m'approchai en promenant sur lui un regard appréciateur. Pas étonnant qu'il ait voulu me relooker : il était fabuleux, avec son costume italien bleu marine rayé, ses chaussures brillantes, ses cheveux gominés en arrière et sentant légèrement le savon… et son beau sourire plein de confiance. Sa chaîne, qu'il ne quittait jamais, était à peine visible sous le col amidonné de sa chemise blanche. Il portait une cravate élégante, et la chaîne d'une montre de gousset courait entre deux des poches de sa veste. En voyant sa taille mince, ses épaules larges et ses hanches fines, je ne trouvai rien à redire à son apparence. Strictement rien.

Ivy écarquilla les yeux.

—Quand as-tu acheté cette tenue ? s'exclama-t-elle.

Je ne pus m'empêcher de sourire. Je me sentais resplendissante.

—Kist l'a choisie dans mon placard, dis-je.

Je décidai que c'était la seule fois de la soirée que je manquerais de classe.

C'était un rendez-vous ; j'allai donc me poster à côté de Kisten. Nick aurait eu droit à un bisou, mais comme l'ombre d'Ivy et Jenks planait – et je parle littéralement, en ce qui concerne le pixie – il valait mieux que je reste discrète. Et puis, surtout, Kisten n'était pas Nick.

Jenks se posa sur l'épaule d'Ivy.

—Dois-je mettre les choses au point ? demanda-t-il à Kisten.

Il avait les mains sur les hanches, comme un père protecteur.

—Inutile, monsieur, répondit tout à fait sérieusement le vampire.

Je réprimai un sourire. Qu'un homme de dix centimètres menace un vampire d'un mètre quatre-vingts aurait pu être ridicule si Kisten ne l'avait pas pris au sérieux. L'avertissement de Jenks était on ne peut plus réel et la sanction on ne peut plus exécutable. Les pixies étaient encore plus dangereux que les fées assassines. S'ils avaient voulu, ils auraient pu dominer le monde.

—Bien, dit Jenks.

Il semblait satisfait.

Debout à côté de Kisten, je me balançai à deux reprises sur mes talons plats en regardant tout le monde. Personne ne parlait. La scène était vraiment bizarre.

—Bon, on est prêts? intervins-je finalement.

Jenks ricana et s'en alla ramener ses enfants dans le bureau. Ivy lança un dernier regard à Kisten avant de quitter le sanctuaire. La télé s'alluma plus tôt que je l'aurais cru. Je regardai Kisten et me dis qu'il était aussi éloigné de son personnage de biker qu'un bouc l'est d'un arbre.

—Kisten... (Je montrai mon collier.) Quelle est... sa signification?

Il se pencha vers moi.

—La confiance. Je ne cherche rien de spécial, mais dans le fond je suis une petite vilaine.

Je réprimai un frisson lorsqu'il s'écarta de moi. *OK. On dirait que... ça colle.*

—Permets-moi de t'aider à mettre ton manteau, dit-il en se dirigeant vers le hall.

Je lui emboîtai le pas. Un gémissement de désarroi m'échappa. Mon manteau. Mon horrible pelure, avec son col en fausse fourrure.

—Ouille, fit-il. (Il fronça les sourcils en découvrant mon manteau à la lumière tamisée provenant du sanctuaire.) Tu sais quoi? (Il enleva son propre manteau.) Tu vas mettre le mien. Il est unisexe.

—Attends un peu, protestai-je en reculant d'un pas avant qu'il me le mette sur les épaules. Je ne suis pas aussi idiote que tu le penses, Croc-Blanc. Je vais me retrouver avec ton odeur sur moi. C'est un rendez-vous platonique, et je ne vais pas violer la règle numéro un avant même d'avoir mis le pied hors de mon église.

Il sourit. Ses dents blanches brillaient dans la faible lumière.

—Ça, c'est ce qu'on appelle une mise au point, admit-il. Mais qu'est-ce que tu comptes porter? Ça?

Je fis la grimace en regardant mon manteau.

—Très bien. (Je ne voulais pas gâcher ma toute nouvelle élégance de façade avec de la fausse fourrure et du nylon; et puis, il y avait le parfum qu'Ivy m'avait offert...) Mais je ne mets pas ton manteau avec l'intention de mélanger nos odeurs. C'est bien compris?

Il acquiesça, mais son sourire disait qu'il avait compris le contraire. Je le laissai m'aider à mettre son manteau. Le regard dans le vague, j'appréciai son poids sur mes épaules, sa chaleur réconfortante.

Kisten ne me sentait peut-être pas, mais moi je le sentais, et sa chaleur corporelle s'insinuait en moi. Difficile de ne pas soupirer d'aise en humant cette délicieuse trace d'after-shave qui se mélangeait au cuir et à la soie.

— Et toi, ça va aller ? demandai-je en voyant qu'il n'avait plus que sa veste de costume pour le protéger du froid.

— La voiture est encore chaude. (J'allais ouvrir la porte, mais il s'interposa.) Si tu permets, dit-il avec galanterie. C'est un rendez-vous. Laisse-moi faire comme si.

J'obtempérai en me disant qu'il faisait l'idiot. Il ouvrit la porte et me prit par le bras pour m'aider à descendre les marches légèrement recouvertes de poudreuse. La neige avait commencé à tomber juste après le coucher du soleil, et les flaques grises inesthétiques laissées par les chasse-neige étaient dissimulées sous une couverture d'un blanc virginal. L'air était glacé, mais il n'y avait pas de vent.

Je ne fus pas surprise lorsqu'il alla m'ouvrir la portière. En m'installant, je ne pus m'empêcher de me sentir « spéciale ». Kisten referma la porte et se dépêcha de faire le tour par-devant. Les sièges en cuir étaient chauds, et il n'y avait aucun arbre en carton pendu au rétroviseur. Quand il monta, je jetai un coup d'œil rapide aux disques rangés dans le compartiment. Ils allaient de Korn à Jeff Beck – il y avait même un disque de chants de moines. Lui, écouter des chants monacaux ?

Kisten s'installa. Dès que la voiture démarra, il poussa le chauffage à fond. Je m'enfonçai dans mon siège, appréciant le grondement sourd du moteur. Il était nettement plus fort que celui de ma petite voiture ; je le sentais vibrer en moi comme un roulement de tonnerre. Le cuir était de meilleure qualité, et le tableau de bord était en véritable acajou. Ce n'était pas une imitation : en tant que sorcière, ce genre de choses me sautait aux yeux.

Je me refusais à comparer la voiture de Kisten à l'horrible camion plein de courants d'air de Nick, mais c'était difficile. Et j'aimais qu'on me traite comme quelqu'un de spécial. Ce n'était pas que Nick ne me faisait pas me sentir spéciale, mais là, c'était différent. C'était amusant d'être sur notre trente et un, même si c'était pour finir dans un snack, ce qui était tout de même sacrément probable, étant donné que Kisten ne devait pas dépenser plus de soixante dollars.

Je le regardai, assis là, à côté de moi, et je compris que je n'en avais rien à faire.

Chapitre 11

— **A**lors, commençai-je. (Je m'efforçai de ne pas sauter sur la poignée pour empêcher la portière de s'ouvrir lorsque nous traversâmes une ligne de chemin de fer.) Où allons-nous ?

Kisten me regarda en coin et sourit. Les phares de la voiture qui nous suivait l'illuminaient.

— Tu vas voir.

Je levai les sourcils. Je m'apprêtais à le harceler de questions quand une petite sonnerie s'éleva de sa poche. Il m'adressa un sourire contrit en décrochant ; mon humeur joyeuse vira à l'exaspération.

— J'espère que ça ne va pas être comme ça toute la nuit, grommelai-je. (Je posai le coude sur la poignée de la portière et contemplai l'obscurité.) Sinon, tu fais demi-tour et tu me ramènes à la maison. Nick n'a jamais accepté un coup de fil pendant un rendez-vous.

— Nick n'avait pas non plus la moitié de la ville à gérer. (Il ouvrit le couvercle argenté de son portable.) Oui ? dit-il. (Son soudain agacement attira mon attention vers lui et me fit me redresser ; j'entendis une voix minuscule avec un ton implorant et, dans le fond, une musique tonitruante.) Tu plaisantes. (Kisten me regarda, puis reporta son attention sur la route ; il avait l'air à la fois tracassé et incrédule.) Alors va ouvrir le bal.

— J'ai essayé ! cria la petite voix. Ce sont des animaux, Kist. Des putains de sauvages !

La voix partit dans les suraigus et devint méconnaissable.

Kisten me regarda en soupirant.

— D'accord, d'accord. On va passer. Je vais m'en occuper.

La voix à l'autre bout du fil se répandit en remerciements, mais Kisten ne prit pas la peine de l'écouter. Il referma son portable et le rangea.

— Désolé, chérie, dit-il avec son accent ridicule. On fait juste un saut. Cinq minutes. C'est promis.

Dommage, ça commençait vraiment bien.

— Cinq minutes ? Il faut en finir avec quelque chose, menaçai-je. (J'étais à moitié sérieuse.) C'est le téléphone ou l'accent.

— Oh ! s'exclama-t-il en mettant la main sur sa poitrine comme un acteur de théâtre. Touché en plein cœur. (Il me regarda de travers, clairement soulagé que je prenne aussi bien les choses.) Je ne peux pas me passer de mon téléphone, donc, adieu l'accent… (il sourit)… chérie.

— Oh, je t'en prie, râlai-je.

Ces badinages me plaisaient. Ça faisait tellement longtemps que je marchais sur des œufs avec Nick, de peur de dire quoi que ce soit qui puisse empirer les choses. En tout cas, je n'avais plus à m'en inquiéter, maintenant.

Je ne fus pas surprise quand Kisten tourna vers les berges du fleuve. J'avais supposé que l'incident avait lieu à Piscary Pizza. Depuis que l'établissement avait perdu son Permis de population mixte l'automne dernier, sa clientèle était exclusivement composée de vampires. D'après ce que j'avais entendu, Kisten réussissait à faire des bénéfices. C'était le seul établissement de standing sans PPM à ne pas être dans le rouge à Cincinnati.

— Des sauvages ? demandai-je lorsque nous entrâmes dans le parking du restaurant.

— Mike dramatise un peu, dit-il en se garant sur une place réservée. C'est seulement une poignée de bonnes femmes.

Il descendit de voiture et ferma sa portière. Je me redressai et mis les mains sur mes cuisses. Je me serais attendue qu'il laisse le moteur tourner pour que je sois au chaud. Je sursautai lorsqu'il ouvrit ma porte ; je le regardai, interloquée. Il se pencha vers moi.

— Tu ne viens pas ? demanda-t-il. (Ses mèches s'agitaient sous la brise glacée.) Il gèle, là dehors.

— Euh, tu es sûr que c'est une bonne idée ? m'étonnai-je. Vous avez perdu votre PPM.

Kisten me prit par la main.

—Je crois que ce n'est pas la peine de t'inquiéter pour ça.

Le trottoir était gelé. J'étais contente d'avoir des talons plats.

—Mais vous n'avez pas de PPM, insistai-je.

Le parking était plein, et il n'était pas très agréable de regarder des vampires s'entre-saigner. Si j'entrais de mon plein gré en sachant que l'établissement n'avait pas de PPM, la loi ne me serait d'aucune utilité en cas de dérapage.

Le long manteau de Kisten traînait par terre. Il me prit par le bras et m'escorta jusqu'à l'entrée surmontée d'un auvent.

—Tout le monde ici sait que tu as assommé Piscary, murmura-t-il à quelques centimètres de mon oreille pour être sûr que je sentais son souffle sur ma joue. Aucun d'entre eux n'oserait seulement y penser. En plus, tu aurais pu le tuer et tu ne l'as pas fait. Il faut plus de tripes pour laisser vivre un vampire que pour le tuer. Personne ne t'embêtera. (Il ouvrit la porte d'entrée ; la lumière et la musique se déversèrent sur nous.) À moins que ce soit le sang qui t'inquiète ? demanda-t-il en voyant que je rechignais à entrer.

Je le regardai dans les yeux et acquiesçai. Je me fichais qu'il voie que j'avais peur.

L'air distant, il m'entraîna doucement à l'intérieur du restaurant.

—Tu n'en verras pas. Ici, les gens viennent se détendre, ils ne sont pas là pour nourrir la bête. C'est le seul lieu public de Cincinnati où les vampires peuvent être eux-mêmes, sans se préoccuper d'être à la hauteur de l'idée que se font les humains, les sorcières ou les garous de ce que sont les vampires, ou de comment ils doivent se comporter. Il n'y aura pas une goutte de sang, à moins que quelqu'un se coupe le doigt en ouvrant une canette de bière.

Toujours pas décidée, je me laissai guider par Kisten. Nous nous arrêtâmes le temps qu'il tape des pieds pour débarrasser ses belles chaussures de la neige qui les recouvrait. Ce fut la chaleur du lieu qui me frappa en premier. Je ne pensais pas qu'elle émanait uniquement de la cheminée que j'apercevais au fond de la salle. Il devait faire près de trente degrés, et la chaleur portait l'arôme agréable de l'encens et de choses sombres. J'inhalai profondément en déboutonnant le manteau de Kisten ; l'odeur s'installa au creux de mon cerveau, relaxante comme un bain chaud ou un bon repas.

Un certain malaise s'empara de moi, gâchant cette impression agréable, lorsqu'un vampire vivant s'approcha de nous avec une vitesse dérangeante. Ses épaules étaient aussi larges que j'étais grande et il devait peser au moins cent cinquante kilos. Mais son regard acéré trahissait une vive intelligence, et il déplaçait sa carcasse musculeuse avec la grâce sexy qui caractérisait généralement les vampires.

— Je suis désolé, dit-il avec un de ces accents fréquents dans les salles de muscu. (Il avait la main tendue – pas pour me toucher, mais pour me faire signe de partir.) Piscary Pizza a perdu son PPM. C'est réservé aux vampires.

Kisten se glissa derrière moi et m'aida à enlever son manteau.

— Bonsoir, Steve. Pas de problèmes, cette nuit ?

— Monsieur Felps, s'exclama le videur à voix basse. (Il avait pris l'accent éduqué qui allait avec l'intelligence que ses yeux ne parvenaient pas à cacher.) Je ne vous attendais pas si tôt. Non. Pas de problème, à part Mike, à l'étage. Ici, en bas, tout est calme. (Il se tourna vers moi et me lança un regard d'excuse.) Excusez-moi, madame, je ne savais pas que vous étiez avec M. Felps.

Voyant là une occasion en or de fouiner, je souris.

— M. Felps vient-il souvent accompagné de jeunes femmes n'appartenant pas à la gent vampirique ?

— Non, madame, répondit-il d'un ton si naturel que je ne pouvais que le croire.

Ses mots et ses actes semblaient si inoffensifs, si peu vampiriques, que je dus renifler par deux fois pour m'assurer qu'il n'était pas humain. Je ne m'étais jamais aperçue combien l'identité des vampires provenait de leur attitude. Je scrutai la salle du rez-de-chaussée et décidai que ce restaurant n'était pas différent des autres établissements de standing ; en tout cas, il était plus normal qu'à l'époque où il avait son PPM.

Les serveurs étaient bien habillés. Leurs cicatrices étaient cachées, et ils se déplaçaient avec efficacité, célérité et discrétion. Mon regard se promena sur les photos accrochées au-dessus du bar et s'arrêta sur un cliché un peu flou d'Ivy, habillée en cuir, chevauchant sa moto. Il y avait un rat et un vison sur le réservoir. *Seigneur, quelqu'un nous a vus.*

Kisten suivit mon regard et prit une expression moqueuse.

— Steve, je vous présente Mlle Morgan, dit-il en tendant le manteau qu'il m'avait prêté au videur. Nous ne restons pas longtemps.

— Oui, monsieur. (Steve s'immobilisa et se retourna vers moi.) Rachel Morgan ?

Mon sourire s'élargit.

—Heureuse de vous rencontrer, Steve.

Je ressentis une pointe d'agitation lorsque Steve me fit le baisemain.

—Tout le plaisir est pour moi, mademoiselle Morgan. (Le grand vampire hésita ; je lus de la gratitude dans ses yeux.) Merci de ne pas avoir tué Piscary. Cincinnati serait devenue un enfer.

Je ricanai.

—Oh, vous savez, je n'étais pas toute seule ; on m'a aidée à l'arrêter. Et ne me remerciez pas trop vite, ajoutai-je sans savoir si je parlais sérieusement. Il y a un vieux contentieux entre Piscary et moi, et je n'ai pas encore décidé si ça valait la peine de le tuer.

Kisten rit, mais d'un rire un peu forcé.

—Très bien, très bien, dit-il en reprenant ma main à Steve. Ça ira comme ça. Steve, vous voulez bien demander à quelqu'un de me remonter mon imperméable en cuir ? Nous partirons dès que j'aurai ouvert le bal.

—Oui, monsieur.

Je ne pus m'empêcher de sourire. Kisten me prit par le coude et m'orienta en douceur vers la cage d'escalier. Il me touchait sans arrêt, mais je ne pensais pas que c'était pour arriver à ses fins – pas encore, du moins – et je pouvais donc supporter qu'il me dirige comme une poupée Barbie. D'une certaine manière, ça allait avec mon look sophistiqué, et je me sentais encore plus « spéciale ».

—Bon Dieu, Rachel, murmura-t-il (Je frissonnai en sentant son souffle sur mon oreille.) Tu crois vraiment qu'il faut que le sang coule pour que tu aies l'air d'assurer ?

Steve était déjà en train de cancaner avec les employés. Des têtes se tournèrent pour regarder Kisten m'escorter jusqu'à l'étage.

—Quoi ? dis-je en souriant à tous ceux qui croisaient mon regard.

J'avais confiance en moi. J'étais belle. Je me sentais belle. Ça sautait aux yeux.

Kisten m'attira vers lui et mit la main dans le bas de mon dos.

—Tu trouves vraiment que c'était une bonne idée, de dire à Steve que si Piscary est en vie, c'est uniquement parce que tu n'as pas décidé si tu allais le tuer ou pas ? Quel genre d'image crois-tu que ça te donne ?

Je lui souris. Je me sentais bien. J'étais détendue. Comme si j'avais passé la soirée à siroter du vin. Ç'aurait pu être à cause des phéromones vampiriques, mais ma cicatrice ne m'avait pas encore élancée. Non, c'était autre chose. Il n'y avait rien de plus décontracté, de plus à l'aise qu'un vampire repu. Et apparemment, ils aimaient faire partager cette sensation. Pourquoi Ivy ne se sentait-elle jamais comme ça ?

— J'ai dit qu'on m'avait aidée, admis-je tout en me demandant si j'articulais distinctement. Mais tuer Piscary deviendra ma priorité s'il sort de prison.

Il ne répondit rien, se contenta de me regarder en fronçant les sourcils. Avais-je dit une bêtise ? C'était lui qui m'avait donné du liquide d'embaumement égyptien, pensant que ça assommerait Piscary. Il m'avait demandé de le tuer. Peut-être avait-il changé d'avis ?

Plus nous montions, plus le volume de la musique s'intensifiait à l'étage. C'était un *beat* techno inexorable et, lorsqu'il entra en moi, j'eus envie de bouger à son rythme. Mon sang bourdonnait. Je me mis à me balancer lorsque Kisten m'arrêta sur le palier.

Il faisait tellement chaud à l'étage que je fus obligée de m'éventer. Les grandes fenêtres qui donnaient jadis sur l'Ohio avaient été remplacées par des murs, contrairement à celles du rez-de-chaussée. On avait enlevé les tables et, à la place, une piste de danse s'étalait d'un bout à l'autre de la salle. Le plafond était haut, et la piste était entourée de hautes tables de cocktail serrées contre les murs. Il n'y avait pas de chaise. Au fond, un bar faisait toute la largeur de la pièce. Là non plus, il n'y avait pas de chaise. Tout le monde était debout.

Au-dessus du bar, juste sous le plafond, on voyait la pièce sombre où se trouvaient le DJ et le panneau des éclairages. Derrière, je croyais discerner une table de billard. Un homme de haute taille se tenait au centre de la piste, un micro sans fil à la main, et implorait, l'air impuissant, la foule de vampires mélangés : il y avait des vivants, des morts, des femmes, des hommes ; tous étaient habillés dans le style que j'avais choisi avant que Kisten me relooke. Le dancing de vampires, quoi. Le bruit des sifflets était assourdissant ; j'avais envie de me boucher les oreilles.

L'homme au centre de la pièce aperçut Kisten, et le soulagement illumina son visage.

— Kisten ! s'exclama-t-il dans son micro. (Les têtes se tournèrent, et les femmes en robes de soirée moulantes poussèrent des cris de joie.) Dieu merci !

Il fit signe à Kisten, qui me prit par les épaules.

—Rachel ? Rachel ! s'écria-t-il. (L'inquiétude qui perçait dans sa voix détourna mon attention des jolis éclairages qui tourbillonnaient sur le sol ; ses yeux aussi étaient inquiets.) Tout va bien ?

J'acquiesçai en pilotage automatique.

—Hmm hmm, fis-je en gloussant.

J'avais chaud, je me sentais détendue. J'aimais le club de Kisten.

Il fronça les sourcils. Il regarda l'homme trop habillé qui lui avait fait signe, puis moi.

—Rachel, ça ne prendra pas longtemps. Ça va aller ?

J'étais de nouveau perdue dans ma contemplation des lumières. Il me prit par le menton et me força à tourner la tête vers lui.

—Oui, dis-je en faisant un effort pour bien articuler. Je vais t'attendre ici. Va ouvrir le bal. (Quelqu'un me bouscula et je faillis tomber dans les bras de Kisten.) J'adore ton club, Kisten. Il est super.

Il me remit d'aplomb et attendit d'être certain que j'avais recouvré mon équilibre avant de me lâcher. La foule avait commencé à scander son nom. Il leva une main pour leur faire comprendre qu'il allait les satisfaire. Leurs cris redoublèrent, et cette fois-ci je fus obligée de me boucher les oreilles. Je sentais mon corps vibrer au rythme de la musique.

Kisten fit signe à quelqu'un au rez-de-chaussée, et Steve monta les marches deux par deux. Il déplaçait sa carcasse comme si elle ne pesait rien.

—Est-elle ce que je crois ? lui demanda Kisten quand il fut assez près.

—Mmmmm… Oui. (Ils avaient tous les deux les yeux rivés sur moi.) Elle a le sang sucré. Mais c'est une sorcière. (Il regarda son patron.) Non ?

—Si. (Kisten hurlait presque pour se faire entendre par-dessus les cris des gens qui voulaient qu'il prenne le micro.) Elle a été mordue, mais elle n'est liée à personne. C'est peut-être pour ça.

—Phéro… phéro… (Je fronçai les sourcils en me léchant les lèvres.) Phéromones vampiriques, dis-je en écarquillant les yeux. Mmm, c'est pas désagréable. Pourquoi Ivy se sent jamais aussi bien ?

—Parce qu'Ivy a un balai dans le cul, répondit Kisten.

Il soupira. Je posai les mains sur ses épaules. Elles étaient belles, dures, pleines de muscles et de possibilités.

Kisten me prit les mains et les tint jointes devant moi.

—Steve, restez avec elle.

— Oui, patron, dit le grand vampire.

Il vint se placer à côté de moi, légèrement en retrait.

— Merci. (Kisten plongea ses yeux dans les miens.) Je suis désolé, Rachel. Ce n'est pas ta faute. Je ne savais pas que ça allait se produire. Je reviens tout de suite.

Il s'éloigna. Je levai les bras comme pour le rattraper. Le tumulte qui s'éleva lorsqu'il alla au centre de la pièce me fit tourner la tête. Il resta un moment immobile, sexy dans son beau costume italien, à reprendre ses esprits tête baissée. Il avait commencé à travailler la foule au corps avant même d'avoir dit un seul mot. Je ne pus m'empêcher d'être impressionnée. Il releva la tête, un petit sourire canaille aux lèvres, et regarda l'assistance de sous ses mèches blondes.

— Sainte merde, murmura-t-il dans le micro. (Salve d'encouragements.) Mais bon sang, qu'est-ce que vous faites tous ici ?

— On t'attendait ! hurla une voix féminine.

Kisten sourit et fit des mouvements suggestifs en acquiesçant dans la direction de la voix.

— Tiens, salut Mandy, tu es là ? Quand est-ce qu'ils t'ont laissé sortir ? (Elle cria de joie, et il sourit de plus belle.) Vous êtes des vilaines, vilaines diablesses, vous savez ? C'est pas gentil d'embêter Mickey. Qu'est-ce que vous lui reprochez ? Il est gentil avec vous.

Les femmes l'acclamèrent. Je me bouchai les oreilles, ce qui me déséquilibra et faillit me faire tomber. Steve me rattrapa par le coude.

— Moi qui avais un rendez-vous galant, reprit Kisten en baissant la tête dramatiquement. Le premier depuis une éternité. C'était avec la demoiselle, là, près de l'escalier, vous la voyez ?

Un gros projecteur se braqua sur moi. Je plissai les yeux, éblouie. Sa chaleur me brûlait. Je me redressai et manquai de tomber en faisant coucou de la main. Steve me prit par le bras. Je levai la tête vers lui et lui fis un grand sourire. Je me laissai aller dans ses bras. Il secoua la tête d'un air débonnaire, me caressa sous le menton et me remit debout avec douceur.

— Elle est un peu hors du coup, ce soir, dit Kisten. Vous vous amusez beaucoup trop, et ça déteint sur elle. Qui se serait douté qu'une sorcière coureuse aurait besoin de faire la fête comme nous ?

Le brouhaha redoubla, et les mouvements des spots, au sol, sur les murs et au plafond s'accélérèrent jusqu'à devenir frénétiques. Ma respiration s'emballa en même temps que le tempo de la musique.

— Mais vous savez ce qu'on dit, poursuivit Kisten par-dessus le bruit. Plus elles sont grandes...

— Mieux c'est! cria quelqu'un.

— Plus elles ont besoin de faire la fête! hurla Kisten dans un tonnerre de rires. Alors allez-y doucement avec elle, d'accord? Elle veut juste se détendre et s'amuser un peu. Pas de faux-semblant. On ne joue pas. Je suis A-positif: une sorcière qui a assez de couilles pour abattre Piscary et le laisser en vie a les crocs assez longs pour faire la fête avec nous. Vous êtes d'accord avec moi?

Le volume explosa, me poussa dans les bras de Steve. Les yeux humides, mes émotions passaient d'un extrême à l'autre. Ils m'aimaient. C'était cool, quand même.

— Alors que la fête commence! hurla Kisten en se tournant vers le perchoir du DJ. Mickey, tu sais ce qu'il me faut.

Les femmes poussèrent des cris d'approbation. Je contemplai la scène bouche bée: la piste fut soudain couverte de filles en délire. Les robes ras-la-moule, les talons hauts et le maquillage extravagant étaient manifestement à l'ordre du jour, même si quelques vampires plus âgés étaient aussi élégants que moi. Les vivants étaient à peine plus nombreux que les morts.

La musique sortait des haut-parleurs avec insistance, à volume élevé. Un rythme lourd, un son de caisse claire métallique, une voix grinçante – c'était *Living Dead Girl* de Rob Zombie. Incrédule, je regardais les différents pas de danse des femmes quasi nues dont les mouvements synchronisés suivaient une chorégraphie.

Elles dansaient en ligne. Mooon Dieeeeu. Les vampires faisaient de la danse en ligne.

Elles se balançaient, se déplaçaient ensemble comme un banc de poissons. Elles tapaient si fort des pieds qu'elles auraient pu décoller la poussière du plafond. Pas une seule d'entre elles ne faisait la moindre erreur, le moindre faux pas. J'écarquillai les yeux lorsque Kisten fit un pas à la Michael Jackson pour venir se placer devant les danseuses. Il enchaîna avec un mouvement à la *Staying Alive*, d'une classe indescriptible tant il respirait la confiance et la maîtrise. Les femmes derrière lui imitèrent ses gestes à la perfection. Impossible de dire si elles s'étaient entraînées ou si leurs réactions supérieures leur permettaient d'improviser instantanément. Mais, après tout, ça n'avait aucune importance.

Au milieu de tant de puissance et d'intensité, Kisten rayonnait littéralement, chevauchant la vague synchrone des femmes derrière lui. Surchargée de phéromones, de musique et de lumières, je me sentais engourdie. Chaque mouvement était fluide, gracieux, chaque geste était précis et tranquille.

Le bruit me percutait. Je les regardais s'amuser et m'aperçus que s'ils parvenaient aussi bien à s'abandonner, c'était parce qu'ils avaient une chance d'être ce qu'ils avaient envie d'être sans craindre qu'on leur rappelle qu'ils devaient se comporter en vampires, c'est-à-dire être sombres et déprimés, porteurs de mystère et de danger. Je me sentais privilégiée de les voir tels qu'ils voulaient être.

Je vacillai et m'appuyai sur Steve. La ligne de basse mettait mon esprit dans un état d'engourdissement très agréable. Mes paupières refusaient de rester ouvertes. Un tonnerre de bruits me secoua puis s'apaisa. Le rythme s'accéléra, le morceau changea. Quelqu'un me toucha le bras et mes yeux s'ouvrirent.

—Rachel?

C'était Kisten. Je lui souris. J'avais la tête qui tournait.

—Tu danses bien, dis-je. Tu danses avec moi?

Il secoua la tête et regarda le vampire qui me tenait.

—Aidez-moi à la sortir d'ici. Putain, c'est vraiment bizarre, ce qui lui arrive.

—T'es mal embouché, marmonnai-je. (Mes yeux se refermèrent.) Dis pas de gros mots.

Je laissai échapper un gloussement qui se mua en cri de plaisir lorsque quelqu'un me souleva et me porta dans ses bras. Prise de frissons, j'entendis le volume baisser, et ma tête buta sur un torse musclé. Il était chaud; je me blottis contre lui. La musique assourdissante s'était fondue dans les conversations et les bruits de vaisselle. On me mit une couverture dessus. Je protestai lorsque quelqu'un ouvrit une porte et que l'air froid me frappa.

La musique et les rires derrière moi s'évanouirent dans un silence glacé brisé par des pas jumeaux dans la neige granuleuse et par le tintement de l'ouverture automatique d'une voiture.

—Vous voulez que j'appelle quelqu'un? demanda une voix masculine alors qu'un courant d'air désagréable me faisait frissonner.

—Non. Je crois qu'elle a juste besoin d'air. Si elle ne va pas mieux le temps qu'on arrive à destination, j'appellerai Ivy.

—Bon, allez-y doucement, patron, dit la première voix.

J'eus l'impression de tomber, et je sentis le cuir froid d'un fauteuil contre ma joue. Je soupirai et me blottis sous la couverture imprégnée de l'odeur de Kisten et du cuir. Mes doigts vibraient ; j'entendais les battements de mon cœur et je sentais mon sang courir dans mes veines. Même le claquement de la portière ne parvint pas à me déranger. Le rugissement soudain du moteur me rassura. Je dérivais, bercée par les mouvements de la voiture. J'aurais juré entendre des moines chanter.

Chapitre 12

Je fus réveillée par des cahots familiers. Nous traversions des rails. Je lançai la main vers la poignée avant que la portière s'ouvre toute seule. J'écarquillai brusquement les yeux lorsque mes phalanges heurtèrent la porte, plus proche que d'habitude. Ah oui. Je n'étais pas dans le camion de Nick ; c'était la corvette de Kisten.

Je retins mon souffle. J'étais affalée dans le siège passager, les yeux vissés sur la portière. Kisten avait mis son manteau sur moi en guise de couverture. Il soupira, et le volume de la musique diminua. Il savait que j'étais réveillée. Je me sentis rougir ; j'aurais aimé pouvoir faire semblant d'être toujours dans le coma.

Déprimée, je me redressai et fis de mon mieux pour enfiler le manteau dans l'habitacle exigu. Je m'efforçai de ne pas le regarder : à la place, j'essayai de voir dans quelle partie de la ville nous nous trouvions. Il y avait du monde dans les rues, et l'horloge du tableau de bord indiquait qu'il était presque deux heures. J'étais tombée dans les pommes comme une alcoolo, et ce devant une bonne partie du gratin vampirique de Cincinnati en pleine explosion de phéromones. Ils avaient dû se dire que j'étais une petite sorcière maigrichonne sans volonté et incapable de se débrouiller.

Kisten s'agita sur son siège en s'arrêtant à un feu.

— Bienvenue dans le monde des vivants, dit-il à voix basse.

Mâchoires serrées, je tâtai discrètement mon cou pour vérifier qu'il était dans l'état où je l'avais laissé.

— Ça fait longtemps que je suis dans le coltard ? demandai-je.

Voilà qui va grandement améliorer ma réputation.

Kisten repassa la première.

— Tu n'étais pas dans le coltard. Tu dormais. (Le feu passa au vert ; Kisten se rapprocha de la voiture de devant pour la forcer à démarrer.) S'évanouir implique un manque de contrôle. S'endormir, c'est ce qu'on fait quand on est fatigué. (Il jeta un coup d'œil dans ma direction au moment où nous traversions l'intersection.) Ça arrive à tout le monde, d'avoir un coup de fatigue.

— Les gens ne s'endorment pas en boîte. Je suis tombée dans les pommes.

Je passai mes souvenirs en revue. Ils étaient clairs comme de l'eau bénite ; aucun brouillard bienfaisant ne venait les obscurcir. Je devins rouge comme une pivoine. Le sang sucré, c'était comme ça qu'ils avaient appelé mon état. J'avais envie de rentrer chez moi, de me glisser dans la cachette à prêtres que les pixies avaient trouvée dans l'escalier du beffroi, et d'y mourir.

Kisten était silencieux, mais la tension de son corps me laissait penser qu'il allait parler dès qu'il aurait fini d'évaluer le degré de condescendance de ce qu'il comptait dire.

— Je suis désolé, dit-il. (Je fus surprise, mais qu'il admette sa culpabilité me mit en colère au lieu de me calmer.) J'ai été con de t'emmener au club sans savoir si les sorcières pouvaient avoir le sang sucré. Je n'y ai même pas pensé. (Sa mâchoire se crispa.) Mais ce n'était pas si moche que tu le crois.

— Ouais, c'est ça, marmonnai-je en tâtonnant sous mon siège jusqu'à ce que je trouve mon sac. Je suis sûre que la moitié de la ville est au courant, maintenant. « Eh, si on allait chez Morgan, ce soir, pour la regarder se faire sucrer le sang ? Il faut juste qu'on soit plein à s'amuser, et hop, elle est dans les vapes. Youhou ! »

Kisten avait les yeux rivés sur la route.

— Ce n'était pas comme ça. Et puis il y avait plus de deux cents vampires, et une bonne partie étaient des vampires morts.

— C'est censé me rassurer ?

D'un geste brusque, il sortit son téléphone de sa poche et appuya sur un bouton avant de me le passer.

— Oui ? grognai-je presque. Qui est à l'appareil ?

— Rachel ? Seigneur, tu vas bien ? Je jure que je vais le tuer, pour t'avoir emmenée au Piscary. Il a dit que tu avais été sucrée. Il t'a mordue ?

—Ivy! m'écriai-je. (Incrédule, je fusillai Kisten du regard.) Tu en as parlé à Ivy? Putain, merci beaucoup. Tu veux peut-être appeler ma mère, tant que tu y es?

—Tu croyais peut-être qu'Ivy n'en entendrait pas parler? Je préférais qu'elle l'apprenne de ma bouche. Et je m'inquiétais pour toi, ajouta-t-il.

Cette dernière remarque étouffa dans l'œuf un nouvel accès de colère de ma part.

—Il t'a mordue? insista Ivy. (Mon attention se détourna de Kisten.) Oui ou non?

—Non, répondis-je finalement en tâtant mon cou.

Mais je ne sais pas pourquoi il ne l'a pas fait. J'ai été tellement idiote.

—Rentre à la maison, dit-elle. (Ma colère se changea en un sentiment de rébellion.) Si quelqu'un t'a mordue, je le sentirai. Rentre, que je puisse te sentir.

J'émis une exclamation de dégoût.

—Je ne vais pas rentrer pour que tu me renifles! Personne ne m'a embêtée. Et ça fait du bien de se laisser aller cinq minutes, merde!

Je fis la grimace à Kisten. J'avais compris pourquoi il m'avait passé Ivy. Ce petit con manipulateur avait le sourire aux lèvres. Comment m'énerver après lui alors que j'étais en train de le défendre?

—Tu as eu le sang sucré en cinq minutes? s'exclama Ivy d'un ton horrifié.

—Oui, répliquai-je sèchement. Tu devrais peut-être essayer. Va faire un tour au Piscary pour faire le plein de phéromones. Remarque, ils risquent de ne pas te laisser entrer. Tu pourrais gâcher le plaisir des clients.

Elle retint sa respiration, et je regrettai aussitôt ce que j'avais dit. *Merde.*

—Ivy, je suis désolée, m'empressai-je d'ajouter. Je n'aurais pas dû te dire ça.

—Passe-moi Kisten, murmura-t-elle.

Je me léchai les lèvres. J'avais l'impression d'être une moins-que-rien.

—Si tu veux.

Les mains moites, je passai le téléphone à Kisten. Ses yeux insondables croisèrent les miens l'espace d'un instant. Il écouta pendant un moment, marmonna quelque chose que je ne parvins pas à discerner, puis mit fin au coup de fil. Je le regardai ranger son petit téléphone argenté derrière son manteau en laine, cherchant à déchiffrer son expression.

—Le sang sucré, commençai-je. (Il était peut-être temps que je comprenne ce qui se passait.) Tu peux me dire ce que ça signifie, au juste?

Ses mains glissèrent sur le volant, et il prit une position plus détendue. Les réverbères espacés jetaient des ombres étranges sur son visage.

—C'est un calmant léger que les vampires sécrètent quand ils sont repus et détendus. Un peu comme une rémanence. Ça nous a surpris la première fois que quelques-uns des vampires morts les plus jeunes ont été sucrés, quand le Piscary est passé à une clientèle exclusivement vampirique. Ça leur a fait un bien fou, alors j'ai fait enlever toutes les tables de l'étage, et j'ai ajouté des éclairages et un DJ. J'ai transformé le restau en dancing. Après, tout le monde a eu le sang sucré.

Il se tut le temps de négocier un virage en tête d'épingle pour entrer dans un énorme parking en contrebas, au bord du fleuve, bordé de remblais de neige hauts de deux mètres.

—C'est une euphorie naturelle, reprit-il en rétrogradant pour aller au ralenti rejoindre le petit groupe de voitures garées près d'un grand bateau illuminé. Et légale, en plus. Tout le monde aime ça, et les gens commencent même à se policer : ils jettent dehors les vampires qui viennent se trouver une proie facile et protègent ceux qui supportent mal l'euphorie et s'endorment, comme toi. Ça fait une belle différence. Demande donc à ton capitaine du BFO. Le nombre de crimes violents perpétrés par des jeunes vampires célibataires s'est effondré.

—Sans déconner, commentai-je.

On aurait dit un groupe non officiel de soutien aux vampires. *Peut-être qu'Ivy devrait aller y faire un tour. Nan. Elle gâcherait le plaisir de tous les autres.*

—Tu n'aurais pas été si réceptive si tu n'en avais pas eu tant besoin, dit-il en se garant en marge des autres voitures.

—Ah! Donc c'est ma faute! répliquai-je sèchement.

—Ne me parle pas comme ça, me coupa-t-il d'une voix dure. (Il tira sur le frein à main.) Je t'ai déjà laissé hurler après moi une fois, ce soir. N'essaie pas de retourner cette histoire contre moi. Plus tu en as besoin, plus l'euphorie est forte. C'est pourquoi personne ne t'en tient rigueur – il est même possible que leur estime pour toi en soit sortie grandie.

Déconcertée, je fis la moue.

— Désolée, dis-je.

Ça ne me déplaisait pas, qu'il soit trop malin pour se laisser manipuler par la logique sournoise d'une femme. En fait, ça rendait les choses plus intéressantes. Lentement, il se détendit et éteignit le chauffage et l'autoradio qui jouait toujours en sourdine.

— Tu avais mal à l'intérieur, dit-il en sortant le CD de chants de moines et en le remettant dans son boîtier. À cause de Nick. J'ai vu que tu souffrais dès que tu as puisé dans cette ligne à travers lui et qu'il a commencé à avoir peur. Et ils ont pris leur pied en te voyant te détendre. (Il eut un sourire distant.) Sentir que la grande méchante sorcière qui a mis une rouste à Piscary leur faisait confiance, ça leur a fait du bien. La confiance, c'est un sentiment dont les vampires font rarement l'expérience, Rachel. Les vampires vivants en ont presque autant soif que de sang. C'est pour ça qu'Ivy est prête à tuer quiconque menacera ton amitié pour elle. (Je ne dis rien; le regard perdu dans le vide, je commençais à comprendre.) Tu ne le savais pas, hein? (Je secouai la tête, mal à l'aise à force de creuser le pourquoi du comment de ma relation avec Ivy; il commençait à faire froid, et je frissonnai.) Et, en prime, te montrer vulnérable a sans doute amélioré ta réputation. Que tu ne te sois pas sentie menacée, que tu te sois laissée aller.

Je contemplai le bateau décoré de lumières festives, devant nous.

— Je n'avais pas le choix.

Il ajusta le col de son manteau sur mes épaules.

— Bien sûr que si.

Il laissa retomber sa main, et je lui souris faiblement. Je n'étais pas convaincue mais, au moins, je ne me sentais plus aussi bête. Mon esprit repassa les événements en revue, cette lente glissade d'un état de relaxation au sommeil profond ainsi que les réactions des gens autour de moi. Personne n'avait ri à mes dépens. Je me sentais bien – j'avais le sentiment d'être entre de bonnes mains. Comprise. Et puis je n'avais pas ressenti le plus petit soupçon de soif de sang dans la salle. Je ne m'étais jamais doutée que les vampires pouvaient être comme ça.

— OK, mais quand même, la danse en ligne! dis-je avec un sourire narquois.

Il rit nerveusement et baissa la tête.

— Eh, euh, ce serait possible que tu n'en parles à personne? (Le bord de ses oreilles rougit.) Ce qui se passe au Piscary reste au Piscary. C'est une règle tacite.

J'eus l'idée idiote de caresser son oreille colorée par l'afflux de sang. Le visage rayonnant de joie, il prit ma main et me toucha les doigts du bout des lèvres.

—À moins que tu veuilles aussi y être interdite de séjour, reprit-il.

En sentant son souffle sur mes doigts, je fus prise d'un frisson. Je retirai ma main. Son regard inquisiteur me transperça, et mon estomac se noua sous l'effet de l'anticipation.

—Tu étais très beau, tout à l'heure, dis-je sans me préoccuper de savoir si c'était une erreur. Vous avez une soirée karaoké?

—Mmm, murmura-t-il en se vautrant contre sa portière dans sa pose de mauvais garçon. Du karaoké. Ça, c'est une idée. Ça roupille un peu, le mardi. On n'arrive jamais à réunir suffisamment de gens pour que ça bouge. Le karaoké pourrait faire l'affaire.

Je me tournai vers le bateau pour que Kisten ne me voie pas sourire. J'eus une vision fugitive d'Ivy chantant *Round Midnight* sur scène. Kisten regarda le bateau à son tour. C'était l'une de ces embarcations refaites, hautes d'un étage et presque entièrement couvertes.

—Je peux te ramener, si tu veux, proposa-t-il.

Je secouai la tête et refermai son manteau. Une odeur de cuir me remonta aux narines.

—Non. Je veux savoir comment tu vas payer un dîner-croisière sur une rivière gelée avec seulement soixante dollars.

—On n'est pas là pour dîner, mais pour s'amuser.

Il allait rejeter sa mèche d'un mouvement étudié mais s'arrêta en plein milieu.

Les éclairages du bateau commençaient à s'imprimer dans ma tête.

—C'est un bateau de jeu! Ce n'est pas juste. Ils sont tous à Piscary. Tu ne vas rien payer du tout.

—Celui-ci n'appartient pas à Piscary.

Il descendit et fit le tour de la voiture, magnifique dans son manteau de laine. Il ouvrit ma portière et attendit que je sorte. D'autres lumières s'allumèrent.

—Oh, on est venus espionner la concurrence?

—Quelque chose dans ce goût-là. (Il se pencha pour me regarder.) Tu viens, ou on s'en va?

Du moment qu'il payait ses jetons, tout était réglo par rapport à notre accord. En plus, je n'avais jamais joué à des jeux d'argent. Ce serait peut-être amusant. J'acceptai la main qu'il me tendit et le laissai m'aider à descendre de voiture.

Il marcha vite. Nous nous dépêchâmes de rejoindre la passerelle bastinguée. Un grand homme avec une parka et des gants faisait le pied de grue en bas de la rampe. Pendant que Kisten lui parlait, je regardai la ligne de flottaison du bateau. Des rangées de bulles l'empêchaient d'être pris dans les glaces. C'était sans doute plus cher que de sortir le bateau de l'eau pour l'hiver, mais les règlements municipaux stipulaient qu'on ne pouvait jouer que sur l'eau. Et même si l'embarcation était à quai, techniquement parlant, elle était bien sur l'eau.

L'homme parla dans une radio et nous laissa passer. Kisten me mit une main dans le bas du dos et me fit avancer.

—Merci de m'avoir prêté ton manteau, dis-je.

Nous montâmes la passerelle – mes talons claquaient – et nous retrouvâmes à l'abri sur la coursive. La neige faisait comme un glaçage blanc sur le bastingage. Je fis courir mon doigt le long de la barre et fis tomber des morceaux qui allèrent fondre dans l'eau profonde.

—Tout le plaisir est pour moi, rétorqua-t-il.

Il m'indiqua une porte, moitié en bois, moitié en verre. Elle était frappée de deux S majuscules entrelacés. Je frissonnai en sentant le miroitement d'une ligne d'énergie me traverser lorsque Kisten ouvrit la porte et nous franchîmes le seuil. C'était sans doute le sort anti-triche du casino, mais cela me donna les chocottes. J'avais l'impression que l'air que je respirais était huileux.

Un autre mastodonte en costard – un sorcier, vu l'odeur familière de séquoia – nous accueillit et prit nos manteaux. Kisten signa le registre et écrivit «une invitée». Irritée, j'écrivis mon nom sous le sien à grand renfort de boucles et d'arabesques hautes de trois lignes. Le stylo métallique me fit une drôle d'impression. Avant de le reposer, je l'étudiai. Tous mes sens se mirent en alerte. Pendant que Kisten achetait un jeton avec une bonne partie de notre budget, je barrai nos noms avec application pour empêcher nos signatures de servir d'objets de focalisation à un sort de ligne.

—Tu peux m'expliquer? demanda Kisten en me prenant par le bras.

—Fais-moi confiance.

Je souris au sorcier impassible en costard qui tenait le registre. Il y avait des moyens plus subtils d'éviter les vols d'objets de focalisation, mais je ne les connaissais pas. J'avais insulté notre hôte, mais ça ne me gênait pas. Après tout, je ne remettrais jamais les pieds sur ce bateau.

Comme Kisten me tenait le bras, je fis de petits signes de tête d'un air important à chacun des clients qui levèrent le nez de leur jeu. J'étais contente qu'il m'ait relookée ; si j'étais venue habillée comme j'avais prévu de l'être, j'aurais eu l'air d'une putain. Les panneaux de chêne et de teck avaient un côté rassurant, et la sensation de l'épaisse moquette verte sous mes pieds était délicieuse. Elle était si moelleuse que je la sentais à travers mes bottes. Les rares fenêtres étaient décorées de rideaux bordeaux foncé et noir. Ils étaient ouverts pour qu'on voie bien les lumières de Cincinnati. L'ambiance était chaude, les gens s'amusaient. J'entendais les jetons cliqueter, les sons tonitruants qui emplissaient la salle. Mon pouls s'accéléra.

Le plafond était bas, ce qui aurait pu être étouffant mais renforçait l'impression d'intimité. Il y avait deux tables de black-jack, une de craps, une roulette, une rangée entière de bandits manchots, et, dans le coin, un petit bar. Si mes instincts ne me trompaient pas, le personnel était principalement composé de sorciers et de magiciens. Je me demandais où se trouvait la table de poker. Peut-être à l'étage ? Je ne savais jouer qu'au poker. Enfin, je connaissais le black-jack, mais c'était un jeu de fillette.

—On se fait un black-jack ? proposa Kisten en me guidant discrètement dans la direction d'une des deux tables.

—Avec plaisir, dis-je sans cesser de sourire.

—Tu veux boire quelque chose ?

Je jetai un coup d'œil aux gens autour de moi. Les cocktails étaient de mise, à part pour un type qui avait une bière. Il la buvait à la bouteille, ce qui gâchait son look costard-cravate.

—Une planche ? demandai-je pendant que Kisten m'aidait à monter sur un tabouret. Avec double portion de glace.

La serveuse, une sorcière qui n'était plus de la première jeunesse, acquiesça et partit après avoir noté la commande de Kisten. Je levai les yeux et vis un énorme disque métallique gris pendu au plafond. Des rubans de métal brillants s'en échappaient, tels des rayons de soleil, et couraient jusqu'aux murs. Ç'aurait pu être une décoration, mais j'étais prête à parier que les rubans se prolongeaient derrière les panneaux de bois, et même sous le plancher.

—Euh, Kisten ? Qu'est-ce que c'est que ça ? demandai-je en lui donnant un coup de coude.

Il leva les yeux à son tour.

— Sans doute leur système de sécurité. (Nos regards se croisèrent ; il me sourit.) Ces taches de rousseur, dit-il. Même sans tes sorts, tu es la plus belle femme à bord.

Son compliment me fit rougir – à présent, j'étais sûre que le disque n'était pas là pour faire joli – mais, lorsqu'il se retourna vers le croupier, je me dépêchai de me regarder dans le miroir près de l'escalier. Je m'aperçus avec abattement que j'avais de nouveau des taches de rousseur et que mes cheveux avaient recommencé à friser. Le bateau tout entier était une zone sans magie – au moins pour nous autres, sorcières de terre qui utilisions des amulettes – et je soupçonnais ce gros disque violet de renfermer aussi quelque chose qui inhibait la magie des lignes.

Le fait que le bateau soit sur l'eau le protégeait un peu de la magie des lignes, puisqu'il était impossible de puiser de l'énergie sur de l'eau, à moins de faire un détour et de passer à travers un familier. Selon toute vraisemblance, le système de sécurité affaiblissait les sorts de ligne lancés avant de monter sur le bateau, et il devait être capable de détecter les contrevenants qui se serviraient d'un familier pour invoquer de nouveaux sorts. Dans le temps, quand je travaillais à la SO, il y avait une version miniature de ce genre de système sur mes menottes.

Pendant que Kisten montrait son misérable jeton de cinquante dollars au croupier, j'en profitai pour étudier les gens. Il y avait environ trente personnes. Elles étaient toutes bien habillées ; la plupart étaient plus âgées que nous. Je fronçai les sourcils en m'apercevant que Kisten était le seul vampire : il y avait des sorcières, des garous, quelques humains aux yeux rougis par la fatigue, mais pas de vampires.

Cela me sembla bizarre. Pendant que Kisten doublait sa mise en quelques mains, je me déconcentrai afin de voir la pièce avec mon pouvoir de seconde vue. Je n'aimais pas m'en servir, surtout la nuit, où je risquais de voir un voile d'au-delà se superposer à la réalité, mais je préférais me payer une bonne frayeur plutôt que de ne pas savoir ce qui se passait. Je me surpris à me demander si Algaliarept savait ce que je faisais, puis décidai qu'il n'avait aucun moyen d'en avoir connaissance à moins que je puise l'énergie d'une ligne. Et je n'avais aucune intention de le faire.

Je me calmai et fermai les yeux pour que ma seconde vue, dont je me servais rarement, n'entre pas en conflit avec ma vision normale. J'ouvris mentalement mon œil intérieur d'une poussée. Immédiatement, mes mèches, libérées de l'entrave de mon sort, bougèrent sous l'effet du vent qui soufflait en permanence dans l'au-delà. Le souvenir du bateau se désagrégea et laissa place au paysage accidenté de la ville démonique.

J'émis un petit son dégoûté en me rappelant pourquoi je n'utilisais jamais mes pouvoirs extrasensoriels si près du centre de Cincinnati ; la ville était laide, en ruine. La lune décroissante devait être levée, à présent, et une lueur rouge teintait le bas des nuages, illuminant tout en la voilant la cascade désolée de bâtiments cassés et de décombres envahis par la végétation, et me faisant me sentir engluée. On disait que les démons vivaient sous terre, et à voir ce qu'ils avaient fait de leur ville – construite sur les mêmes lignes d'énergie que Cincinnati – je ne me demandais pas pourquoi. Une fois, j'avais vu l'au-delà en plein jour. Il n'était guère mieux.

Je n'étais pas dans l'au-delà, je le contemplais juste, mais j'étais quand même mal à l'aise, surtout que je venais de comprendre que si tout me semblait plus clair que d'habitude, c'était parce que j'étais nimbée de l'aura noire d'Algaliarept. La pensée du démon et de notre marché auquel je m'étais soustraite me fit ouvrir les yeux. Je priai pour qu'Algaliarept ne trouve pas un moyen de se servir de moi à travers les lignes, comme il l'avait promis.

Le bateau était dans l'état où je l'avais laissé ; les bruits qui m'avaient gardée mentalement connectée à la réalité reprirent leur sens. J'utilisais mes deux visions, et il me fallait faire vite si je voulais voir quelque chose avant que ma double vue soit définitivement submergée par ce que perçaient mes yeux.

Mon regard fut instantanément attiré par le disque métallique, et je fis une moue dégoûtée. Un épais voile violet en émanait et enveloppait tout. J'étais prête à parier que c'était ce que j'avais senti en franchissant le seuil.

Cela dit, ce qui m'intéressait surtout, c'était l'aura des gens présents. Je ne voyais pas la mienne, même en me regardant dans le miroir. Un jour, Nick m'avait dit qu'elle était jaune et dorée, mais de toute façon elle devait être cachée par celle d'Algaliarept. L'aura de Kisten, d'un rouge orangé chaud et plein de santé, était mouchetée de jaune autour de la tête. Je ne pus m'empêcher de sourire. Il se servait de sa tête plutôt que de son cœur pour prendre des décisions. Je n'étais pas surprise. Son aura ne contenait pas de noir ; en revanche, en faisant un tour d'horizon, je m'aperçus que celle de tous les autres joueurs était zébrée d'obscurité.

Je réprimai un sursaut en voyant qu'un jeune homme m'observait depuis un coin de la pièce. Il était en smoking, mais il le portait avec décontraction, pas comme le portier avec son maintien raide, voire coincé, ou les croupiers, professionnels mais ternes. Son aura était si sombre qu'il était difficile de dire si elle était bleue ou verte. Elle était parcourue d'un soupçon de noir démonique. Je ressentis un certain embarras en m'apercevant que s'il me regardait avec sa double vue – ce dont j'étais certaine –, il voyait forcément l'aura noire gluante d'Algaliarept sur moi.

Il s'adossa à sa chaise, posa le menton sur ses doigts courbés et me regarda dans les yeux depuis l'autre côté de la pièce, comme s'il m'étudiait. Il était très bronzé – un joli tour de force en plein milieu de l'hiver – et, à voir les zones plus claires dans ses cheveux noirs raides, je devinai qu'il venait d'ailleurs, d'un endroit où il faisait chaud. Visage moyen, corpulence moyenne ; il ne me frappait pas par sa beauté, mais son assurance faisait qu'on était obligé de le regarder à deux fois. De plus, il avait l'air riche, mais tout le monde a l'air riche en smoking.

Mes yeux se posèrent sur le gars qui descendait sa bière, et je décidai qu'après tout, il était possible d'être en smoking et pouilleux à la fois. Cette pensée me fit sourire et je revins à mon ami surfeur.

Il n'avait pas cessé de m'observer et, en me voyant sourire, il m'imita. Il inclina la tête, m'invitant à engager la conversation. Je pris ma respiration, prête à secouer la tête en signe de dénégation, mais me ravisai. Après tout, pourquoi pas ? Je me mentais en essayant de me convaincre que Nick allait revenir. Et, avec Kisten, ça ne passerait pas la nuit.

Me demandant si le noir de son aura était une marque démonique, je me concentrai pour essayer de voir au-delà de son aura inhabituellement sombre, mais la lueur violette émanant du disque s'éclaircit et commença à prendre une teinte jaune.

L'homme sursauta et son attention fut attirée par le plafond. Une expression de choc vint entacher son visage rasé de près. Un appel retentit soudain d'au moins trois endroits différents, et Kisten, dont j'avais momentanément oublié l'existence, lança une bordée de jurons lorsque le croupier annonça que sa main avait été altérée et que la partie était suspendue jusqu'à ce qu'il prenne un nouveau jeu de cartes.

C'est alors que je perdis complètement ma double vue ; le sorcier qui tenait le registre me désigna à un autre homme, clairement un membre de la sécurité, vu l'absence totale d'expression sur son visage.

—Oh merde, jurai-je.

Je pris mon cocktail et tournai le dos à la pièce.

—Quoi ? demanda Kisten d'un ton irrité en empilant ses jetons par couleurs.

Je fis la grimace. Nos regards se croisèrent par-dessus le rebord de mon verre.

—Je crois que j'ai fait une bêtise.

Chapitre 13

— **R**achel, qu'est-ce que tu as fait ? demanda Kisten d'un ton neutre en regardant derrière moi.

—Mais rien ! m'exclamai-je.

Le croupier me lança un regard blasé en ouvrant un nouveau paquet de cartes. Je ne me retournai pas en sentant une présence menaçante dans mon dos.

—Il y a un problème ? demanda Kisten.

Son attention était fixée à un bon mètre au-dessus de ma tête. Lentement, je pivotai et découvris un homme vraiment grand, dans un smoking qui ne l'était pas moins.

—C'est à la dame que je voudrais parler, gronda-t-il.

—Je n'ai rien fait, m'empressai-je de dire. Je regardais seulement les, euh, les installations de sécurité… (Ma voix avait faibli.) C'est purement professionnel. Tenez. Voilà ma carte. Moi-même, je travaille dans la sécurité. (Je pris maladroitement un bristol dans mon sac et le lui tendis.) Je n'ai pas cherché à tricher, vraiment. Je n'ai pas puisé de ligne. Juré.

Juré ? Alors ça, c'est minable de chez minable.

Ma carte de visite noire semblait minuscule dans sa grosse main. Il la lut très vite, en une fois. Il interrogea du regard une femme au pied de l'escalier. Elle haussa les épaules en articulant « elle n'a pas puisé dans une ligne ». Il se tourna vers moi.

—Merci, mademoiselle Morgan. (Je me décrispai un peu.) S'il vous plaît, n'imposez pas votre aura sur les sorts de la maison. (Il ne souriait pas du tout.) Si vous interférez de nouveau, nous devrons vous demander de partir.

—Bien sûr, aucun problème.

Je recommençai à respirer.

Il s'éloigna et les gens autour de nous se remirent à jouer. Kisten avait l'air passablement agacé.

—Tu es vraiment insortable, dit-il sèchement. (Il mit ses jetons dans un petit seau, qu'il me tendit.) Tiens. Il faut que j'aille aux toilettes des petits garçons.

J'étais perplexe. Il me lança un regard d'avertissement avant de partir, me laissant seule dans un casino avec un seau plein de jetons dont je ne savais quoi faire. Je me tournai vers le croupier de ma table de black-jack, qui haussa les sourcils.

—Je crois que je vais jouer à autre chose, annonçai-je en me laissant glisser du tabouret.

Il acquiesça.

Le sac coincé sous le bras, j'observai la salle, mon seau dans une main et mon cocktail dans l'autre. Mon surfeur avait disparu. Je réprimai un soupir de déception. Tête baissée, je regardai mes jetons et remarquai que les deux S entrelacés étaient gravés dessus. Sans même connaître la valeur monétaire de ce qu'il y avait dans le seau, je dérivai vers la table de craps où l'ambiance était à l'excitation.

Je souris à deux hommes qui s'écartèrent pour me faire une place et posai mon verre et mes jetons au bord de la table. J'essayai de comprendre pourquoi certaines personnes étaient contentes que les dés fassent cinq, alors que d'autres étaient énervées. L'un des sorciers qui m'avaient fait de la place me collait d'un peu trop près, et je me demandais quand il m'infligerait sa réplique d'approche. Bien sûr, après le coup de dés suivant, il me fit un sourire inélégant.

—Me voilà. C'est quoi, vos deux autres vœux ? dit-il.

Ma main se mit à trembler ; je la forçai à rester immobile.

—S'il vous plaît. Laissez tomber.

—Eh, en voilà des manières, bébé.

Il avait parlé fort pour m'embarrasser, mais, ce qu'il ignorait, c'est que j'étais bien plus capable que lui de me mettre dans l'embarras.

Je me concentrai sur lui. Les bavardages autour de la table cessèrent. Blessée dans mon amour-propre, j'étais sur le point de lui passer un savon quand mon surfeur réapparut.

—Monsieur, déclara-t-il posément, c'était la pire réplique que j'aie jamais entendue ; non seulement elle est insultante, mais en plus elle trahit un sévère manque de prudence. Vous ennuyez manifestement la demoiselle. Vous devriez quitter les lieux avant qu'elle vous abîme pour de bon.

Son petit couplet réussissait le tour de force d'être protecteur tout en sous-entendant que je pouvais m'en sortir toute seule. J'étais très impressionnée.

Notre dieu de la réplique qui tue retint sa respiration, réfléchit un instant, puis leva les yeux sur l'homme derrière moi et changea d'avis. Il prit son verre en marmonnant et partit avec son copain assis à ma droite.

Je me détendis et me tournai vers mon surfeur en soupirant.

— Merci, dis-je en le regardant de plus près.

Il avait les yeux bruns et les lèvres fines ; son sourire plein et honnête illuminait tout son visage. Il y avait un héritage asiatique dans le passé proche de sa famille, ce qui lui avait donné ses cheveux noirs raides, un nez et une bouche menus.

Il inclina la tête, l'air un peu embarrassé.

— Inutile de me remercier. Il fallait que je fasse quelque chose pour racheter tous les hommes, après une telle réplique. (Son visage à la mâchoire anguleuse prit une expression faussement sincère.) C'est quoi, vos deux autres vœux ? demanda-t-il en ricanant.

J'éclatai de rire mais me tournai vers la table de craps pour qu'il ne voie pas mes grandes dents.

— Je m'appelle Lee, dit-il pour briser le silence avant qu'il devienne gênant.

— Rachel.

Je fus soulagée lorsqu'il me tendit la main. Il sentait le sable et le séquoia. Il glissa ses doigts fins dans ma main et la serra aussi fort que je la lui serrai. Nos mains se séparèrent et mes yeux rencontrèrent les siens quand une fuite d'énergie s'égalisa entre nous.

— Désolé, fit-il en cachant sa main dans son dos. L'un de nous devait être un peu bas en énergie.

Je refusai de m'essuyer la main.

— Ça doit être moi. Je ne stocke pas d'énergie dans mon familier.

Lee haussa les sourcils.

— Vraiment ? Je n'ai pas pu m'empêcher de remarquer que vous observiez la sécurité.

À présent, j'étais réellement embarrassée. Je sirotai mon cocktail, me tournai et m'accoudai sur le rebord de la table.

— C'était un accident, dis-je en regardant passer les dés couleur ambre. Je ne voulais pas contourner la sécurité. J'essayais juste de, euh… de vous voir de plus près.

Je devais être aussi rouge que ma chaise. *Oh Seigneur!* pensai-je, *je suis en train de merder dans les grandes largeurs.*

Mais ma gêne semblait amuser Lee. Ses dents étaient très blanches, au milieu de son visage bronzé.

— Moi aussi.

Il avait un bel accent. De la côte Ouest, peut-être? Je ne pouvais qu'aimer son port décontracté. Mais lorsqu'il prit une gorgée de son verre de vin blanc, mon regard se posa sur son poignet et j'eus l'impression que mon cœur s'arrêtait. Une cicatrice dépassait de sa manche. Une cicatrice exactement identique à la mienne.

— Vous avez une cicatrice démoni… (Il me dévisagea brusquement, et les mots moururent dans ma gorge.) Désolée.

Lee jeta un coup d'œil aux clients autour de nous. Personne n'avait l'air de m'avoir entendue.

— Pas grave, dit-il en plissant les yeux. Je l'ai eue par accident.

Je m'adossai à la table. J'avais compris pourquoi mon aura souillée ne l'avait pas fait fuir.

— C'est un peu toujours le cas, non?

Je fus surprise de le voir secouer la tête. Je me mordis la lèvre inférieure en repensant à Nick.

— Comment avez-vous eu la vôtre? demanda-t-il.

À mon tour d'être nerveuse.

— J'étais mourante. Il m'a sauvée. Je lui suis redevable de m'avoir accordé de traverser les lignes librement. (Je n'estimai pas nécessaire de préciser que j'étais devenue la familière du démon en question.) Et vous?

— La curiosité.

Ses yeux se plissèrent de nouveau, et il fronça les sourcils, perdu dans ses pensées.

Ma propre curiosité étant piquée, je me remis à l'étudier. Je ne pouvais pas dire le vrai nom d'Al sans rompre le contrat que nous avions formé lorsque je lui avais acheté un nom d'invocation, mais je voulais savoir s'il s'agissait du même démon.

—Et, euh, le vôtre, il s'habille en velours vert?

Il sursauta. Ses yeux s'écarquillèrent sous sa frange bien droite, puis il sourit – c'était le sourire de quelqu'un qui a les mêmes problèmes que vous.

—Oui. Il parle avec un accent britannique…

—… et il adore le glaçage et les frites? le coupai-je.

Lee baissa la tête et rit.

—Oui, quand il ne prend pas l'apparence de mon père.

—Alors ça! C'est le même.

Je commençais à ressentir une certaine proximité entre nous.

Lee tira sur sa manche pour recouvrir sa marque. Il posa un coude sur la table de craps.

—On dirait que vous êtes douée en lignes d'énergie. Il vous donne des cours?

—Non, dis-je d'un ton péremptoire. Je suis une sorcière de terre.

Je tripotai mon anneau et le cordon de l'amulette que je portais autour du cou et qui était censée me défriser les cheveux.

Il regarda la cicatrice de mon poignet, puis le plafond.

—Mais vous…, hésita-t-il.

Toujours dos à la table, je secouai la tête et bus une gorgée.

—Je vous ai dit que c'était un accident. Je ne suis pas une sorcière des lignes. J'ai seulement pris un cours. Enfin, la moitié d'un. La prof est morte avant la fin.

Il cligna des yeux, incrédule.

—Le docteur Anders? s'exclama-t-il. Vous avez suivi un cours auprès du docteur Anders?

—Vous la connaissiez? demandai-je en me redressant.

—J'ai entendu parler d'elle. (Il se pencha vers moi.) C'était la meilleure sorcière des lignes à l'est du Mississippi. Je suis venu ici pour suivre ses cours. C'était censé être la meilleure.

—C'était le cas.

J'étais soudain déprimée. Elle devait délier Nick pour qu'il ne soit plus mon familier. À présent, non seulement le grimoire avait disparu, mais elle était morte, et elle avait emporté toutes ses connaissances avec elle. Je sursautai en m'apercevant que mon esprit vagabondait.

—Alors vous êtes étudiant? demandai-je.

Lee avait posé les deux coudes sur la table. Il regardait les dés rebondir et rouler derrière moi.

— Disons un érudit itinérant. J'ai eu mon diplôme à Berkeley il y a des années.

— Oh, j'aimerais bien voir la mer, un jour. (Je tripotai mon collier en me demandant dans quelle mesure cette conversation avait tourné à l'exagération.) Est-ce que le sel ne rend pas les choses plus difficiles ?

Il haussa les épaules.

— Pas tellement pour la magie de lignes. Je suis vraiment triste pour les sorcières de terre ; elles sont cantonnées dans une voie dénuée de puissance.

J'en restai bouche bée. Dénuée de puissance ? Pas vraiment, non. La force de la magie de terre émanait des lignes d'énergie, tout autant que la magie des lignes elle-même. Qu'elle soit filtrée par les plantes la rendait moins dangereuse, peut-être un peu plus lente, mais certainement pas moins puissante. On n'avait encore jamais écrit de sort de ligne capable de changer l'apparence d'une personne. Ça, c'était du pouvoir. J'attribuai sa remarque à l'ignorance et décidai de laisser couler ; je ne voulais pas l'éconduire avant d'avoir eu le temps de découvrir si c'était un gros con ou juste un petit.

— Regardez-moi, dit-il. (Il s'était sans doute rendu compte qu'il s'était fourré le doigt dans l'œil jusqu'aux omoplates.) Je suis là à vous ennuyer, alors que vous avez sans doute envie de jouer un peu avant le retour de votre petit ami.

— Ce n'est pas mon petit ami. (Je n'étais pas aussi excitée que j'aurais pu l'être par cette enquête discrète pour savoir si j'étais prise.) Je lui ai dit qu'il n'était pas capable de me sortir dans un endroit décent pour soixante dollars, et il a accepté le défi.

Lee scruta le casino.

— Et ça se passe comment ?

Je bus une autre gorgée, déçue que la glace ait fondu. Des acclamations s'élevèrent derrière moi – quelqu'un était très content du résultat des dés.

— Eh bien, jusque-là, je me suis fait sucrer le sang, je me suis évanouie dans une boîte pour vampires, j'ai insulté ma colocataire, et j'ai déclenché le système de sécurité d'un bateau casino. (Je haussai une épaule.) C'est pas mal, il me semble.

— Il est encore tôt. (Lee se remit à suivre les dés des yeux.) Je peux vous payer un verre ? J'ai entendu dire que leur vin était bon. Du merlot, je crois.

Je me demandais où tout ça allait nous mener.

—Non, merci. Le vin rouge… ne me réussit pas.

Il ricana.

—Je ne suis pas très amateur non plus. Ça me donne la migraine.

—Moi aussi, m'exclamai-je à mi-voix.

J'étais réellement étonnée.

Lee écarta ses mèches de ses yeux.

—Si j'avais commencé par là, vous m'auriez accusé de vous tendre la perche. (Me sentant soudain timide, je ne pus m'empêcher de sourire ; il se tourna vers les cris de joie, derrière moi.) Vous n'êtes pas joueuse, hein ?

Je jetai un coup d'œil à ce qui se passait dans mon dos, puis à lui.

—Ça se voit tant que ça ?

Il posa une main sur mon épaule et me fit me retourner.

—Ils ont tiré trois quatre de suite, et vous n'avez rien remarqué, murmura-t-il presque à mon oreille.

Je ne fis rien pour l'encourager ou le décourager. Mon cœur battait la chamade, ce qui ne m'aidait pas vraiment à prendre une décision.

—Ah, c'est rare ? demandai-je d'une voix que j'espérais légère.

Il fit signe au croupier.

—Ici. Une nouvelle lanceuse, annonça-t-il à voix haute.

—Eh, attendez, protestai-je. Je ne sais même pas parier.

Sans se laisser décourager, Lee prit mon petit seau à jetons et me conduisit en bout de table.

—Vous, vous lancez les dés ; moi je m'occupe de parier à votre place. (Il eut une hésitation ; ses yeux sombres prirent un air innocent.) Vous… vous êtes d'accord ?

—Bien sûr, dis-je en souriant.

Qu'est-ce que j'en avais à faire, de toute façon ? Kisten m'avait donné ses jetons. Ce n'était pas mon problème s'il n'était pas là pour les dépenser avec moi. C'était lui qui était censé être à mes côtés pour m'apprendre à jouer au craps, pas un quelconque type en smoking. Et d'abord, où était-il passé ?

Je jetai un coup d'œil aux visages rassemblés autour de la table et pris les dés. Ils étaient glissants – on aurait dit des os. Je les secouai.

—Attendez…, dit Lee en me prenant la main. D'abord, il faut les embrasser. Mais une fois seulement. (Sa voix était sérieuse, mais ses yeux brillaient.) S'ils sont sûrs qu'on va leur faire l'amour à chaque lancer, ils ne vont pas se démener pour faire un beau score.

—Mouais.

Il me lâcha. Je portai la main à mes lèvres mais refusai d'embrasser les dés. Faut quand même pas pousser. Berk. La valse des jetons commença et, le cœur battant trop vite pour que le jeu en soit la seule raison, je lançai les dés. Au lieu de les regarder rouler, j'observai Lee.

Il était captivé. Je pensais que, bien qu'il soit moins joli à voir que Kisten, il avait beaucoup plus de chance de finir en couverture d'un magazine que Nick. Un type normal et un sorcier diplômé tout à la fois. Ma mère adorerait que j'en ramène un comme ça à la maison. Il devait forcément avoir un défaut. *En dehors de sa marque démonique?* me demandai-je sèchement. Que Dieu me préserve de moi-même.

Les joueurs accueillirent mon huit avec des réactions variées.

—C'est pas terrible? demandai-je à Lee.

Il haussa les épaules en prenant les dés que le croupier lui tendait.

—Ça va. Mais vous devez retirer un huit avant qu'un sept l'emporte.

—Ah, dis-je en faisant semblant d'avoir compris.

Interloquée, je relançai les dés, et fis neuf.

—Je continue?

Il acquiesça.

—Je vais parier sur des lancers uniques. (Il hésita.) Si ça vous convient.

Comme tout le monde attendait, je répondis:

—Bien sûr. C'est super.

Lee opina. Il fronça les sourcils, puis posa une pile de jetons rouges dans un rectangle. Quelqu'un ricana et murmura «innocent à l'abattoir» à l'oreille de son voisin.

Les dés étaient chauds, au creux de ma main. Je les lançai. Ils allèrent rebondir sur le garde-fou. Onze. Toute l'assistance grommela. Lee, au contraire, était tout sourires.

—Vous avez gagné, annonça-t-il en posant la main sur mon épaule. Vous voyez? (Il désigna les dés.) Les chances de tirer un onze sont de quinze contre un. Je me doutais que vous seriez un zèbre.

Yeux écarquillés, je vis le croupier mettre sur ma pile plus de jetons bleus qu'elle ne contenait de jetons rouges.

—Pardon?

Lee posa les dés dans ma paume.

—Quand on entend des bruits de sabots, on cherche des chevaux. Imaginez que les chevaux représentent un lancer normal. Je savais que vous feriez un lancer bizarre. Un zèbre.

L'idée me plut et me fit sourire. Les dés m'échappèrent – Lee eut à peine le temps de changer mes jetons de case. Mon pouls s'accélérait. Au fur et à mesure, Lee m'expliquait les statistiques et les paris, et moi je relançais encore et encore. La table était de plus en plus bruyante, de plus en plus excitée. Je ne mis pas longtemps à me prendre au jeu. Le risque, l'incertitude et l'attente insoutenable le temps que les dés cessent de rouler, tout ça me rappelait les sensations de la course. En mieux, parce que là, je risquais des jetons en plastique plutôt que ma vie. Lee me fit un cours sur les autres manières de parier, et lorsque je me risquai à faire une suggestion, il prit une expression radieuse et me fit signe que la table était à moi.

Enchantée, je repris les paris en main là où Lee les avait laissés. Il se contenta de poser la main sur mon épaule en me murmurant des statistiques à l'oreille. Il sentait le sable. Je remarquai son excitation à travers ma fine chemise de soie, et la chaleur de ses doigts semblait s'attarder sur mon épaule au moment de retirer sa main pour me donner les dés.

Je décollai les yeux du jeu en entendant l'assistance m'acclamer pour mon dernier lancer, et je m'aperçus que presque tous les clients étaient agglutinés autour de nous. Nous étions devenus le centre d'attraction du casino.

—On dirait que vous avez chopé le coup.

Il sourit et recula d'un pas. Mon visage dut exprimer ma déconvenue.

—Vous partez? demandai-je pendant que le buveur de bière aux joues rouges me mettait les dés dans la main et me pressait de les lancer.

—Il faut que j'y aille. Mais je n'ai pas pu résister à l'idée de faire votre connaissance. (Il se pencha tout près de moi et dit:) J'ai adoré vous enseigner le craps. Vous êtes une femme très spéciale, Rachel.

—Lee?

Perdue, je reposai les dés, ce qui provoqua une vague de protestations dans l'assistance. Lee les prit et me les rendit.

—Vous êtes chaude. Ne vous arrêtez pas.

— Vous voulez mon numéro de téléphone ? demandai-je.

Seigneur, comme je devais avoir l'air désespérée !

Mais Lee me répondit par un petit sourire.

— Vous êtes Rachel Morgan, la coureuse de la SO qui a démissionné pour travailler avec la dernière vampire vivante de Tamwood. Vous êtes dans l'annuaire. À pas moins de quatre endroits.

Je devins écarlate, mais parvins à m'arrêter avant de dire à tout le monde que je ne me prostituais pas.

— À la prochaine, dit Lee.

Il leva la main et inclina la tête avant de disparaître.

Je reposai les dés et m'écartai de la table pour le voir monter l'escalier, à l'arrière du bateau. Il avait de l'allure, avec son smoking et son écharpe violette. Elle allait bien avec les couleurs de son aura. Un nouveau lanceur prit ma place, et la tablée redevint bruyante.

Ma bonne humeur gâchée, j'allai m'installer à une table près d'une fenêtre couverte de givre. Un employé m'apporta mes trois seaux de jetons. Un autre installa une nappe en tissu et posa un cocktail dessus. Un troisième alluma une bougie rouge et me demanda si j'avais besoin de quelque chose. Je secouai la tête, et il s'en alla.

— Mais enfin, qu'est-ce qui cloche dans ce beau tableau ? me demandai-je en me massant le front.

J'étais là, assise seule dans un casino avec trois seaux pleins de jetons, habillée en riche veuve. Lee savait depuis le début qui j'étais, et il n'en avait rien laissé paraître ? Et Kisten ? Où était-il passé, celui-là ?

L'ambiance qui régnait autour de la table de craps chuta, et les gens commencèrent à s'éloigner par groupes de deux ou trois. Je comptai jusqu'à cent, puis deux cents. Furieuse, je me levai pour aller encaisser mes jetons et partir à la recherche de Kisten. Les toilettes des petits garçons, mon cul ! Il devait être à l'étage, à jouer au poker sans moi.

J'empoignai mes seaux et m'arrêtai net. Kisten descendait l'escalier, précis et rapide comme seuls les vampires pouvaient l'être.

— Mais où étais-tu passé ? demandai-je quand il arriva à ma hauteur.

Il avait le visage crispé, et une traînée de sueur sur la chemise.

— On s'en va, dit-il sèchement. Allons-y.

— Attends un peu ! (Je le forçai à lâcher mon bras.) Où étais-tu ? Tu m'as laissée toute seule. Un type a dû m'expliquer comment on joue au craps. Tu as vu ce que j'ai gagné ?

Il jeta un coup d'œil à mes seaux. Manifestement, il n'était pas impressionné.

—C'était truqué. Je les ai payés pour t'occuper pendant que je parlais avec le patron.

J'étais sous le choc, comme si on m'avait donné un coup de poing dans le ventre. J'eus un mouvement de recul lorsqu'il tendit la main pour me reprendre par le bras.

—Arrête de me balader dans tous les sens, dis-je sans me préoccuper des gens qui nous regardaient. Et pourquoi tu parlais avec le patron?

Il me lança un regard exaspéré. La barbe commençait à repousser sur son menton.

—On peut en parler dehors?

Il avait vraiment l'air pressé.

Je vis des malabars descendre l'escalier. C'était un bateau casino. Il n'appartenait pas à Piscary. Kisten gérait les affaires du vampire. Il était venu faire pression sur le petit nouveau, et il m'avait emmenée au cas où les choses se gâteraient. La colère me gagnait au fur et à mesure que j'assemblais les pièces du puzzle, mais le courage n'est rien sans la discrétion.

—Parfait, lançai-je.

Je me dirigeai vers la sortie. Les bruits étouffés de mes talons étaient synchronisés avec les battements de mon cœur. Je posai mes seaux sur le comptoir et fis un sourire forcé à la fille des jetons.

—Je voudrais que mes gains soient versés aux fonds municipaux pour la reconstruction des orphelinats brûlés, dis-je sèchement.

—Bien madame, répondit-elle poliment en pesant les jetons.

Kisten en prit un sur la pile.

—Celui-ci, on va l'encaisser.

Je lui repris le jeton des mains. J'étais folle de rage qu'il m'ait manipulée. C'était ici qu'il voulait qu'Ivy l'accompagne. Et je m'étais fait avoir. Je sifflai et lançai le jeton au croupier de la table de craps. Il l'attrapa et me fit un signe de tête reconnaissant.

—Mais c'était un jeton de cent dollars! protesta Kisten.

—Vraiment? (Agacée, j'en pris un autre et le lançai à mon croupier.) Je ne veux pas passer pour une radine, grommelai-je.

La femme me tendit un reçu pour les 8 750 dollars que je venais de donner aux œuvres de la ville. Je le regardai un instant, puis le fourrai dans mon sac.

— Rachel, protesta Kisten.

Sous ses cheveux blonds, son visage était écarlate.

— On ne garde rien.

Ignorant le manteau que le portier me tendait – celui de Kisten, en fait – je poussai la porte frappée de ses deux S. Peut-être y en avait-il un pour Saladan ? *Quelle idiote j'ai été !*

Kisten se pencha par la porte.

— Rachel… (La colère rendait sa voix dure.) Reviens ici et dis-lui qu'on encaisse un jeton.

— Tu m'as donné les premiers, et moi j'ai gagné les autres ! hurlai-je depuis le bas de la rampe. (Je dus m'emmitoufler dans mes bras car il neigeait.) Je donne jusqu'au dernier sou, et je t'emmerde, espèce de sangsue à la manque !

L'homme de garde en bas de la rampe gloussa. Je le fusillai du regard, mais son visage était impassible. Kisten hésita, puis ferma la porte et descendit, mon manteau au bras. J'allai jusqu'à sa voiture d'un pas rageur, et j'attendis qu'il m'ouvre ou me dise d'appeler un taxi.

Kisten, qui n'avait pas fini de mettre son manteau, s'arrêta à côté de moi.

— Pourquoi tu es en colère après moi ? demanda-t-il platement.

Ses yeux bleus avaient viré au noir, dans la faible lueur ambiante.

— Ce bateau appartient à Saladan, n'est-ce pas ? grognai-je en désignant l'embarcation. Je suis peut-être lente, mais je finis par comprendre. C'est Piscary qui gère le jeu à Cincinnati. Tu es venu chercher la part de Piscary. Et Saladan a refusé, pas vrai ? Il marche sur les plates-bandes de Piscary, et tu m'as emmenée avec toi sachant que je me battrais pour sauver tes miches si les choses dérapaient. (Outrée, j'en oubliai ses crocs et sa force ; je mis mon visage à quelques centimètres du sien.) Ne t'avise jamais plus de me mentir pour que je te couvre. Tu aurais pu me faire tuer, avec tes petits jeux. Je n'ai pas droit à une seconde chance, Kisten. Si je meurs, je meurs !

L'écho de ma voix se répercuta sur les immeubles proches. Je rougis en pensant aux oreilles qui nous écoutaient depuis le bateau. Mais j'étais en colère, bordel, et nous allions régler ça avant que je remonte dans sa voiture.

— Tu m'habilles pour que je me sente spéciale, repris-je. (J'étais furieuse, mais j'avais la gorge serrée.) Tu me traites comme si tu avais vraiment envie de me sortir, même si c'était dans l'espoir de me mordre, et j'apprends que ce n'est même pas ça qui te motive, mais tes affaires ? Je n'étais même pas ton premier choix. Tu voulais que ce soit Ivy qui t'accompagne, pas moi ! J'étais ton plan B. Tu ne crois pas que j'ai l'impression d'être de la merde, après ça ?

Il ouvrit la bouche, puis la referma.

— Je peux comprendre que tu m'utilises comme roue de secours parce que tu es un homme, et donc un connard, m'exclamai-je. Mais tu m'as emmenée ici, dans une situation potentiellement dangereuse et sans mes sorts, sans mes charmes. Tu m'as annoncé un rendez-vous, alors j'ai tout laissé chez moi. Putain, Kisten, si tu voulais un coup de main, tu n'avais qu'à demander !

» D'ailleurs, ajoutai-je (ma colère diminuait, car il semblait qu'il m'écoutait au lieu de passer son temps à s'excuser), ç'aurait pu être marrant de savoir ce qui se passait. J'aurais pu soutirer des informations aux gens, ce genre de choses.

Surpris, il écarquilla les yeux.

— C'est vrai ?

— Oui, c'est vrai. Tu crois que je suis coureuse pour le remboursement des soins dentaires ? Ç'aurait été plus drôle que de me faire apprendre le craps par un inconnu. D'ailleurs, c'était ton rôle.

Kisten restait immobile. Une couche de neige commençait à s'accumuler sur le manteau pendu à son bras. Il avait les traits tirés et l'air mécontent, à la lueur des réverbères. Il prit sa respiration et mes paupières s'étrécirent. S'avouant vaincu, il expira brièvement. Je sentais mon cœur battre à toute vitesse. J'avais à la fois chaud et froid sous l'effet conjugué de la colère et du vent glacé en provenance du fleuve. Je n'aimais pas savoir que Kisten pouvait sans doute lire mes sentiments encore mieux que moi.

Ses yeux bleus se dilatèrent lorsqu'il tourna la tête dans la direction du bateau. Ils virèrent au noir, ce qui me fit froid dans le dos.

— Tu as raison, dit-il précipitamment. Monte dans la voiture.

Ma colère repartit comme un incendie. *Fils de pute...*

— Ne me prends pas de haut, répliquai-je.

Il tendit la main, et je reculai pour qu'il ne me touche pas. Il se ravisa et ouvrit la portière. Ses yeux noirs semblaient dénués d'âme, dans la quasi-obscurité.

— Je ne te prends pas de haut. (Ses mouvements quittèrent le territoire de la normalité pour s'aventurer sur celui du vampirisme et de sa rapidité dérangeante.) Il y a trois hommes qui descendent du bateau. Je sens l'odeur de la poudre. Tu avais raison, et j'avais tort. Monte dans cette putain de voiture.

Chapitre 14

Je pris peur. Kisten le sentit et en eut le souffle coupé comme si je l'avais giflé. Je m'immobilisai ; j'avais éveillé sa faim, ce qui m'inquiétait plus que les bruits de pas sur la passerelle. Le cœur battant la chamade, je montai dans la voiture. Kisten me tendit mon manteau et ses clés. Ma porte claqua, et je mis la clé dans le contact pendant qu'il faisait le tour de la voiture par-devant. Il monta et le bruit du moteur retentit au moment où il refermait sa portière.

Les trois hommes avaient changé de direction. Ils pressèrent le pas et se dirigèrent vers un vieux modèle de BMW.

— Ils ne nous rattraperont jamais avec cette bagnole, pronostiqua Kisten d'un ton moqueur.

Il déclencha les essuie-glaces pour balayer la neige et passa une vitesse. Je m'appuyai contre le tableau de bord et il écrasa le champignon. La voiture dérapa, fit un tête-à-queue et grilla un feu orange bien mûr. Je ne me retournai pas pour voir nos poursuivants.

La circulation força Kisten à ralentir. Le pouls battant à toute vitesse, je me contorsionnai pour enfiler mon manteau et mettre ma ceinture de sécurité. Il mit le chauffage à fond, mais il souffla de l'air froid. Je me sentais nue, sans mes charmes. Bon sang, j'aurais dû prendre quelque chose, mais c'était censé être un rencard !

— Je suis désolé, dit Kisten en prenant un virage serré à gauche. Tu avais raison.

— Espèce d'idiot ! hurlai-je. (Ma voix était d'autant plus dure que l'habitacle était exigu.) Ne t'avise plus jamais de prendre des décisions pour moi, Kisten. Ces types avaient des flingues, et moi je n'avais rien !

Un reste d'adrénaline m'avait fait crier plus fort que je l'avais voulu. Je le regardai. Je revis son œil noir, quand ma peur l'avait frappé de plein fouet, et cette pensée me dégrisa. Il avait peut-être l'air tranquille, avec son costume italien et ses cheveux en arrière, mais c'était trompeur. Il pouvait changer en l'espace d'un battement de cœur. Seigneur, qu'est-ce que je faisais là ?

— J'ai dit que j'étais désolé, répéta Kisten sans quitter la route des yeux.

Les éclairages des bâtiments défilaient, voilés par la neige. Son ton était passablement agacé ; je pris donc la décision d'arrêter de lui hurler dessus, quand bien même je tremblais encore de colère. Par ailleurs, il ne se défilait pas, n'implorait pas mon pardon. Sans pour autant perdre ses moyens, il avait admis s'être trompé, ce qui changeait agréablement.

— Ne t'inquiète pas pour ça, dis-je d'un ton amer.

Je n'étais pas prête à le pardonner, mais je ne voulais plus en parler.

— Merde. (Sa mâchoire se crispa ; il avait les yeux rivés sur le rétroviseur plutôt que sur la route.) Ils nous suivent toujours.

Gigotant sur mon siège, je parvins à ne pas me retourner et me contentai de ce que je voyais dans le rétro extérieur. Soudain, Kisten tourna à droite. J'en restai bouche bée. La route devant nous était déserte, un tunnel sombre plein de vide beaucoup moins rassurant que la rue pleine de commerces et de lumières que nous venions de quitter.

— Mais qu'est-ce que tu fais ? m'écriai-je d'une voix teintée par la peur.

Il avait toujours les yeux sur le rétroviseur quand une Cadillac noire déboucha devant nous et se mit en travers de la route.

— Kisten ! hurlai-je en m'appuyant contre le tableau de bord.

Je laissai échapper un petit jappement lorsqu'il tourna le volant en jurant. Ma tête heurta la fenêtre. Je ravalai un cri de douleur. Le souffle coupé, je sentis les pneus perdre leur adhérence. Nous dérapâmes sur le verglas. Sans cesser de jurer, Kisten réagit avec ses réflexes vampiriques, mais la voiture lui résista. Après un dernier soubresaut, la petite Corvette alla s'échouer contre un trottoir. Nous fûmes projetés en avant.

— Reste dans la voiture.

Il tendit la main vers la poignée. Quatre hommes en costumes sombres sortaient de la Cadillac. Il y en avait trois autres dans la BMW derrière nous. Probablement tous des sorciers. Et moi, j'étais là, impuissante, avec rien d'autre en poche que quelques charmes de vanité. *Elle va avoir de la gueule, notre nécro.*

— Kisten, attends !

La main sur la portière, il se tourna vers moi. La noirceur de ses yeux me coupa le souffle. *Seigneur, il a basculé*, pensai-je.

— Tout va bien se passer, dit-il dans un grondement riche de terre noire qui me serra le cœur.

— Comment le sais-tu ? murmurai-je.

Un de ses sourcils teints en blond se releva – si peu que je n'étais même pas sûre qu'il avait bougé.

— S'ils me tuent, je reviendrai les pourchasser jusqu'au dernier. Ils veulent juste… parler. Reste dans la voiture.

Il sortit et ferma la portière. La voiture tournait toujours ; le ronflement du moteur tendait mes muscles les uns après les autres. La neige qui tombait sur le pare-brise fondait au fur et à mesure. Je désactivai les essuie-glaces.

— « Reste dans la voiture », grommelai-je en gigotant sur mon siège.

Je jetai un coup d'œil derrière moi et vis que les trois occupants de la BMW se rapprochaient. Kisten passa devant les phares de sa voiture et se découpa avec sévérité sur l'obscurité qui l'entourait. Il marchait vers les quatre hommes les paumes en avant, avec une désinvolture qui ne me trompait pas.

— Tu penses, que je vais rester dans la voiture ! dis-je en ouvrant la portière et en sortant dans le froid.

Kisten se retourna.

— Je t'ai dit de rester dans la voiture.

Je réprimai la peur que je ressentis à la vue de son expression résolue. Il était détaché de ce qui allait se passer.

— C'est vrai, répliquai-je.

Je forçai mes bras à rester le long de mon corps. Il faisait très froid, et j'en avais des frissons.

Il hésita ; je l'avais mis devant un dilemme. De plus en plus près, les hommes se dispersèrent pour nous encercler. Bien que dans l'ombre, leurs visages étaient confiants. Il ne leur manquait que des battes ou des pieds-de-biche pour se taper la paume, et le tableau serait complet. Mais c'étaient des sorciers. Leur force résidait dans leur magie.

J'expirai lentement et m'avançai dans la lumière des phares. J'allai me mettre dos à dos avec Kisten.

La faim obscure que je lisais dans ses yeux sembla disparaître un instant.

— Rachel, s'il te plaît, attends-moi dans la voiture, proféra-t-il d'une voix qui me fila la frousse. Ça ne sera pas long, mais je ne veux pas que tu attrapes froid.

Il ne veut pas que j'attrape froid ? pensai-je. Les trois hommes de la BMW se préparaient à créer une barrière vivante.

— Il y a sept sorciers en tout, dis-je à voix basse. Il suffit de trois pour faire un filet, et d'un seul pour le maintenir une fois qu'il est en place.

— C'est vrai, mais je n'ai besoin que de trois secondes pour abattre un homme.

Les hommes dans mon champ de vision hésitèrent. Ce n'était pas pour rien que la SO n'envoyait pas de sorciers pour arrêter un vampire. À sept contre un, c'était faisable, mais quelqu'un allait forcément avoir très mal.

Je risquai un coup d'œil par-dessus mon épaule et vis que les quatre hommes de la Cadillac regardaient l'un des trois autres – celui qui avait un long manteau. *Le chef*, pensai-je. Je me dis qu'il était un peu trop confiant : il ajusta son manteau et fit un signe de tête à ses comparses. Les deux hommes qui étaient juste devant Kisten s'élancèrent, tandis que trois autres reculèrent. Leurs lèvres articulaient des mots, et leurs mains bougeaient. Le duvet de ma nuque se hérissa sous le soudain afflux d'énergie.

À vue de nez, il y avait au moins trois spécialistes des lignes d'énergie. J'eus un frisson dans le dos lorsqu'un des hommes qui s'étaient avancés sortit un pistolet. Merde. Kisten pouvait revenir d'entre les morts, mais pas moi.

— Kisten…, dis-je à voix haute sans quitter l'arme des yeux.

Il s'élança, et je fis un bond de côté. Un instant, il était à côté de moi ; le suivant il était entre les deux hommes. Un coup de feu retentit. Je plongeai en retenant ma respiration et m'éblouis dans les phares de la voiture. Je vis qu'un de nos assaillants était à terre, mais pas celui qui tenait le flingue.

Presque invisibles à cause des phares aveuglants, les trois sorciers de lignes se rapprochèrent d'un pas sans cesser de psalmodier. Leur filet se refermait sur nous. Ma peau m'élança quand les mailles entrèrent en contact avec elle.

Trop rapide pour l'œil humain, Kisten attrapa le poignet de l'homme armé. Le bruit des os qui se brisèrent retentit clairement dans l'air froid et sec. Mon estomac se noua lorsquele sorcier tomba à genoux en hurlant de douleur. Kisten enchaîna avec un coup puissant à la tête. Quelqu'un criait. Le flingue tomba, et Kisten le rattrapa avant qu'il touche la neige.

D'un petit mouvement de poignet, il me le lança. Il brilla dans la lumière des phares. Je m'élançai pour l'attraper au vol. Le lourd objet de métal atterrit droit dans ma paume. Il était très chaud, ce qui me surprit. Un autre coup de feu me fit sursauter. Le pistolet m'échappa des mains.

—Récupérez l'arme! cria le chef, qui était légèrement à l'écart de la scène.

Je jetai un coup d'œil par-dessus le capot de la Corvette et m'aperçus que lui aussi avait un flingue. Yeux écarquillés, je vis une silhouette noire venir vers moi. L'homme avait une boule orange d'au-delà dans la main. Je retins ma respiration. Il me la lança en souriant.

Je me laissai tomber par terre, et le verglas n'adoucit pas ma chute. L'au-delà explosa dans une gerbe d'étincelles sentant le soufre en faisant un ricochet sur la voiture de Kisten. Le contact de la gadoue glacée m'éclaircit l'esprit.

Je plaquai les paumes contre le sol et me relevai d'un bond. Mes vêtements ét… Mes vêtements! Mon pantalon en soie était couvert de neige grise dégoûtante.

—Regarde ce que tu m'as fait faire! hurlai-je en me secouant pour me débarrasser de l'amas boueux.

—Espèce de fils de pute! cria Kisten. (Je fis volte-face et vis trois hommes à terre dans un sale état autour de lui. Le sorcier qui avait jeté la boule fit un mouvement de douleur, et Kisten lui donna un coup de pied particulièrement sauvage.) T'as cramé ma peinture, enculé!

Comment avait-il fait pour se déplacer aussi vite? Le souffle coupé, je vis l'apparence de Kisten changer en l'espace d'un instant. L'œil noir, il se jeta sur le plus proche des trois sorciers de lignes, toujours occupés à invoquer leur filet. L'homme écarquilla les yeux, mais ce fut tout ce qu'il eut le temps de faire.

Le poing de Kisten s'écrasa sur son visage. La tête du sorcier bascula en arrière avec un horrible craquement ; son corps s'effondra sur le dos et alla glisser dans la lumière des phares de la Cadillac.

Avant même que le premier soit tombé, Kisten se tourna et atterrit devant le deuxième, le contourna et défonça l'arrière de ses genoux à coups de pied. L'homme hurla et ses jambes se dérobèrent sous lui. Le son mourut dans sa gorge avec une soudaineté effrayante ; Kisten avait passé le bras autour de sa gorge. J'entendis un gargouillis, puis un craquement de cartilage. Une fois de plus, mon estomac se noua.

Le troisième sorcier recula et prit la fuite. *Erreur. Terrible, terrible erreur.*

En l'espace d'un demi-battement de cœur, Kisten franchit les trois mètres qui les séparaient. Il saisit l'homme et le fit tourner sans lâcher son bras. Celui-ci se disloqua avec un claquement que je reçus comme une gifle. Malade, je mis une main sur mon estomac. Tout ça n'avait guère pris plus d'un instant.

Kisten s'arrêta à deux mètres cinquante du dernier sorcier, prêt à en découdre. Je frissonnai en revoyant Ivy me regarder de la même manière. L'homme avait un pistolet, mais je ne pensais pas qu'il allait avoir le temps de s'en servir.

— Tu comptes me tirer dessus ? grogna Kisten.

L'homme sourit. Je sentis qu'il puisait l'énergie d'une ligne. Je pris une inspiration pour crier à Kisten de faire attention.

Il bondit et saisit le sorcier à la gorge. L'homme lutta pour respirer et ses yeux se dilatèrent sous l'effet de la peur. Il lâcha son arme et laissa pendre son bras impuissant. Les épaules de Kisten se crispèrent. Il irradiait littéralement d'agressivité. Je ne voyais pas ses yeux, et je n'en avais aucune envie. Mais l'homme qu'il tenait les voyait, lui, et il était terrifié.

— Kisten ! hurlai-je.

J'avais moi-même trop peur pour intervenir. *Oh, Seigneur, je vous en prie, non. Je ne veux pas voir ça.*

Kisten hésita, et je me demandai s'il entendait mon cœur tellement il battait fort. Lentement, comme s'il luttait contre lui-même, il rapprocha le sorcier de son visage. L'homme haletait, essayait de respirer. La lumière des phares fit briller les bulles de bave au coin de sa bouche. Il était écarlate.

— Dis à Saladan que je vais venir le voir, dit-il dans un quasi-grognement.

Je sursautai lorsque Kisten projeta le sorcier. L'homme atterrit contre un réverbère éteint. Le choc fut tel que l'ampoule clignota. Le vampire se tourna vers moi, les yeux toujours aussi noirs. Je n'osais pas bouger. En me voyant, sous la neige, éclairée par les phares de la Corvette, il marqua une pause. Il épousseta une tache humide sur son manteau.

Tendue, suspendue au moindre de ses mouvements, je suivis son regard lorsqu'il contempla le carnage, très visible à la lumière des trois voitures et du réverbère. Il y avait des corps partout. L'homme à l'épaule disloquée avait vomi. Il essayait d'atteindre une voiture. En bas de la rue, un chien aboya. Un rideau bougea derrière une fenêtre allumée.

Prise de nausée, je remis la main sur mon estomac. J'étais restée paralysée. Seigneur, j'étais restée paralysée sans pouvoir rien faire. Les menaces de mort envolées, j'avais baissé la garde. Stupide… Mais, à cause de ce que j'avais fait, je serais toujours une cible.

Kisten se mit en mouvement. Ses iris bleus étaient à peine visibles autour de ses pupilles noires.

—Je t'avais dit de rester dans la voiture.

Je me crispai lorsqu'il me prit par le coude et me conduisit jusqu'à sa Corvette.

Engourdie, je n'opposai aucune résistance. Il n'était pas en colère contre moi, et je ne voulais pas attirer davantage son attention sur mon cœur qui battait la chamade, ni sur la peur qui continuait à m'étreindre. Soudain, je me raidis en sentant un danger. Me soustrayant à l'emprise de Kisten, je fis volte-face et scrutai la scène, les yeux grands ouverts.

L'homme abattu sous le réverbère écarta légèrement ses paupières dans une grimace de douleur.

—T'as perdu, salope, lança-t-il.

Haineusement, il lâcha un mot latin.

—Attention! criai-je en poussant Kisten.

Il se rattrapa avec sa grâce vampirique. Quant à moi, je glissai et m'étalai dans la neige. Un cri horrible me glaça le sang. Le cœur battant à tout rompre, je me relevai précipitamment et regardai dans la direction de Kisten. Il allait bien. C'était le sorcier qui avait hurlé.

Je mis la main devant ma bouche, horrifiée par la vision de son corps, souillé par l'au-delà, et qui se convulsait sur le trottoir enneigé. La peur s'empara de moi lorsque je m'aperçus que la neige qu'il projetait autour de lui prenait une teinte rouge. Il saignait par les pores de sa peau.

— Dieu ait pitié de lui, murmurai-je.

Il hurla par deux fois. Le son horrible de ses cris fit résonner en moi une fibre primitive. Kisten courut jusqu'à lui. Je ne pus l'en empêcher ; le sorcier saignait, hurlait de douleur et de peur. Il attisait tous les sens du vampire. Je détournai le regard et posai une main tremblante sur le capot chaud et vrombissant de la Corvette. J'allais être malade. C'était sûr.

Je relevai la tête en entendant un craquement mouillé qui mit fin aux cris de l'homme. Accroupi, Kisten se redressa. Il avait l'air horriblement en colère. Le chien recommença à aboyer, répandant l'alerte dans la nuit glaciale. Une paire de dés s'échappa de la main inerte du sorcier. Kisten les ramassa.

Je n'arrivais plus à réfléchir. Soudain Kisten fut auprès de moi. Il me prit par le coude et me ramena à la voiture. Heureuse qu'il n'ait pas succombé à ses instincts, mais sans comprendre pourquoi il avait résisté, je le laissai me guider. En tout cas, son aura vampirique s'était complètement dissipée, ses yeux étaient redevenus normaux et ses réactions juste un peu trop rapides.

— Il n'est pas mort, dit-il en me tendant les dés. Aucun d'eux n'est mort. Je n'ai tué personne, Rachel.

Je me demandai pourquoi il se préoccupait de ce que je pensais. Je pris les dés en plastique et les serrai jusqu'à en avoir mal à la main.

— Récupère le flingue, murmurai-je. Il y a mes empreintes dessus.

Sans montrer le moindre signe qu'il m'avait entendue, il enleva mon manteau de l'embrasure et ferma la portière.

Une forte odeur de sang attira mon attention. J'ouvris la main. Les dés étaient poisseux. Mon estomac se tordit et je mis mon poing, froid comme l'hiver, contre ma bouche. C'étaient les dés que j'avais utilisés au casino. Toute l'assistance m'avait vue les embrasser ; il avait donc essayé de s'en servir pour focaliser sa magie sur moi. Mais je n'avais pas établi de lien avec eux, si bien que le sort de magie noire s'était retourné contre son créateur.

Je regardai dehors en essayant de ne pas hyperventiler. C'était moi qui étais censée être étendue là, les membres tordus, dans une flaque de sang et de neige. J'étais un joker dans le jeu de Saladan ; il avait prévu de m'éliminer pour faire basculer les choses en faveur de ses hommes de main. Et moi, je n'avais rien fait, paralysée par mon manque de prévoyance, trop choquée pour faire ne serait-ce qu'un cercle. Il y eut un flash lumineux lorsque Kisten entra dans la zone éclairée par les phares et se baissa pour ramasser le pistolet. Nos regards se croisèrent – il avait les yeux las – mais il fit volte-face en percevant un mouvement derrière lui. Un des hommes essayait de se faire la belle.

Je gémis en voyant Kisten lui courir après avec de grandes enjambées incroyablement rapides. Il le rattrapa et le souleva de terre. L'homme implora le vampire de lui laisser la vie sauve d'un ton pleurnichard qui me fendit le cœur. Je me pris à penser qu'il serait stupide de l'épargner, que le sort que lui et ses amis nous avaient réservé était bien pire. Mais Kisten se contenta de coller son visage contre l'oreille de l'homme pour lui parler.

D'un mouvement spectaculaire, il le projeta sur le capot de la Cadillac et essuya l'arme sur l'ourlet du manteau du sorcier. Quand il eut terminé, il laissa tomber le pistolet et s'éloigna.

Quand il revint vers la voiture, il avait le dos voûté, ce qui lui donnait un air à la fois énervé et inquiet – un sacré mélange. J'évitai de parler lorsqu'il monta et activa les essuie-glaces. Il manœuvra pour s'extraire de la masse formée par les deux voitures sans dire un mot. La main sur la portière, je regardai la voiture accélérer, ralentir puis accélérer de nouveau jusqu'à atteindre un terrain dégagé. Kisten écrasa le champignon. Les roues tournèrent dans le vide, la voiture chassa sur la gauche, puis les pneus adhérèrent malgré la neige et la voiture s'élança. Nous repartîmes par où nous étions arrivés dans un vrombissement digne d'une voiture de course.

Kisten conduisait avec des mouvements rapides et secs. J'étais toujours silencieuse. Nous arrivâmes dans une zone beaucoup mieux éclairée, et je vis que l'inquiétude avait dessiné des rides sur son visage. J'avais un nœud dans le ventre, et mon dos me faisait mal. Il savait que j'essayais de trouver comment réagir.

Le regarder en action s'était avéré à la fois excitant et supereffrayant. La vie commune avec Ivy m'avait appris que les vampires étaient aussi changeants que des tueurs en série : drôles et captivants une seconde, agressifs et dangereux la suivante. Je le savais, mais y assister était une sacrée piqûre de rappel.

J'avalai ma salive et remarquai que j'étais plus crispée qu'un tamia[1] sous acide. Aussitôt, je m'efforçai de desserrer les mains et de

---

1. Tamia : petit écureuil de l'Amérique du Nord et de l'Asie septentrionale. (*NdT*)

détendre mes épaules. Je fixai les dés ensanglantés qui étaient toujours dans le creux de ma main.

—Je ne voulais pas te faire ça, Rachel, murmura Kisten. Je ne voulais pas.

Les essuie-glaces balayaient le pare-brise à un rythme lent mais régulier. *J'aurais peut-être mieux fait de rester dans la voiture.*

—Il y a des lingettes dans la boîte à gants.

Il parlait d'une voix douce, comme pour s'excuser. Je baissai les yeux avant de croiser les siens, ouvris la boîte à gants et trouvai un paquet de mouchoirs. J'emballai les dés d'une main tremblante et, après une courte hésitation, les rangeai dans mon sac.

Je fouillai la boîte à gants et finis par trouver des lingettes. Mécontente, j'en passai une à Kisten, puis m'essuyai les mains avec l'autre. Kisten parvenait à conduire dans la circulation tout en se nettoyant les ongles, et ce malgré la neige. Quand il eut fini, il tendit la main pour que je lui passe ma lingette usagée. Un petit sac-poubelle était pendu derrière mon siège. Il tendit le bras sans effort et jeta les deux lingettes. Ses mains étaient aussi fermes que celles d'un chirurgien. Les miennes, au contraire, tremblaient tellement que je dus serrer les poings.

Kisten se remit à l'aise. Il expira comme pour se forcer à évacuer la tension. Nous étions au milieu du Cloaque ; devant nous, Cincinnati brillait de toutes ses lumières.

—Clac, crac, pop, dit-il gaiement.

Je le regardai, déconcertée.

—Pardon ?

J'étais contente que ma voix ne chevrote pas. Certes, je l'avais vu descendre tout un groupe de praticiens de la magie noire avec la grâce et la facilité d'un prédateur, mais, s'il préférait parler céréales et petit déjeuner, j'étais partante.

Il sourit sans ouvrir la bouche, une lueur d'excuse, voire de culpabilité, au fond des yeux.

—Clac, crac, pop, répéta-t-il. Quand je les ai assommés, ça faisait des bruits de céréales.

Je haussai les sourcils et esquissai un sourire. Je tendis discrètement les jambes pour les rapprocher de la soufflerie. Si je ne riais pas, j'allais pleurer. Et je refusais de pleurer.

—Je ne m'en suis pas superbien tiré, ce soir, hein ? demanda-t-il en fixant la route.

Je ne répondis pas, car je n'étais pas sûre de ce que je ressentais.

— Rachel, dit-il à mi-voix. Je suis désolé que tu aies assisté à ça.

— Je n'ai pas envie d'en parler, soupirai-je en repensant aux cris terrifiés et agonisants de l'homme.

Je savais que Kisten faisait des trucs moches à cause de ce qu'il était et de l'homme qu'il servait, mais le voir en action m'avait remplie à la fois de répulsion et de fascination. J'étais une coureuse ; la violence faisait partie de ma vie. Je ne pouvais me contenter de dire que ce qu'il avait fait était mal sans remettre en cause ma propre profession.

Malgré ses yeux noirs et ses instincts en émoi, il avait agi avec rapidité, efficacité et grâce. Je l'enviais. En plus, tout au long de la confrontation, j'avais senti qu'une petite partie de son esprit faisait attention à moi, savait où je me trouvais et si j'étais menacée.

J'étais restée paralysée, et il m'avait protégée.

Kisten accéléra en douceur lorsque le feu passa au vert, et traversa l'intersection. Il soupira. Ignorant manifestement mes pensées, il tourna en direction de l'église. L'horloge lumineuse sur le tableau de bord indiquait 3 h 30. Je n'avais plus aucune envie de sortir, mais je tremblais encore, et s'il ne m'invitait pas à dîner j'allais me retrouver à manger des crackers au fromage et des restes de riz. Berk.

— On va au Mickey D's ? suggérai-je.

C'est juste un rendez-vous, bon sang. Un rendez-vous… platonique.

Kisten releva la tête. Bouche bée, il faillit rentrer dans la voiture de devant mais enfonça les freins au dernier moment. Habituée à la conduite d'Ivy, je me contentai de me cramponner et de me laisser porter.

— Tu veux encore aller dîner ? demanda-t-il pendant que le type de devant hurlait des insultes silencieuses dans son rétroviseur.

Je haussai les épaules. Mes vêtements étaient couverts de neige sale, mes cheveux pendaient sur mes oreilles, j'étais sur les nerfs… Si je ne me remplissais pas l'estomac, j'allais devenir exécrable. Ou malade. Ou pire.

Kisten s'adossa à son siège. Une expression pensive lissa ses traits pincés. Son affalement trahit un peu de son impudence habituelle.

— Je ne peux plus me permettre qu'un fast-food… maintenant, grommela-t-il. (Je vis néanmoins qu'il était soulagé que je n'exige pas qu'il me ramène chez moi.) J'avais prévu d'utiliser une partie des gains pour t'emmener à la Tour Carew dîner devant le lever de soleil.

—Les orphelins ont plus besoin de cet argent que moi de dîner dans un restau avec vue plongeante sur Cincinnati, répondis-je.

Cette remarque fit rire Kisten ; c'était un son agréable, propre à effacer les dernières traces d'inquiétude dans ma tête. Il m'avait gardée en vie alors que j'étais paralysée. Ça n'arriverait plus. Jamais.

—Et, euh… il y aurait moyen que tu ne parles pas à Ivy de… ce qui s'est passé ? demanda-t-il.

Son malaise me fit rire.

—Ça va te coûter bonbon, Croc-Blanc.

Il poussa un petit gémissement et se tourna vers moi, yeux écarquillés, faisant semblant d'être inquiet.

—Je peux t'offrir un supergrand milk-shake en échange de ton silence, psalmodia-t-il.

Je dus réprimer un frisson à cause de l'intonation faussement menaçante qu'il avait prise. Ouais, vous me trouvez peut-être idiote. N'empêche que j'étais en vie, et qu'il m'avait protégée.

—Disons que s'il est au chocolat, on peut s'entendre.

Le sourire de Kisten s'élargit, et il empoigna son volant avec plus d'assurance.

Je m'enfonçai dans mon fauteuil en cuir tout chaud et tâchai d'oublier un léger, un très léger reste d'inquiétude. *Quoi. De toute façon, tu n'avais pas l'intention d'en parler à Ivy, si ?*

Chapitre 15

Kisten me raccompagna jusqu'à ma porte dans un grand bruit de neige et de sel écrasés. Sa voiture était garée dans une flaque de lumière voilée par la neige qui tombait. Je montai les marches en me demandant ce qui allait se passer dans les cinq prochaines minutes. C'était un rencard platonique, mais c'était tout de même un rencard. L'idée qu'il m'embrasse me rendait nerveuse.

Une fois devant la porte, je me retournai en souriant. Kisten était juste à côté de moi, avec son manteau en laine et ses chaussures brillantes. Il était beau, avec ses cheveux qui lui tombaient sur les yeux. La neige qui s'amoncelait sur ses épaules était belle, elle aussi. La laideur des problèmes que nous avions rencontrés cette nuit me revint à l'esprit, puis en ressortit. Je ne voulais plus y penser.

— Je me suis bien amusée, dis-je. C'était sympa, le Mickey D's.

Kisten baissa la tête et ricana.

— Je n'avais encore jamais fait semblant d'être un inspecteur de l'action sanitaire pour manger gratuitement. Comment as-tu fait ?

Je grimaçai.

— Ben… en fait, quand j'étais au lycée, je faisais des hamburgers dans un restau, jusqu'à ce que je fasse tomber un charme dans la cuve des frites. (Il haussa les sourcils.) Je me suis fait virer. Je ne voyais pas ce qu'il y avait de grave. Personne n'avait été blessé, et la femme était mieux avec les cheveux raides.

Il toussa de rire.

— Tu as fait tomber une potion dans la cuve des frites ?

—C'était un accident. Le manager a dû payer une journée de spa à la bonne femme, et moi, on m'a virée. Il suffisait d'un bain salé pour rompre le sort, mais elle menaçait de faire un procès.

—Je ne vois pas pourquoi… (Il se balançait sur ses pieds, mains derrière le dos, en regardant le clocher à travers la neige.) Je suis content que tu te sois amusée. Moi aussi, ça m'a plu. (Il recula d'un pas ; je cessai de gigoter.) Je passerai demain soir pour récupérer mon manteau.

—Euh, dis, Kisten, commençai-je sans savoir pourquoi. Tu veux… prendre une tasse de café ?

Il s'arrêta dans une pose gracieuse, un pied sur la marche du dessous. Il se retourna, tout sourires.

—Seulement si tu me laisses le préparer.

—D'accord.

Mon pouls s'accéléra à peine. J'ouvris la porte et le précédai. Un morceau de jazz lent provenant du salon nous accueillit. Ivy était à la maison. J'espérai qu'elle était déjà allée se prendre sa dose bihebdomadaire. L'ambiance était douce, grâce à la version particulièrement mélancolique de *Lilac Wine* qui passait sur la chaîne, et l'obscurité du sanctuaire ne faisait que renforcer cette impression.

Je quittai le manteau de Kisten dans un léger bruissement de soie. Le sanctuaire était silencieux ; les pixies devaient être bien au chaud dans mon bureau, même s'ils auraient déjà dû être levés, à cette heure. J'enlevai mes bottes en silence pour ne pas gâcher l'ambiance. Kisten pendit son manteau à côté de celui que je lui avais emprunté.

—Viens, on va de l'autre côté de l'église, murmurai-je.

Je ne voulais pas réveiller les pixies. Kisten m'emboîta le pas, sourire aux lèvres, et nous nous rendîmes dans la cuisine. Nous faisions le moins de bruit possible, mais je savais qu'Ivy nous avait entendus, car elle baissa légèrement le volume de la musique. Je jetai mon sac sur ma moitié de table et me dirigeai vers le frigo. J'avais l'impression d'être quelqu'un d'autre, à marcher pieds nus avec mes bas. J'aperçus mon reflet dans la fenêtre. Si l'on faisait abstraction des souillures et des cheveux qui tombaient, je n'étais pas trop mal.

—Je vais sortir le café, dis-je en ouvrant le frigo.

Le bruit de l'eau qui coule couvrit la musique provenant du salon. Le café à la main, je me retournai et vis que Kisten lavait la cafetière neuve. Il avait l'air détendu, parfaitement à son aise dans son costume rayé. Concentré sur sa tâche à tel point qu'il semblait avoir oublié que j'étais dans la pièce, il jeta le vieux filtre et en sortit un neuf du placard d'un geste fluide, naturel.

Après avoir passé quatre heures avec lui sans un commentaire pouvant laisser penser qu'il me draguait, sans une insinuation en rapport avec le sexe ou le sang, je me sentais bien. Je ne m'étais jamais doutée qu'il pouvait être comme ça, c'est-à-dire normal. Je le regardais bouger, ne penser à rien. J'aimais ce que je voyais. Je me demandais comment ce serait, d'être comme ça pour la vie.

Comme s'il avait senti mon regard sur lui, Kisten se retourna.

— Quoi ? demanda-t-il en souriant.

— Rien. (Je jetai un coup d'œil dans le couloir sombre.) Je vais voir comment va Ivy.

Le sourire de Kisten s'élargit, découvrant légèrement ses dents.

— OK.

Ne sachant pas pourquoi il semblait si content, je lui lançai un dernier regard interloqué avant de me diriger vers le salon éclairé à la bougie. Ivy était étalée en travers de son fauteuil douillet, la tête sur un bras du siège, les jambes sur l'autre. Ses yeux sombres se plongèrent dans les miens au moment où j'entrai, puis détaillèrent la coupe élégante de mes vêtements, mes bas, jusqu'à mes pieds.

— Tu es couverte de neige, constata-t-elle sans changer d'expression ni de position.

— J'ai, euh… j'ai glissé. (Elle sembla accepter cette explication, prenant sans doute ma nervosité pour de l'embarras.) Pourquoi les pixies sont-ils toujours couchés ?

Elle renifla en se redressant pour mettre les pieds par terre. Je m'assis en face d'elle, sur le canapé de l'autre côté de la table basse.

— Jenks les a forcés à rester debout après ton départ pour qu'ils ne soient pas réveillés quand tu rentrerais.

Je souris avec reconnaissance.

— Rappelle-moi de lui faire des gâteaux au miel, dis-je en m'adossant et en croisant les jambes.

Ivy s'affala dans son siège, imitant ma posture.

— Alors… c'était comment, ton rencard ?

Nos yeux se croisèrent. Tout à fait consciente que Kisten écoutait notre conversation depuis la cuisine, je haussai les épaules. Ivy se comportait souvent comme un ex trop possessif, ce qui était particulièrement bizarre. Mais, à présent que je savais que c'était dû à son besoin de garder ma confiance, c'était un peu plus facile à comprendre – quoiqu'à peine moins étrange.

Elle inspira lentement. Je compris qu'elle humait l'air pour s'assurer que personne ne m'avait mordu au Piscary. Elle se détendit et je levai les yeux au ciel, exaspérée.

—Euh, à propos, commençai-je. Je suis vraiment désolée pour ce que je t'ai dit, tout à l'heure. Tu sais, à propos du Piscary... (Ses yeux se plongèrent soudain dans les miens.) Tu veux y aller, un de ces quatre? me dépêchai-je d'ajouter. Enfin, toi et moi, je veux dire. Je crois que si je reste au rez-de-chaussée, je ne m'évanouirai pas.

Je plissai les yeux, ne sachant pas pourquoi je faisais ça – hormis que si elle ne se détendait pas dans les plus brefs délais, elle allait péter un boulon, et je ne voulais pas être dans le coin quand ça arriverait. Et puis, je me sentirais mieux si j'étais là pour garder un œil sur elle. J'avais l'impression qu'elle s'évanouirait encore plus vite que moi.

Ivy se remit dans la position où je l'avais trouvée en arrivant.

—Bien sûr, dit-elle sans que sa voix m'indique le moins du monde ce qu'elle pensait, dans la mesure où elle avait levé la tête vers le plafond et fermé les yeux. Ça fait un bout de temps qu'on n'est pas sorties entre filles.

—Super.

Je m'installai confortablement pour attendre Kisten. Une voix douce dégoulinante de sexe murmura dans les enceintes entre deux morceaux. Une bonne odeur de café arriva jusqu'à mes narines. Je souris en entendant le nouveau *single* de Takata. Ils le passaient même sur les stations de jazz. Ivy ouvrit les yeux.

—Des passes pour les coulisses, annonça-t-elle en souriant.

—Paaaaaartout dans les coulisses.

Elle avait déjà accepté de travailler sur le concert, et j'avais hâte de lui présenter Takata. Puis je pensai à Nick. Il n'y avait aucune chance qu'il nous accompagne, à présent. Peut-être pourrais-je demander l'aide de Kisten? Et comme il se faisait passer pour le scion de Piscary, sa présence serait deux fois plus dissuasive. Un peu comme une voiture de flics garée sur le terre-plein central. Je regardai le couloir obscur en me demandant s'il accepterait ma requête, et si j'avais envie qu'il vienne.

—Écoute, dit Ivy en levant un doigt. C'est ma partie préférée. Cette voix basse me prend aux tripes. Tu sens la douleur dans la voix de cette fille? Ça doit être le meilleur CD que Takata ait jamais sorti.

La voix de cette fille ? pensai-je. Takata était seul à chanter.

— Tu es à moi, c'est à de petites choses que je le vois, murmura-t-elle. (Elle avait fermé les yeux ; son front trahissait sa douleur intérieure, ce qui me rendait mal à l'aise.) Tu es à moi, même si tu ne le sais pas. Tu es à moi, lien né de la passion…

J'écarquillai les yeux. Elle ne chantait pas la même chose que Takata. Ses mots s'entrelaçaient avec ceux du rockeur, dessinant une toile de fond qui me donnait la chair de poule. C'était le refrain qu'il était censé ne pas mettre dans le morceau.

— Tu es à moi, mais tout à fait toi, souffla-t-elle. Par ta volonté…

— Ivy ! m'exclamai-je. Où as-tu entendu ça ?

Elle me regarda d'un air interloqué pendant que Takata continuait sa chanson parlant de marchés de dupes.

— C'est le refrain alternatif ! dis-je en m'asseyant au bord de mon fauteuil. Il ne comptait pas le sortir.

— Le refrain alternatif ?

Kisten entra, posa un plateau avec trois tasses sur la table basse près des grosses bougies rouges et vint s'asseoir ostensiblement à côté de moi.

— Les paroles ! expliquai-je en désignant la chaîne. Celles que tu chantais. Elles n'étaient pas censées être dans le morceau. C'est lui qui me l'a dit. Il devait sortir les autres.

Ivy me regarda comme si j'étais devenue folle, mais Kisten posa les coudes sur les genoux et mit la tête dans les mains en grognant.

— C'est la piste pour les vampires, dit-il d'une voix creuse. Bon sang. Je me disais bien qu'il manquait quelque chose.

Déconcertée, je tendis la main pour prendre ma tasse. Ivy se redressa et fit de même.

— La piste pour les vampires ? demandai-je.

Kisten releva la tête. L'air résigné, il passa la main dans ses cheveux pour ramener ses mèches blondes en arrière.

— Dans ses morceaux, Takata ajoute toujours une piste que seuls les vampires morts peuvent entendre. (Je m'immobilisai, la tasse à mi-chemin de mes lèvres.) Si Ivy l'entend, c'est parce qu'elle est le scion de Piscary.

Ivy blêmit.

— Quoi, vous n'entendez pas ? demanda-t-elle. Là, dit-elle en regardant la chaîne au moment où le refrain revenait. Vous ne l'entendez pas intercaler des paroles entre celles de Takata ?

Je secouai la tête, mal à l'aise.

— Je n'entends que lui.

— Et la batterie? Vous l'entendez, la batterie?

Kisten acquiesça et s'enfonça dans le canapé, l'air maussade.

— Oui, mais tu en entends largement plus que nous. (Il posa sa tasse.) Bon sang. Maintenant, je vais devoir attendre ma mort en espérant trouver un vieil exemplaire qui traîne. (Il poussa un soupir de déception.) C'est beau, Ivy? Elle a la voix la plus étrange que j'aie jamais entendue. Elle est dans tous ses disques, mais elle n'est jamais citée. Je ne comprends pas pourquoi elle ne sort pas un album à elle, conclut-il d'un ton dépité.

— Vous ne l'entendez pas? insista Ivy d'une voix saccadée.

Elle posa sa tasse si fort qu'elle renversa un peu de café. Je la fixai, surprise.

Kisten fit un sourire ironique et secoua la tête.

— Félicitations, dit-il amèrement. Bienvenu au club. J'aimerais en faire toujours partie.

Mon pouls s'accéléra lorsque le regard d'Ivy s'emplit de colère.

— Non! cria-t-elle en se levant.

Kisten la dévisagea en écarquillant les yeux; il venait seulement de comprendre qu'elle n'était pas contente.

Crispée, elle secouait la tête.

— Non! répéta-t-elle d'un ton péremptoire. Je ne veux pas!

Je compris ce qui la gênait. Le fait qu'elle entende cette fille chanter signifiait que l'emprise que Piscary avait sur elle s'intensifiait. Je me tournai vers Kisten, qui avait l'air inquiet.

— Ivy, attends, dit-il d'une voix apaisante.

Mais la colère déforma le visage habituellement impassible d'Ivy.

— Plus rien ne m'appartient! s'écria-t-elle. (Ses yeux virèrent au noir.) C'était beau, et maintenant, à cause de lui, c'est devenu moche. Il me prend tout, Kist! Tout!

Il se leva. Paralysée, je le regardai faire le tour de la table en tendant la main vers elle.

— Ivy…

— Ça va s'arrêter, annonça-t-elle en repoussant sa main avant qu'il puisse la toucher. Tout de suite.

Bouche bée, je la regardai quitter la pièce en faisant de grands pas rapides de vampire. La flamme des bougies vacilla un instant.

— Ivy? (Je posai ma tasse et me levai, mais le salon était déjà désert ; Kisten avait emboîté le pas à Ivy, et je me retrouvais seule.) Où vas-tu… ? murmurai-je.

J'entendis Ivy démarrer la Sedan qu'elle avait empruntée à sa mère pour l'hiver. Un instant plus tard, elle était partie. J'allai dans le hall. Dans le silence ambiant, j'entendis distinctement le bruit étouffé de la porte qui se refermait, puis celui des pas de Kisten sur le plancher.

— Où est-elle allée ? demandai-je en le croisant au bout du couloir.

Il posa une main sur mon épaule, me suggérant par là de retourner dans le salon. Sans mes talons, il y avait une différence de taille très nette entre nous.

— Parler à Piscary.

— À Piscary ? (Inquiète, j'eus un moment d'hésitation avant de me soustraire à sa prise légère et de me planter dans le couloir.) Mais elle ne peut pas y aller toute seule !

Kisten m'adressa un sourire sans joie.

— Ça va bien se passer. Il est grand temps qu'elle lui parle. Dès qu'elle l'aura fait, il la laissera tranquille. C'est pour ça qu'il la harcèle. C'est une bonne chose, qu'elle aille le voir.

Dubitative, je retournai dans le salon. Je le sentais derrière moi, qui marchait sans bruit sur la moquette grise ; il était assez près pour me toucher. Nous étions seuls, si on ne comptait pas les cinquante-six pixies qui dormaient dans mon bureau.

— Tout va bien se passer, répéta-t-il dans sa barbe.

J'avais envie qu'il s'en aille. Émotionnellement, j'étais lessivée, et j'avais envie qu'il parte. Sentant ses yeux sur moi, je soufflai les bougies, qui répandirent une bonne odeur de fumée. Je rassemblai les tasses et les mis sur le plateau dans l'obscurité en espérant qu'il allait comprendre. Mais, en relevant la tête, une pensée m'arrêta net.

— Tu crois que Piscary peut la forcer à me mordre ? Il a failli la pousser à mordre Quen.

Kisten s'approcha et ses doigts frôlèrent les miens lorsqu'il me prit le plateau des mains.

— Non, dit-il.

Il attendait manifestement que je le précède pour retourner dans la cuisine.

— Pourquoi ça ? demandai-je en entrant dans la pièce lumineuse.

Ébloui, Kisten cilla, alla poser le plateau près de l'évier et y versa le restant de café, qui fit une flaque brunâtre sur la porcelaine blanche.

— Si Piscary a réussi à exercer une telle influence sur Ivy, cet après-midi, c'est parce qu'il l'a prise au dépourvu. En plus, elle n'avait pas de comportement programmé vis-à-vis de Quen. Ça l'aurait aidée à résister. Elle lutte pour ne pas te mordre depuis l'époque où vous étiez partenaires à la SO. Elle n'a pas de mal à dire non. Piscary ne peut pas la forcer à te mordre à moins qu'elle craque d'abord, et elle ne craquera pas. Elle a trop de respect pour toi.

J'ouvris le lave-vaisselle et Kisten empila les tasses dans l'étage du haut.

— Tu en es sûr ? soufflai-je à voix basse.

J'avais très envie de le croire.

— Oui. (Son sourire entendu le retransforma en mauvais garçon en costard.) Ivy est fière de nier sa nature. Elle attache plus d'importance à son indépendance que moi, c'est pour ça qu'elle le combat. Il lui serait plus facile de s'abandonner à Piscary. Il n'essaierait plus de la dominer par la force. Ça n'a rien de dégradant de le laisser voir par tes yeux, de le laisser canaliser tes émotions et tes désirs. Moi, ça m'inspirait plutôt.

— Ça t'inspirait ? (Incrédule, je m'appuyai contre le plan de travail.) Le fait que Piscary lui impose sa volonté et lui fasse faire des choses qu'elle n'a pas envie de faire, c'est censé… l'inspirer ?

— Évidemment, dit comme ça, non. (Il ouvrit le placard sous l'évier et en sortit le liquide vaisselle ; l'espace d'un instant, je me demandai comment il savait où il se trouvait.) Mais Piscary l'emmerde uniquement parce qu'elle lui résiste. Ça lui plaît, qu'elle se défende.

Je lui pris la bouteille de liquide vaisselle et remplis le petit compartiment dans la porte du lave-vaisselle.

— Je n'arrête pas de lui répéter qu'être le scion de Piscary ne lui retire rien, reprit-il. Ça ne fait que l'enrichir. Elle ne perd rien de ce qui fait qu'Ivy est Ivy, mais elle y gagne tellement ! Comme la piste pour les vampires, ou d'être quasiment aussi forte qu'un vampire mort sans les inconvénients.

— Ou comme une âme qui te dit que ce n'est pas bien de considérer les gens comme des sandwichs sur pattes, dis-je d'un ton un peu pouffiasse sur les bords.

Je claquai la porte du lave-vaisselle. Il soupira et me reprit la bouteille pour la poser sur le plan de travail. Le tissu fin de sa chemise se retroussa au niveau des épaules.

—Ce n'est pas comme ça que ça marche. On traite les moutons comme des moutons, on profite des profiteurs, et les plus méritants emportent tout.

—Et qui es-tu pour en décider? demandai-je en croisant les bras sur ma poitrine.

—Rachel, dit-il avec lassitude. (Il me prit par les coudes.) C'est eux qui prennent la décision.

—Je n'y crois pas une seule seconde. (Mais je ne me dérobai pas, et ne le repoussai pas davantage.) Et même si c'est vrai, vous profitez d'eux.

Le regard de Kisten se fit distant. Il me prit les bras d'une manière moins agressive.

—La plupart des gens ont désespérément besoin de sentir qu'on a besoin d'eux. Et s'ils n'ont pas une bonne opinion d'eux-mêmes, s'ils croient qu'ils ne méritent pas d'être aimés, certains vont recourir aux pires méthodes pour satisfaire cette envie de se punir. C'est eux, les accros; qu'on les réclame ou non, ce sont des ombres. On passe devant eux sans les voir, comme des moutons, des lèche-bottes. Ils se comportent comme tel pour se donner de la valeur, mais dans le fond ils savent que cette valeur est fausse alors même qu'ils sont en train de nous implorer de la leur accorder. Oui, c'est moche. Et oui, on profite de ceux qui s'offrent à nous. Mais qu'est-ce qui est pire : tirer quelque chose de quelqu'un qui te supplie de le faire en sachant au plus profond de toi que tu es un monstre, ou le prendre à une proie non consentante et prouver que tu es un monstre?

Mon cœur battait à cent à l'heure. Je voulais argumenter, mais j'étais d'accord avec tout ce qu'il venait de dire.

—Et puis, reprit-il, il y a ceux qui savourent le pouvoir qu'ils ont sur nous. (Ses lèvres se déformèrent sous l'effet de colères passées; il laissa retomber ses mains.) Les petits malins qui ont compris que notre besoin de nous faire accepter, d'avoir confiance en nous, est si profond qu'il en devient invalidant. Ceux qui jouent là-dessus en sachant que nous sommes prêts à faire n'importe quoi ou presque en échange de ce sang qui nous fait tellement envie. Ceux qui s'exaltent de cette domination cachée que seuls les amants peuvent exercer, en ayant l'impression qu'elle les élève jusqu'à un statut quasi divin. Ceux-là rêvent d'être à notre place, et croient que ça ferait d'eux des êtres puissants. Alors nous les utilisons, eux aussi, et nous les rejetons avec moins de regret que les moutons. Sauf bien sûr si nous en sommes venus à les détester, auquel cas nous leur permettons de rejoindre nos rangs par cruauté.

Il prit mon menton dans sa main. Elle était chaude. De nouveau, je choisis de ne pas me dérober.

— Et enfin, il y a ceux, très peu nombreux, qui connaissent l'amour et comprennent ce que c'est. Qui donnent d'eux-mêmes sans rien attendre, à part qu'on leur rende leur amour, leur confiance. (Ses yeux au bleu parfait ne clignaient pas ; je retins mon souffle.) Ça peut être très beau, Rachel, quand il y a de l'amour et de la confiance. Personne n'est lié. Personne ne perd sa volonté. Personne ne perd de soi-même. On en sort tous bien plus riches qu'on l'était quand on était seul. Mais c'est si rare, et c'est tellement beau quand ça arrive.

Je frissonnai en me demandant s'il me racontait des bobards.

Il me caressa légèrement en retirant sa main. Mon sang en bourdonna de plaisir, mais il ne s'en aperçut pas ; il regardait l'aube naissante à la fenêtre.

— Je suis désolé pour Ivy, murmura-t-il. Elle refuse d'accepter son besoin d'appartenance, quand bien même il affecte le moindre de ses mouvements. Elle veut le parfait amour, mais pense qu'elle ne le mérite pas.

— Elle n'aime pas Piscary, intervins-je. Tu as dit que là où il n'y avait pas de confiance ni d'amour, il n'y avait pas de beauté.

Kisten plongea les yeux dans les miens.

— Je ne parlais pas de Piscary.

Il regarda l'horloge au-dessus de l'évier et, lorsqu'il fit un pas en arrière, je compris qu'il allait s'en aller.

— Il commence à se faire tard, dit-il d'une voix distante qui me fit penser que son esprit était déjà loin, puis son regard s'éclaircit et il revint au moment présent. Il m'a bien plu, ce rencard. (Tout en parlant, il s'éloigna.) Mais, la prochaine fois, mes dépenses ne seront pas plafonnées.

— Parce que tu crois qu'il y aura une prochaine fois ? répondis-je pour détendre l'atmosphère.

Il me rendit mon sourire, sa barbe naissante accrochant la lumière.

—Peut-être.

Kisten partit vers la porte d'entrée, et je lui emboîtai automatiquement le pas pour le raccompagner. Avec mes bas, mes pas étaient aussi silencieux que ses chaussures sur le plancher. Le sanctuaire était parfaitement calme. Pas le moindre piaillement dans mon bureau. Toujours sans rien dire, Kisten enfila son manteau.

—Merci, dis-je en lui tendant celui qu'il m'avait prêté.

Ses dents brillèrent dans l'obscurité du hall.

—Tout le plaisir est pour moi.

—Pour la sortie, pas pour le manteau, précisai-je. (Je sentais la neige fondue mouiller mes bas.) Enfin, merci aussi de m'avoir laissé utiliser ton manteau.

Il se pencha plus près de moi.

—Encore une fois, le plaisir est pour moi. (Le peu de lumière se refléta dans ses yeux ; je le regardai pour essayer de déterminer si ses yeux étaient noirs à cause du désir ou de l'obscurité.) Je vais t'embrasser, dit-il d'une voix mate. (Mes muscles se crispèrent.) Interdit de se défiler.

—Interdit de mordre, contrai-je.

J'étais mortellement sérieuse. L'attente bouillonnait dans mon ventre. Mais c'était moi qui étais dans l'expectative, pas ma cicatrice démonique. Cela me soulagea et me fit peur à la fois – je ne pouvais pas faire porter le chapeau à la cicatrice. Pas cette fois-ci.

Ses mains à la fois chaudes et rugueuses emprisonnèrent ma mâchoire inférieure. Il m'attira vers lui en fermant les yeux. Je retins ma respiration. L'odeur de cuir et de soie était forte, mais derrière, je crus sentir quelque chose de plus profond, de primal, qui titillait mes instincts. Je ne savais plus que penser. Je le regardai se pencher sur moi, le cœur battant dans ma hâte de sentir ses lèvres sur les miennes.

Ses pouces glissèrent, suivirent la courbure de ma mâchoire. Mes lèvres s'entrouvrirent. Mais l'angle n'était pas idéal pour s'embrasser à pleine bouche ; je me détendis en comprenant qu'il allait m'embrasser au coin de la bouche.

J'allai à sa rencontre, mais je fus presque prise de panique en sentant ses doigts reculer encore plus et s'enfoncer dans mes cheveux. Une vague glacée d'adrénaline me frappa quand je compris qu'il ne se dirigeait pas du tout vers ma bouche.

Il va m'embrasser dans le cou ! pensai-je, paralysée.

Mais il s'arrêta juste avant et exhala quand ses lèvres trouvèrent le creux douillet entre ma mâchoire et le lobe de mon oreille. Le soulagement se mélangea à la peur ; j'étais incapable de faire quoi que ce soit. Encore sous le coup de l'adrénaline, mon cœur battait à tout rompre. Ses lèvres étaient douces, mais ses mains étaient fermes ; on sentait qu'il se retenait.

Ses lèvres se retirèrent, laissant à leur place une chaude fraîcheur, mais il resta en position. Il ne bougeait plus. Mon cœur battait très vite, et je savais qu'il le sentait presque autant que si c'était le sien. Il expira lentement, et je l'imitai.

Kisten recula dans un bruissement de laine. Ses yeux trouvèrent les miens. Je m'aperçus que je l'avais pris par la taille. Je le lâchai avec réticence. Sous le choc, j'avalai ma salive. Bien qu'il n'ait touché ni mes lèvres, ni mon cou, ç'avait été l'un des baisers les plus excitants de ma vie. Le fait de ne pas savoir ce qu'il allait faire m'avait fait frissonner comme aucun baiser à pleine bouche n'aurait pu le faire.

—C'est vraiment incroyable, murmura-t-il en levant le sourcil.

—Quoi ?

J'étais essoufflée, toujours sous le joug de mes sensations.

Il secoua la tête.

—Je ne sens pas du tout ton odeur. Je trouve ça assez bandant.

Incapable de dire un mot, j'écarquillai les yeux.

—Bonne nuit, Rachel.

Il refit un pas en arrière, un sourire tout neuf sur les lèvres.

—Bonne nuit, murmurai-je.

Il me tourna le dos et ouvrit la porte. Le courant d'air glacé me sortit instantanément de ma torpeur. Ma cicatrice endormie ne s'était pas manifestée une seule fois. *Alors ça,* pensai-je, *ça fout les boules. Qu'il puisse me mettre dans cet état sans même se servir de ma cicatrice. Bon sang, mais c'est quoi, mon problème ?*

Kisten me sourit une dernière fois depuis le seuil, la nuit neigeuse en magnifique toile de fond. Il se retourna et descendit les marches gelées dans un bruit de sel écrasé.

Déconcertée, je refermai la porte derrière lui en me demandant ce qui avait bien pu se passer. Avec un sentiment d'irréalité, je mis la barre en place, puis la retirai en me rappelant qu'Ivy était sortie.

Je retournai dans ma chambre en me frottant les bras. J'avais la tête pleine du discours de Kisten sur les gens qui choisissaient eux-mêmes leur destin en permettant à un vampire de les lier. Sur le fait que les gens paient l'extase de la passion vampirique par un degré de dépendance allant de la nourriture à l'égalité.

Et s'il mentait? pensai-je. *S'il me mentait pour me pousser à le laisser me lier à lui?* Mais une pensée plus effrayante encore me fit m'arrêter et me donna froid dans le dos.

Et s'il disait la vérité?

Chapitre 16

Je suivis Ivy jusqu'à la porte d'entrée à grand renfort de bruit de bottes. Elle déplaçait sa haute stature avec grâce et inquiétude, comme toujours, telle une prédatrice dans son beau pantalon de cuir. Si elle allait faire ses achats du solstice en cuir, j'avais personnellement opté pour un jean et un sweat-shirt rouge. De toute façon, nous étions belles toutes les deux. Faire du shopping avec Ivy était amusant. Elle m'offrait toujours des cookies et, à ses côtés, repousser les avances d'inconnus était délicieusement dangereux, car elle attirait toutes sortes de gens.

— Je dois être rentrée à 23 heures, dit-elle en pénétrant dans le sanctuaire. (Elle fit un mouvement de tête pour écarter ses longs cheveux.) J'ai une course, ce soir. La fille mineure de mon client s'est retrouvée piégée dans un bordel de sang, et je vais l'en sortir.

— Tu as besoin d'aide?

Je boutonnai mon manteau en marchant et remontai la bretelle de mon sac sur mon épaule.

Les pixies étaient agglutinés aux fenêtres teintes. Ils faisaient du surplace au niveau des carreaux les plus clairs et couinaient à l'intention de quelqu'un, au-dehors. Ivy sourit avec sévérité.

— Non. Ça ne sera pas difficile.

Je fus inquiète de lire de l'impatience dans son visage dur. Elle était revenue de sa visite à Piscary dans une humeur exécrable. Il était évident que ça ne s'était pas bien passé, et j'avais le sentiment qu'elle allait passer sa frustration sur celui ou ceux qui avaient enlevé la jeune fille. Ivy était intraitable avec les vampires qui s'attaquaient à des proies mineures. Quelqu'un allait passer ses vacances dans le plâtre.

Le téléphone sonna. Nous échangeâmes un regard.

— Je m'en charge, dis-je, mais si ce n'est pas pour une course je ne réponds pas.

Elle hocha la tête et se dirigea vers la porte, sac à l'épaule.

— Je vais chauffer la voiture.

Je retournai au pas de course à l'arrière de l'église. À la troisième sonnerie, le répondeur se déclencha. Je me crispai en entendant le message ; c'était Nick qui me l'avait enregistré – j'avais trouvé ça classe de faire croire qu'on employait un homme comme secrétaire. Mais maintenant, en considérant que nous étions présentées avec des professionnels d'un autre genre, ça ne faisait sans doute qu'ajouter à la confusion.

Je fronçai encore plus les sourcils en m'apercevant qu'une fois le message terminé, la voix de Nick continua à parler.

— Rachel ? dit-il d'un ton hésitant. Tu es là ? Décroche, si tu es là. Je… j'espérais te trouver chez toi. Il doit être dans les 18 heures, à Cincinnati, non ?

Je me forçai à décrocher. *Il a changé de fuseau horaire ?*

— Salut, Nick.

— Rachel. (Le soulagement que je percevais dans sa voix était flagrant et il contrastait avec la platitude de mon ton.) Bien. Je suis content de t'avoir eue.

De m'avoir eue. C'est exactement ça.

— Comment ça va ? demandai-je.

J'avais dû faire en sorte que le sarcasme ne perce pas dans ma voix. J'avais toujours aussi mal, et je n'étais pas encore fixée.

Il prit une lente inspiration. J'entendais de l'eau dans le fond, et le sifflement de quelque chose qui cuit, auxquels vinrent s'ajouter de petits tintements de verre et des bruits de conversation.

— Je vais bien. Vraiment bien. J'ai très bien dormi, la nuit dernière.

— C'est super.

Mais bon sang, pourquoi tu ne m'as jamais dit que je te réveillais en m'entraînant à utiliser les lignes d'énergie ? Ici aussi, tu aurais pu dormir à ta guise.

— Et toi, comment ça va ? demanda-t-il.

J'avais mal à la mâchoire. Je me forçai à ouvrir la bouche.

Je suis perdue. J'ai mal. Je ne sais pas ce que tu veux. Je ne sais pas ce que je veux.

— Bien, dis-je en pensant à Kisten. (Au moins, lui, je savais ce qu'il voulait.) Je vais bien. (J'avais mal à la gorge.) Tu veux que je passe prendre ton courrier, ou tu rentres bientôt ?

— J'ai un voisin qui s'en charge. Mais merci quand même.

Tu n'as pas répondu à l'autre question.

— OK. Tu sais si tu seras rentré avant le solstice, ou est-ce que je dois donner ton billet à… quelqu'un d'autre ?

Je n'avais pas eu l'intention d'hésiter. Ça s'était juste fait comme ça. Nick s'en était forcément aperçu, car il resta silencieux. J'entendis une mouette crier dans le fond. Il était à la plage ? Il se pavanait dans un bar à la plage pendant que je me roulais dans la gadoue pour éviter des boules de magie noire ?

— Oui, pourquoi pas, dit-il finalement. (J'eus l'impression qu'on venait de me donner un coup de poing dans le ventre.) Je ne sais pas combien de temps je vais rester.

— Bien sûr, murmurai-je.

— Tu me manques, Rachel.

Je fermai les yeux.

S'il te plaît, ne me dis pas ça, pensai-je. *Je t'en prie.*

— Mais je me sens beaucoup mieux, reprit-il. Je vais bientôt rentrer.

C'était exactement ce que Jenks avait dit que Nick dirait. Ma gorge se serra. Je me sentais trahie et perdue, comme au premier jour.

— À moi aussi, tu me manques. (Il ne dit rien ; après avoir attendu quelques secondes, je m'engouffrai dans la brèche.) Euh, tu sais, Ivy et moi on allait faire du shopping. Elle m'attend dans la voiture.

— Ah. (Il avait l'air soulagé, ce petit connard.) Je ne vais pas te retenir. Euh, je te rappellerai une autre fois.

Menteur.

— D'accord. Salut.

— Je t'aime, Rachel, murmura-t-il.

Mais je raccrochai comme si je n'avais pas entendu. Je ne savais plus si j'étais en mesure de lui répondre. Malheureuse, je reposai le combiné. Mon vernis rouge ressortait sur le plastique noir. Mes doigts tremblaient et j'avais mal à la tête.

—Alors pourquoi tu es parti, au lieu de me dire ce qui n'allait pas? demandai-je à la pièce déserte.

Je contrôlai ma respiration et exhalai pour me libérer de la tension accumulée. J'allais faire du shopping avec Ivy. Il était hors de question que je gâche ma soirée en ressassant mon histoire avec Nick. Il était parti. Il ne reviendrait pas. Il se sentait mieux quand il n'était pas dans le même fuseau horaire que moi; pourquoi reviendrait-il?

Je remontai mon sac sur mon épaule et me dirigeai vers la porte d'entrée. Les pixies étaient toujours agglutinés aux fenêtres par petits groupes. Jenks était ailleurs, et ça m'arrangeait. S'il avait entendu ma discussion avec Nick, il n'aurait fait que me répéter : «Je te l'avais dit.»

—Jenk! Tu es aux commandes du bateau! hurlai-je en ouvrant la porte.

Je souris – légèrement mais d'un sourire bien réel – en entendant un sifflement perçant provenant de mon bureau.

Ivy était déjà dans la voiture. Attiré par des cris d'enfants et les aboiements d'un chien, mon regard se posa sur la maison de Keasley, de l'autre côté de la rue. Je ralentis le pas. Ceri était dans la cour. Elle portait le jean que je lui avais déposé et un vieux manteau ayant appartenu à Ivy. Ses mitaines rouges assorties à son bonnet tranchaient sur la neige. Elle amassait des boules, aidée par six ou sept enfants de dix à dix-huit ans. Une véritable petite montagne était en train de prendre forme dans le petit terrain de Keasley. Chez les voisins, quatre autres enfants les imitaient. Il semblait qu'une bataille allait avoir lieu dans pas longtemps.

Je fis signe à Ceri, puis à Keasley – ce dernier était sur son balcon, le dos voûté mais regardant la scène avec une intensité qui me laissa penser qu'il aurait aimé être en bas avec Ceri et les enfants. Tous deux me rendirent mon salut, et je sentis une chaleur m'envahir. J'avais fait quelque chose de bien.

J'actionnai la poignée de la Mercedes d'emprunt d'Ivy et me glissai à l'intérieur pour découvrir que les aérations crachaient toujours de l'air froid. La grosse quatre-portes mettait une éternité à chauffer. Je savais qu'Ivy n'aimait pas la conduire, mais sa mère ne voulait pas lui en prêter d'autre, et faire du vélo avec ce verglas, c'était vraiment chercher les points de suture. Je détournai l'aération de moi et bouclai ma ceinture. Ivy conduisait comme si elle ne pouvait pas mourir, ce qui, d'une certaine manière, ne manquait pas d'ironie.

—Qui c'était? demanda-t-elle.

—Personne.

Elle me lança un regard lourd de sens.

—Nick?

Lèvres serrées, je posai mon sac sur mes genoux.

—Comme je viens de te le dire, personne.

Ivy déboîta sans regarder derrière elle.

—Rachel, je suis désolée.

La sincérité dans sa voix de soie grise me fit relever la tête.

—Je croyais que tu le détestais?

—C'est vrai, dit-elle sans que sa voix exprime le moindre remords. Je pense qu'il est manipulateur et qu'il garde pour lui des informations qui pourraient te faire du mal. Mais tu l'aimais bien. Peut-être… (Elle hésita; sa mâchoire se crispa, puis se détendit.) Peut-être qu'il va revenir. Après tout… il t'aime. (Elle laissa échapper une exclamation de dégoût.) Oh, Seigneur, tu m'as poussée à le dire.

Je ris.

—Nick n'est pas si mauvais que ça.

Elle se tourna vers moi. Mon regard fut attiré par le camion que nous allions emboutir à un feu. Je m'appuyai au tableau de bord.

—J'ai dit qu'il t'aimait, pas qu'il te faisait confiance.

Sans me quitter des yeux, elle pila et s'arrêta à dix centimètres du pare-chocs du camion. Mon estomac se noua.

—Tu crois qu'il ne me fait pas confiance?

—Rachel, commença-t-elle d'un ton doux. (Le feu repassa au vert; elle avança de quelques centimètres mais le camion ne démarrait pas.) Il quitte la ville sans te le dire? Ensuite, il ne te dit pas non plus quand il compte revenir? Je ne pense pas que quelqu'un se soit mis entre vous, mais quelque chose, oui. Tu lui as fichu la frousse, et il n'est pas assez honnête pour l'admettre, le gérer et le surmonter.

Je ne répondis rien, mais je fus contente que nous redémarrions. Je ne lui avais pas juste fichu la frousse, je lui avais fait faire une attaque. Ça avait dû être terrible. Pas étonnant qu'il soit parti. Super, maintenant, j'allais passer la journée à me sentir coupable.

Ivy tourna brusquement le volant et déboîta. On nous klaxonna. Elle jeta un coup d'œil au conducteur dans le rétroviseur; l'homme choisit de mettre de l'espace entre lui et nous, repoussé par la force de son regard.

—Ça t'ennuie si on passe une minute chez mes parents ? C'est sur le chemin.

—Pas de problème. (J'étouffai un cri lorsqu'elle fit une queue de poisson au camion qu'elle venait de dépasser.) Ivy, tu as peut-être des réflexes fulgurants, mais le type qui conduit ce camion est fou de rage.

Elle laissa échapper un reniflement de mépris et se laissa distancer de soixante bons centimètres par la voiture de devant.

Ivy fit un effort visible pour conduire normalement dans les rues les plus fréquentées du Cloaque, si bien que je relâchai peu à peu ma prise sur mon sac, que je tenais d'une main de cadavre. C'était la première fois qu'on était de sortie toutes les deux – sans Jenks – en une semaine, et ni l'une ni l'autre ne savait quoi lui prendre pour le solstice. Ivy penchait pour la niche de chien chauffée qu'elle avait repérée dans un catalogue ; elle aurait été partante pour tout ce qui aurait pu faire sortir Jenks et ses rejetons de l'église. J'avais une préférence pour un coffre qui, une fois recouvert d'un petit tapis, pourrait passer pour une table basse.

Les arbres autour de nous étaient de plus en plus grands, et les cours de plus en plus spacieuses. Les maisons s'éloignaient de la chaussée jusqu'à ce que seuls leurs toits soient visibles au-dessus des arbres à feuillages persistants. Nous étions à la limite de la ville, juste à côté du fleuve. Ce n'était pas du tout le chemin du centre commercial, mais l'autoroute n'était pas loin et nous ne mettrions pas longtemps à nous y rendre.

Sans hésiter, Ivy passa un portail et s'engagea dans une allée. Des sillons jumeaux formaient un sentier noir au milieu de la route recouverte d'une pellicule de neige. Je me penchai pour regarder par la fenêtre, car je n'avais jamais vu la maison de ses parents. Nous nous arrêtâmes devant une vieille bâtisse de deux étages à l'aspect romantique, peinte en blanc avec des volets vert bouteille. Un petit coupé rouge était garé dehors. Il était sec, et n'était pas recouvert de neige.

—C'est ici que tu as grandi ? demandai-je en descendant de voiture.

Je marquai une pause devant la boîte aux lettres qui portait deux noms, puis je me rappelai que les vampires gardaient leur nom après le mariage pour que les lignées vivantes restent intactes. Ivy était une Tamwood, mais sa sœur était une Randal.

Ivy claqua sa portière et laissa tomber ses clés dans son sac noir.

—Oui.

Elle regarda les guirlandes lumineuses agencées avec goût, de manière pas tape-à-l'œil. C'était le début du crépuscule. D'ici une heure, le soleil serait couché. J'espérai que nous serions parties avant. Je n'avais pas particulièrement envie de rencontrer sa mère.

—Allez, viens, m'enjoignit-elle.

Elle gravit les marches balayées. Je la suivis sous le porche. Elle ouvrit la porte.

—C'est moi, je suis à la maison ! cria-t-elle.

Un sourire se dessina sur mes lèvres ; j'aimais entendre sa voix aussi détendue. Je restai un instant sur le seuil pour secouer mes bottes, puis j'entrai et refermai la porte derrière moi. Je pris une grande inspiration. Girofles et cannelle – quelqu'un avait cuisiné.

L'entrée spacieuse était toute de bois verni et de teintes subtiles de crème et de blanc. Elle était aussi sévère et élégante que notre salon était accueillant et décontracté. Une branche de cèdre courait le long de la rampe de l'escalier en dessinant des boucles gracieuses. Il faisait chaud. Je déboutonnai mon manteau et fourrai mes gants dans mes poches.

—C'était la voiture d'Erica, dehors. Elle doit être dans la cuisine, dit Ivy.

Elle posa son sac sur la petite table à côté de la porte d'entrée. Le meuble était tellement poli qu'on aurait dit qu'il était en plastique noir.

Elle retira son manteau, le mit sur son bras et se dirigea vers une haute porte qui donnait sur un couloir, à notre gauche. Elle s'immobilisa en entendant des bruits de pas dévaler l'escalier. Ivy leva la tête, et son expression jusque-là impassible changea. Je mis quelques secondes à comprendre qu'elle était contente. Je suivis son regard et vis une jeune femme qui devait avoir dans les dix-sept ans, vêtue d'une minijupe gothique qui révélait son ventre. Elle portait du rouge à lèvres et du vernis à ongles noir. Ses colliers et ses bracelets d'argent se balançaient dans tous les sens au rythme de ses mouvements, ce qui me rappela la page que Kisten avait cornée dans mon livre. Ses cheveux noirs étaient coupés court et coiffés en pics désordonnés. Elle n'était pas encore tout à fait formée, mais on voyait déjà qu'elle allait être exactement comme sa grande sœur en dépit des quinze centimètres qui les séparaient : élancée, gracieuse, prédatrice, avec un petit côté oriental qui lui donnerait une apparence exotique. Apparemment, c'était de famille.

Mais pour l'instant, bien entendu, c'était une adolescente vampire incontrôlable.

—Salut, Erica, dit Ivy en allant l'attendre en bas de l'escalier.

—Seigneur, Ivy! s'écria Erica. (Sa voix était haut perchée, et elle avait un fort accent du bassin de Cincinnati.) Il faut à tout prix que tu parles à papa. Il fait son Big Brother. Comme si moi, je ne savais pas faire la différence entre le bon Soufre et le mauvais! À l'entendre, on croirait que j'ai encore deux ans et que je marche à quatre pattes en couches en essayant de mordre le chien. Putain, il était dans la cuisine, continua-t-elle tout en me détaillant de pied en cap, à faire son thé à maman, son putain de thé bio politiquement correct, et moi je ne peux pas sortir un soir avec mes amis. C'est vraiment injuste! Tu vas rester? Elle va bientôt se mettre à hurler à en faire trembler les vitres.

—Non, répondit Ivy en reculant d'un pas. Je suis venue parler à papa. Il est dans la cuisine?

—Sous-sol, répliqua Erica. (Sa bouche s'était enfin arrêtée; elle se remit à me dévisager – j'étais comme paralysée, fascinée par la vitesse à laquelle elle parlait.) C'est qui, ton amie?

L'ombre d'un sourire se dessina sur la bouche d'Ivy.

—Erica, je te présente Rachel.

—Ah! s'exclama la jeune fille en écarquillant ses yeux bruns presque entièrement recouverts de mascara noir. (Elle s'avança et me secoua la main avec enthousiasme, ce qui fit tinter ses bracelets.) J'aurais dû m'en douter! Eh, je t'ai vue au Piscary! (Elle me donna une tape dans le dos qui me fit avancer d'un pas.) Bon sang, tu étais sacrément sucrée. T'as fait un sacré tour en minibus. Tu t'es promenée main dans la main avec le fantôme. Je ne t'avais pas reconnue. (Elle regarda mon jean et mon gros manteau.) T'avais un rencard avec Kisten? Il t'a mordue?

Je haussai les sourcils. Ivy rit nerveusement.

—Aucune chance, dit-elle. Rachel ne se laisse mordre par personne.

Elle fit un pas vers sa sœur et la prit dans ses bras. Erica lui rendit son embrassade sans trop y prêter attention, ce qui me fit sourire : apparemment, elle ne savait pas à quel point il était rare qu'Ivy touche qui que ce soit. Elles s'écartèrent l'une de l'autre, et Ivy retrouva son expression impassible. Ses narines s'écartèrent lorsqu'elle reprit sa respiration.

Erica sourit, tel le chat qui vient de manger le canari.

— Devine qui je suis passée prendre à l'aéroport ?

Ivy se crispa.

— Skimmer ? Elle est ici ?

C'était à peine plus qu'un murmure. Erica, elle, jubilait littéralement.

— Elle a atterri ce matin, précisa-t-elle.

Elle était aussi fière que si elle avait posé l'avion elle-même.

Yeux écarquillés, je m'aperçus qu'Ivy était tendue comme une corde à piano. Une porte se ferma au bout du couloir. Ivy retint son souffle et se tourna dans la direction du bruit.

— Erica ? C'est mon taxi ? demanda une voix féminine.

— Skimmer !

Ivy fit un pas en direction du couloir, puis se ravisa. Elle me regarda ; il y avait longtemps que je ne lui avais pas vu un air aussi vivant. Un bruissement venant de là attira de nouveau son attention. Elle fut submergée par un torrent d'émotions et sembla heureuse, ce qui me confirma que cette Skimmer était l'une des rares personnes dont Ivy appréciait le contact.

Alors comme ça, on est deux, pensai-je en suivant son regard. Une jeune femme se tenait à l'entrée du couloir. Je haussai les sourcils en découvrant la fameuse Skimmer. Elle portait un jean délavé et une chemise blanche déboutonnée qui lui donnaient une apparence sophistiquée mais décontractée. Ses bottes noires discrètes la hissaient à peu près à ma taille. Elle était blonde, mince, bien proportionnée, et se tenait avec la grâce et la confiance propres aux vampires vivants.

Elle avait une unique chaîne en argent autour du cou, et ses cheveux étaient tirés en arrière et attachés en queue-de-cheval, ce qui soulignait une de ces structures osseuses qui devaient faire rêver les mannequins et les poussaient à dépenser des fortunes en chirurgie esthétique. Je regardai ses yeux en me demandant s'ils étaient vraiment aussi bleus qu'ils en avaient l'air ou si c'était dû à ses cils incroyablement longs. Elle avait un petit nez retroussé qui rendait son sourire timide mais plein de confiance.

— Qu'est-ce que tu fais ici ? demanda Ivy.

Elle alla la saluer, le visage radieux. Elles s'embrassèrent longuement. Je restai bouche bée en les voyant échanger un baiser langoureux. *Ah, d'accord…*

Ivy jeta un coup d'œil dans ma direction, mais lorsqu'elle se retourna vers Skimmer elle souriait, elle souriait encore et toujours et la tenait par les coudes.

— Je n'arrive pas à croire que tu sois là! s'exclama-t-elle.

Skimmer m'accorda un seul regard avant de se concentrer sur Ivy. Elle avait l'air assez confiant et assez maligne pour dompter un cheval, donner des cours à des enfants aborigènes et dîner dans un trois-étoiles, tout ça en une seule journée. Et Ivy et elle s'étaient embrassées? Pas un simple bisou, mais un vrai… baiser?

— Je suis là pour affaires, dit-elle. C'est du long terme, ajouta-t-elle d'une belle voix chargée d'émotion. Un an, je dirais.

— Un an! Pourquoi tu ne m'as pas appelée? Je serais passée te chercher!

La femme recula d'un pas et Ivy la lâcha.

— Je voulais te faire la surprise. (Son sourire s'étendit à ses yeux bleus.) Et puis je ne connaissais pas ta situation. Ça fait tellement longtemps, finit-elle à voix basse.

Elle posa les yeux sur moi. Ce que je venais d'apprendre sur Ivy me fit rougir.

Oh, merde en bâton. Ça fait combien de temps que je vis avec Ivy? Comment ai-je pu ne pas comprendre? Je suis aveugle ou stupide?

— Bon sang, jura Ivy, qui était toujours aussi excitée. C'est bon de te voir. Pourquoi es-tu ici? Tu as besoin d'un endroit où habiter?

Mon pouls s'accéléra; j'essayai de ne pas montrer mon inquiétude. Deux vampires dans mon église? C'était pas bon. Plus gênant encore, Skimmer sembla se détendre en entendant son offre. Elle se désintéressa de moi et consacra toute son attention à Ivy.

Erica vint se planter à côté de moi, un sourire malicieux aux lèvres.

— Skimmer est venue travailler pour Piscary, expliqua-t-elle. (Elle brûlait manifestement de m'annoncer ce qu'elle pensait être une bonne nouvelle, mais elle ne réussit qu'à me donner froid dans le dos.) C'est arrangé. C'est elle qui s'occupe de lui, maintenant. (Radieuse, la jeune vampire jouait avec ses colliers.) Comme elle aurait toujours dû le faire, à mon avis.

Ivy retint sa respiration. Elle avait l'air étonnée. Elle toucha l'épaule de Skimmer, comme si elle avait toujours du mal à croire qu'elle était vraiment là.

— Tu t'occupes de Piscary? demanda-t-elle dans un souffle. (Je ne comprenais toujours pas ce qu'elles entendaient par là.) Qui ou que t'a-t-il donné?

Skimmer haussa une de ses fines épaules.

— Rien pour l'instant. J'ai passé les six dernières années à essayer de me glisser dans sa coterie et, si je me débrouille bien, ça pourrait être permanent. (Elle baissa la tête une seconde, et lorsqu'elle la releva elle avait les yeux brillants et avides.) En attendant, j'habite chez Piscary. Mais merci quand même pour ton offre de m'héberger.

Chez Piscary, pensai-je. Mon inquiétude grandissait. Kisten vivait chez Piscary. De mieux en mieux. Apparemment, Ivy dut, elle aussi, digérer l'information.

— Tu as quitté ta place chez Natalie pour gérer le restaurant de Piscary? demanda-t-elle.

Skimmer rit. C'était un rire bien agréable, mais il y avait trop de non-dit pour que je me sente à l'aise.

— Non, je laisse ce boulot-là à Kist. Je suis ici pour sortir Piscary de prison. Mon inclusion permanente à la coterie de Piscary dépend de mon succès. Si je gagne l'affaire, je reste. Si je perds, je rentre à la maison.

J'en restai comme deux ronds de flan. *Oh, mon Dieu! C'est l'avocate de Piscary.*

Skimmer hésita en voyant qu'Ivy ne répondait rien. Cette dernière se tourna vers moi, une expression paniquée sur le visage. Je vis le mur se refermer sur son bonheur, sa joie, l'excitation qu'elle avait éprouvée à retrouver une vieille amie; tout avait disparu. Quelque chose s'immisça entre nous, et je me sentis oppressée. Les bracelets d'Erika tintèrent lorsqu'elle s'aperçut que quelque chose clochait, sans comprendre quoi. Mince alors, moi-même je n'y comprenais rien!

Soudain inquiète, Skimmer nous regarda.

— Tu ne me présentes pas ton amie? demanda-t-elle pour combler le silence inconfortable.

Ivy se passa la langue sur les lèvres et se tourna plus franchement vers moi. Je m'avançai sans pour autant savoir comment réagir.

— Rachel, je te présente Skimmer. Nous avons été colocataires pendant nos deux dernières années de lycée sur la côte Ouest. Skimmer, voici Rachel, ma partenaire.

Je pris ma respiration le temps de décider de ce que j'allais faire.

Je tendis la main mais Skimmer n'y prêta pas attention et me prit dans ses bras sans timidité.

J'essayai de ne pas me crisper; j'étais déterminée à laisser couler jusqu'à ce que je puisse discuter avec Ivy de ce que nous allions faire. Piscary ne pouvait pas sortir de prison, sinon j'en perdrais le sommeil jusqu'à la fin de mes jours. Je l'entourai de mes bras pour lui prodiguer l'embrassade de base, mais je m'immobilisai en sentant la jeune femme poser ses lèvres sous mon oreille.

—Heureuse de te rencontrer, souffla-t-elle.

Je reçus une décharge d'adrénaline; ma cicatrice envoya des ondes de chaleur à travers mon corps. Sous le choc, je la repoussai violemment et me mis en position accroupie de défense. La vampire bascula en arrière. Sous l'effet de la surprise, ses longs cils et ses yeux bleus semblaient énormes. Elle retrouva son équilibre à un bon mètre cinquante de moi. Erica retint sa respiration et Ivy s'interposa si vite entre nous que je l'avais à peine vue bouger.

—Skimmer! cria-t-elle d'une voix proche de la panique.

Elle me tournait le dos. Mon cœur battait la chamade, et la sueur fit son apparition. Ma cicatrice, véritable promesse enflammée, me faisait mal. La douleur était si intense que je mis une main dans mon cou. Je me sentais trahie, sous le choc.

—C'est ma partenaire en affaires! s'exclama Ivy. Pas ma partenaire de sang!

La vampire nous dévisagea et rougit d'embarras.

—Oh, Seigneur! dit-elle en prenant une pose qui évoquait une certaine soumission. Je suis désolée. (Elle mit une main sur sa bouche.) Je suis vraiment désolée. (Elle regarda Ivy, qui se détendit légèrement.) Ivy, je croyais que tu avais pris une ombre. Elle a la même odeur que toi. Je voulais juste être polie. (Son regard se posa sur moi; j'essayai de faire ralentir mes battements de cœur.) Tu m'as proposé d'habiter avec toi. J'ai cru… Seigneur, je suis désolée. J'ai cru que c'était ton ombre. Je ne savais pas que c'était ton… amie.

—Aucun problème, mentis-je en me redressant.

Je n'aimais pas la manière dont elle avait dit «amie». Dans sa bouche, il impliquait plus de choses que ce que nous étions l'une pour l'autre en réalité. Mais dans l'immédiat, je n'étais pas prête à expliquer à l'ex-coloc' d'Ivy que nous ne partagions ni notre sang, ni notre lit. Ivy ne m'était d'aucune aide: elle restait plantée sans rien dire, avec l'expression d'une biche aveuglée par les phares d'une voiture. Et puis j'avais toujours l'impression désagréable que quelque chose m'échappait. *Seigneur, comment je me suis retrouvée là ?*

Erica se tenait au bas de l'escalier, yeux écarquillés et bouche bée. En pleine détresse, Skimmer essayait de camoufler son erreur avec force gestes inutiles. Elle prit une grande inspiration. Les joues toujours rouges, elle s'avança vers moi, la main tendue en avant d'un air volontaire mais crispé.

— Je suis désolée, répéta-t-elle. Je m'appelle Dorothy Claymor. Tu peux m'appeler comme ça, si tu veux. C'est sans doute tout ce que je mérite.

Je parvins à faire ressortir un vague sourire sur mon visage.

— Rachel Morgan, dis-je en lui serrant la main.

Elle s'immobilisa. Je me retirai. Elle regarda Ivy, un éclair de compréhension dans les yeux.

— Celle qui a mis Piscary en prison, ajoutai-je pour m'assurer qu'elle savait à quoi s'en tenir.

Ivy fit un sourire mal à l'aise. Skimmer recula d'un pas et nous dévisagea. La confusion rendait ses joues rouge vif. On était dans la merde. Une belle merde puante et collante. Et le niveau montait dangereusement.

Skimmer avala sa salive.

— C'est un plaisir de te rencontrer. (Après une hésitation, elle ajouta:) Mince, alors ça c'est con.

Je me détendis en l'entendant admettre la difficulté de la situation. Elle allait faire ce qu'elle avait à faire, et moi aussi. Quant à Ivy… elle allait devenir folle.

Erica s'avança dans un vacarme de colliers et de bracelets.

— Eh, euh… Quelqu'un voudrait un cookie, un truc comme ça ?

Oh, oui. Un cookie. Voilà qui va tout arranger. On pourrait peut-être le faire descendre avec un petit coup de tequila. Ou encore mieux: on pourrait se contenter de la bouteille, sans les cookies. Oui, ça devrait le faire.

Skimmer se força à sourire. Sa contenance bien proprette en avait pris un coup, mais elle donnait bien le change si l'on considérait qu'elle avait quitté sa maison et son ancienne maîtresse pour faire renaître une relation avec sa petite amie du lycée, qui vivait avec la femme qui avait mis son nouveau patron sous les barreaux. *N'oubliez pas notre prochain rendez-vous de la* Vie des vampires morts, *où Rachel apprendra que son frère, depuis longtemps disparu, est en fait un prince couronné de l'espace.* Ma vie était vraiment merdique.

Skimmer jeta un coup d'œil à sa montre – je ne pus m'empêcher de remarquer que des diamants étaient incrustés à la place des heures.

— Il faut que j'y aille. J'ai un rendez-vous avec… quelqu'un dans une petite heure.

Elle devait rencontrer quelqu'un dans une petite heure. Juste après la tombée du soleil. Autant dire Piscary.

— Tu as besoin qu'on te dépose ? demanda Ivy.

Elle avait parlé d'un ton mélancolique – pour autant qu'elle s'autorise ce sentiment.

Les yeux de Skimmer passèrent d'Ivy à moi, puis revinrent sur ma colocataire. La douleur et la déception se mêlaient dans son regard.

— Non, dit-elle doucement. Un taxi doit passer me chercher. (Elle déglutit, le temps de rassembler ses esprits.) En fait, je pense qu'il m'attend.

Je n'entendais rien, mais je n'avais pas l'ouïe affûtée d'un vampire vivant.

Skimmer se mit maladroitement en mouvement.

— Heureuse de t'avoir rencontrée, me dit-elle avant de se tourner vers Ivy. On se parlera plus tard, chérie.

Elle ferma les yeux et la prit longuement dans ses bras. Ivy était toujours dans un état mêlant le choc à l'embarras. Elle rendit mollement l'embrassade à Skimmer.

— Skimmer, intervins-je lorsqu'elles se séparèrent. (Secouée, la jeune femme voulait partir discrètement ; elle prit une veste légère dans le placard du hall et l'enfila.) Ce n'est pas ce que tu crois.

Elle posa la main sur le bouton de la porte et s'arrêta un moment en regardant Ivy avec regret.

— Ce n'est pas ce que je crois qui compte, dit-elle finalement en ouvrant la porte. C'est ce qu'Ivy veut.

J'ouvris la bouche pour protester, mais elle sortit en refermant la porte sans bruit.

Chapitre 17

Skimmer nous abandonna à notre silence maladroit. Pendant que le taxi remontait l'allée, je regardai Ivy qui se tenait dans l'entrée blanche et froide dont la décoration élégante manquait totalement de chaleur. Elle se sentait coupable. Je savais que c'était parce que Skimmer lui avait rappelé que quelque part au fond d'elle, elle croyait toujours que je finirais par être son scion – et peut-être même un peu plus que ça. C'était sans doute dans l'espoir de remplir ce poste que Skimmer était venue à Cincinnati.

Je fis face à Ivy sans être sûre de mes sentiments.

— Pourquoi lui as-tu laissé penser que nous étions ensemble ? demandai-je en tremblant intérieurement. Bon Dieu, Ivy, on ne partage même pas le sang, et elle croit qu'on est amantes.

Son visage se ferma, mais une minuscule crispation de sa mâchoire trahit son émotion.

— Elle ne croit pas que nous sommes ensemble. (Elle quitta le hall.) Tu veux du jus ? demanda-t-elle depuis l'autre pièce.

— Non, dis-je à mi-voix en m'enfonçant plus avant dans la maison.

Je savais que si j'insistais, elle allait se fermer encore plus. Cette conversation n'était pas terminée, mais Erika n'avait pas besoin d'y assister. J'avais mal à la tête. Peut-être pourrais-je la pousser à aborder le sujet pendant notre shopping, autour d'un café et d'une part de gâteau au fromage. Peut-être vaudrait-il mieux que je déménage à Tombouctou ou dans les montagnes du Tennessee, ou dans tout endroit où il n'y avait pas de vampires. (Ne me demandez pas comment s'explique cette bizarrerie géographique. C'est bizarre, même pour les Outres – ce qui n'est pas peu dire.)

Erica me suivait de près. Ses bavardages sans fond visaient manifestement à cacher les problèmes soulevés par Skimmer. Sa voix claire emplissait de vie la maison inhospitalière. Elle nous filait le train à travers de grandes pièces sombres pleines de meubles en chêne et de courants d'air glacés. Je me jurai de ne jamais mettre Erica et Jenks dans la même pièce. Pas étonnant qu'Ivy supporte le pixie : sa sœur et lui étaient faits dans le même moule.

Ivy avait ralenti le pas. Nous quittâmes une salle à manger bleu foncé particulièrement formelle et entrâmes dans une cuisine spacieuse et très éclairée au sol lustré. J'écarquillai les yeux. Ivy croisa mon regard incrédule et haussa les épaules. Je savais qu'elle avait refait la cuisine de l'église avant mon arrivée, mais en regardant autour de moi je m'aperçus qu'elle avait pris modèle sur celle de son enfance.

La pièce était presque aussi grande ; il y avait le même plan de travail central que chez nous. Des récipients en fonte et des ustensiles en métal étaient pendus au-dessus à la place de mes cuillers en céramique et de mes marmites en cuivre, mais on pouvait s'y appuyer confortablement, tout comme dans ma cuisine. Il y avait une table ancienne et massive, identique à la nôtre, contre le mur le plus proche, exactement là où je m'attendais à la trouver. Les placards étaient dans le même style, et les plans de travail de la même couleur. Par contre, pas de lino au sol, mais du carrelage.

Au-dessus de l'évier, là où je ne disposais que d'une seule fenêtre donnant sur le cimetière, il y en avait une rangée qui ouvrait sur un long champ de neige qui descendait jusqu'au ruban gris de l'Ohio. Les parents d'Ivy avaient un sacré terrain. On aurait pu y faire paître du bétail.

Une bouilloire siffla. Pendant qu'Ivy la retirait du feu, je posai mon sac sur la table, du côté où se serait trouvée ma chaise si j'avais été à la maison.

—C'est sympa, dis-je avec un ton légèrement sarcastique.

Ivy me regarda avec prudence. Elle était manifestement contente que j'aie laissé en suspens la discussion à propos de Skimmer.

—C'était moins cher de faire les deux cuisines en même temps.

J'acquiesçai. Il faisait chaud ; j'enlevai mon manteau et le pendis au dossier de la chaise.

Erica se hissa sur la pointe des pieds et tendit le bras – ce qui dénuda le bas de son dos – pour atteindre une bonbonnière en verre qui contenait ce qui ressemblait à des cookies au sucre. Elle s'appuya contre le plan de travail et en mangea un. Elle en proposa à Ivy, mais pas à moi. J'avais l'impression qu'il ne s'agissait pas de cookies, mais de ces horribles disques au goût de carton dont Ivy m'avait gavée pendant ma convalescence, au printemps précédent, alors que j'avais perdu beaucoup de sang. Une sorte de friandise pour vampires qui les aidait à supporter leur... style de vie.

J'entendis des bruits de pas étouffés se rapprocher ; je me tournai vers ce qui me semblait être la porte du garde-manger. Elle s'ouvrit en grinçant et révéla un escalier qui descendait. Un homme grand et dégingandé sortit de l'ombre.

—Salut, papa, dit Ivy.

La douceur de sa voix me fit sourire. L'homme rayonna de bonheur en voyant sa fille. Il posa un plateau avec deux tasses minuscules et vides sur la table.

—Ivy..., commença-t-il d'une voix d'outre-tombe parfaitement assortie à sa peau granuleuse. (Je reconnus que la texture de son épiderme était en fait due à des cicatrices résultant du Tournant ; certains avaient été plus affectés que d'autres – les sorcières, les pixies et les fées n'en avaient pas souffert.) Skimmer est à la maison, annonça-t-il avec douceur.

—Je l'ai vue, répondit Ivy.

Son père hésita devant son laconisme. Il avait l'air fatigué. Il embrassa rapidement Ivy en souriant. Des cheveux noirs légèrement ondulés encadraient son visage sérieux parcouru de ridules dues à l'anxiété plutôt qu'à l'âge. De toute évidence, Ivy avait hérité sa taille de son père. Le vampire vivant était très grand mais raffiné, ce qui faisait que sa silhouette décharnée était paradoxalement agréable à regarder. Il portait un jean et une chemise décontractée. De petites cicatrices presque invisibles striaient son cou ; ses manches retroussées révélaient le même genre de marques sur le dessous de ses bras. Ça ne devait pas être facile tous les jours, d'être marié à une non-morte.

—Je suis content que tu sois passée, dit-il en jetant un coup d'œil sur moi et sur le crucifix de mon bracelet, avant d'en revenir à sa fille avec un regard chaleureux. Ta mère va bientôt se lever. Elle veut te parler. Skimmer l'a mise dans une humeur inhabituelle.

—Non. (Ivy se retira des bras de son père.) Je voulais juste te demander quelque chose.

Il hocha la tête une unique fois. La courbure de ses lèvres trahit sa résignation et sa déception. Je sentis ma cicatrice tinter lorsqu'il versa l'eau bouillante dans une autre théière. Il y eut un claquement sonore de porcelaine. Je m'appuyai, bras croisés, contre la table, histoire de prendre un peu mes distances. J'espérais que la sensation lancinante que j'éprouvais était un résidu de ma confrontation avec Skimmer et qu'elle ne provenait pas du père d'Ivy. Je ne pensais pas que c'était lui. Il était trop calme pour qu'on puisse croire qu'il luttait contre sa soif de sang.

—Papa, dit Ivy en voyant mon malaise. Je te présente Rachel. Rachel, voici mon père.

Comme s'il sentait que ma cicatrice m'élançait, il resta à l'autre bout de la cuisine, reprit les cookies des mains d'Erica et les remit dans la bonbonnière. La jeune fille souffla, puis se renfrogna en voyant son père hausser un sourcil.

—C'est un plaisir de vous rencontrer, dit-il en se tournant vers moi.

—Bonjour, monsieur Randal.

Je n'aimais pas la manière dont il nous regardait, Ivy et moi. Nous étions côte à côte, et j'eus soudain l'impression d'être en train de rencontrer les parents de mon rencard. Je rougis. Je n'aimais vraiment pas son sourire entendu, et apparemment Ivy non plus.

—Arrête, papa. (Elle tira une chaise et s'assit.) Rachel est ma colocataire, on n'est pas ensemble.

—Tu devrais t'assurer que Skimmer est au courant. (Sa poitrine étroite gonfla lorsqu'il inspira pour goûter les émotions qui flottaient dans l'air.) C'est pour toi qu'elle est venue à Cincinnati. Elle a tout abandonné. Réfléchis bien avant de tourner le dos à tout ça. Elle appartient à une bonne race. Une lignée millénaire ininterrompue, ça ne court pas les rues.

De nouveau, la tension s'empara de moi.

—Oh, Seigneur, gémit Erica en replongeant la main dans la bonbonnière. Commence pas, papa. Ça a déjà failli partir en sucette dans le hall.

Souriant à pleines dents, il tendit le bras, lui reprit son cookie et en avala une bouchée.

— Tu ne devrais pas déjà être au travail ?

La jeune vampire s'agita.

— Papa, je veux aller au concert. Tous mes copains y vont.

Je levai les sourcils. Ivy secoua très légèrement la tête à mon intention, en réponse à la question que je me posais : devions-nous dire à son père que nous allions à ce fameux concert et que nous pouvions la garder à l'œil ?

— Non, répondit le père en époussetant les dernières miettes de cookie sur sa chemise.

— Mais, papa…

Il ouvrit la bonbonnière et en sortit trois autres biscuits.

— Tu ne te maîtrises pas assez…

Erica souffla et s'affala contre le plan de travail.

— Je me maîtrise parfaitement, rétorqua-t-elle d'un ton boudeur.

Son père se raidit et un soupçon d'acier teinta son regard.

— Erica, tes hormones font des montagnes russes, en ce moment. Une nuit, tu vas te maîtriser dans une situation de stress, le lendemain, tu vas perdre le contrôle en regardant la télé. Tu ne portes pas tes capuchons comme tu le devrais, et je ne veux pas que tu te lies accidentellement à quelqu'un.

— Papa ! s'écria-t-elle en rougissant d'embarras.

Ivy ricana en sortant deux verres du placard. Je me sentis un peu moins mal à l'aise.

— Je sais…, dit son père en baissant la tête et en levant la main. Tu as plein d'amis qui ont des ombres, et ça a l'air drôle d'avoir quelqu'un qui te suit, qui est toujours là à essayer d'attirer ton attention. Tu es le centre du monde, et tes ombres ne voient que toi. Mais tu sais, Erica, les ombres, c'est beaucoup de boulot. Ça n'a rien à voir avec des animaux de compagnie qu'on peut refiler à un ami quand on en est lassé. Elles ont besoin d'être rassurées, qu'on fasse attention à elles. Tu es trop jeune pour assumer ce genre de responsabilités.

— Papa, arrête ! répéta Erica.

Elle était mortifiée. Je m'assis pendant qu'Ivy allait prendre une brique de jus d'orange dans le frigo. Je me demandais si ce discours s'adressait à Erica ou s'il essayait de me faire peur pour m'éloigner de sa fille aînée. En tout cas, ça fonctionnait. Mais je n'avais pas vraiment besoin d'aide.

Le père prit une expression stricte.

— Tu es insouciante, reprit-il d'une voix dure. Tu prends des risques qui pourraient te mettre dans une position dont tu ne veux pas encore. Ne crois pas une seconde que j'ignore que tu retires tes capuchons dès que tu mets un pied dehors. Tu n'iras pas à ce concert.

— C'est pas juste! hurla-t-elle en secouant ses cheveux en pointes. Je n'ai que des A à l'école, et en plus je bosse à temps partiel. C'est juste un concert! Il n'y aura même pas de Soufre!

Il secoua la tête en soufflant.

— Tant qu'ils distribueront du Soufre coupé dans les rues, tu rentreras à la maison avant le lever du soleil, jeune fille. Pas question que je descende dans les tombeaux municipaux pour identifier et ramener un membre de ma famille. Je l'ai déjà fait une fois, et je ne tiens pas à ce que ça se reproduise.

— Papa!

Ivy tendit un verre de jus à son père et vint s'asseoir à côté de moi avec son propre verre. Elle croisa les jambes et dit :

— J'y vais, moi, à ce concert.

Erica en eut le souffle coupé. Elle fit un bond sur place dans un grand bruit de bijoux.

— Papa! implora-t-elle. Ivy y va. Je ne prendrai pas de Soufre, et je ne mordrai personne. C'est promis! Mince! Laisse-moi y aller!

Les sourcils levés, le père d'Ivy la dévisagea. Elle haussa les épaules. Erica retenait son souffle.

— Si ta mère est d'accord, c'est bon pour moi, accepta-t-il finalement.

— Merci, papa! couina la jeune fille.

Elle se jeta sur lui et faillit le faire tomber, bien qu'il soit plus grand qu'elle. Elle ouvrit la porte du sous-sol et dévala l'escalier. La porte se referma, étouffant les cris d'Erica.

Le père poussa un grand soupir.

— Combien de temps tu comptais la laisser me tanner, avant de me dire que tu y allais? demanda-t-il d'un ton sarcastique.

Les yeux rivés à son verre, Ivy souriait.

— Suffisamment longtemps pour qu'elle m'écoute quand je lui dirai de porter ses capuchons si elle ne veut pas que je change d'avis.

L'homme gloussa.

— Tu apprends vite, jeune sauterelle, dit-il en prenant un fort accent.

Il y eut une nouvelle cavalcade dans l'escalier, et Erica jaillit, les yeux noirs d'excitation, ses colliers volant en tous sens.

— Elle a dit oui ! Faut que j'y aille ! Je t'aime, papa ! Merci, Ivy ! (Elle mima une paire d'oreilles de lapin avec ses doigts et les plia en disant :) Bisou, bisou !

Sur ce, elle quitta la pièce en courant.

— Tu as tes capuchons ? cria son père.

— Oui ! lança-t-elle.

Mais vu le son de sa voix, il était sûr qu'elle était déjà loin.

— Et enlève quelques-uns de tes colliers, jeune fille ! ajouta son père.

Mais la porte claqua. Le silence était un soulagement. Je regardai Ivy, impressionnée. Erica prenait une sacrée place.

Le père posa son verre. Son visage sembla se rider davantage. Je compris à quel point son corps devait être sollicité pour fournir le sang nécessaire afin que sa femme morte ne devienne pas folle.

Ivy fit tourner son verre sur place. Elle cessa progressivement de sourire.

— Elle va voir Piscary ? demanda-t-elle à voix basse.

Son inquiétude soudaine attira mon attention. C'était pour ça qu'Ivy était venue parler à son père. Il était effectivement inquiétant d'imaginer sa jeune sœur insouciante en proie aux manipulations de Piscary.

Cependant, l'idée ne semblait pas déranger leur père. Il prit tranquillement une gorgée de jus de fruit avant de répondre.

— Oui. Elle lui rend visite toutes les deux semaines. Comme le respect l'impose. (Je fronçai les sourcils en imaginant la question que cette dernière remarque impliquait, et je ne fus pas surprise quand il la posa.) Et toi ?

Ivy prit son verre pour empêcher ses doigts de trembler. Mal à l'aise, je cherchai un prétexte pour retourner me cacher dans la voiture. Ivy nous regarda à tour de rôle. Son père s'appuya sur le plan de travail. Il attendait sa réponse. Nous entendîmes le moteur de la voiture d'Erica s'éloigner, et bientôt il n'y eut plus que le bourdonnement de l'horloge du four. Ivy inspira.

— Papa, j'ai fait une erreur.

Je sentis les yeux du père se poser sur moi, même si je regardais fixement par la fenêtre pour me couper de la conversation.

—Nous devrions parler de ça quand ta mère sera disponible.

Mon souffle se coupa.

—Vous savez, dis-je en me levant, je crois que je vais aller attendre dans la voiture.

—Ce n'est pas avec maman que je veux en discuter, mais avec toi, répliqua Ivy. Et il n'y a aucune raison pour que Rachel ne puisse pas entendre cette conversation.

Sa requête implicite me coupa l'herbe sous le pied. Je me rassis sans prêter attention à son père, qui n'était manifestement pas d'accord. Ça n'allait pas être drôle. Peut-être voulait-elle avoir mon opinion sur la conversation pour la comparer à la sienne ? Je pouvais bien faire ça pour elle.

—J'ai fait une erreur, reprit Ivy à mi-voix. Je ne veux pas être le scion de Piscary.

—Ivy… (Il avait prononcé son nom avec une telle lassitude dans la voix…) Il est temps de commencer à prendre tes responsabilités. Ta mère était son scion avant de mourir. Les avantages…

—Je n'en veux pas ! s'exclama-t-elle. (Je regardai attentivement ses yeux en me demandant si le brun de ses iris ne perdait pas du terrain.) Peut-être s'il n'était pas dans ma tête en permanence, ajouta-t-elle en écartant son verre. Mais je ne peux plus le supporter. Il n'arrête pas de pousser.

—Ça ne serait pas le cas si tu allais le voir.

Ivy se redressa sur sa chaise mais garda les yeux rivés à la table.

—J'y suis allée. Je lui ai dit que je ne voulais pas être son scion, et je lui ai ordonné de sortir de ma tête. Il s'est moqué de moi. Il a dit que j'avais fait un choix, et que maintenant je devais vivre et mourir avec.

—Et c'est vrai.

—Eh bien maintenant, j'en fais un autre. (Ses yeux étaient baissés en signe de soumission, mais elle parlait avec détermination.) Je ne vais pas le faire. Je ne veux pas diriger le monde souterrain de Cincinnati, et je ne le ferai pas. (Elle prit une grande inspiration et affronta le regard de son père.) Je n'arrive plus à dire si j'aime quelque chose pour de vrai ou si c'est Piscary qui l'aime. Papa, tu veux bien lui parler pour moi ?

Je fus surprise de l'entendre implorer son père. La seule fois où je l'avais vue dans un état similaire, c'était quand elle s'était crue morte et m'avait suppliée de la protéger. Ma mâchoire se crispa à l'évocation de ce souvenir. Seigneur, quel moment horrible. Lorsque le silence prolongé me fit relever la tête, je sursautai en m'apercevant que le père d'Ivy m'observait. Ses lèvres étaient serrées, et il avait l'air en colère contre moi, comme si tout ça était ma faute.

— Tu es son scion, dit-il sans arrêter de m'accuser du regard. Cesse de te défiler. Tu as des responsabilités.

Le nez d'Ivy se plissa. Je n'avais vraiment aucune envie d'être là, mais si je bougeais, je risquais d'attirer l'attention.

— J'ai commis une erreur ! répéta-t-elle. (Plus de doute, à présent, elle était en colère.) Et je suis prête à payer le prix pour m'en sortir, mais il veut me faire faire du mal aux gens pour me forcer à accomplir ses quatre volontés. C'est injuste.

Il laissa échapper un petit rire moqueur et se leva.

— Tu t'attendais à autre chose ? Il va utiliser tout ce qu'il peut – et tous ceux qu'il peut – pour te manipuler. C'est un maître vampire. (Il posa les mains sur la table et se pencha vers Ivy.) C'est le genre de choses que font les maîtres vampires.

Je contemplai la rivière en contrebas. J'avais froid. Que Piscary soit en prison ou non n'avait aucune importance. Il n'avait qu'à dire un mot pour que ses sbires fassent rentrer Ivy dans le rang et se débarrassent de moi. Pas donné, mais efficace.

Cependant Ivy releva la tête et la secoua pour se réconforter, avant de regarder son père de ses yeux humides.

— Papa, il a dit qu'il allait se rabattre sur Erica.

Le visage du père blêmit, ce qui fit ressortir ses petites cicatrices tumescentes. Je fus soulagée que Piscary ne me vise pas, mais me sentis aussitôt coupable.

— Je vais lui parler, murmura-t-il.

Son inquiétude pour sa fille innocente et si vivante ne faisait aucun doute.

Je me sentais mal. Je reconnaissais dans leur conversation l'ombre horrible de ces pactes secrets que font les enfants pour protéger leur cadet d'un parent abusif. Ce sentiment se renforça quand son père répéta : « Je vais lui parler. »

— Merci.

Nous nous retirâmes tous dans un silence inconfortable. Il était temps de partir. Ivy se leva la première, et je m'empressai de l'imiter. Je pris mon manteau sur le dossier de ma chaise et l'enfilai. Le père d'Ivy se leva lentement ; il avait l'air deux fois plus fatigué qu'à notre arrivée.

—Ivy, dit-il en se rapprochant d'elle. Je suis fier de toi. Je ne suis pas d'accord avec ce que tu es en train de faire, mais je suis fier de toi.

—Merci, papa. (Elle lui fit un petit sourire et le prit dans ses bras.) Il faut qu'on y aille. J'ai une course de prévue, cette nuit.

—La fille de Darvan? demanda-t-il. (Elle acquiesça; elle avait toujours l'air un peu coupable et apeurée.) Bien. Continue comme ça. Je parlerai à Piscary, et je verrai ce que je peux en tirer.

—Merci.

Il se tourna vers moi.

—C'était un plaisir de vous rencontrer, Rachel.

—De même pour moi, monsieur Randal.

Je n'étais pas mécontente que leurs discussions de vampires soient terminées. Nous pouvions tous faire semblant d'être normaux – cacher la crasse sous le tapis à cinq mille dollars, en quelque sorte.

—Attends, Ivy. Tiens.

Il sortit un vieux portefeuille de sa poche arrière et le vampire se transforma en papa comme les autres.

—Papa, protesta Ivy. J'ai de l'argent.

Il sourit à demi.

—Vois ça comme un remerciement pour le fait de surveiller Erica au concert. Vous dînerez à mes frais.

Je ne dis rien. Il fourra un billet de cent dollars dans la main de sa fille et l'enserra de son bras gauche.

—Je t'appellerai demain matin, dit-il à voix basse.

Les épaules d'Ivy s'affaissèrent d'une manière inhabituelle.

—Je préfère passer. Je ne veux pas en parler au téléphone. (Elle m'adressa un sourire crispé.) Prête à partir?

J'acquiesçai, fis un signe de tête au père d'Ivy et la suivis vers la sortie en passant par la salle à manger. Sachant à quel point l'ouïe des vampires était développée, je me tus jusqu'à ce que la porte finement ciselée se soit refermée derrière nous et que nos pieds soient de nouveau sur la neige. Le soleil avait commencé à se coucher et les amas de neige réfléchissaient la lumière du ciel.

La voiture d'Erica n'était plus là. Ivy fit tinter ses clés mais hésita.

—Attends un peu, dit-elle en allant à l'endroit où s'était trouvée la voiture de sa sœur à grand renfort de couinements de bottes dans la neige. Je crois qu'elle a balancé ses capuchons.

Debout à côté de ma portière ouverte, je vis qu'Ivy s'arrêtait à côté des traces de roues. Yeux fermés, elle fit mine de lancer quelque chose, puis alla de l'autre côté de l'allée. Déconcertée, je la regardai fouiller la neige. Elle se baissa deux fois pour ramasser quelque chose. Elle remonta en voiture sans dire un mot.

Je l'imitai et attachai ma ceinture. J'aurais préféré qu'il fasse nuit pour ne pas avoir à la regarder conduire. Sentant une question tacite dans mon silence, Ivy tendit le bras et lâcha deux bouts de plastique creux dans ma main. La voiture démarra. J'orientai la ventilation sur moi en espérant que le moteur était encore chaud.

— Ses capuchons ? demandai-je en regardant les petits morceaux blancs dans ma paume.

Mais comment a-t-elle fait pour trouver ces trucs-là dans la neige ?

— Garantis contre le perçage de la peau. (Ses lèvres fines se serrèrent.) Et, grâce à eux, elle ne peut pas lier qui que ce soit par accident. Elle est censée les porter jusqu'à ce que papa l'autorise à les enlever. À ce train-là, ça n'arrivera pas avant ses trente ans. Je sais où elle travaille. Ça te dérange si je les lui dépose ?

Je secouai la tête et lui rendis les capuchons. Une fois au bout de l'allée, Ivy regarda des deux côtés de la route avant de démarrer dans un grand crissement de pneus sous le nez d'une familiale bleue.

— J'ai un boîtier à capuchons vide, dans mon sac. Tu veux bien les mettre dedans ?

— Bien sûr.

Je n'aimais pas farfouiller dans son sac, mais si je ne le faisais pas, elle s'en chargerait elle-même tout en conduisant, et mon estomac était déjà bien assez noué comme ça. Cela me fit tout drôle d'avoir le sac d'Ivy sur les genoux et de l'ouvrir. Il était si bien rangé que c'en était dégoûtant. Pas le moindre Kleenex usagé, pas le plus petit bonbon avec des peluches collées dessus.

— Le mien, c'est celui avec le couvercle en verre coloré, précisa Ivy. (Elle consacrait une bonne moitié de son attention à la route.) Il doit y en avoir un en plastique, quelque part. Le désinfectant est probablement toujours bon. Papa la tuerait, s'il savait qu'elle les avait jetés dans la neige. Ils coûtent aussi cher que la colonie de vacances dans les Andes qu'ils lui ont payée l'année dernière.

— Ah.

Les trois étés que j'avais passés à la colonie *Fais un vœu* pour les enfants mourants me semblèrent soudain bien pâles. Derrière un petit récipient qui ressemblait à une boîte à pilules à la décoration élaborée, je tombai sur une fiole blanche de la taille d'un pouce. Je la débouchai et vis qu'elle était remplie d'un liquide bleuâtre.

—Voilà, c'est ça, dit Ivy. (Je mis les capuchons dedans; ils flottèrent, si bien que je dus plonger le petit doigt pour les immerger.) Referme juste le bouchon et secoue. Ils vont couler.

Je m'exécutai, puis remis la fiole dans son sac et reposai ce dernier à côté de sa propriétaire.

—Merci, dit Ivy. La fois où j'ai « perdu » les miens, il m'a interdite de sortie pendant un mois.

Je souris avec lassitude en pensant que c'était comme de perdre ses lunettes ou une boucle d'oreille… ou peut-être son diaphragme. Seigneur! Avais-je vraiment envie d'en apprendre autant sur les vampires?

—Il t'arrive encore d'en porter? demandai-je cependant.

Ma curiosité avait encore eu raison de moi. Ivy ne semblait pas s'en formaliser. Peut-être devais-je en prendre mon parti.

Ivy secoua la tête et mit son clignotant une seconde avant de traverser deux files pour aller s'engager sur la rampe d'accès à l'autoroute.

—Non, répondit-elle tandis que je me cramponnai à la poignée de ma portière. Pas depuis mes dix-sept ans. Mais je les garde au cas où… (Elle s'arrêta au beau milieu de sa phrase.) Enfin, au cas où, quoi.

Au cas où quoi? me demandai-je, avant de décider que je ne voulais pas vraiment le savoir.

—Euh, Ivy? commençai-je en essayant de ne pas chercher à savoir comment elle allait faire pour s'insérer dans la circulation. (Je retins mon souffle au moment où elle se décida – derrière nous, des voitures klaxonnèrent.) Qu'est-ce que ça signifie, au juste, les oreilles de lapin et « bisou, bisou »?

Elle me fixa. Je fis le V de la paix et pliai les doigts par deux fois. Un drôle de sourire déforma les coins de sa bouche.

—Ce ne sont pas des oreilles de lapin. Ce sont des crocs.

Après quelques secondes de réflexion, je rougis.

—Ah.

Ivy ricana. Je la regardai un instant, puis, décidant qu'il n'y aurait jamais de moment plus propice, je pris mon courage à deux mains.

— Euh, en ce qui concerne Skimmer…

Sa bonne humeur disparut instantanément. Elle jeta un coup d'œil dans ma direction, puis se concentra de nouveau sur la route.

— Nous étions colocataires. (Elle rougit légèrement, ce qui me confirma qu'elles avaient été plus que de simples colocataires.) Nous étions très, très proches, prit-elle soin d'ajouter comme si je n'avais pas déjà compris par moi-même.

Elle freina brusquement pour éviter une BMW noire qui voulait l'enfermer derrière un monospace. Elle appuya sur le champignon et le contourna à toute vitesse par la droite.

— Elle est venue à Cincinnati à cause de toi, déclarai-je en sentant mon cœur s'accélérer. Pourquoi tu ne lui as pas dit qu'on n'avait pas ce genre de relation ?

Elle serra le volant.

— Parce que… (Elle inspira légèrement et ramena une mèche derrière son oreille ; c'était un tic nerveux que je ne voyais pas souvent chez elle.) Parce que je n'avais pas envie, dit-elle en se collant derrière une Trans-Am rouge.

Elle roulait bien à 25 kilomètres à l'heure au-dessus de la vitesse autorisée. Elle me regarda d'un air inquiet, ignorant le monospace vert sur lequel la Trans-Am et nous nous dirigions à fond de train.

— Je ne compte pas m'excuser, Rachel. La nuit où tu décideras que prendre et donner du sang n'a rien à voir avec le sexe, je serai là. En attendant, je prends ce que je peux.

Terriblement mal à l'aise, je remuai dans mon siège.

— Ivy…

— Non, murmura-t-elle en faisant une embardée à droite. (Elle poussa les gaz et dépassa les deux véhicules en trombe.) Je connais ton sentiment à ce sujet. Je ne peux pas te faire changer d'avis. Tu vas devoir comprendre par toi-même. Que Skimmer soit à Cincinnati ne change rien. (Elle se rabattit juste devant le monospace et m'adressa un petit sourire qui finit de me convaincre que le sang, c'était bien comme le sexe.) Et après, tu passeras le reste de ta vie à t'en vouloir de ne pas avoir saisi cette chance plus tôt.

Chapitre 18

Le volume des pubs me fit sursauter sur mon canapé. Je soupirai et ramenai mes jambes vers moi pour les serrer dans mes bras. Il était tôt, à peine plus de 2 heures du matin, et j'essayais de rassembler mon courage pour aller me faire quelque chose à manger. Ivy n'était pas encore revenue de sa course, et, malgré le malaise de la conversation que nous avions eue dans sa voiture, j'espérais qu'elle ne rentrerait pas trop tard pour que nous puissions sortir. La perspective de me réchauffer une tourte à la viande et de la manger toute seule m'attirait autant que de m'écorcher le tibia.

Je pris la télécommande et coupai le son de la télé. C'était déprimant. Je passais mon vendredi soir seule, assise sur mon canapé, à regarder *Piège de cristal*. Nick aurait dû être à mes côtés. Il me manquait. Je crois qu'il me manquait. En tout cas, il y avait quelque chose qui me manquait. Peut-être que quelqu'un me prenne dans ses bras ? Étais-je vraiment si peu intéressante ?

Je reposai la télécommande et m'aperçus que j'entendais une voix venant de l'avant de l'église. Je me redressai. C'était une voix d'homme. Alertée, je puisai dans la ligne du cimetière. En l'espace d'une respiration, mon centre s'emplit d'énergie. Sentant la puissance de la ligne parcourir mon corps, je me préparai à me lever quand Jenks entra, volant à hauteur d'homme. Le léger bourdonnement de ses ailes m'indiqua que notre hôte, qui qu'il soit, ne comptait ni me tuer, ni me donner de l'argent.

Les yeux écarquillés, il se posa sur l'abat-jour. La poussière qui s'échappait de lui remonta sous l'effet de la chaleur de l'ampoule.

Normalement, il dormait dans mon bureau, à cette heure-là – c'était pourquoi j'avais choisi ce moment pour m'apitoyer sur moi-même ; j'aimais bien qu'on ne me dérange pas quand je boudais.

—Salut, Jenks, dis-je. (Je relâchai l'énergie de la ligne ; la puissance magique non canalisée s'échappa de mon corps.) Qui est là ?

Il prit un air inquiet.

—Rachel, il est possible qu'on ait un problème.

Je le regardai avec aigreur. J'étais en train de me taper *Piège de cristal* toute seule. Ce qu'il venait m'annoncer ne pouvait pas être pire.

—Qui est-ce, demandai-je platement. J'ai déjà viré les témoins de Jéhovah. On pourrait penser que comme on vit dans une église, ils comprendraient, mais noooon, ce serait trop facile.

Jenks fronça les sourcils.

—Un garou avec un chapeau de cow-boy. Il veut que je signe un papier qui dit que j'ai mangé le poisson qu'on a volé pour les Hurleurs.

—David ?

Je me levai d'un bond et courus vers le sanctuaire. Jenks me suivit dans un gros bourdonnement d'ailes.

—Qui c'est, David ?

—Un expert en assurance. (À mon tour, je fronçai les sourcils.) Je l'ai rencontré hier.

C'était bien David, qui faisait les cent pas au milieu du sanctuaire désert. Il n'avait pas l'air très à son aise, avec son long manteau et son chapeau enfoncé jusqu'aux yeux. Les enfants pixies l'observaient depuis l'ouverture du bureau à cylindre, leurs jolis visages tous alignés. Il était au téléphone, et en me voyant il marmonna quelques mots, referma son portable et le rangea.

—Salut Rachel, dit-il.

Il se recroquevilla en entendant l'écho de sa voix. Il regarda mon jean décontracté et mon sweat rouge, puis le plafond, tout en dansant d'un pied sur l'autre. Il était évident qu'il était mal à l'aise dans une église, comme la plupart des garous d'ailleurs, mais son malaise était psychologique plutôt que physiologique.

—Désolé de vous déranger, reprit-il en enlevant son chapeau. (Il l'écrasa dans son poing crispé.) De simples ouï-dire ne tiendront pas, dans une affaire comme celle-là. J'ai besoin que votre associé me confirme qu'il a bien mangé ce poisson à vœux.

— Sainte merde ! C'était un poisson à vœux ?

Un chœur de cris perçants retentit. Jenks émit un son qui ne souffrait pas la discussion ; les visages de pixies alignés dans l'ouverture du bureau disparurent dans l'ombre du cylindre.

David sortit un papier plié en trois de son manteau et le déplia sur le piano d'Ivy.

— Si vous pouviez signer ici, dit-il. (Il prit un air suspicieux.) Vous l'avez bien mangé, n'est-ce pas ?

Jenks ne savait plus où se mettre. Ses ailes étaient d'un bleu si foncé qu'il tirait sur le violet.

— Oui, on l'a mangé. On va avoir des problèmes ?

Je m'efforçai de ne pas sourire, mais David ne prit pas cette peine. Ses dents blanches ressortaient, dans la pénombre du sanctuaire.

— Je pense que non, monsieur Jenks, répondit-il.

Il fit sortir la mine de son stylo et le tendit au pixie. Je haussai les sourcils. David hésita un instant, regardant tour à tour le stylo et Jenks. Le stylo était le plus grand des deux.

— Hmmm, fit-il en passant d'un pied sur l'autre.

— Attendez, j'ai une idée, s'exclama Jenks. (Il fila dans mon bureau et en revint avec une mine de crayon, puis écrivit soigneusement son nom pendant que ses enfants caquetaient de leur voix perçante ; quand il eut fini de signer, Jenks s'envola en projetant un nuage de poussière dorée.) Alors vous êtes sûr qu'on ne va pas avoir de problème, hein ?

L'odeur âpre de l'encre assaillit mes narines. Une fois la déposition de Jenks régularisée, David releva la tête.

— Pas en ce qui nous concerne. Merci, monsieur Jenks. (Il me regarda.) Rachel.

Les fenêtres vibrèrent légèrement sous l'effet d'une variation de pression atmosphérique. Quelqu'un avait ouvert la porte arrière de l'église.

— Rachel ? appela une voix aiguë.

Je n'en croyais pas mes oreilles. Ma mère ? Abasourdie, je me tournai vers David.

— Euh, c'est ma mère. Il vaudrait peut-être mieux que vous partiez. À moins que vous vouliez qu'elle vous force à sortir avec moi.

David eut l'air surpris. Il remballa son document.

— Non, non, j'ai terminé. Merci. J'aurais sans doute dû appeler avant de venir, mais bon, on est en plein milieu des heures de bureau.

Je rougis. Je venais d'ajouter dix mille dollars à mon compte en banque grâce à Quen et à son «petit problème». Je pouvais bien m'asseoir et bouder toute une nuit si ça me chantait. Et je n'avais pas l'intention de préparer cette nuit-là les charmes que je comptais utiliser pour ladite course. Concocter des sorts après minuit, alors que la lune était descendante, c'était vraiment chercher les problèmes. Et en plus, ce que je faisais de mes journées ne le regardait pas.

Agacée, je me tournai vers l'arrière de l'église. Je ne voulais pas être grossière, mais j'avais encore moins envie que ma mère assaille David de questions.

— J'arrive tout de suite, maman! criai-je. (Puis, à l'intention de Jenks :) Tu veux bien le raccompagner?

— Bien sûr, Rache.

Le pixie s'éleva à hauteur d'homme pour raccompagner David dans le hall.

— Au revoir, David, dis-je.

Il me fit un signe de main et remit son chapeau.

Pourquoi est-ce que tout arrive en même temps? pensai-je en me dépêchant d'aller rejoindre ma mère dans la cuisine. Sa visite impromptue allait être le couronnement de cette journée parfaite. Gagnée par la lassitude, j'entrai dans la cuisine et la trouvai le nez dans le frigo. Le claquement de la porte d'entrée retentit dans toute l'église.

— Maman, dis-je en m'efforçant de parler d'une voix agréable. Je suis supercontente de te voir, mais on est en plein dans les heures ouvrables.

Je pensai à ma salle de bains et me demandai si mes sous-vêtements étaient toujours sur le sèche-linge.

Souriante, elle se redressa et me regarda de derrière la porte du frigo. Elle portait des lunettes de soleil qui lui donnaient une drôle de touche, avec son chapeau de paille et sa robe d'été. *Une robe d'été? Mais il doit faire près de -10 °C, dehors.*

— Rachel! (Elle ferma la porte et m'ouvrit ses bras.) Viens m'embrasser, ma chérie.

Je m'exécutai, ne sachant plus quoi penser. Il fallait peut-être que j'appelle son psy pour m'assurer qu'elle allait toujours à ses rendez-vous. Elle avait une drôle d'odeur sur elle.

— C'est quoi ton parfum? m'enquis-je en reculant d'un pas. On dirait de l'ambre brûlé.

—C'en est, chérie.

Choquée, j'examinai son visage. Sa voix était descendue de plusieurs octaves. Dans un accès d'adrénaline, j'eus un mouvement de recul, mais une main gantée de blanc me saisit par l'épaule. Paralysée, je vis une onde d'au-delà tomber sur elle. C'était Algaliarept. *Oh, merde. Je suis morte.*

—Bonsoir, familière. (Le sourire du démon révéla ses grosses dents plates.) Et si on allait se trouver une ligne d'énergie pour retourner à la maison?

—Jenks! hurlai-je.

Ma voix était déformée par la terreur. Je me penchai en arrière et lui donnai un coup de pied en plein dans les couilles.

Il grogna et ses yeux rouges s'écarquillèrent.

—Salope!

Il se pencha et me prit par la cheville.

Je tombai lourdement sur les fesses. J'étais paniquée. J'essayai sans succès de lui donner des coups de pied; il m'entraîna en direction du couloir.

—Rachel! cria Jenks en crachant un nuage de poussière noire.

—Va me trouver un charme! hurlai-je en m'accrochant à l'entrée du couloir.

Seigneur, il me tient. S'il m'emmène jusqu'à une ligne, il va me traîner physiquement dans l'au-delà, que je le veuille ou non.

Les muscles tendus, je luttai pour rester suffisamment longtemps agrippée au mur pour que Jenks ouvre mon placard à charmes et en prenne un. Je n'avais pas besoin de rouge à lèvres: je saignais de la bouche à cause de la chute.

—Tiens! hurla Jenks en arrivant droit sur mon visage à vingt centimètres du sol.

Il tenait un charme de sommeil par le cordon. Il avait l'air affolé, et ses ailes étaient rouges.

—N'y pense même pas, sorcière, dit Algaliarept en me tirant violemment par la cheville.

Une douleur me vrilla l'épaule et je lâchai prise.

—Rachel! s'écria Jenks.

Mes ongles tentèrent désespérément de s'accrocher au plancher, puis à la moquette du salon.

Al marmonna en latin. Je criai en entendant l'explosion qui dégonda la porte de derrière.

—Jenks, va-t'en! Mets tes enfants à l'abri!

L'air glacé du dehors s'engouffrait et prenait la place de l'air tempéré soufflé par l'explosion. Des chiens aboyaient au loin. Je descendis les marches du perron sur le ventre. La neige, la glace et les morceaux de sel me brûlaient le menton et le ventre. Je levai les yeux et vis, dans le cadre de la porte défoncée, la silhouette noire de David qui se découpait sur la lumière de l'intérieur de l'église. Je tendis la main vers le charme que Jenks avait laissé tomber.

—Le charme! criai-je en voyant qu'il ne comprenait pas ce que je voulais. Lancez-moi le charme!

Al s'arrêta. Il se retourna en laissant des traces sur l'allée enneigée avec ses bottes d'équitation.

—*Detrudo*, lança-t-il.

Sans doute un mot déclencheur pour une malédiction qu'il avait en mémoire.

Mon souffle se coupa lorsqu'une ombre rouge et noire d'au-delà frappa David et le projeta sur le mur du fond, hors de ma vue.

—David! m'écriai-je.

Mais Al recommença à me tirer.

À force de me contorsionner, je parvins à me mettre sur les fesses plutôt que sur le ventre. Je laissais une petite traînée dans le sillage d'Al. D'un coup de pied, il ouvrit la porte en bois qui donnait sur la rue. Al ne pouvait pas se servir de la ligne d'énergie du cimetière pour m'attirer dans l'au-delà car elle était complètement entourée de terre sanctifiée qu'il lui était impossible de traverser. À ma connaissance, la ligne la plus proche était à huit pâtés de maisons. *J'ai une chance*, pensai-je en sentant mon jean s'imbiber.

—Lâche-moi! ordonnai-je.

Je donnai un coup de mon pied libre dans le jarret du démon.

Sa jambe se déroba sous lui et il dut s'arrêter. À la lumière des réverbères, sa colère ne faisait aucun doute. Il ne pouvait pas se transformer en brume pour éviter mes coups, sinon je lui échapperais.

—Quelle petite chienne! s'exclama-t-il en me prenant les deux chevilles d'une seule main.

Il reprit son chemin.

—Je ne veux pas y aller! hurlai-je.

Au passage, je m'agrippai au montant du portail. Nous nous arrêtâmes brusquement et Al soupira.

— Lâche la clôture, dit-il d'un ton las.

— Non !

Mes muscles tremblaient de plus en plus à force de lutter contre les tractions d'Al. Je n'avais qu'un seul sort de ligne imprimé dans mon subconscient, mais nous enfermer Al et moi dans un cercle ne m'avancerait à rien. Comme le cercle en question serait entaché de son aura, il pourrait le briser aussi facilement que moi.

Al renonça à me faire passer le portail en me traînant. Il me souleva et me jeta sur son épaule. Je criai et mon souffle se coupa lorsque son épaule aux muscles de pierre me défonça le ventre. Il puait l'ambre brûlé. Je me débattis.

— Ce serait beaucoup plus facile, fit-il alors que je lui donnais sans succès des coups de coude sur les omoplates, si tu voulais bien comprendre que tu es cuite. Tu n'as qu'à dire que tu es prête à m'accompagner de ton plein gré, et je nous téléporte directement dans une ligne, ce qui t'épargnera un gros embarras.

— C'est le cadet de mes soucis, de me sentir embarrassée !

Je m'étirai pour attraper un tronc d'arbre au passage et éprouvai un certain soulagement en en agrippant un. Al faillit tomber.

— Oh, regarde, dit-il en tirant violemment pour m'arracher à mon arbre. (Mes paumes étaient écorchées jusqu'au sang.) Ton ami le loup a envie de faire joujou.

David, pensai-je, le souffle court, en me contorsionnant pour voir par-dessus l'épaule d'Al. Je vis une ombre gigantesque qui se tenait au milieu de la rue enneigée, sous la lumière des réverbères. J'en restai bouche bée. Il s'était transformé. En moins de trois minutes. Bon sang, il avait dû douiller.

Il était vraiment énorme ; il avait conservé toute la masse de sa forme humaine. À vue de nez, sa tête devait m'arriver à l'épaule. Sa fourrure noire soyeuse, assez proche de cheveux humains, s'agitait sous le vent glacé. Il avait les oreilles aplaties sur la tête. Il poussa un grognement d'avertissement incroyablement grave. Ses pattes, larges comme mes mains grandes ouvertes, étaient fichées dans la neige. Il nous barrait le chemin. Il émit un aboiement d'une profondeur indescriptible qui fit ricaner Al. Des lumières s'allumaient dans les maisons adjacentes, et des gens jetaient des coups d'œil entre leurs rideaux.

— Elle est légalement mienne, déclara Al avec légèreté. Je la ramène à la maison. N'essaie même pas de m'en empêcher.

Le démon commença à remonter la rue. J'étais déchirée entre l'idée d'appeler à l'aide et accepter mon sort. Les phares d'une voiture qui arrivait donnèrent un relief surnaturel à la scène.

— Bon chienchien, grommela Al.

Nous passâmes à trois bons mètres de David. Sa silhouette se découpait sur la lumière intense des phares. Il inclina la tête, et je me demandai s'il avait abandonné, sachant qu'il ne pouvait rien faire. Mais il releva la tête et se mit à nous suivre.

— David, vous ne pouvez rien faire! David, non! hurlai-je lorsque sa démarche chaloupée se changea en course.

Le regard perdu dans sa folie meurtrière, il se précipitait droit sur moi. Bien sûr, je n'avais aucune envie d'aller dans l'au-delà, mais mourir ne me disait rien non plus.

Al fit volte-face en jurant.

— *Vacuefacio*, lança-t-il en tendant sa main gantée.

Je me contorsionnai sur son épaule pour voir ce qui se passait. Il tira une boule d'énergie noire qui stoppa l'attaque silencieuse de David alors qu'il n'était plus qu'à soixante centimètres de nous. Le garou dérapa mais ne parvint pas à éviter le projectile. Il poussa un jappement et fit un roulé-boulé dans un tas de neige. Une odeur de poils brûlés s'éleva dans l'air avant de disparaître.

— David! m'écriai-je. (Je ne sentais plus le froid pinçant.) Vous allez bien?

Al me lâcha la jambe et me broya l'épaule de sa grosse main jusqu'à ce que je hurle de douleur. L'épaisse couverture neigeuse fondit sous moi. J'avais le derrière engourdi par le froid et la douleur.

— Idiot, marmonna Al pour lui-même. Tu as une familière! Pourquoi tu ne t'en sers pas, par les cendres de ta mère? (Il me sourit et ses gros sourcils se levèrent sous l'effet de l'impatience.) Prête à travailler, Rachel chérie?

Paniquée, je cessai de respirer. Je le regardai sans essayer de dissimuler ma peur. Je me sentis blêmir.

— S'il te plaît, ne fais pas ça, murmurai-je.

Mes supplications ne firent qu'élargir son sourire.

— Tiens-moi ça, dit-il.

Il puisa une ligne. Sa puissance hallucinante me transperça et m'arracha un nouveau cri de douleur. Mes muscles furent pris de spasmes. Mon visage heurta la chaussée. J'étais en feu. Je me mis en position fœtale et me bouchai les oreilles. Je ne parvenais pas à empêcher les hurlements ininterrompus de passer. Plus rien n'existait, à part ces cris qui me déchiraient et la souffrance qui me vrillait le cerveau. La puissance de la ligne me perçait de part en part, telle une explosion partie du centre de mon corps pour se répandre dans mes membres. J'avais l'impression qu'on avait trempé mon cerveau dans de l'acide, et il y avait ces hurlements atroces qui ne voulaient pas cesser de me déchirer les tympans. J'étais en feu. Je brûlais.

Je compris soudain que c'était moi qui hurlais. Je parvins à m'arrêter ; à la place, je me mis à pousser de gros sanglots douloureux. Un étrange gémissement suraigu s'éleva malgré moi de ma poitrine, mais je réussis à le contenir. J'ouvris les yeux, haletante. À la lumière de la voiture, je vis que mes mains tremblantes étaient pâles. Elles n'étaient pas calcinées. Cette odeur d'ambre brûlé n'était pas due à ma peau qui se décollait. C'était dans ma tête.

Seigneur, j'avais l'impression que ma tête était à deux endroits à la fois. J'entendais tout en double, je sentais tout en double et mon cerveau était envahi de pensées étrangères et pourtant intimement miennes. Al savait tout ce que je ressentais, tout ce que je pensais. Je ne pouvais que prier pour ne pas avoir fait subir la même chose à Nick.

—Ça va mieux ? demanda Al. (Je sursautai comme si on m'avait fouettée ; j'entendais autant sa voix dans ma tête que par mes oreilles.) Pas mal, apprécia-t-il en me remettant sur pieds sans que j'oppose la moindre résistance. Ceri s'était évanouie avec moitié moins d'énergie, et elle avait mis trois mois à arrêter ce gémissement insupportable.

Engourdie, je sentis un filet de bave s'échapper de ma bouche. Impossible de me rappeler comment faire pour l'essuyer. J'avais mal à la gorge et l'air glacé me brûlait les poumons. J'entendais des aboiements et le ronflement d'un moteur. Les phares de la voiture ne bougeaient pas. La neige miroitait dans leur halo. Al me tenait au-dessus du sol ; j'essayai de bouger les pieds lorsqu'il reprit sa route. Nous laissâmes le champ libre à la voiture, qui repartit dans un crissement de pneus.

—Allez viens, Rachel chérie, dit gaiement Al une fois l'obscurité retombée. (Nous traversâmes le monticule de neige qui longeait le caniveau et regagnâmes le trottoir.) Ton loup a lâché le morceau, et, à moins que tu te soumettes, il y a une trotte avant la ligne d'énergie la plus proche.

Je le suivais en titubant. Mes pieds, seulement couverts de chaussettes, étaient gelés et insensibles depuis belle lurette. Sa main enserrait mon poignet telle une menotte, mais elle était plus dure que n'importe quel métal. L'ombre d'Al s'étirait jusqu'à David. Il secouait la tête en haletant, comme pour s'éclaircir les idées. Son museau se déforma en un rictus. Sans un bruit, il se lança à notre poursuite. Je ne pouvais rien faire, faute de ressentir quoi que ce soit. Engourdie, indifférente, je me contentais d'observer la scène. Al, au contraire, avait parfaitement conscience de ce qui se passait.

— *Celero fervefacio!* s'exclama-t-il dans un accès de rage.

La malédiction me transperça de part en part en m'arrachant un hurlement. La puissance magique d'Al jaillit de sa main tendue et frappa David de plein fouet. Il y eut un grand flash lumineux, et la neige fondit sous lui. Il se tortilla comme un ver sur le cercle de goudron. Je m'efforçai d'étouffer mon cri de douleur. Il se changea en gémissement perçant digne d'une *banshee*[1].

— Pitié… assez, murmurai-je.

De nouveau, un filet de bave s'échappa de mes lèvres et fit un trou dans la neige. Je fixai du regard le blanc souillé en me disant que c'était mon âme entachée, et que je payais pour la magie noire d'Al. Je n'arrivais pas à réfléchir. La douleur continuait à brûler au plus profond de mon corps ; elle était presque devenue familière.

Entendant des exclamations apeurées, je levai mes yeux chassieux pour voir les gens qui assistaient à la scène. Tout le quartier était à sa porte ou à sa fenêtre. J'allais sans doute faire les gros titres. Un claquement net provenant de la maison que nous venions de dépasser attira mon attention. Il y avait un beau château de glace, avec tourelles et tout le toutim, dans le coin de la cour. La lumière de la maison se déversait par la porte ouverte sur la neige piétinée ; elle arrivait presque jusqu'à Al et moi. Je retins ma respiration en voyant que Ceri se tenait sur le pas de la porte, le crucifix d'Ivy autour du cou. Sa chemise de nuit flottait comme un panache de fumée blanc. Ses cheveux, détachés, lui arrivaient presque à la taille. Je vis à sa posture raide qu'elle était en colère.

— Eh, toi, lança-t-elle.

Sa voix claire semblait portée par la neige.

J'entendis un cri d'alarme s'élever derrière moi. Je sentis qu'on me tirait. À travers l'esprit que je partageais avec Al, je savais instinctivement que Ceri avait créé un cercle autour de nous deux. Un

---

1. *Banshee*: fée dont les cris présagent la mort, dans la mythologie irlandaise. (*NdT*)

sanglot m'échappa ; c'était futile, mais je m'accrochai à cette émotion comme un corniaud affamé à une poubelle. J'avais ressenti quelque chose qui ne provenait pas d'Al. L'agacement du démon était vivace, derrière ma propre déprime ; il la recouvrait, à tel point que j'en oubliais ce que je ressentais. J'appris d'Al que le cercle était inutile. S'il est possible de faire un cercle sans le tracer au préalable, seul un cercle dessiné est assez fort pour retenir un démon.

Al ne prit même pas la peine de ralentir. Il me tira à travers la mince paroi d'au-delà.

Je retins bruyamment ma respiration lorsque la puissance que Ceri avait mise dans son cercle s'engouffra en moi. Je hurlai en sentant cette nouvelle vague enflammée m'envelopper. Elle naquit là où j'étais entrée en contact avec le cercle, puis se répandit comme une véritable vague pour me recouvrir. La douleur s'insinua au plus profond de moi. Je poussai un cri et me débattis pour qu'Al me lâche. La vague se heurta à mon chi, qui n'avait jamais atteint un tel paroxysme. L'au-delà rebondit et me fouilla à la recherche du seul endroit où il pourrait se faire un peu de place : ma tête. Tôt ou tard, il y aurait un trop-plein, et je deviendrais folle.

Je me recroquevillai et me convulsai. La surface rugueuse du trottoir me griffa la cuisse et l'épaule. Lentement, la douleur devint supportable, et je pus cesser mes cris. Le dernier mourut en un gémissement qui fit taire les chiens du quartier. *Dieu, je meurs. Je meurs de l'intérieur.*

—Je t'en prie, demandai-je à Ceri tout en sachant qu'elle ne m'entendait pas. Ne refais pas ça.

Al me tira violemment pour me remettre debout.

—Tu es vraiment excellente, comme familière, m'encouragea-t-il avec un grand sourire. Je suis très fier de toi. Tu as encore réussi à arrêter de crier. Je crois que je vais te faire une tasse de thé, une fois à la maison, et je vais même te laisser faire un somme avant de te montrer à mes amis.

—Non…, murmurai-je.

Mais mon ton de défi avait fait rire Al avant même que le mot franchisse mes lèvres. Je ne pouvais penser à quoi que ce soit sans qu'il soit au courant le premier. Je comprenais à présent pourquoi Ceri avait endormi ses émotions ; elle avait préféré ne pas en éprouver, plutôt que de devoir les partager avec Al.

—Attend ! lança Ceri.

Elle descendit les marches du perron en courant, passa le grillage et vint se mettre devant nous.

Al, qui me tenait toujours, s'arrêta pour la regarder. Mes pieds se dérobèrent sous moi. La voix de Ceri était un onguent pour le corps comme pour l'esprit. Les larmes me montèrent aux yeux lorsque je sentis un début de répit. Je faillis sangloter de soulagement. Elle avait l'air d'une déesse. Et en plus, elle soulageait la douleur.

—Ceri, dit chaudement Al. (Il n'accordait que la moitié de son attention à David, qui nous tournait autour, crête hérissée, une lueur meurtrière dans les yeux.) Tu es belle, chérie. (Il promena ses yeux sur le beau château de neige, dans la cour de Keasley.) Ton chez-toi te manque ?

—Je m'appelle Ceridwen Merriam Dulciate. (Sa voix impérieuse claquait comme un fouet.) Je ne suis pas ta familière. J'ai une âme. Traite-moi avec le respect qui convient.

Al gloussa.

—Je vois que tu as redécouvert ton ego. Qu'est-ce que ça fait, de recommencer à vieillir ?

Je remarquai un raidissement dans la posture de Ceri. Elle vint se mettre juste devant nous, si bien que je lus de la culpabilité dans ses yeux.

—Ça ne me fait plus peur, rétorqua-t-elle doucement. (Je me demandai si c'était la crainte de vieillir qui avait servi d'argument à Al pour la convaincre d'être sa familière.) Ainsi va le monde. Laisse partir Rachel Mariana Morgan.

Al rejeta la tête en arrière et éclata de rire, montrant ses grosses dents plates au ciel nuageux.

—Elle est à moi. Tu es belle. Ça te dirait de revenir ? Vous pourriez être sœurs. Ce serait sympa, non ?

La bouche de Ceri se pinça.

—Elle a une âme. Tu ne peux pas la forcer.

Haletante, je pendais là où Al me tenait. S'il m'amenait jusqu'à une ligne, que j'aie une âme ou non ne compterait pas.

—Oh, si, je le peux, affirma-t-il d'un ton plein de certitude. (Il fronça les sourcils et son attention se porta soudain sur David, que j'avais vu tracer un cercle physique dans la neige, tout autour de nous ; ce cercle allait lui permettre de lier Al.) *Detrudo*, lança-t-il en plissant les yeux et en faisant un geste d'incantation.

Un fil d'au-delà s'échappa de moi pour tisser la malédiction d'Al. Tête levée, je ravalai le son forcément horrible qui allait sortir de ma gorge à vif. Je parvins à attendre en silence que l'énergie nécessaire au sort soit sortie de moi, mais mes efforts s'avérèrent inefficaces lorsqu'une vague d'au-delà déferla en moi depuis une ligne proche pour remplacer l'énergie qu'Al venait d'utiliser. Une fois de plus, un incendie ravagea les profondeurs de mon être, ma peau me brûla lorsque l'énergie déborda, et une fois de plus, le surplus vint s'installer dans mon cerveau. J'étais de nouveau incapable de réfléchir ; je n'étais que souffrance. Je brûlais. Mes pensées brûlaient, ainsi que mon âme même.

Sous le choc, je tombai à genoux. Je remarquai à peine la douleur dans mes rotules. Les yeux ouverts, je laissai échapper un cri de désespoir. Pieds nus dans la neige, Ceri eut un mouvement de recul. Je vis dans ses yeux qu'elle partageait ma souffrance ; je m'arrimai à son regard, trouvant un semblant de paix dans ces abîmes verts. Elle avait survécu à ça. Je pouvais y survivre aussi. J'allais y survivre. *Dieu, aide-moi à trouver un moyen de survivre.*

Al rit en sentant ma résolution.

— Bien, m'encouragea-t-il. J'apprécie tes efforts pour rester silencieuse. Tu vas y aller, dans l'au-delà. Ton dieu ne peut pas t'aider, mais appelle-le quand même. J'aimerais bien le rencontrer.

Je pris une inspiration chevrotante. David était un tas de fourrure tremblant au milieu de la neige. Il avait été projeté de quelques mètres, mais je n'avais rien vu, car à ce moment j'étais trop occupée à crier. Il se redressa. Ceri courut jusqu'à lui, prit son museau entre ses mains et le regarda dans les yeux. Elle était minuscule, à côté de lui. Cette grosse silhouette absolument noire avait l'air particulièrement dangereuse et, bizarrement, très à sa place à côté de la frêle jeune femme vêtue de sa robe blanche qui flottait au vent.

— Donne-le-moi, murmura-t-elle en le regardant dans les yeux sans manifester la moindre peur.

Les oreilles de David se dressèrent. Elle le lâcha et alla se planter là où le cercle du garou avait été interrompu. Débouchant de ma droite, Keasley la rejoignit en boutonnant son lourd manteau. Il la prit par la main.

— C'est à toi, dit-il avant de lâcher la main de Ceri.

Ils reculèrent tous deux d'un pas. J'avais envie de pleurer, mais je n'en avais pas la force. Ils ne pouvaient rien pour moi. J'admirais la confiance de Ceri, sa pose fière et passionnée, mais tout ça était déplacé. J'étais déjà morte, pour ainsi dire.

— Démon, déclara-t-elle d'une voix qui ressemblait au tintement d'une clochette dans l'air immobile. Je te lie.

Al sursauta. Il rougit en voyant un voile d'au-delà bleu fumée se développer au-dessus de nos têtes.

— *Es scortum obscenus impurua!* hurla-t-il en me lâchant. (Je restai là où j'étais tombée ; il ne m'aurait pas libérée si j'avais pu m'échapper.) Comment oses-tu te servir de ce que je t'ai enseigné pour me lier !

Je relevai la tête en haletant ; je venais de comprendre pourquoi Ceri avait touché David, puis Keasley. David avait tracé une première portion de cercle, Ceri en avait fait une deuxième, et Keasley une troisième. Ils avaient donné à l'elfe la permission de relier leurs tracés. Le cercle était scellé ; le démon était pris au piège. En le regardant se rapprocher de la paroi de la bulle, en voyant Ceri triompher, je me dis qu'il ne faudrait pas grand-chose pour qu'Algaliarept décide de me tuer par vengeance.

— *Moecha putida!* hurla-t-il en martelant le mur d'énergie qui les séparait. Ceri, je t'arracherai de nouveau ton âme, je le jure !

— *Et de*, dit-elle le menton haut et l'œil brillant. *Acervus excerementum*. Tu peux sauter dans une ligne de là où tu es. Pars maintenant, qu'on puisse tous aller se coucher.

Algaliarept inspira avec une lenteur délibérée et une colère contenue qui me fit frissonner.

— Non, décida-t-il finalement. Je vais élargir les horizons de Rachel : elle va apprendre à assumer toute l'étendue de mon exigence, et vous, vous allez l'écouter hurler.

Il peut puiser encore plus d'énergie à travers moi ? pensai-je en sentant mes poumons se faire tout petits ; j'avais temporairement perdu le désir de respirer. *Il peut faire pire que ce qu'il m'a déjà fait ?*

Ceri eut l'air un peu moins confiante.

— Non, dit-elle néanmoins. Elle ne sait pas comment stocker l'énergie. Si tu continues, son esprit va céder. Elle deviendra folle avant que tu aies eu le temps de lui apprendre à te faire le thé.

— Pas la peine d'être sain d'esprit pour faire du thé ou beurrer mes tartines, répliqua-t-il avec un rictus animal.

Il me fit me relever en me tirant par le bras. Je ne lui opposai aucune résistance.

Pieds nus et en petite tenue comme si elle ignorait qu'on était en hiver, Ceri secoua la tête.

— Tu deviens mesquin. Tu l'as perdue. Elle a été plus maligne que toi. Tu es un mauvais perdant.

Al me pinça l'épaule. Je serrai les dents pour ne pas crier. Ce n'était que de la douleur, c'est-à-dire rien, comparé au feu inextinguible de l'au-delà qu'il me forçait à brandir pour lui.

— Mauvais perdant! hurla-t-il. (J'entendis les gens crier de peur dans les ténèbres qui nous entouraient.) Elle ne pourra pas éternellement se cacher sur de la terre sanctifiée. Si elle essaie, je trouverai un moyen de me servir d'elle depuis l'autre côté des lignes.

Ceri jeta un coup d'œil à David. Je fermai les yeux, désespérée. Elle pensait qu'Al était capable de le faire. Dieu me vienne en aide. Ce serait seulement une question de temps avant qu'il trouve un moyen. Au bout du compte, je n'arriverais pas à sauver mon âme.

— Va-t'en, répéta-t-elle en se concentrant de nouveau sur Algaliarept. Retourne dans l'au-delà, et laisse Rachel Mariana Morgan en paix. Personne ne t'a demandé de venir.

— Tu ne peux pas me bannir, Ceri! s'exclama-t-il d'un ton rageur. (Il me tira si violemment que je m'effondrai sur lui.) Ma familière m'a ouvert un chemin d'invocation en puisant l'énergie d'une ligne. Brise ce cercle, et laisse-moi l'emmener comme j'ai le droit de le faire!

Ceri exulta.

— Rachel! Il a reconnu que tu l'avais appelé. Bannis-le!

J'écarquillai les yeux.

— Non! hurla Algaliarept en envoyant une bourrasque d'au-delà à travers mon corps.

Je faillis m'évanouir. Les ondes de douleur qui me transperçaient furent de plus en plus fortes jusqu'à ce qu'il n'y ait plus que la souffrance. Mais je trouvai la force de prendre une inspiration, et je sentis la puanteur de mon âme brûlée.

— Algaliarept, m'efforçai-je d'articuler d'une voix rauque et étouffée. Retourne dans l'au-delà.

— Petite salope! rugit-il.

Il me frappa du revers de la main. La force du coup me décolla du sol et me projeta dans le mur de Ceri. Incapable de réfléchir, je restai recroquevillée par terre. J'avais mal à la tête et ma gorge était à vif. Le corps en feu, je me lovai dans la neige glacée.

— Pars, murmurai-je. Pars tout de suite.

L'énergie d'au-delà qui me submergeait et bourdonnait dans mon cerveau disparut en une seconde. J'accueillis le silence avec un gémissement. J'entendis mon cœur battre, faire une pause, puis battre de nouveau. Je ne pouvais rien faire d'autre que respirer ; il n'y avait plus que mes propres pensées dans ma tête. Il était parti. Le feu s'en était allé.

— Sortez-la de la neige, dit Ceri.

Sa voix avait beau trahir son inquiétude, elle entra en moi et m'apaisa comme de l'eau glacée. J'essayai d'ouvrir les yeux, en vain. Quelqu'un me souleva et je sentis la chaleur de son corps. Une petite partie de moi décida qu'il s'agissait de Keasley ; j'avais reconnu son odeur de séquoia et de café bon marché. Ma tête cogna sur son épaule et s'affaissa. Je sentis de petites mains fraîches sur mon front et, pendant que Ceri me chantait des mots au creux de l'oreille, nous nous mîmes en mouvement.

Chapitre 19

—O h Seigneur, murmurai-je d'une voix aussi à vif que ma gorge. (À vrai dire, le son rauque qui s'était échappé de moi ressemblait plus à du gravier dans un seau en étain qu'à une véritable voix ; ma tête me faisait souffrir, et j'avais une serviette mouillée qui sentait le savon sur les yeux.) Je ne me sens pas très bien.

Ceri me toucha la joue de sa main fraîche.

—Je n'en suis pas surprise, dit-elle avec un sourire. Garde les yeux fermés. Je vais changer ta compresse.

J'entendais la respiration de deux personnes et d'un très gros chien. Je me rappelai vaguement qu'on m'avait transportée à l'intérieur. Je n'avais jamais été très loin de m'évanouir, sans jamais sombrer tout à fait malgré mes efforts. Reconnaissant l'odeur de mes parfums, je devinai que Keasley m'avait mise sur mon lit. De plus, l'oreiller confortable m'était familier. La lourde couverture afghane que je gardais roulée au pied de mon lit m'enveloppait. J'étais en vie. Allez comprendre.

Ceri retira le linge humide de mes yeux et, en dépit de son avertissement, j'entrouvris les paupières.

La lumière d'une bougie posée sur la commode me donna l'impression de me percer les yeux et d'aller ricocher au fond de mon crâne. La sensation m'arracha un gémissement et mon mal de tête tripla.

—Elle t'a dit de ne pas ouvrir les yeux, déclara Jenks d'un ton sardonique qui ne cachait pas tout à fait son soulagement.

J'entendis les cliquetis des griffes de David, puis je sentis un souffle chaud dans mon oreille.

— Elle va bien, dit doucement Ceri.

David battit en retraite.

Je vais bien ? m'étonnai-je tout en me concentrant sur ma respiration jusqu'à ce que la lumière ait cessé de rebondir contre les parois de ma tête. *C'est ça, aller bien ?*

La douleur battante diminua, se fit plus lancinante. J'entendis quelqu'un souffler. Lorsque l'odeur de bougie éteinte atteignit mes narines, je rouvris les yeux.

À la lueur des lampadaires qui s'insinuait entre mes rideaux, je vis que Ceri était assise à mon chevet sur une chaise de cuisine. Elle avait une casserole d'eau sur les genoux. Impuissante, je la vis poser la casserole sur le guide d'Ivy que j'avais oublié de remettre en lieu sûr. La silhouette voûtée de Keasley était de l'autre côté du lit. Jenks était perché sur le montant du lit. Il émettait un halo légèrement ambré. Tapis dans le fond, David occupait la moitié de la surface de la pièce.

— Je crois qu'on est de retour dans le Kansas, Toto, murmurai-je[1].

Keasley émit un soupir de protestation.

Mon visage était froid et humide. Un courant d'air provenant de la porte cassée se mélangea à l'odeur éventée de chauffage qui s'échappait des aérations.

— Jenks ! grinçai-je en repensant à la vague d'air hivernal qui l'avait frappé. Tes enfants vont bien ?

— Oui, ça va.

Je me laissai retomber sur mon oreiller. Ma main rampa jusqu'à ma gorge. J'avais l'impression de saigner de l'intérieur.

— David ? demandai-je beaucoup moins fort. Et vous ?

Son halètement s'accéléra. Il écarta Keasley et vint me souffler son haleine chaude et humide dans l'oreille. Ses mâchoires s'ouvrirent. Ceri retint son souffle en le voyant prendre mon visage dans sa gueule.

L'adrénaline se fraya un chemin à travers la douleur.

— Eh ! m'exclamai-je en me débattant.

Mais il se contenta de me secouer en douceur avant de me lâcher. Le cœur battant, je m'immobilisai en l'entendant gronder. Il me frotta la joue avec sa truffe humide. Il poussa un soupir de chien et quitta la pièce de sa démarche chaloupée.

— Mais bon sang, qu'est-ce que ça veut dire ? m'écriai-je.

---

1. Référence au *Magicien d'Oz* ; Toto est le chien de Dorothy, l'héroïne qui vit chez son oncle et sa tante dans le Kansas. (*NdT*)

Mon cœur battait à cent à l'heure. Jenks s'envola dans un nuage de poussière dorée qui me fit plisser les yeux. La poussière n'était pas éblouissante, mais j'avais vraiment, vraiment mal aux yeux.

—Il est content que tu ailles bien, dit-il très sérieusement.

—Il trouve que je vais bien ? demandai-je.

Ma remarque déclencha un drôle d'aboiement, en provenance du sanctuaire. Sans doute un rire.

J'avais toujours mal à la gorge, et je dus me la tenir en m'asseyant sur mon lit. J'avais de la bave de garou sur le visage. Je l'essuyai avec la serviette mouillée, puis reposai cette dernière sur le bord de la casserole. J'avais aussi mal aux muscles. Bon sang, en fait, j'avais mal partout. Et je n'avais pas aimé du tout que David prenne ma tête dans sa gueule.

Les cliquetis de griffes manucurées sur le plancher du couloir attirèrent mon attention. David passa en trottant devant ma porte, en direction de l'arrière de l'église. Il tenait ses affaires et son sac à dos dans sa gueule et traînait son manteau derrière lui comme un animal mort.

—Jenks, dit doucement Ceri. Va voir s'il compte se transformer ici ou s'il veut qu'on l'aide à mettre ses affaires dans sa sacoche.

Jenks s'envola, mais se ravisa en entendant un petit jappement négatif provenant du salon.

Serrant les dents à cause de ma migraine de la taille du Texas, je décidai qu'il allait probablement se transformer avant de partir. Les garous n'avaient pas le droit de le faire en extérieur et en public à moins de trois jours de la pleine lune. Jadis, l'interdiction était surtout traditionnelle ; à présent, c'était une obligation légale, histoire que les humains se sentent rassurés. Ce que les garous faisaient chez eux, ça ne regardait qu'eux. Je ne pensais pas que qui que ce soit lui reprocherait de s'être transformé pour me tirer des griffes d'un démon, mais il ne pouvait pas conduire sous cette forme, et il ne fallait pas qu'il compte embarquer dans un bus.

—Bon, déclara Keasley en s'asseyant au bord de mon lit. Voyons un peu dans quel état vous êtes.

—Aïe…, fis-je lorsqu'il me toucha l'épaule et que l'hématome se rappela à mon bon souvenir.

Je repoussai sa main, mais il se rapprocha de moi.

—J'avais oublié que vous êtes plutôt du genre chiant, comme patiente. (Il tendit la main.) Je veux savoir où vous avez mal.

—Arrêtez, croassai-je en claquant sa main déformée par l'arthrite. J'ai mal à l'épaule qu'Al m'a broyée. J'ai mal aux mains, parce que je me les suis écorchées, j'ai mal au menton et au ventre parce qu'il m'a fait descendre les marches du perron en me traînant derrière lui. Je me suis fait mal aux genoux en… (J'eus un instant d'hésitation.)… en tombant dans la rue. Et j'ai le visage endolori là où il m'a frappée. (Je me tournai vers Ceri.) J'ai un œil au beurre noir ?

—Tu en auras un demain matin, confirma-t-elle en faisant une grimace compatissante.

—Et j'ai une entaille à la lèvre, conclus-je en effleurant la blessure.

Une légère odeur d'herbe de Saint-Christophe se mélangea à celle de la neige. David se retransformait en douceur. Il n'avait pas le choix, après la douleur qu'il avait dû endurer pour se transformer aussi vite, la première fois. J'étais contente qu'il ait de l'herbe de Saint-Christophe. C'était un calmant et un sédatif léger qui allait lui faciliter les choses. Dommage que ça ne fonctionne que pour les garous.

Keasley se leva en grognant.

—Je vais vous chercher une amulette de douleur, dit-il en filant dans le couloir. Ça vous dérange si je fais du café ? Je vais rester jusqu'au retour de votre colocataire.

—Disons plutôt deux amulettes, suggérai-je sans savoir si ça allait suffire à faire disparaître mon mal de crâne.

Les amulettes n'avaient d'effets que sur les douleurs physiques, et j'avais l'impression que ce que je ressentais était une sorte d'écho résultant de l'excès d'énergie magique. Avais-je fait subir la même chose à Nick ? Il n'y avait vraiment pas à se demander pourquoi il était parti.

Je dus plisser les yeux lorsqu'un peu de la lumière de la cuisine s'insinua dans la chambre. Ceri m'observait. Je lui fis signe que ça allait. Elle tapota ma main posée sur le dessus-de-lit.

—Du thé te ferait moins mal à l'estomac que du café, murmura-t-elle. (Ses yeux verts solennels se posèrent sur Jenks.) Tu veux bien rester avec elle ?

—Oui. (Ses ailes se mirent en mouvement.) Faire le baby-sitter pour Rachel, c'est ma spécialité numéro trois.

Je lui lançai un sourire dédaigneux. Ceri hésita.

—Je ne serai pas longue, dit-elle avant de se lever et de quitter la pièce à petits pas nus sur le plancher.

Apaisée par le son de leur conversation dans la cuisine, je m'efforçai de remonter ma couverture afghane sur mes épaules. J'avais des courbatures partout, comme si j'avais de la fièvre. J'avais froid aux pieds ; mes chaussettes étaient trempées, et j'étais probablement en train d'imbiber mon matelas avec mes vêtements mouillés. Déprimée, je regardai Jenks, qui s'était de nouveau posé à mes pieds sur le montant de mon lit.

— Merci d'avoir essayé de m'aider. Tu es sûr que tout va bien ? Il a explosé la porte.

— J'aurais dû te rapporter cette amulette plus rapidement.

Ses ailes virèrent à une couleur bleuâtre déprimante.

Je haussai les épaules et regrettai immédiatement mon geste lorsque mon hématome se remit à m'élancer. Mais où en était Keasley, avec mes amulettes ?

— Si ça se trouve, ça n'aurait pas fonctionné sur un démon.

Jenks vint se poser sur mon genou.

— Bon sang, Rache. T'es pas belle à voir.

— Merci.

L'odeur bénie du café commençait à se mélanger à celle du chauffage. Une ombre éclipsa la lumière du couloir. Je me tournai tant bien que mal et vis Ceri sur le pas de la porte.

— Mange ça pendant que ton thé chauffe, dit-elle en posant un plateau avec trois des cookies d'Ivy.

Je fis la moue.

— Je suis obligée ? Et mon amulette ?

— Et mon amulette ? imita Jenks avec une voix de fausset. Bon Dieu, Rachel. Assure un peu.

— La ferme, marmonnai-je. Essaie un peu de canaliser une ligne d'énergie pour le compte d'un démon, gros malin, et on va voir si tu survis. Je parie que tu exploserais et qu'il ne resterait plus de toi qu'un petit tas de poussière dorée.

Il rit et Ceri nous regarda en fronçant les sourcils, comme si nous étions des enfants.

— Je te l'ai rapportée, répondit-elle.

Je me penchai en avant pour qu'elle puisse me passer le cordon autour du cou. Une sensation bénie soulagea mes muscles – Keasley avait dû l'invoquer pour moi – mais mon mal de tête empira, car il n'y avait plus rien pour m'en distraire.

— Je suis désolée, reprit Ceri. Ça va prendre une bonne journée. (Comme je ne répondais rien, elle retourna vers la porte et ajouta :) Je vais chercher ton thé.

Elle sortit. Un bruissement d'étoffe attira mon attention et me fit relever la tête.

— Excusez-moi, murmura-t-elle en regardant ses pieds.

Elle avait failli rentrer dans David, qui arrivait en ajustant le col de son manteau. La fatigue le faisait paraître plus vieux. Sa barbe de trois jours avait poussé, et il était couvert de poudre d'herbe de Saint-Christophe.

— Vous voulez du thé ? lui proposa Ceri.

Je fus étonnée de voir sa confiance habituelle se transformer en timidité.

David secoua la tête, acceptant l'attitude soumise de l'elfe avec une grâce qui le rendit noble à mes yeux. La tête toujours baissée, elle le contourna et alla dans la cuisine. Jenks et moi échangeâmes des regards interloqués lorsqu'il entra et posa son sac à dos. Il fit un signe de tête au pixie, recula la chaise et s'assit dessus. Il s'adossa, croisa les bras et me lança un regard inquisiteur de sous son chapeau de cow-boy.

— Vous voulez me dire de quoi il était question, avant que je parte ? demanda-t-il. Je commence à penser qu'il y a une bonne raison pour que personne ne veuille vous assurer.

Je fis une moue embarrassée et pris un cookie.

— Vous vous rappelez ce démon qui a témoigné pour mettre Piscary en prison ?

Il écarquilla les yeux.

— Le fils de chienne !

Jenks rit – on aurait dit le bruit d'un carillon éolien.

— Elle aurait mieux fait de ne pas l'avoir, si vous voulez mon avis !

Nous ignorâmes Jenks et nos regards choqués se croisèrent, des regards d'inquiétude, de douleur et d'incrédulité mêlées.

— Il est venu réclamer son dû pour service rendu, expliquai-je. Et il l'a eu. Je suis sa familière, mais j'ai gardé mon âme ; du coup, il ne peut pas m'emmener dans l'au-delà sans mon consentement.

Je levai les yeux au plafond en me demandant quel genre de coureuse j'allais être, si je ne pouvais pas puiser l'énergie d'une ligne après le coucher du soleil sans attirer des démons.

David émit un petit sifflotement.

— Rien ne vaut un tel sacrifice.

— Normalement, je serais d'accord avec vous, mais quand j'ai passé ce pacte Piscary essayait de me tuer. Sur le moment, ça m'a semblé être une bonne idée.

— Une bonne idée ? Complètement stupide, oui, grommela Jenks.

Il était manifestement de l'avis que, s'il avait été présent, les choses n'auraient jamais dérapé à ce point. Il avait peut-être raison.

J'avais l'impression d'avoir la gueule de bois. Je pris une bouchée de cookie ; les biscuits secs me donnaient faim et envie de vomir tout à la fois.

— Merci de m'avoir aidée, dis-je en balayant les miettes. Il m'aurait eue, si vous n'aviez rien fait. Ça va aller ? Je n'avais jamais vu un garou se transformer aussi vite.

Il se pencha en avant et mit son sac à dos entre ses pieds. Je le vis regarder en direction de la porte ; je compris qu'il avait envie de partir.

— J'ai mal aux épaules, mais ça ira.

— Je suis désolée. (Je terminai le premier cookie et en attaquai un deuxième ; il me sembla que je commençais à les sentir se répandre en moi.) Si vous avez jamais besoin de quoi que ce soit, demandez. Je vous dois beaucoup. Je sais à quel point ça fait mal. L'année dernière, je me suis transformée en vison en trois secondes. Deux fois dans la même semaine.

Il sifflota en fronçant les sourcils.

— Ouille, dit-il.

Il me regarda avec respect. Je souris et une sensation de chaleur m'envahit.

— Je ne vous le fais pas dire. Mais, vous savez, je n'aurai sans doute jamais plus l'occasion d'être aussi mince et de porter une fourrure.

Il sourit légèrement.

— Mais où va le surplus de matière, à propos ?

Il ne restait plus qu'un cookie ; je me forçai à le manger lentement.

— Il est stocké dans une ligne d'énergie.

Il hocha la tête.

— Ah, nous, on ne peut pas faire ça.

— J'ai remarqué. Vous faites un sacré gros loup, David.

Son sourire s'élargit.

263

— Vous savez quoi? J'ai changé d'avis. Même si vous voulez travailler dans les assurances, ne m'appelez pas.

Jenks vint se poser dans l'assiette vide pour que je n'aie pas à tourner la tête pour les voir tous les deux.

— Alors ça, c'est pas demain la veille! railla-t-il. Je la vois d'ici, avec son tailleur gris et sa mallette, les cheveux en chignon et des lunettes sur le nez.

Mon rire vira à la quinte de toux. Je me penchai en avant, bras croisés, secouée par des spasmes de toux violents. J'avais de nouveau l'impression que ma gorge était en feu, mais ce n'était rien comparé à la douleur lancinante dans ma tête, douleur dont l'intensité avait décuplé lorsque je m'étais baissée. L'amulette antidouleur pendue à mon cou ne changeait pas grand-chose.

David me tapa dans le dos d'un air inquiet. La douleur de mon épaule traversa le barrage de l'amulette et mon estomac se retourna. Les larmes aux yeux, je repoussai sa main. Ceri entra en protestant à voix basse, posa la tasse de thé et mit la main sur mon épaule. Son contact calma mes spasmes. Haletante, je me laissai installer sur les oreillers, qu'elle remonta dans mon dos. Finalement, je m'immobilisai pour la regarder.

Son visage ombrageux était pincé par l'inquiétude. Derrière elle, Jenks et David nous observaient. Je n'aimais pas que David me voie comme ça, mais je n'avais pas vraiment le choix.

— Bois ton thé, dit-elle en me tendant la tasse et en refermant mes mains dessus.

— J'ai mal à la tête, me plaignis-je en prenant une gorgée du breuvage fade. (Ce n'était pas du vrai thé, mais quelque chose à base d'herbes et de fleurs; j'aurais préféré une tasse de thé, mais je ne voulais pas vexer Ceri.) Je me sens comme une merde écrasée.

— Et je te confirme que tu as l'air d'une merde écrasée, intervint Jenks. Bois ton thé.

Il n'avait pas de goût, mais il était apaisant. J'avalai une autre gorgée, ce qui arracha un sourire à Ceri.

— Mmm, c'est bon, mentis-je.

Manifestement flattée, elle se redressa et prit la casserole d'eau.

— Bois tout. Tu veux que Keasley fixe une couverture à ta porte pour empêcher l'air d'entrer?

— Ce serait super. Merci.

Mais elle ne partit pas avant que j'aie repris une gorgée.

Son ombre disparut du couloir et mon sourire se transforma en grimace.

—Ce truc n'a aucun goût, murmurai-je. Pourquoi faut-il que tout ce qui est bon pour moi n'ait aucun goût?

David jeta un coup d'œil à la porte et à la lumière qui s'engouffrait dans la chambre. Jenks s'envola et alla se poser sur son épaule pendant que le garou ouvrait la fermeture Éclair de son sac à dos.

—J'ai quelque chose qui pourrait vous être utile, dit David. Mon ancien associé ne jurait que par ça. Il m'en demandait toujours quand il avait un peu trop fait la fête.

—Waouh! (Jenks s'envola en se bouchant le nez.) Mais il te reste encore beaucoup d'herbe, Johnny Appleseed?

Le sourire de David se teinta de ruse.

—Quoi? s'écria-t-il en ouvrant de grands yeux innocents. C'est légal. Et puis c'est bio. Il n'y a même pas de glucides.

L'odeur épicée familière emplit ma petite chambre. Je ne fus pas surprise quand David sortit un sachet plastique avec un zip. Je reconnus le nom de la marque: Tête de Loup Bio.

—Tenez, dit David en me prenant la tasse pour la poser sur la table de chevet.

Il saupoudra une bonne cuiller à soupe d'herbe dans la tasse en prenant soin qu'on ne puisse pas voir ce qu'il faisait depuis l'entrée. Il me jaugea du regard et rajouta un peu de poudre.

—Essayez, maintenant, dit-il en me tendant la tasse.

Je poussai un soupir. Pourquoi tout le monde essayait-il de me refiler des trucs? Tout ce que je voulais, c'était un bon charme de sommeil, ou éventuellement une des drôles d'aspirines du Capitaine Edden. Mais je ne voulais pas décevoir David, et l'odeur de l'herbe de Saint-Christophe était quand même plus attirante que celle du gratte-cul; je touillai donc le breuvage avec mon petit doigt. Les feuilles écrasées coulèrent et donnèrent une couleur plus riche à mon thé.

—Qu'est-ce que ça va m'apporter? demandai-je en buvant une gorgée. Il faut être garou, pour que ça marche.

David lâcha le sachet dans son sac à dos et referma ce dernier.

—Pas grand-chose. Votre métabolisme de sorcière est trop lent pour que ça marche vraiment. Mais mon ex-associé était sorcier, et il disait que ça l'aidait quand il avait la gueule de bois. Et puis, même si ça n'a aucun effet, au moins, ça aura meilleur goût.

Il se leva pour partir. Je repris une gorgée et acquiesçai. Ma mâchoire se décrispa ; je n'avais même pas remarqué que je serrais les dents. Le thé chaud aux herbes coula agréablement dans ma gorge. Le goût était un mélange de bouillon au jambon et de pomme. Mes muscles se dénouèrent, comme après un verre de tequila. Je laissai échapper un soupir d'aise. Je me tournai vers Jenks en le sentant se poser en douceur sur mes épaules.

— Euh, Rache ? Ça va ?

Je lui souris avant de prendre une autre gorgée.

— Tiens, Jenks. T'es tout scintillant.

Il prit un air dubitatif. David, qui reboutonnait son manteau, releva la tête. Il me lança un regard interrogateur.

— Merci, David, dis-je d'une voix à la fois lente, précise et basse. Je vous dois un service, d'accord ?

— Pas de problème. (Il ramassa son sac à dos.) Prenez soin de vous.

— Promis. (Je descendis la moitié de mon thé et sentis sa chaleur dans mon estomac.) Je ne me sens pas trop mal, là. C'est plutôt une bonne chose, d'ailleurs, parce que demain j'ai rendez-vous avec Trent, et si je n'y vais pas son chef de la sécurité va me tuer.

David s'arrêta brusquement sur le seuil de ma chambre. J'entendis des coups de marteau ; Keasley clouait une couverture sur le chambranle de la porte.

— Trent Kalamack ? interrogea le garou.

— Oui. (Je touillai le thé jusqu'à ce qu'il y ait un petit tourbillon et que le liquide devienne encore plus sombre.) Il va parler à Saladan. Son chef de la sécurité m'a demandé d'y aller avec lui.

Je plissai les yeux pour regarder David. La lumière, dans le couloir, était assez vive, mais pas douloureuse. Je me demandais où David portait ses tatouages. J'ignore pourquoi, mais les garous ont toujours des tatouages.

— Vous avez déjà rencontré Trent ? demandai-je.

— M. Kalamack ? (Il remit un pied dans la chambre.) Non.

Je me tortillai sous ma couverture en regardant mon thé. L'associé de David avait raison. Elles étaient super, ces herbes. Je n'avais plus mal nulle part.

— Trent est un petit con, dis-je en me rappelant le sujet de la conversation. Je le tiens, et il me tient. Mais je n'ai rien sur son chef de la sécurité et, si je ne fais pas ce qu'il m'a demandé, il va parler.

Indécis, Jenks se mit à voleter de David à la porte, avant de revenir vers moi. David l'observait.

—Parler de quoi? demanda-t-il.

Je me penchai un peu plus près et écarquillai les yeux lorsque mon thé menaça de se renverser. J'avais bougé plus vite que je l'aurais dû. Je fronçai les sourcils et terminai le contenu de la tasse, herbes incluses. Je me penchai encore plus près en souriant – cette odeur de musc et d'herbe était particulièrement agréable.

—De mon secret, murmurai-je. (David me laisserait-il chercher ses tatouages si je lui demandais? Il était sacrément beau, pour un vieux.) J'ai un secret, mais je ne vous le dirai pas.

—Je reviens, dit Jenks en se rapprochant de moi. Je veux savoir ce qu'elle a mis dans ce thé.

Il fila et je clignai des yeux en regardant le nuage de poussière scintillante retomber. Il n'avait jamais fait autant d'étincelles. En plus, elles étaient de toutes les couleurs. Jenks devait être inquiet.

—Un secret? m'encouragea David.

Je secouai la tête et la lumière sembla plus vive, tout à coup.

—Je ne vous le dirai pas. Je n'aime pas le froid.

David posa les mains sur mes épaules et me réinstalla dans mon oreiller. Je le regardai en souriant. Jenks fit son retour.

—Jenks, interrogea David à mi-voix. A-t-elle été mordue par un garou?

—Non! protesta le pixie. Ou alors c'était avant que je la connaisse.

Mes yeux s'étaient fermés. Ils se rouvrirent lorsque David me secoua.

—Quoi?

Il me dévisageait. Je le repoussai, car il était trop près, avec ses yeux marron tout mouillés. Il me rappela mon père; je lui souris.

—Rachel, ma puce, dit-il. Vous avez été mordue par un garou?

Je soupirai.

—Nan. Ni vous ni Ivy. Personne me mord à part les moustiques, et je les écrase, ces petits salauds.

Jenks et David reculèrent. Je fermai les yeux et les écoutai respirer. C'était horriblement bruyant.

—Chut, dis-je. Faites moins de bruit.

—Je lui en ai peut-être trop donné.

Même les pas de Ceri, habituellement si discrets, me semblèrent assourdissants.

— Que... que lui avez-vous fait? demanda-t-elle d'un ton acerbe qui me poussa à rouvrir les yeux.

— Mais rien! protesta David. (Il avait les épaules voûtées et l'air contrit.) Je lui ai donné de l'herbe de Saint-Christophe. Je n'aurais pas dû. Je n'avais jamais vu une sorcière y réagir comme ça!

— Ceri, dis-je, je suis fatiguée. Je peux m'endormir?

Elle fit la moue, mais je savais qu'elle n'était pas en colère contre moi.

— Oui. (Elle tira le couvre-lit jusque sous mon menton.) Endors-toi.

Je me laissai aller sans m'inquiéter de mes vêtements qui étaient toujours mouillés. J'étais vraiment épuisée. Et j'avais chaud. Et ma peau frissonnait. Et j'avais l'impression que j'allais dormir une semaine d'affilée.

— Pourquoi ne m'avez-vous pas demandé, avant de lui donner votre herbe? protesta l'elfe sèchement. (Elle chuchotait, mais je l'entendais très clairement.) Elle a déjà pris du Soufre. Il y en avait dans les cookies!

Je le savais! pensai-je en essayant d'ouvrir les yeux. Bon Dieu, j'allais passer un savon à Ivy, quand elle rentrerait. Mais elle n'était pas là, et j'étais fatiguée, donc, je ne fis rien du tout. J'en avais assez que les gens me saoulent. Je me jurai de ne plus jamais manger quoi que ce soit que je n'avais pas cuisiné moi-même.

Le son du ricanement de David me fit frissonner partout où ma peau n'était pas protégée par la couverture.

— J'ai compris, dit-il. Le Soufre a exacerbé sa réactivité au point que l'herbe de Saint-Christophe va vraiment lui faire du bien. Elle va dormir pendant trois jours. Je lui en ai donné assez pour assommer un garou pour toute une lune.

Alertée, je sursautai. Mes yeux s'ouvrirent instantanément.

— Non! m'exclamai-je en essayant de me redresser. (Ceri me força à rester allongée.) Il faut que j'aille à ce rendez-vous. Si je n'y vais pas, Quen va parler!

David l'aida à me maintenir la tête sur l'oreiller et les pieds sous la couverture afghane.

— Du calme, Rachel, dit-il d'une voix apaisante. (Je détestai sentir qu'il était plus fort que moi.) Ne luttez pas, ou vous allez morfler. Soyez une gentille petite sorcière, et laissez l'effet passer.

— Si je n'y vais pas, il va parler ! criai-je. (Je sentais la pression sanguine dans mes oreilles.) Je tiens juste Trent parce que je sais ce qu'il est, et si je le dis Trent va me buter !

— Quoi ? hurla Jenks en s'envolant dans un claquement d'ailes.

Je m'aperçus un peu trop tard de ce que j'avais dit. Merde.

Je fixai Jenks et me sentis devenir blême. Un silence de mort régnait dans la pièce. Ceri avait les yeux comme des soucoupes, David nous regardait, incrédule. Trop tard pour retirer ce que j'avais dit.

— Tu sais ! reprit le pixie. Tu sais ce qu'est Trent, et tu ne me l'as pas dit ? Sorcière ! Tu savais ? Tu savais ! Rachel ! Espèce... espèce de...

David me lança un regard désapprobateur. Ceri, quant à elle, avait l'air effrayée. Des enfants pixies nous observaient, cachés derrière l'encadrement de la porte.

— Tu savais ! hurla Jenks en projetant un véritable rayon de soleil de poussière.

Ses enfants s'égaillèrent avec des pépiements apeurés.

Je me redressai d'un bond.

— Jenks..., commençai-je avant de me recroqueviller en sentant mon estomac se rebiffer.

— La ferme ! Contente-toi de la fermer ! On est associés, en principe !

— Jenks...

Je tendis la main vers lui. Je n'avais plus du tout sommeil, et mes tripes étaient nouées.

— Non ! (Une bouffée de poussière dorée illumina ma chambre.) Tu n'as pas confiance en moi ? Très bien. Je me casse. Il faut que je passe un coup de fil. David, vous pouvez nous déposer, ma famille et moi ?

— Jenks ! (Je repoussai ma couverture.) Je suis désolée ! Je ne pouvais pas t'en parler.

Oh, mon Dieu, j'aurais dû lui faire confiance.

— Putain, ferme-la ! s'exclama-t-il avant de quitter la pièce en laissant une traînée de poussière rougeoyante.

Je me levai avec l'intention de le suivre. Je fis un pas en avant, puis tendis la main vers l'encadrement de la porte et baissai la tête. Ma vision se mit à vaciller et je perdis l'équilibre.

—Je vais être malade, soufflai-je en mettant une main sur mon ventre. Oh, bon sang, je vais être malade.

La lourde main de David se posa sur mon épaule. Il m'entraîna dans le couloir avec fermeté et détermination.

—Je vous avais dit que vous alliez morfler, grommela-t-il. (Il me poussa dans la salle de bains et alluma la lumière avec le coude.) Vous auriez dû rester allongée. Vous êtes incroyables, vous autres, les sorcières. Vous savez toujours tout, vous n'écoutez jamais rien.

Bien sûr, il avait raison. La main sur la bouche, j'allai sans rien dire me pencher au-dessus des toilettes. Je rendis tout : les cookies, le thé, le dîner des deux dernières semaines. David me laissa au premier haut-le-cœur ; je me retrouvai seule, à tousser sous l'effet des spasmes.

Je finis par me maîtriser. Les genoux branlants, je me levai et tirai la chasse. Incapable de me regarder dans le miroir, je bus au robinet pour me rincer la bouche. J'avais vomi sur mon amulette. Je la retirai et la rinçai sous l'eau, puis la posai sur le côté du lavabo. Je sentis mes douleurs revenir par vagues ; j'avais vraiment l'impression de les mériter.

Mon cœur battait la chamade et je me sentais faible. Je m'aspergeai le visage d'eau et relevai la tête. Derrière mon reflet pitoyable, je vis Ceri qui se tenait sur le pas de la porte, bras croisés en signe d'embarras. L'église était étrangement silencieuse.

—Où est Jenks ? croassai-je.

Elle baissa les yeux. Je me retournai.

—Je suis désolée, Rachel. Il est parti avec David.

Il est parti ? Mais c'est impossible, bon sang, il fait moins dix, dehors.

Il y eut un bruissement discret, et Keasley apparut son côté.

—Où est-il allé ? murmurai-je en tremblant sous l'effet des résidus de Soufre et d'herbe.

La tête de Ceri s'affaissa.

—Il a demandé à David de l'emmener chez un ami. La sídh tout entière est partie dans une boîte. Il a dit qu'il ne pouvait plus risquer la vie de sa famille et… (La lumière des néons se refléta dans ses yeux verts lorsqu'elle se tourna vers Keasley.)… il a dit qu'il démissionnait.

Il est parti ?

Je courus téléphoner dans le salon. Risquer la vie de sa famille ? Mon cul. Il avait tué deux fées assassines au printemps dernier, et n'avait laissé vivre la troisième qu'en guise d'avertissement pour les autres. Et ça ne pouvait pas être à cause du froid. La porte allait être réparée, et en attendant ils auraient pu vivre dans la chambre d'Ivy ou dans la mienne. Il était parti parce que je lui avais menti. Et à voir l'air morose du vieux Keasley, je sus que je ne me trompais pas. On avait parlé en mon absence.

Le pas incertain, je déboulai dans le salon et me dirigeai vers le téléphone. Il n'avait pu aller qu'à un endroit : chez le garou qui avait désenchanté mes affaires, l'automne précédent. Il fallait que je parle à Jenks. Que je lui dise que j'étais désolée. Que j'avais été une vraie conne. Que j'aurais dû lui faire confiance. Qu'il avait raison d'être en colère contre moi et que je m'excusais.

Mais la vieille main de Keasley s'interposa entre le téléphone et moi. J'eus un mouvement de recul et le dévisageai. J'avais froid, car la couverture tendue en travers de la porte était une protection bien maigre contre les intempéries nocturnes.

— Rachel, dit-il pendant qu'une Ceri mélancolique arrivait dans le salon. Je crois… je crois que vous devriez lui laisser au moins un jour.

Ceri sursauta et se tourna vers le couloir. J'entendis à peine la porte de l'église s'ouvrir. La couverture se tendit sous l'effet du courant d'air.

— Rachel ? appela la voix d'Ivy. Où est Jenks ? Et pourquoi il y a un camion qui décharge du contreplaqué dans notre allée ?

Je m'affalai sur une chaise avant de tomber et enfouis ma tête dans mes mains. Le Soufre et l'herbe de Saint-Christophe livraient toujours bataille dans mon corps ; du coup, j'étais toujours aussi faible et tremblotante. Mince. Qu'est-ce que j'allais dire à Ivy ?

Chapitre 20

Le café qui restait dans ma tasse géante était froid, mais il n'était pas question que je retourne en chercher. Ivy s'affairait dans la cuisine. Elle refaisait de ses épouvantables cookies bien que je lui aie dit que je n'en mangerais pas et que j'étais plus énervée qu'un troll avec une gueule de bois qu'elle m'ait refilé du Soufre.

En posant ma tasse pour allumer la lampe du bureau, j'entendis mon amulette antidouleur se heurter au charme de beau teint que je portais pour cacher mon œil au beurre noir. Le soleil avait commencé à tomber pendant que Ceri m'apprenait à stocker l'énergie des lignes. Une lumière jaune et gaie illuminait les plantes qui jonchaient mon bureau et s'arrêtait juste aux pieds de Ceri, assise sur un coussin qu'elle avait rapporté de chez Keasley. Nous aurions été plus confortablement installées dans le salon, mais Ceri avait insisté pour que nous restions en zone sanctifiée, même si nous étions en plein jour. Et puis le sanctuaire était calme. C'en était même déprimant.

Ceri semblait bien petite, assise par terre en tailleur sous l'ombre de la grande croix. Elle portait un jean et une chemise décontractée. Une théière était posée à côté d'elle – elle fumait encore, alors que mon café était froid depuis un bon bout de temps. J'avais l'impression qu'elle se servait de la magie pour garder son thé chaud, même si je n'avais rien remarqué. Elle tenait une petite tasse dans ses mains fines avec une certaine déférence. Elle l'avait aussi rapportée de chez Keasley. Le crucifix brillant d'Ivy pendait à son cou. Ses mains ne s'en éloignaient jamais. La fille aînée de Jenks lui avait fait des nattes ce matin-là. Ceri avait l'air en paix avec elle-même. J'appréciai de la voir comme ça, après tout ce qu'elle avait enduré.

Il y eut un bruit sec dans la cuisine, suivi du claquement de la porte du four. Je fronçai les sourcils et me tournai vers Ceri.

— Tu es prête à réessayer ? demanda-t-elle.

Je plantai fermement mes pieds au sol et acquiesçai. Avec la rapidité que m'avait conférée mon entraînement, je projetai ma conscience pour toucher la ligne d'énergie la plus proche. Mon chi fut bientôt plein – ni plus ni moins que d'habitude. L'énergie me traversa, tout comme une rivière traverse un étang. Je savais faire ça depuis l'âge de douze ans ; j'avais accidentellement envoyé Trent dans un arbre, au camp *Faites un vœu* de son père. Je n'avais qu'à puiser un peu de l'énergie de l'étang et à la faire monter dans la citerne de mon esprit, pour ainsi dire. Que ce soit chez les humains, les Outres ou les démons, le chi avait une contenance limitée. Les familiers faisaient office de réserves supplémentaires de chi ; on pouvait se servir comme dans sa propre réserve.

Ceri attendit que je lui fasse signe, puis elle puisa dans la même ligne que moi et ajouta de l'énergie à mon chi. C'était un filet d'énergie, à côté du déluge que m'avait infligé Algaliarept, mais la peau me brûla lorsque mon chi déborda et que l'énergie se répandit dans mon corps à la recherche d'un endroit où s'amonceler. Pour en revenir à ma métaphore de la rivière, les rives avaient débordé et la vallée était inondée.

Le seul endroit où toute cette énergie pouvait être stockée, c'était dans mes pensées. Le temps qu'elle en trouve le chemin, j'avais créé un petit cercle tridimensionnel imaginaire. Ceri avait passé l'après-midi à m'apprendre à le visualiser. Je me détendis en sentant le filet d'énergie trouver sa place dans l'enclos miniature. La sensation de brûlure disparut aussitôt ; le surplus d'énergie était attiré comme un ruisseau de mercure. La bulle enfla. Elle projetait une lueur rouge qui prit lentement la teinte de mon aura mêlée à celle d'Algaliarept. Berk.

— Prononce ton mot déclencheur, dit Ceri.

Je fis la grimace. C'était trop tard. Nos yeux se croisèrent et elle fit la moue.

— Tu l'as oublié, déclara-t-elle d'un ton accusateur. (Je me contentai de hausser les épaules ; elle cessa immédiatement de faire entrer de l'énergie en moi, et l'excédent ressortit sous la forme d'une brève étincelle pour retourner dans la ligne.) Dis-le, cette fois-ci, ajouta-t-elle sèchement.

Ceri était une gentille fille mais, comme professeur, elle n'était pas particulièrement patiente.

Elle recommença à faire déborder mon chi. Ma peau chauffa et les bleus de ma confrontation avec Algaliarept m'élancèrent. L'ampérage (pour parler simplement) était un peu plus fort que d'habitude. Je me dis que c'était la manière assez peu subtile qu'avait trouvée Ceri de m'encourager à réussir mon coup.

—Tulpa, murmurai-je.

Le mot résonna dans mon esprit autant que dans mes oreilles. Son choix n'était pas important. Ce qui l'était, c'était de construire une association entre mot déclencheur et actions déclenchées. En général, on utilisait le latin car il était peu probable qu'on déclenche le sort sans le faire exprès. C'était le même procédé que celui qui me permettait de créer un cercle instantanément. « Tulpa » n'était pas un mot latin – c'était à peine français, d'ailleurs – mais bon, on ne peut pas dire qu'on l'utilise fréquemment dans le cadre d'une conversation.

Cette fois, l'énergie de la ligne mit moins de temps à trouver l'enclos et à commencer à le remplir. Je fis signe à Ceri de continuer. Elle me rendit mon regard de ses yeux verts qui semblaient bien sérieux, sous le faible éclairage de la lampe à infrarouge posée sur mon bureau. J'expirai. Ma vision se brouilla et une vague de chaleur parcourut ma peau lorsque Ceri augmenta le débit.

—Tulpa, répétai-je en sentant les battements de mon cœur s'accélérer.

Le nouvel afflux d'énergie alla retrouver le premier. La sphère protectrice logée dans mon inconscient grandit. Ma vision redevint nette ; je refis un signe de tête à Ceri. Elle écarquilla les yeux, mais il était hors de question que je laisse Al me faire tomber dans les pommes en m'envoyant une surcharge d'énergie.

—Je vais bien, la rassurai-je. (Je sursautai en sentant mon œil au beurre noir se rappeler à mon bon souvenir ; il me brûlait comme un coup de soleil, et ce, malgré l'amulette antidouleur.) Tulpa, répétai-je.

Je me détendis ; la sensation de chaleur disparut. *Tu vois ?* dis-je à mon cerveau éreinté. *C'est seulement une illusion. Je ne suis pas en train de brûler.*

—Ça suffit, décida Ceri d'un ton mal à l'aise.

Je fis un effort pour relever la tête. Le feu avait quitté mes veines, mais j'étais épuisée et mes mains tremblaient.

—Je refuse d'aller me coucher avant d'être capable de supporter toute la charge qu'il m'a envoyée, répliquai-je.

—Mais Rachel…, protesta-t-elle.

Je levai une main pour rejeter ses arguments.

—Il va revenir. Je ne peux pas le combattre en me convulsant de douleur.

Elle hocha la tête avec résignation. Le nouvel afflux d'énergie me surprit.

—Oh, mon Dieu, murmurai-je.

Puis je prononçai mon mot déclencheur avant que Ceri ait eu le temps d'arrêter. Cette fois, je sentis l'énergie parcourir mon corps comme de l'acide. Elle se creusa de nouveaux itinéraires vers la sphère, trouvant son chemin grâce au mot et non par hasard. Je relevai brusquement la tête. Les yeux écarquillés, je fixai Ceri tandis que la douleur diminuait.

—Tu as réussi, dit-elle sans faire un geste.

Elle avait presque l'air effrayée.

J'avalai ma salive et repliai mes jambes pour qu'elle ne voie pas mes genoux trembler.

—Ouais.

La tasse posée sur la cuisse, elle me regardait sans ciller.

—Allez, relâche l'énergie. Tu dois te recentrer.

Je m'aperçus que j'avais les bras croisés. Je me forçai à les poser en expirant. Relâcher l'énergie qui tourbillonnait dans ma tête, c'était plus facile à dire qu'à faire. J'avais assez de puissance en moi pour projeter Ivy dans un autre pays. Si elle ne retournait pas dans mon chi puis dans la ligne en passant par les canaux que Ceri avait creusés dans mon système nerveux avec toute la douceur dont elle était capable, j'allais vraiment douiller.

Je rassemblai mes forces, enveloppai la bulle dans une gangue de volonté et appuyai dessus. Je retins mon souffle en attendant la douleur, mais l'énergie retourna sans encombre dans mon chi, puis dans la ligne. Je tremblais sous le coup de la dépense d'adrénaline. Extrêmement soulagée, je repoussai la mèche devant mes yeux et regardai Ceri. Je me sentais mal : épuisée, en sueur, tremblante – mais aussi satisfaite.

—Tu t'améliores, reconnut-elle.

—Merci, dis-je avec un léger sourire. (Je bus une gorgée de café froid ; la prochaine fois, elle allait sans doute me demander de puiser l'énergie par moi-même, mais je n'étais pas encore prête.) Ceri, ce n'est pas si dur que ça, comparé aux bénéfices qu'on peut en retirer. Pourquoi les gens ne sont-ils pas au courant?

Elle sourit. Sa silhouette, de plus en plus sombre dans la lueur conjuguée de la lampe et du crépuscule, faisait penser à celle d'un sage.

—Ils le sont, dans l'au-delà. C'est la première chose – non, la deuxième – qu'on enseigne à un nouveau familier.

—Et la première, qu'est-ce que c'est? demandai-je avant de m'apercevoir que je ne voulais vraiment pas le savoir.

—La mort du libre-arbitre. (Je restai bouche bée devant la laideur de sa désinvolture.) Me laisser m'échapper alors que je sais comment faire pour être mon propre familier, c'était une erreur. S'il pouvait, Al me tuerait volontiers pour la dissimuler.

—Il ne peut pas?

J'eus soudain peur à l'idée que le démon tente sa chance.

Elle haussa les épaules.

—Peut-être que si. Mais j'ai mon âme, si noire soit-elle. C'est ça qui est important.

—Je suppose. (Je ne comprenais pas sa décontraction, mais je n'avais pas été la familière d'Al pendant mille ans.) Je ne veux pas de familier.

J'étais contente que Nick soit assez loin pour ne rien ressentir de tout ça. J'étais certaine que s'il avait été assez près, il aurait appelé pour savoir si j'allais bien. Enfin, presque sûre.

—Tu t'en tires bien. (Ceri but une gorgée de thé en regardant le crépuscule à la fenêtre.) Al m'a dit que ça m'avait pris trois mois pour en arriver où tu es aujourd'hui.

Je la regardai, ébahie. Il était impossible que je sois meilleure qu'elle.

—Tu rigoles?

—Je lui résistais. Je refusais d'apprendre, et il a dû me forcer; il se servait de l'absence de douleur pour m'encourager.

—Tu as souffert pendant trois mois? m'exclamai-je, horrifiée.

Elle avait les yeux baissés sur ses mains qui enlaçaient sa tasse de thé.

—Je ne m'en souviens pas. C'était il y a longtemps. Je me revois assise à ses pieds tous les soirs; il me caressait la tête pour se relaxer pendant que je pleurais le ciel et les arbres.

Imaginer ce joli brin de fille endurer le toucher d'Algaliarept, couchée à ses pieds, c'était presque plus que je pouvais en supporter.

—Je suis désolée, Ceri, murmurai-je.

Elle sursauta comme si elle venait de s'apercevoir qu'elle avait parlé à voix haute.

—Ne le laisse pas te prendre, dit-elle. (Ses grands yeux étaient solennels.) Il m'aimait bien, même s'il m'utilisait comme les autres utilisent leur familier. J'étais un joyau convoité à sa ceinture, et il me traitait bien pour que je lui sois plus longtemps utile et fidèle. Mais toi... (Elle baissa la tête et sa natte tomba sur son épaule.)... il te tourmentera tellement fort et tellement profondément que tu n'auras pas le temps de respirer. Ne le laisse pas te prendre.

J'avalai ma salive. La perspective me fit froid dans le dos.

—Je n'avais pas l'intention de me laisser prendre.

Son menton étroit trembla.

—Tu m'as mal comprise. S'il vient te chercher et que tu n'arrives pas à le repousser, mets-le en colère au point qu'il te tuera.

Sa sincérité me frappa en plein cœur.

—Il ne va pas lâcher le morceau, hein ?

—Non. Il a besoin d'un familier pour garder son standing. Il ne laissera pas tomber, à moins de trouver mieux ailleurs. Al est avide et impatient. Il prendra le meilleur familier qu'il trouvera.

—Donc, tout cet entraînement me rend de plus en plus intéressante à ses yeux ?

Je commençais à avoir la nausée.

Ceri fit une grimace contrite.

—Tu en as besoin pour qu'il ne puisse pas t'assommer avec une dose massive d'énergie et te traîner inconsciente de l'autre côté d'une ligne.

À mon tour, je regardai le ciel crépusculaire.

—Mince.

Je n'avais pas pensé à ça.

—Mais être ta propre familière, ça devrait t'aider dans ta profession, dit-elle d'un ton convaincant. Tu auras la force du familier sans les inconvénients.

—Je suppose. (Le regard dans le vide, je reposai ma tasse ; il commençait à faire noir, et je savais qu'elle voulait être rentrée avant la nuit.) Tu veux que j'essaie toute seule ? proposai-je d'un ton hésitant.

Elle regarda mes mains.

—Je te conseille de prendre un peu de repos. Tu trembles encore.

Embarrassée, je jetai un coup d'œil à mes doigts. Je fermai le poing et fis un sourire penaud. Elle prit une gorgée de thé – elle se forçait à rester patiente, car de toute évidence je ne contrôlais pas du tout la situation.

—*Consimilis calefacio*, murmura-t-elle.

Je sursautai. Elle avait fait quelque chose ; j'avais senti une baisse de tension dans la ligne, même si je n'y étais pas connectée. Quand nos regards se croisèrent, elle avait l'air amusée.

—Tu as senti ? questionna-t-elle tout en me gratifiant d'un de ses beaux rires en cascade. Tu commences vraiment à être très attachée à ta ligne, Rachel Mariana Morgan. Elle appartient à toute la rue, même si elle est dans ton jardin.

—Qu'est-ce que tu as fait ? demandai-je pour ne pas savoir ce qu'elle entendait par là. (Elle brandit sa tasse en guise d'explication, ce qui me fit sourire.) Tu l'as réchauffé. (Elle acquiesça ; mon sourire s'effaça.) Ce n'est pas de la magie noire, au moins ?

Le visage de Ceri redevint neutre.

—Non. C'est de la magie de ligne banale qui agit sur l'eau. Je ne veux pas ajouter à la souillure qui entache mon âme, Rachel. Je vais déjà avoir bien du mal à m'en débarrasser.

—Mais Al s'en est servi contre David. Il a failli le cuire.

Je recommençai à me sentir mal. Les gens étaient principalement composés d'eau. En la chauffant, on pouvait les faire cuire de l'intérieur. Rien qu'en y pensant, j'avais la nausée.

—Non, me rassura-t-elle. C'était un autre sort. Celui-ci ne marche que sur les choses qui n'ont pas d'aura. Pour être assez puissant pour percer une aura, le sort noir équivalent nécessite une goutte de sang de démon. Si David a survécu, c'est parce qu'Al filtrait l'énergie à travers toi, et il savait que tu n'étais pas capable – ou pas encore capable, si tu préfères – de supporter la quantité d'énergie requise pour le tuer.

Je réfléchis un moment à ce qu'elle venait de dire. Si ce n'était pas de la magie noire, il n'y avait aucun mal à s'en servir. Et Ivy serait superimpressionnée de me voir réchauffer mon café sans micro-ondes.

—C'est difficile à faire ?

Ceri recommença à sourire.

— Je vais te montrer. Attends un peu ; il faut que je me rappelle comment on fait sans raccourci, dit-elle en tendant la main vers ma tasse.

Oh, il faut que mademoiselle ralentisse le rythme pour que la sorcière arrive à suivre, pensai-je en la lui tendant. Mais comme elle avait probablement utilisé ce sort trois fois par jour pour cuire les repas d'Al, elle devait être capable de le lancer les yeux fermés.

— C'est de la magie sympathique, expliqua-t-elle. Il y a un poème qui aide à se rappeler les gestes, mais les deux seuls mots que tu es obligée de prononcer sont en latin. Et il faut forcément un objet sur lequel concentrer la magie. (Elle prit une gorgée de mon café froid et fit la grimace.) C'est de l'eau de vaisselle, marmonna-t-elle la bouche pleine. Boisson de barbares.

— C'est meilleur chaud, protestai-je.

Je ne savais pas qu'on pouvait tenir un objet de focalisation dans sa bouche et s'en servir efficacement. Elle aurait pu s'y prendre autrement, mais elle aurait dû lancer le sort sur ma tasse. Là au moins, c'était plus facile, et elle risquait moins d'en renverser.

Le dégoût toujours imprimé sur son visage, elle leva ses mains fines et expressives.

— De la flamme des bougies à la rotation des planètes, récita-t-elle. (Je bougeai les doigts comme elle ; je suppose qu'avec de l'imagination, ses gestes pouvaient vaguement faire penser à quelqu'un qui allume une bougie, mais le rapport entre le mouvement de sa main et la rotation d'une planète m'échappait.) C'est avec la friction que tout commence et tout s'arrête.

Elle claqua des mains – ce qui ne manqua pas de me faire sursauter – et dit « *Consimilis* ».

Identique, traduisis-je dans ma tête. Peut-être une formule propre à la magie sympathique. Le claquement pouvait symboliser la friction que subissaient les molécules d'air. En magie sympathique, peu importe que la relation soit nébuleuse, du moment qu'elle est réelle.

— Du froid au bouillant, de mon contrôle dépendant, poursuivit-elle.

Elle fit encore un geste qui ne m'était pas familier, mais je reconnus le suivant : je l'avais utilisé dans un sort de ligne, en l'occurrence pour casser la batte des Hurleurs pendant l'entraînement. Peut-être était-ce le mouvement qui puisait dans l'objet focal et intimait la direction au sort. Hum… Il y avait peut-être un sens à toutes ces simagrées qui entouraient la magie des lignes, après tout.

— *Calefacio!* dit-elle gaiement pour invoquer le charme et déclencher le processus.

Je sentis une légère dépression énergétique ; le sort tira de l'énergie de la ligne pour exciter les molécules d'eau et réchauffer mon café.

— Waouh ! soufflai-je lorsqu'elle me rendit ma tasse légèrement fumante. Merci.

— De rien. Tu dois réguler la température finale par toi-même ; ça dépend de la quantité d'énergie que tu mets dans ton sort.

— Plus il y a d'énergie, plus c'est chaud ?

Je goûtai avec précaution et décidai que la température était parfaite. Acquérir une telle maîtrise avait dû lui demander des années de pratique.

— Ça dépend de la quantité à réchauffer, murmura-t-elle le regard perdu dans la contemplation d'un lointain souvenir. Fais attention à l'eau de ton bain jusqu'à ce que tu saches ce que tu fais. (Elle revint visiblement dans le présent et se tourna vers moi.) Ça y est, tu es reposée ?

Sentant l'adrénaline monter, je reposai mon café chaud. *Je peux le faire. Si Ceri peut réchauffer son thé et concentrer l'énergie d'une ligne dans sa tête, alors moi aussi.*

— Emplis ton centre, m'encouragea-t-elle, et puise dedans comme si tu allais lancer un sort en prononçant ton mot d'invocation.

Je me coinçai une boucle de cheveux derrière l'oreille et me calmai. Je fermai les yeux et puisai dans une ligne. Les pressions s'équilibrèrent en un clin d'œil. Me concentrant pour que mon esprit soit calme et posé comme quand je lançais un charme de ligne, je perçus une sensation curieuse et inédite. La ligne envoya un soupçon d'énergie pour remplacer celle que je venais inconsciemment de puiser dans mon chi. *Tulpa*, pensai-je en me crispant, pleine d'espoir.

Mes yeux s'ouvrirent brusquement ; une grosse quantité d'énergie s'engouffra en moi pour compenser celle que j'avais détournée vers ma tête. Tel un torrent, la ligne se déversa en moi, puis s'installa dans mes pensées. Mon enclos gonfla pour la contenir. Choquée, je ne fis rien pour l'en empêcher.

— Assez ! s'écria Ceri en se mettant à genoux. Rachel, lâche la ligne !

Je sursautai. Mon attention se détourna de la ligne. Je sentis une vague de chaleur me traverser brièvement ; une partie de la force fut refoulée de mes pensées vers mon chi et le remplit. Je retins ma respiration et restai immobile sur ma chaise, à regarder Ceri. J'avais peur de bouger, tellement il y avait d'énergie dans ma tête.

—Ça va ? dit-elle sans se rasseoir.

J'acquiesçai.

—Tout va bien, là-bas ? demanda une petite voix depuis la cuisine.

—Oui, oui ! criai-je avant de regarder Ceri. On va bien, hein ?

Yeux écarquillés, elle hocha la tête sans cesser de soutenir mon regard.

—Tu stockes beaucoup d'énergie hors de ton centre. Mais j'ai remarqué que ton chi contient moins que le mien. Je crois… je crois que le chi des elfes a plus de contenance que celui des sorcières, mais on dirait que les sorcières arrivent à stocker plus d'énergie dans leurs pensées.

Je sentais le goût de l'énergie, un peu comme de l'aluminium sur la langue.

—On fait de meilleures batteries, hein ? raillai-je sans entrain.

Elle rit d'une voix cristalline qui monta jusqu'aux poutres de la charpente. J'aurais aimé que des pixies soient présents pour pouvoir danser à la musique de sa voix.

—C'est peut-être pour ça que les sorcières ont quitté l'au-delà plus tôt que les elfes. Je crois qu'en matière de familiers, les démons préfèrent les sorcières aux elfes et aux humains. Je pensais que c'était parce que nous étions peu nombreux, mais peut-être que je me trompais.

—Possible.

Je me demandais combien de temps j'allais pouvoir contenir toute cette énergie sans la renverser. J'avais le nez qui me démangeait. Je ne voulais surtout pas éternuer.

Le bruit des bottes d'Ivy dans le couloir attira notre attention. Nous nous tournâmes vers elle lorsqu'elle entra dans le sanctuaire, le sac à l'épaule et une assiette de cookies à la main.

—Je sors, dit-elle gaiement en rejetant ses cheveux par-dessus son épaule. Tu veux que je te raccompagne chez toi, Ceri ?

L'elfe se leva instantanément.

—Ça ne sera pas nécessaire.

Une colère froide passa dans les yeux d'Ivy.

— Je sais que ce n'est pas nécessaire.

Ivy posa sèchement son assiette sur le bureau, à côté de moi. Je haussai les sourcils et m'avançai sur mon fauteuil. Ivy voulait parler à Ceri seule à seule – à mon propos. Agacée, je tapotai nerveusement du bout des ongles.

— Je n'en mangerai pas, affirmai-je.

— C'est pour ton bien, Rachel, répliqua-t-elle d'un ton chargé de menace.

— C'est du Soufre, Ivy. (Ceri ne savait plus où se mettre, mais je n'en avais rien à faire.) Je n'arrive pas à croire que tu m'aies donné du Soufre. J'arrête des gens qui en consomment ; je ne partage pas mon loyer avec eux.

Et alors ? Je ne vais quand même pas balancer Ivy. Je m'en fiche qu'elle viole chacune des lois du manuel de la SO. Cette fois-ci, je m'en fiche.

Ivy prit une position agressive, mains sur les hanches. Ses lèvres étaient presque exsangues.

— C'est pour ton bien, répéta-t-elle sèchement. Le Soufre est spécialement traité, et la quantité de stimulant est si faible que tu ne la sens même pas à l'odeur. Tu ne sens pas l'odeur du Soufre, si ? Si ?

Ses iris marron avaient rétréci. Je baissai les yeux pour ne pas la forcer à prendre une aura. Pas maintenant ; pas avec le soleil presque couché.

— Ils en contenaient assez pour faire agir l'herbe, dis-je en boudant.

Ivy se calma à son tour, sachant qu'elle avait atteint ses limites.

— Ce n'était pas ma faute, répondit-elle doucement. Je ne t'en ai jamais donné assez pour attirer un chien des stups.

Ceri leva son petit menton. Il n'y avait pas le moindre signe de remords dans ses yeux verts.

— Je me suis déjà excusée, reprit-elle d'un ton péremptoire. Je ne savais pas que c'était illégal. Ce n'était pas la première fois que j'en donnais à quelqu'un.

— Tu vois ? intervint Ivy en montrant l'elfe du doigt. Elle ne savait pas, et le type de l'assurance voulait seulement t'aider. Maintenant, tu la fermes, tu manges tes cookies et tu arrêtes de nous faire culpabiliser. Tu as une course demain, et tu vas avoir besoin de toutes tes forces.

Je m'enfonçai dans mon fauteuil tournant et repoussai l'assiette de cookies vampiriques. Je ne les mangerais pas. Peu m'importait que le peu que j'avais gardé en moi la veille ait boosté mon métabolisme au point que mon œil au beurre noir virait déjà au jaune et que la coupure de ma lèvre s'était refermée.

— Je vais bien.

Le visage d'Ivy, habituellement si calme, s'assombrit.

— Bien, dit-elle sèchement.

— Bien.

Je croisai les jambes et pivotai de manière à la regarder de biais. Ivy serra les dents.

— Ceri, je te raccompagne.

L'elfe nous regarda. Le visage vide d'expression, elle se baissa pour ramasser sa théière et sa tasse.

— Je vais d'abord faire ma vaisselle.

— Je peux m'en occuper, m'empressai-je de dire.

Mais Ceri secoua la tête et partit les yeux baissés pour ne rien renverser sur le chemin de la cuisine. Je fronçai les sourcils ; je n'aimais pas qu'elle se charge des tâches domestiques. C'était trop proche de ce que j'imaginais qu'Algaliarept l'avait forcée à faire.

— Laisse-la faire, dit Ivy quand nous n'entendîmes plus le bruit des pas de Ceri. Elle se sent utile, comme ça.

— Elle est de sang royal. Tu le savais, non ?

Ivy jeta un coup d'œil dans le couloir sombre en entendant le bruit de l'eau courante dans la tuyauterie.

— Il y a mille ans, peut-être. Maintenant, elle n'est plus rien, et elle le sait.

Je soupirai.

— Mais tu n'as vraiment aucune compassion ? C'est dégradant, qu'elle fasse ma vaisselle.

Ivy écarquilla les yeux dans un accès de colère.

— J'ai beaucoup de compassion. Mais, la dernière fois que j'ai regardé, il me semble qu'on ne proposait pas d'emploi de princesse dans les petites annonces. Qu'est-ce qu'elle est censée faire pour donner un sens à sa vie ? Il n'y a aucun traité à signer, pas d'arrêt à trancher, et sa plus grande décision est de choisir entre les œufs et les gaufres au petit déjeuner. Ce n'est pas cette connerie de sang royal qui va lui donner l'impression de valoir quelque chose. Et faire la vaisselle n'a rien de dégradant.

Je m'enfonçai dans mon fauteuil en signe d'abandon. Elle avait raison, même si je n'aimais pas ça.

—Alors, tu as une course, ce soir? demandai-je pour rompre le silence.

Elle haussa les épaules.

—Je vais parler à Jenks.

—Ah, bien. (Soulagée, je la regardai dans les yeux – enfin un sujet dont nous pouvions parler sans nous disputer.) Je suis passée chez le garou, cet après-midi. Le pauvre, il ne m'a pas laissé entrer. Les filles pixies se sont occupées de son cas. Elles lui ont fait des tresses afro!

Quant à moi, je m'étais réveillée un matin avec les cheveux tressés avec les franges de ma couverture afghane. Matalina les avait forcées à s'excuser, mais j'avais mis quarante minutes à défaire les nœuds. En cet instant, j'aurais donné tout ce que j'avais pour que ça m'arrive de nouveau.

—Oui, je l'ai vu, dit Ivy.

Je me redressai, surprise.

—Tu es passée chez lui? demandai-je en la regardant aller chercher sa petite veste en cuir dans le hall et revenir.

Elle l'enfila. La soie frotta sur la soie.

—J'y suis allée deux fois. Moi non plus, le garou n'a pas voulu me laisser entrer, mais une amie doit sortir avec lui, donc ce petit con de Jenks sera bien obligé de venir voir qui est à la porte. Le nabot typique. Il a un ego de la taille du Grand Canyon.

Je ricanai. Ceri revint du fond de l'église. Elle avait son manteau sur le bras et tenait les chaussures que Keasley lui avait achetées. Hors de question que je lui dise de les mettre. En ce qui me concernait, elle pouvait marcher pieds nus dans la neige. Cependant, Ivy lui lança un regard acéré.

—Tu vas t'en tirer, toute seule? me demanda Ivy pendant que Ceri laissait tomber ses chaussures par terre pour les enfiler.

—Bon Dieu, grommelai-je en pivotant sur mon fauteuil comme un garnement. Ça va aller.

—Reste en terrain sanctifié, ajouta-t-elle en faisant signe à Ceri de sortir. Ne puise pas dans une ligne. Mange tes cookies.

—Pas question, Ivy.

Des pâtes. Je voulais des pâtes sauce Alfredo. C'était ce que Nick m'avait cuisiné la dernière fois qu'Ivy avait essayé de me refiler ses fichus cookies. Je n'arrivais pas à croire qu'elle m'avait fait prendre du Soufre. Enfin, si, j'y arrivais.

—Je t'appellerai dans à peu près une heure pour vérifier que tout va bien.

—Je ne répondrai pas, m'énervai-je. Je vais faire la sieste.

Je me levai et m'étirai jusqu'à me retrouver nombril à l'air. D'habitude, Jenks aurait sifflé depuis les combles comme le loup de Tex Avery ; le silence était déprimant.

Ceri revint avec son coussin et me prit dans ses bras. Je fus surprise, mais fis de mon mieux pour lui rendre son accolade.

—Rachel peut prendre soin d'elle, dit-elle fièrement. Ça fait cinq minutes qu'elle a assez d'énergie en elle pour faire un trou dans le toit, et elle n'y pense même plus.

—Sainte merde ! m'exclamai-je en rougissant. Mais c'est vrai !

Ivy se dirigea vers l'entrée de l'église en soupirant.

—Ne m'attends pas, lança-t-elle en me regardant par-dessus son épaule. Je dîne chez mes parents. Je ne reviens pas avant le lever du soleil.

—Tu devrais libérer l'énergie, me conseilla Ceri en lui emboîtant le pas. Au moins quand la nuit sera tombée. Quelqu'un d'autre pourrait l'invoquer et, s'il n'est pas banni dans les règles, il risque de venir te chercher. Il pourrait essayer de t'assommer en ajoutant de l'énergie à celle que tu as déjà en réserve. (Elle haussa les épaules avec beaucoup de modernité.) Mais si tu restes en terre sanctifiée, il ne devrait pas y avoir de problème.

—Je la libérerai, dis-je sans y prêter attention.

J'étais perdue dans mes pensées. Ceri me regarda timidement.

—Merci, Rachel, murmura-t-elle. C'est bon de se sentir utile.

Je reportai mon attention sur elle.

—De rien.

L'odeur de la neige fraîche envahit le sanctuaire. Je relevai la tête et vis la silhouette menaçante d'Ivy qui attendait sur le pas de la porte, toute de cuir vêtue. Elle perdait patience.

—Au revoiiir, Rachel, chanta-t-elle d'un ton moqueur.

Ceri soupira. La sylphide se retourna et se dirigea sans se presser vers la porte d'entrée. Au dernier moment, elle enleva ses chaussures et descendit les marches gelées pieds nus.

—Comment tu fais pour supporter le froid ? entendis-je Ivy lui demander avant que la porte se referme sur elles.

Je m'imprégnai du silence et de la lumière tamisée. J'éteignis la lampe, et le ciel me sembla soudain plus clair. J'étais seule dans mon église – sans doute pour la première fois. Pas de colocataire, pas de petit ami, pas de pixies. Seule. Je fermai les yeux et m'assis sur le petit promontoire pour prendre le temps de respirer. Derrière l'odeur d'amande de ces fichus cookies, je sentais celle du contreplaqué. Une légère pression derrière mes yeux me rappela que j'avais toujours cette bulle d'au-delà en moi. D'une simple pression de ma pensée, je brisai la sphère, et l'énergie retourna dans la ligne dans une grande vague de chaleur.

Je rouvris les yeux et me dirigeai sans bruit vers la cuisine. Je ne comptais pas faire de sieste ; j'allais faire des brownies. Ils constitueraient une partie du cadeau d'Ivy. Je ne pouvais pas lutter avec un parfum qui se chiffrait en milliers de dollars. Il me restait la bonne vieille piste du fait main.

Je fis un détour par le salon pour récupérer la télécommande. L'odeur de contreplaqué était presque dérangeante. Je jetai un coup d'œil à la fenêtre qu'Ivy avait dessinée sur le bois ; elle avait reproduit à main levée notre vue imprenable sur le cimetière. J'appuyai sur le bouton de la chaîne, qui cracha *Come out and Play* d'Offspring. Je poussai le volume en souriant.

— Réveillons les morts, dis-je en jetant la télécommande.

J'allai dans la cuisine en dansant.

Tout en me laissant dérider par le rythme de la musique, je sortis ma marmite cabossée – celle qui ne pouvait plus servir à faire des sorts – ainsi que le livre de recettes que j'avais piqué à ma mère. Je le parcourus et trouvai celle des brownies au caramel de ma grand-mère notée au crayon à côté d'un plat de gourmet au goût de carton. Bougeant en rythme avec la musique, je sortis les œufs, le sucre, la vanille et les posai sur le plan de travail central. J'avais mis le chocolat à fondre et j'avais mesuré le lait condensé lorsque la porte d'entrée de l'église claqua. Je lâchai l'œuf que je tenais. Il éclata sur le plan de travail.

— Tu as oublié quelque chose, Ivy ? criai-je.

Je paniquai en regardant l'œuf cassé et tous les ingrédients et ustensiles disséminés dans la cuisine. Impossible de tout cacher avant qu'elle arrive. *Mais enfin, elle ne peut pas s'absenter ne serait-ce que une heure ?*

Mais ce fut la voix de Kisten qui me répondit.

Chapitre 21

— C'est moi, Rachel, lança-t-il.

Sa voix était à peine audible, avec la musique qui hurlait dans le salon. Je restai paralysée en repensant au baiser qu'il m'avait donné. J'avais probablement l'air d'une idiote, quand il apparut sur le pas de la porte.

— Ivy n'est pas là? demanda-t-il en me dévisageant. Zut.

Je pris le temps de respirer pour rassembler mes pensées.

— Zut? m'étonnai-je en faisant glisser l'œuf cassé dans le saladier.

Je ne m'imaginais pas qu'il y avait encore des gens qui disaient «zut»!

— J'ai le droit de dire merde?

— Putain, bien sûr que oui.

— Alors merde.

Il contempla la cuisine et mit les mains dans le dos pendant que j'enlevai les plus gros morceaux de coquille.

— Et, euh, tu veux bien baisser un peu la musique?

Il acquiesça et sortit. J'en profitai pour le regarder en douce. On était samedi, et il était habillé décontracté: bottes en cuir, jean délavé moulant. Son court manteau en cuir était ouvert et sa chemise de soie bordeaux révélait quelques poils sur sa poitrine. *Ni trop, ni trop peu*, pensai-je au moment où le volume de la musique baissait. Je sentais l'odeur de son manteau. Le cuir, ça me rendait dingue. *Ça pourrait être problématique.*

— Tu es sûr qu'Ivy ne t'a pas envoyé pour faire du baby-sitting? demandai-je à son retour tout en essuyant le blanc d'œuf avec un torchon mouillé.

Il s'assit sur la chaise d'Ivy en riant.

— Non. (Il marqua un temps d'hésitation.) Elle est partie pour longtemps, ou je peux attendre ?

Je ne levai pas les yeux de ma recette ; je n'aimais pas la manière dont il avait prononcé sa question : sa voix était plus inquisitive que nécessaire.

— Ivy est allée parler à Jenks. (Je fis courir mon doigt sur la page sans lire ce qui était écrit.) Ensuite, elle va dîner chez ses parents.

— Lever du soleil, murmura-t-il.

Je sentis mes signaux d'alerte s'allumer. Jusqu'au dernier.

L'horloge sonna. Je retirai le chocolat fondu du feu. Comme je ne voulais pas lui tourner le dos, je posai la casserole sur le plan de travail central. Je croisai les bras et m'appuyai sur l'évier. Il repoussa sa mèche folle sans me quitter des yeux. Je me préparai à lui dire de s'en aller, mais il me prit de vitesse.

— Tu vas bien ?

Je le regardai, l'œil vide, puis compris.

— Ah ! Tu veux parler de… ce qui s'est passé avec le démon, dis-je avec embarras. (Je tripotai mes colliers antidouleur.) Tu en as entendu parler, alors ?

Il sourit à demi.

— Ils ont parlé de toi aux infos. Et j'ai dû écouter Ivy me répéter pendant trois bonnes heures qu'elle aurait dû être là quand il t'a attaquée.

Je levai les yeux au ciel et retournai à ma recette.

— Désolée. Ouais, je vais bien. Des égratignures et quelques bleus. Rien de bien terrible. Mais je ne peux plus puiser dans une ligne d'énergie après le coucher du soleil. (Je ne voulais pas lui dire que je n'étais pas non plus en sécurité le reste du temps, à moins de me trouver en terre sanctifiée – or, la cuisine et le salon ne l'étaient pas, sanctifiés.) Ça va vraiment me gêner dans mon métier, conclus-je avec amertume.

Je me demandais comment j'allais surmonter cette nouvelle montagne. Oh, et puis tant pis. Ce n'était pas comme si je me reposais totalement sur la magie des lignes. Après tout, j'étais une sorcière de terre.

Pour peu que je puisse me fier à son haussement d'épaules désinvolte, Kisten ne semblait pas non plus trouver ça très grave.

— Désolé d'apprendre que Jenks est parti, dit-il en étendant ses jambes et en les croisant au niveau des chevilles. C'était plus qu'un atout pour votre société – c'était un vrai ami.

Mon visage se déforma en une grimace peu flatteuse.

— J'aurais dû lui dire ce qu'est Trent dès que je l'ai appris.

Il eut l'air très surpris.

— Tu sais ce qu'est Trent Kalamack ? Sans déconner ?

Mâchoire crispée, je baissai les yeux sur le livre de recettes et acquiesçai. J'attendis la question suivante.

— Alors ?

Je restai muette et ne quittai pas la page des yeux. Mais je relevai la tête en l'entendant bouger.

— Laisse tomber, dit-il. Ça n'a aucune importance.

Soulagée, je tournai le chocolat dans le sens des aiguilles d'une montre.

— Ça en a pour Jenks. J'aurais dû lui faire confiance.

— Tout le monde n'a pas besoin d'être au courant de tout.

— En tout cas, quand tu fais dix centimètres et que tu as des ailes, si.

Il se leva et s'étira. Il se détendit avec un petit soupir satisfait, puis retira son manteau et alla ouvrir le frigo.

Je tapai le côté de la cuiller pour la vider des dernières gouttes de chocolat. Je fronçai les sourcils ; parfois, il est plus facile de parler à un étranger.

— Qu'est-ce que je fais de mal, Kisten ? dis-je en laissant s'exprimer ma frustration. Pourquoi est-ce que je repousse les gens que j'aime ?

Il sortit de derrière la porte du frigo avec le sac d'amandes que j'avais acheté la semaine d'avant.

— Ivy n'est pas partie.

— Eh, elles sont à moi, ces amandes.

Il s'immobilisa jusqu'à ce que je lui fasse signe que je m'en fichais et qu'il pouvait les prendre.

— Moi non plus, je ne suis pas parti, reprit-il en mâchant avec sensualité.

Je soupirai bruyamment en mettant le sucre dans le chocolat. Il était vraiment beau, et des souvenirs m'assaillirent : je nous revis sur notre trente et un, à nous amuser, je repensai à cette étincelle qui m'avait transpercée quand il avait posé ses yeux noirs sur moi après avoir cassé la figure des malabars de Saladan... et à l'ascenseur de Piscary où je m'étais retrouvée à l'enlacer en désirant qu'il prenne tout ce que j'avais à offrir...

Le sucre frottait bruyamment sur les bords de la casserole. *Foutues phéromones vampiriques.*

— Je suis bien content que Nick soit parti, dit Kisten. Il n'était pas fait pour toi.

Je gardai les yeux baissés, mais mes épaules se crispèrent.

— Qu'est-ce que tu en sais? répliquai-je en coinçant une longue boucle rouge derrière mon oreille.

Je relevai la tête et vis qu'il mangeait calmement mes amandes.

— Nick me faisait du bien. Je lui faisais du bien. On s'amusait bien, ensemble. On aimait les mêmes films, les mêmes restaus. Il tenait le rythme, quand on courait ensemble au zoo. Nick était quelqu'un de bien, et tu n'as aucun droit de le juger.

Je décrochai sans ménagement un torchon mouillé et essuyai le sucre que j'avais renversé avant de le secouer au-dessus de l'évier.

— Tu as peut-être raison, concéda-t-il en secouant le sac pour faire tomber une poignée d'amandes dans sa paume avant de le refermer. Mais il y a une chose que je trouve très intéressante. (Il mit une amande entre ses dents et la croqua bruyamment.) Tu parles de lui au passé.

Je restai bouche bée. Partagée entre le choc et la colère, je me sentis blêmir. Dans le salon, la radio enchaîna sur un morceau rythmé, entraînant, totalement inapproprié à la situation.

Kisten ouvrit le frigo, rangea les amandes et le referma.

— Je vais attendre un peu Ivy. Elle va peut-être revenir avec Jenks – si tu as de la chance. Tu as tendance à exiger plus des gens que ce que la plupart d'entre eux sont prêts à donner, dit-il en secouant les quelques amandes qui restaient dans sa paume. (Je grognai.) Un peu comme un vampire, ajouta-t-il en prenant son manteau.

Il sortit. Ma main dégoulinait; je m'aperçus que je serrais le torchon tellement fort que j'étais en train de l'essorer. Je le jetai dans l'évier. J'étais à la fois furieuse et déprimée – une combinaison dangereuse. Dans le salon, la chaîne passait un morceau pop particulièrement bondissant.

— Tu veux bien m'éteindre ça? hurlai-je.

J'avais mal à la mâchoire à force de la crisper. J'ouvris la bouche pour me détendre. La musique s'arrêta. Fulminante, je mesurai le sucre et le mis dans la casserole. Je tendis la main vers la cuiller et laissai échapper un gémissement de frustration en m'apercevant que j'avais déjà sucré la pâte.

—La peste soit du Tournant, grommelai-je.

Maintenant, j'étais bonne pour faire une double portion.

Crispée sur ma cuiller, j'essayai de mélanger, mais le sucre déborda. Bientôt, il y en eut partout. Les dents serrées, je retournai chercher le torchon dans l'évier.

—Tu n'y connais que dalle, murmurai-je en raclant le sucre renversé pour en faire un petit tas. Nick va peut-être revenir. Il a dit qu'il reviendrait. Et j'ai la clé de son appart.

Je fis tomber le sucre dans le creux de ma main et hésitai avant de le remettre dans le saladier avec le reste. Je regardai le couloir sombre en m'époussetant les mains. Nick ne m'aurait pas laissé sa clé, s'il n'avait pas eu l'intention de revenir.

La musique recommença, douce et régulière. Je plissai les yeux. Je ne lui avais jamais dit qu'il pouvait mettre autre chose. Agacée, je fis un pas dans la direction du salon, puis m'arrêtai net. Kisten était parti en plein milieu d'une conversation. Il avait emporté de la nourriture. Du genre qui se croque. D'après le livre d'Ivy, c'était une invitation vampirique. Et, en le suivant, je lui signifierais que j'étais intéressée. Pire encore, il savait que je le savais.

J'étais toujours plantée là à fixer le couloir quand Kisten le traversa. Il fit marche arrière en voyant mon expression vide.

—Je vais attendre dans le sanctuaire, dit-il. Ça ne te dérange pas ?

—Non, non, murmurai-je.

Il haussa les sourcils et mangea une amande sans se départir de son drôle de petit sourire.

—OK.

Kisten remonta le couloir et disparut sans faire le moindre bruit de pas sur le plancher.

Je me détournai de lui et regardai le ciel nocturne par la fenêtre. Je comptai jusqu'à dix. Puis je recommençai. Puis une troisième fois. Le temps d'arriver à «sept», j'étais dans le couloir. *J'entre, je dis ce que j'ai à dire et je ressors*, me promis-je en le trouvant assis au piano. Il me tournait le dos. Il se redressa en m'entendant arriver.

—Nick est quelqu'un de bien, dis-je d'une voix tremblante.

—Nick est quelqu'un de bien, répéta-t-il sans se retourner.

—Avec lui, je me sens désirée, utile.

Kisten pivota lentement. Sa barbe de trois jours attrapa le filet de lumière provenant de la rue. Je dus me secouer mentalement tellement il était beau, avec ses épaules larges et ses hanches étroites.

—C'était avant.

Sa voix grave, suave, me fit frissonner.

—Je ne veux plus que tu parles de lui.

Il me regarda une seconde, puis répondit :

—D'accord.

—Bien.

Je repris ma respiration, tournai les talons et quittai la pièce.

Mes genoux jouaient des castagnettes. À l'affût du bruit de ses pas, je tournai à droite, dans ma chambre. Le cœur battant la chamade, je pris mon parfum – celui qui dissimulait mon odeur.

—Non.

Je retins mon souffle et fis volte-face. Kisten était là. Le flacon m'échappa. Sa main jaillit et enveloppa la mienne (son contact me fit sursauter), emprisonnant le précieux parfum au creux de ma main. Je restai paralysée.

—J'aime bien ton odeur, murmura-t-il de beaucoup trop près.

Mon estomac se noua. Bien sûr, je pouvais puiser l'énergie d'une ligne pour l'assommer, au risque d'attirer Al, mais je n'en avais pas envie.

—Il faut que tu sortes de ma chambre, dis-je.

Ses yeux bleus semblaient noirs, dans la pénombre. Il faisait une ombre bien belle et bien dangereuse, avec le peu de lumière qui filtrait de la cuisine. Mes épaules me faisaient mal à force d'être crispées. Il ouvrit ma main et prit le parfum. Le bruit du flacon sur la commode me fit sursauter.

—Nick ne reviendra pas, déclara-t-il d'un ton franc mais pas accusateur.

Je fermai les yeux en laissant échapper un souffle. *Oh, mon Dieu.*

—Je sais.

Mes yeux s'ouvrirent lorsqu'il me prit par les coudes. J'attendis, immobile, que ma cicatrice s'en mêle, mais elle ne réagissait pas. Il n'essayait pas de m'ensorceler. Une partie de moi un peu niaise respecta son attitude et, comme une idiote, je ne fis rien, au lieu de lui dire de se casser de mon église et de ma vie.

—Tu as besoin qu'on ait besoin de toi, Rachel. (Il était tellement près que son souffle faisait bouger mes cheveux.) Tu vis avec tant d'éclat et d'honnêteté que tu as besoin qu'on ait besoin de toi. Tu as mal. Je le sens.

—Je sais.

Ses yeux solennels se teintèrent de pitié.

—Nick est humain. Il aura beau faire de son mieux, il ne te comprendra jamais tout à fait.

—Je sais.

J'avalai ma salive. Les yeux commençaient à me piquer. Ma mâchoire se crispa au point que j'en avais mal au crâne. *Je ne veux pas pleurer.*

—Il ne peut pas te donner ce dont tu as besoin. (Ses mains glissèrent sur mes hanches.) Il aura toujours un peu trop peur.

Je sais. Je fermai les yeux et les rouvris lorsqu'il m'attira contre lui.

—Et même si Nick apprend à vivre avec ses peurs, dit-il avec honnêteté (ses yeux m'imploraient d'écouter ce qu'il avait à dire), il ne te pardonnera jamais d'être plus forte que lui.

Ma gorge se noua.

—Il faut… il faut que je parte. Je suis désolée.

Il me lâcha. Je le dépassai et quittai la pièce. J'étais en pleine confusion et j'avais envie de hurler contre le monde entier. Je retournai à grands pas dans la cuisine. Je m'immobilisai en découvrant un grand vide douloureux que je n'avais jamais connu au milieu des récipients et de la farine. Les bras croisés, je courus dans le salon. Il fallait que j'éteigne cette musique. Elle était magnifique. Je la détestais. Je détestais tout.

Je pris la télécommande et la pointai vers la chaîne. Jeff Buckley. Je ne pouvais pas l'écouter dans l'état où je me trouvais. Mais, bon sang, qui avait mis Jeff Buckley dans ma chaîne ? J'éteignis l'appareil et jetai la télécommande vers le sofa. Je sursautai en voyant la télécommande arriver dans une main plutôt que dans le canapé en daim d'Ivy.

—Kisten ! m'exclamai-je lorsqu'il remit la musique. (Il me regardait, les paupières mi-closes.) Qu'est-ce que tu fais ?

—J'écoute de la musique.

Il était calme et éveillé. Son air calculateur et sûr de lui m'effraya.

— Ne te glisse pas derrière moi comme ça, dis-je. (J'avais le souffle court.) Ivy ne fait jamais ça.

— Ivy n'aime pas ce qu'elle est. (Il me fixait sans cligner des yeux.) Moi si.

Il tendit la main vers moi. J'écartai son bras. La tension résonna en moi lorsqu'il m'attira à lui. Je fus prise de panique, puis de colère. Ma cicatrice se manifesta.

— Kisten! m'écriai-je en essayant de me soustraire à son emprise. Laisse-moi.

— Je n'essaie pas de te mordre, murmura-t-il. (Ses lèvres effleurèrent mon oreille.) Arrête de te débattre.

Sa voix était ferme et apaisante. Elle n'exprimait aucune soif de sang. Je me revis me réveiller dans sa voiture au son des chants de moines.

— Lâche-moi!

J'étais à bout; j'avais l'impression que j'allais soit le frapper, soit me mettre à pleurer.

— Pas question. Tu souffres trop. Ça fait combien de temps que personne ne t'a prise dans ses bras? Que personne ne t'a touchée?

Une larme m'échappa. Je détestai que Kisten la voie couler. Qu'il sache que je retenais ma respiration.

— Tu as besoin de ressentir des choses, Rachel. (Sa voix se fit plus douce, presque implorante.) C'est en train de te tuer à petit feu.

Je déglutis pour me débarrasser du nœud dans ma gorge. Il me séduisait. Je n'étais pas assez innocente pour penser qu'il n'allait pas tenter sa chance. Mais ses mains sur mes bras étaient chaudes. Et il avait raison. J'avais besoin qu'on me touche, j'en crevais, bon sang. J'avais presque oublié ce que ça faisait de se sentir désirée. Nick me l'avait rendu, ce petit frisson d'excitation qu'on ressentait en sachant que quelqu'un avait envie de vous toucher et voulait que vous, et vous seule, le touchiez.

J'avais vécu plus de relations éclairs qu'une mondaine a de paires de chaussures. C'était soit à cause de mon boulot à la Sécurité, soit à cause de ma cinglée de mère qui me poussait à m'investir, ou alors j'attirais des connards qui voulaient ajouter une rousse à leur tableau de chasse. Peut-être qu'après tout je n'étais qu'une tarée qui exigeait que les autres lui accordent la confiance qu'elle ne voulait pas leur offrir. Je ne voulais pas d'une autre relation à sens unique, mais Nick était parti, et Kisten sentait bon. Grâce à lui, la douleur était moins forte.

Il exhala en sentant que je cessais de me braquer. Je fermai les yeux et posai le front sur son épaule. Mes bras croisés nous tenaient légèrement à l'écart l'un de l'autre. La musique était douce et lente. Je n'étais pas folle. J'étais capable de faire confiance. J'avais déjà fait confiance à Nick, et il était parti.

— Tu vas partir, soufflai-je. Les hommes finissent tous par partir. Une fois qu'ils ont obtenu ce qu'ils veulent, ils partent. Ou alors ils découvrent ce que je suis capable de faire, et ensuite ils s'en vont.

Ses bras se crispèrent autour de moi, puis se détendirent.

— Je n'irai nulle part. Tu m'as déjà filé la frousse quand tu as neutralisé Piscary. (Il enfouit le nez dans mes cheveux et s'emplit de mon odeur.) Et je suis toujours là.

Calmée par sa chaleur corporelle, ma tension s'évanouit. Kisten me déséquilibra légèrement et je me laissai aller. Bougeant à peine, nous nous balançâmes au rythme de la musique lente et captivante.

— Tu ne peux pas blesser mon orgueil, chuchota-t-il en promenant ses doigts dans mon dos. J'ai vécu toute ma vie à côté de gens plus forts que moi. J'aime ça, et je n'ai pas honte d'être le plus faible des deux. Je ne serai jamais capable de jeter un sort, et je me fous de savoir que tu peux faire un truc que moi je ne peux pas faire.

La musique et notre danse quasi immobile firent naître une sensation de chaleur en moi. Je passai ma langue sur mes lèvres et dépliai mes bras pour les mettre autour de sa taille. Je n'en ressentis aucune gêne. Mon rythme cardiaque s'accéléra. Je regardai le mur, les yeux grands ouverts ; ma respiration était si régulière que c'en était presque surnaturel.

— Kisten…

— Je serai toujours là. Tu ne me feras jamais fuir. Je n'en aurai jamais assez, peu importe ce que tu me donneras. Du bon ou du mauvais. J'aurai toujours soif d'émotions, toujours, et pour toujours. Je sens que tu as mal. Je peux changer ta souffrance en joie. Si tu me laisses faire.

J'avalai ma salive lorsqu'il arrêta notre pas de danse. Il se recula et effleura ma mâchoire pour me faire lever la tête. Il me regarda dans les yeux. La pulsation de la musique résonnait dans ma tête. C'était à la fois abrutissant et apaisant. Son regard était entêtant.

— Laisse-moi le faire, murmura-t-il d'une voix dangereuse.

Cependant, il me mettait en position de force. Je pouvais dire non.

Je n'en avais pas envie.

Dans ma tête, mes pensées rebondissaient trop vite pour que je réfléchisse consciemment. Le contact de ses mains était agréable, et ses yeux étaient passionnés. Je voulais avoir ce qu'il pouvait me donner – ce qu'il promettait de me donner.

—Pourquoi ? chuchotai-je.

Ses lèvres s'entrouvrirent et il expira.

—Parce que je veux le faire. Parce que tu as envie que je le fasse.

Je ne le quittai pas des yeux. Ses pupilles ne se dérobèrent pas, ne se dilatèrent pas. Je le serrai plus fermement.

—Il n'y aura jamais de partage de sang entre nous, Kisten. Jamais.

Il prit le temps de respirer, et ses mains me serrèrent de plus près. Je vis à ses yeux qu'il savait ce qui allait se passer. Il se pencha vers moi.

—Un…, commença-t-il en déposant un baiser dans le coin de ma bouche. Pas… (Il m'embrassa de l'autre côté.) À la fois… (Tout en parlant, il m'embrassa avec tant de douceur que j'en restai pantoise en attendant la suite.) Mon amour.

Le désir me frappa au plus profond de moi tel un poignard. Je fermai les yeux.

Oh, mon Dieu, sauvez-moi de moi-même.

—Je ne te promets rien, murmurai-je.

—Je ne te demande rien. Où allons-nous ?

—Je ne sais pas.

Mes mains descendirent sur ses hanches. Nous avions recommencé à nous balancer au rythme de la musique. Je me sentais vivante, et, alors que nous dansions presque, ma cicatrice démonique se manifesta.

—Je peux ? demanda Kisten en se rapprochant pour que nos corps se touchent.

Je compris qu'il me demandait la permission de jouer de ma cicatrice ; il voulait que je me laisse volontairement ensorceler. Le fait qu'il me demande mon avis me procura un sentiment de sécurité, même si je savais que c'était sans doute un leurre.

—Non. Oui. Je ne sais pas. (J'étais déchirée ; c'était si bon, nos corps qui se touchaient, ses mains autour de ma taille, plus impérieuses, plus exigeantes.) Je ne sais pas…

—Alors non.

Où est-ce qu'on va ?

Il me caressa les bras, enlaça ses doigts aux miens. Il attira doucement mes mains dans le bas de son dos et les maintint là sans arrêter de se balancer au rythme envoûtant de la musique.

Un frisson remonta le long de mon dos. L'odeur du cuir se fit épaisse et chaude. Son contact m'envoyait des échardes de chaleur qui me picotaient les doigts. Je posai la tête au creux de son épaule. Je voulus l'effleurer de mes lèvres, sachant ce qu'il ressentirait, le goût qu'aurait sa peau. Mais je n'osai pas. Je me contentai de souffler à la base de son cou ; j'avais trop peur de ce qu'il ferait si mes lèvres le touchaient.

Le cœur battant, je pris ses mains et les posai dans le bas de mon dos. Je les laissai me caresser, me malaxer, me masser. Ma main monta le long de son dos jusque dans sa nuque. Mes pensées se posèrent sur nos ébats dans l'ascenseur, quand je croyais que Piscary allait me tuer. Il était trop difficile de résister au souvenir de ma cicatrice enflammée par le désir.

—S'il te plaît, murmurai-je en frôlant son cou avec mes lèvres. (Il frissonna ; son lobe déchiré était à quelques centimètres de moi – c'était tentant.) Je veux que tu le fasses. (Je levai les yeux et ne fus ni surprise, ni effrayée de voir que ses iris avaient rétréci.) J'ai confiance en toi. Mais pas en tes instincts.

Il me comprit et eut l'air soulagé. Ses mains descendirent en me caressant jusqu'à atteindre le haut de mes cuisses, puis firent marche arrière, ne cessèrent pas de bouger, pas plus que nous ne nous arrêtions de danser.

—Moi non plus, je ne leur fais pas confiance, dit-il d'une voix totalement débarrassée de son faux accent. Pas avec toi.

Je retins mon souffle en sentant ses doigts passer de l'arrière à l'avant de mon jean. Il frôla le premier bouton. Guère plus qu'une suggestion.

—Je porte mes capuchons. Le vampire n'a plus de crocs.

J'entrouvris la bouche, étonnée. Il sourit et je vis qu'effectivement, ses canines acérées étaient encapuchonnées. Une vague de chaleur parcourut mon corps, à la fois dérangeante et provocant l'imagination. C'était vrai, il ne pouvait pas me sucer le sang, mais, maintenant que je le savais, j'allais le laisser m'explorer beaucoup plus en profondeur, et il le sentait. Or, je n'étais pas en sécurité pour autant. Il était plus dangereux que s'il n'avait pas mis de capuchons.

—Oh, Seigneur, murmurai-je.

Je savais que j'étais perdue. Il fourra sa tête au creux de mon épaule et m'embrassa avec douceur. Je fermai les yeux et lui passai la main dans les cheveux. Je serrai le poing lorsque ses lèvres se déplacèrent vers la naissance de ma clavicule, là où commençait ma cicatrice.

Des vagues impérieuses pulsaient de cette dernière. Mes jambes se dérobèrent sous moi.

—Désolé, souffla-t-il d'une voix rauque en me retenant par les coudes. Je ne savais pas qu'elle était aussi sensible. Elle a reçu beaucoup de salive?

Ses lèvres étaient passées de mon cou au lobe de mon oreille. Pantelant presque, je me plaquai contre lui. Je sentais mon pouls battre de toutes ses forces. Mon sang réclamait que je fasse quelque chose.

—J'ai failli mourir, dis-je. Kisten…

—Je vais faire attention, répondit-il avec une tendresse qui me toucha au plus profond.

Je me laissai guider. Il me fit asseoir sur le canapé, m'installa confortablement entre le bras et le dossier. Je pris sa main et l'invitai à prendre place à côté de moi. Ma cicatrice m'élançait, me transperçait d'ondes de promesse.

Où est-ce qu'on va?

—Rachel?

J'entendis à sa voix qu'il se posait la même question, mais je ne voulus pas y répondre. Je souris et l'attirai vers moi.

—Tu parles trop, murmurai-je avant de plaquer sa bouche contre la mienne.

Sa barbe de trois jours piquait. Il gémit lorsque nos lèvres se séparèrent. La main sur ma joue, doigts écartés, il me maintint en place pendant que je l'attirais sur moi. Son genou poussa ma hanche pour se faire une place entre moi et le dossier du canapé.

La peau de ma joue me picotait là où ses doigts me touchaient. Non sans hésitation, je glissai la langue entre ses dents. Mon souffle se coupa lorsque je sentis la sienne s'insinuer en moi. Il avait un léger goût d'amande, et, lorsqu'il fit mine de s'écarter, je le retins un peu plus longtemps. Il poussa un soupir de surprise et revint à la charge. Cette fois, c'est moi qui me retirai en frôlant ses dents du bout de la langue.

Il frissonna d'autant plus clairement qu'il était en équilibre au-dessus de moi. Je ne savais pas jusqu'où j'étais prête à aller, mais ça, en tout cas, c'était sacrément bon. Je ne voulais pas le pousser, en promettre plus que j'étais prête à en donner.

—Attends, dis-je avec réticence en croisant son regard.

Mais en le voyant penché sur moi, le souffle court, à essayer de se maîtriser, je fus prise d'hésitation. Il avait les yeux noirs, pleins de désir et de besoin. Je cherchai – et trouvai – la trace de sa soif de sang. Il prenait soin de se contrôler. Sous sa chemise, ses épaules étaient crispées, il me tenait d'une main ferme ; son pouce, passé sous mon tee-shirt, me caressait le flanc. Le désir dans ses yeux m'emplit d'adrénaline, m'excita plus que ses doigts, à la fois rudes et doux, qui montaient vers ma poitrine. *Oh, c'est bon de se sentir désirée, de sentir qu'on a besoin de moi.*

—Quoi ? demanda-t-il.

Il était en attente, immobile.

Mince.

—Non, rien, dis-je en jouant avec les cheveux autour de ses oreilles.

Sa main s'immobilisa sous mon tee-shirt.

—Tu veux que j'arrête ?

Je fus de nouveau émue par sa prévenance. Mes yeux se fermèrent.

—Non, soufflai-je.

Une centaine de convictions bien établies moururent à ce seul mot. J'enlevai mes amulettes et les posai par terre. Je voulais tout sentir. Mais ce ne fut que lorsque je touchai sa boucle de ceinture qu'il comprit.

Il émit un son guttural et posa sa tête sur la mienne. J'accueillis le poids de son corps et sa chaleur avec reconnaissance lorsque ses lèvres trouvèrent ma cicatrice, la goûtèrent.

Le feu se répandit comme de la lave jusqu'à mon entrejambe. Je retins ma respiration lorsque la sensation ricocha sur les parois de mon corps et se démultiplia. Les sourdes douleurs résultant de ma confrontation avec le démon se muèrent en plaisir grâce au vieux truc de la salive de vampire. Je n'arrivais ni à penser ni à respirer. J'abandonnai le bouton de son jean et le saisis par les épaules.

—Kisten, soufflai-je quand je pus enfin reprendre ma respiration.

Mais, loin de relâcher la pression, il me fit m'allonger et poser la tête sur le bras du canapé. Mes doigts s'enfoncèrent dans sa peau lorsqu'il me frôla avec ses dents. Un grognement m'échappa. Ses dents étaient douces sur ma cicatrice, mais son souffle était brusque. Je le voulais. Je le voulais tout entier.

—Kisten…, commençai-je en l'écartant de moi.

Je devais lui demander d'abord. Il fallait que je sache.

—Quoi ?

Il retroussa mon débardeur et ses doigts se mirent à caresser mes seins – une caresse prometteuse de merveilles à venir.

Grâce à l'espace entre nous, je finis par arriver à déboucler sa ceinture. Je tirai et entendis son jean se déboutonner. Son visage se rapprocha de moi. Avant qu'il retrouve le chemin de mon cou et me renvoie à l'oubli de l'extase, je défis sa fermeture Éclair et fouillai son entrejambe. *Dieu me préserve*, pensai-je à l'instant où mes doigts inquisiteurs touchèrent sa peau lisse et tendue.

—Tu as déjà couché avec une sorcière ? demandai-je en descendant son jean.

Je lui caressai les fesses.

—Je sais où je mets les pieds, haleta-t-il.

Je me détendis tellement que j'eus l'impression de me fondre dans le canapé. Mes mains le retrouvèrent, et il exhala longuement.

—Je ne savais pas…, commençai-je avant d'avoir le souffle coupé. (Il venait de soulever ma chemise.) Je ne voulais pas que tu sois surpris… Oh, Seigneur, Kisten.

J'étais presque folle de désir. Ses lèvres passèrent de mon cou à ma clavicule, puis à mes seins. Des ondes de promesse m'envahirent. J'arquai le dos lorsqu'il me tira vers lui de ses mains chaudes. *Où est-elle ? Trop loin, je ne peux pas l'atteindre.*

Il me fit taire en m'embrassant à pleine bouche. Maintenant j'étais à portée de main. Je laissai échapper un soupir de félicité. Je l'attrapai et mes doigts descendirent.

—Kisten…

—Tu parles trop, dit-il sans cesser de promener ses lèvres sur ma peau. Tu as déjà couché avec un vampire ?

Il me regarda, les yeux mi-clos.

J'expirai lorsqu'il se reconcentra sur mon cou. Ses doigts dessinèrent le chemin que ses lèvres allaient emprunter ; mon corps fut parcouru de vagues d'extase.

—Non, haletai-je en tirant sur son jean. (Je n'allais jamais réussir à le lui enlever s'il gardait ses chaussures !) Il y a quelque chose que je devrais savoir ?

Il fit courir ses mains sous mes seins avant de faire de même avec ses lèvres. Le dos cambré, je m'efforçai de ne pas gémir. Je tendis le bras pour le prendre à pleine main.

— On mord, dit-il.

Il joignit le geste à la parole en pinçant doucement ma peau entre ses dents, ce qui me fit pousser un petit cri.

— Enlève-moi mon pantalon avant que je te tue, soufflai-je.

J'étais folle de désir.

— Bien, m'dame.

Sa barbe de trois jours me râpa la peau quand il se retira.

Je pris une profonde inspiration bien méritée avant de me redresser, de le pousser et de le chevaucher. Il baissa la fermeture Éclair de mon jean pendant que je finissais tant bien que mal de déboutonner sa chemise. Lorsque le dernier bouton fut défait, je poussai un soupir de soulagement. Je posai les mains sur lui et suivis des doigts la forme de ses abdos et de ses pectoraux. Je me penchai sur lui. Cachée derrière mes cheveux, je fis passer mes lèvres de son ventre au creux de son cou. Je m'y attardai et, prenant confiance, je pinçai sa peau entre mes dents et tirai légèrement. Il frissonna et ses mains qui baissaient mon jean tremblèrent.

Yeux écarquillés, je me retirai. J'étais allée trop loin.

— Non, murmura-t-il en me retenant par la taille. (Il avait les traits tirés par l'émotion.) N'arrête pas. C'est… Je ne te percerai pas la peau. Ses yeux s'ouvrirent brusquement. Oh, Seigneur, Rachel, je te promets que je ne te percerai pas la peau.

Je fus frappée par la passion dans sa voix. M'abandonnant, je le plaquai sur le canapé, les genoux de part et d'autre de son corps. Ma bouche trouva son cou et mes baisers se firent plus insistants. Ses halètements et ses mains douces transformèrent mon désir en besoin impérieux qui m'envahit par vagues successives au rythme des battements de mon cœur. Mes dents prirent la place de mes lèvres, et sa respiration devint irrégulière.

Il me saisit par la taille et me souleva juste assez pour que je puisse enlever mon pantalon. Celui-ci se prit dans mes chaussettes. Je poussai un grognement d'impatience et cessai d'embrasser Kisten le temps de me débarrasser de mon jean à coups de pied. Revenant aussitôt à la charge, je sentis ma peau bouillante contre la sienne. Je me penchai sur lui, maintins son cou et l'attaquai avec les dents plutôt qu'avec les lèvres.

Kisten laissa échapper un souffle chevrotant.

—Rachel…

L'une de ses mains descendit entre mes jambes.

Je poussai un gémissement sourd, à peine audible, lorsque ses doigts me frôlèrent. À sa manière de me toucher, je sentis son besoin se muer en exigence. Je fermai les yeux et mis une main entre ses cuisses.

Le sentant contre moi, je m'avançai, puis reculai. Nous expirâmes à l'unisson au moment où nos corps se joignirent. Mon désir et mon soulagement montèrent, lourds et puissants. Il glissa au plus profond de moi. *Dieu, faites que ça ne dure pas trop longtemps, sinon je vais mourir.* Sa douce respiration tourbillonna dans mes pensées et fit déferler le plaisir dans mon corps, de mon cou à mon entrejambe.

Mon cœur battait la chamade. Ses doigts effleurèrent la peau battante de ma gorge. Nous bougions ensemble, à un rythme annonciateur de délices à venir. Il m'entoura de son bras libre et me tira vers lui. Son poids m'emprisonnait et me sécurisait.

—Donne-moi ça, murmura-t-il en m'attirant plus près.

Je me pliai à sa volonté et le laissai poser les lèvres sur ma cicatrice démonique.

Je haletai bruyamment et frissonnai au moment où nous changeâmes de rythme. Il me tenait contre lui et le désir montait par paliers. Au creux de ma gorge, les dents, affamées, impérieuses, remplacèrent bientôt les lèvres. Je ne ressentais aucune douleur, aussi le poussai-je à faire ce qu'il voulait. Une petite partie de moi savait que s'il n'avait pas eu ses capuchons, il m'aurait mordu. Cela ne faisait que renforcer encore mon désir. Je m'entendis pousser un cri, et sa prise sur moi se fit à la fois plus ferme et plus tremblante.

Folle de passion, je m'agrippai à ses épaules. On n'était plus très loin, je n'avais qu'à tendre le bras. Je me mis à respirer très vite contre son cou. Plus rien d'autre n'existait : juste lui, moi, et nos corps qui bougeaient à l'unisson. Il accéléra le rythme. Sentant son plaisir atteindre son paroxysme, je recommençai à lui mordre la gorge.

—Plus fort, murmura-t-il. Tu ne me feras pas mal. Je te promets que tu ne me feras pas mal.

Sa demande me fit basculer. Jouant à faire semblant avec mon vampire, je plongeai en lui, affamée, et sans une pensée pour ce que je laissais derrière moi.

Kisten grogna, son emprise se resserra. Sa tête écarta la mienne et, avec un son guttural, il enfouit son visage dans mon cou.

Je criai de nouveau lorsque ses lèvres trouvèrent ma cicatrice. Mon corps fut instantanément en feu et la jouissance me frappa de plein fouet. Vague après vague, chacune plus forte que la précédente. Kisten frissonna et cessa ses mouvements en atteignant l'orgasme, un instant après moi. J'expirai en poussant ce qui ressemblait à un gémissement de douleur. J'étais incapable de bouger ; je craignais et désirais les dernières ondes de plaisir.

— Kisten ? soufflai-je lorsqu'elles s'évanouirent et que je me retrouvai pantelante contre lui.

Après une hésitation, ses mains me lâchèrent. Je posai le front sur sa poitrine et pris le temps de respirer. Je tremblais d'émotion et de fatigue. Je ne pouvais rien faire, allongée sur lui les yeux mi-clos. Je finis par m'apercevoir que j'avais froid au dos. La main chaude de Kisten faisait des allers-retours le long de ma colonne vertébrale. J'entendais son cœur battre et sentais nos odeurs se mélanger. Les muscles tremblant d'épuisement, je relevai la tête et vis qu'il avait les yeux fermés et un sourire satisfait.

Je retins mon souffle. Sainte merde. Qu'est-ce que je venais de faire ?

Kisten ouvrit les yeux et les plongea dans les miens. Ils étaient bleu ciel. Ses pupilles noires s'étaient rétractées.

— C'est maintenant que tu as peur ? demanda-t-il. C'est un peu tard.

Son regard s'attarda sur mon œil au beurre noir – il ne l'avait pas encore vu tant que mes amulettes faisaient effet. J'essayai de me redresser, mais me ravisai à cause du froid. Mes membres se mirent à trembler.

— Euh, c'était marrant, m'exclamai-je.

Il éclata de rire.

— Marrant, répéta-t-il en faisant courir un doigt le long de ma mâchoire. Ma vilaine petite sorcière a trouvé ça « marrant ». (Il ne pouvait s'arrêter de sourire.) Nick a été stupide de te laisser tomber.

— Qu'est-ce que tu veux dire ?

Je voulus m'écarter de lui, mais ses mains me retinrent.

— Je veux dire, dit-il avec beaucoup de douceur, que tu es la femme la plus érotique que j'aie jamais touchée. Que tu es à la fois une petite innocente et une cochonne expérimentée.

Je me crispai.

— Si c'est ta vision de la conversation sur l'oreiller, laisse-moi te dire que c'est à chier.

— Rachel, commença-t-il. (Seul son air tendre et comblé me retenait – sans compter que je n'étais pas tout à fait sûre de pouvoir tenir sur mes jambes.) Tu ne peux pas savoir à quel point c'est excitant de sentir tes petites dents sur ma peau, à essayer de la percer, me goûtant sans tout à fait me goûter. Une innocente, aussi expérimentée qu'affamée.

Je haussai les sourcils et soufflai sur une mèche qui m'empêchait de le voir.

— Tu avais tout prévu, n'est-ce pas ? l'accusai-je. Tu pensais pouvoir débarquer chez moi et me séduire comme tu séduis toutes les autres ?

Difficile de jouer la colère, allongée sur lui, mais je fis de mon mieux.

— Non. Pas comme toutes les autres. (La lueur dans ses yeux m'atteignit au plus profond.) Et oui, je suis venu ici avec l'intention très nette de te séduire. (Il leva la tête et me chuchota à l'oreille :) J'excelle à ce jeu-là. Tout comme tu excelles à échapper aux démons et à botter des culs.

— Botter des culs ?

Il reposa sa tête sur le bras du canapé. Sa main avait repris son exploration, et je n'avais plus envie de bouger.

— Ouais. (Je sursautai ; il venait de trouver un point particulièrement sensible.) J'aime qu'une femme sache se prendre en main.

— Pas très preux chevalier sur son cheval blanc, tout ça, hein ?

Il leva un sourcil.

— Oh, je pourrais, mais je suis un putain de flemmard.

Cette remarque me fit rire. Il se joignit à moi et sa prise sur ma taille se raffermit. Il s'avança légèrement et me souleva.

— Attends, dit-il en se levant et en me faisant basculer dans le berceau de ses bras comme si j'étais un sac de sucre de cinq kilos.

Grâce à sa force vampirique, il me soutint d'un bras et remonta son pantalon de l'autre.

— Douche ? demanda-t-il laconiquement.

J'avais les bras autour de son cou. Je l'inspectai pour voir s'il avait des traces de morsures. Il n'y en avait absolument aucune, même si j'étais sûre de l'avoir mordu assez fort pour en laisser. Je savais aussi sans avoir à vérifier que lui-même ne m'avait pas laissé la moindre marque malgré sa brutalité.

—Ça me dit bien, répondis-je.

Il se mit en mouvement, le jean toujours déboutonné.

—Je vais te trouver une douche, dit-il (Je regardai par-dessus son épaule et vis les amulettes, le pantalon et la chaussette disséminés sur le sol.) Ensuite, on ouvrira toutes les fenêtres pour aérer l'église. Et puis je t'aiderai à finir ton caramel. Ça devrait faciliter les choses.

—Je faisais des brownies.

—Encore mieux ; il faut se servir du four.

Il hésita devant la porte de la salle de bains. Je l'ouvris avec le pied. Kisten était très fort, on ne pouvait pas lui retirer ça. Dans ses bras, je me sentais en sécurité, désirée. C'était aussi satisfaisant que le sexe. Enfin, presque.

—Tu as des bougies parfumées, au moins ? demanda-t-il pendant que j'appuyais avec le doigt de pied sur l'interrupteur.

—J'ai deux chromosomes X, dis-je sèchement. (Il me posa sur la machine à laver et retira ma seconde chaussette.) J'ai une ou deux bougies.

Il va m'aider à entrer dans la douche ? Hmm, sympa.

—Bien, je vais en allumer une dans le sanctuaire. Tu n'auras qu'à dire à Ivy que tu as mis la bougie à la fenêtre pour Jenks et la laisser allumée jusqu'au lever du soleil.

Un soupçon de malaise me fit me redresser. Mes mouvements se ralentirent. J'enlevai mon sweat-shirt et le mis dans la machine.

—Ivy ?

Kisten s'appuya contre le mur et enleva sa botte.

—Ça ne te dérange pas de lui en parler ?

Il lança sa botte, qui alla rebondir sur le mur du fond. Je me sentis blêmir. *Des bougies parfumées. Aérer l'église. Faire des brownies pour parfumer l'atmosphère. Me laver pour me débarrasser de son odeur. Super.*

Son sourire de mauvais garçon sur les lèvres, Kisten se rapprocha de moi en chaussettes, avec son jean ouvert. Sa main large enveloppa mon menton et il se pencha vers moi.

—Je me fiche qu'elle sache, dit-il. (Je ne me dérobai pas pour profiter de la chaleur.) De toute façon, elle va finir par l'apprendre.

Mais, si j'étais toi, je lui annoncerais en douceur, plutôt que de lui balancer à la figure.

Il m'embrassa au coin de la bouche. Malgré sa réticence, sa main finit par me quitter. Il alla ouvrir la porte de la douche.

Merde, j'avais oublié Ivy.

— Oui, dis-je pensivement. (Sa jalousie, son peu de goût pour les surprises et la manière dont elle réagissait à ce genre de choses… tout cela me revint.) Tu crois qu'elle va être contrariée ?

Kisten se tourna vers moi. Il avait enlevé sa chemise et sa main était trempée – il venait de vérifier la température de l'eau.

— Contrariée ? Elle va être aussi jalouse qu'une pomme verte, que toi et moi on ait trouvé un moyen d'exprimer physiquement notre attachement, alors qu'elle…

Je sentis la frustration me gagner.

— Bon sang, Kisten. Je ne vais pas la laisser me mordre pour qu'elle sache que je l'aime bien. Sexe et sang. Sang et sexe. Tout ça, c'est pareil, et je ne peux pas le faire avec Ivy. Je ne suis tout simplement pas faite comme ça !

Il secoua la tête, un sourire triste aux lèvres.

— Tu ne peux pas dire que le sang et le sexe, c'est la même chose. Tu n'as jamais donné ton sang à quelqu'un. Tu n'as aucune expérience sur laquelle fonder ton point de vue.

Je fronçai les sourcils.

— Chaque fois qu'un vampire en quête de déjeuner pose les yeux sur moi, ça me semble très sexuel.

Il s'avança, s'insinua entre mes genoux et se plaqua contre la machine. Il tendit la main et repoussa mes cheveux derrière mon épaule.

— La plupart des vampires vivants qui veulent se prendre un petit remontant trouvent plus rapidement un partenaire consentant en l'excitant sexuellement. Mais, Rachel, le fondement du partage de sang, ce n'est pas le sexe, c'est le respect et l'amour. C'est bien parce que la perspective d'une superpartie de jambes en l'air ne t'émeut pas plus que ça qu'Ivy a abandonné cette approche aussi facilement. Mais elle continue à te chasser.

Je repensai à toutes ces facettes d'Ivy que l'apparition soudaine de Skimmer m'avait forcée à admettre ouvertement.

— Je sais.

—Une fois qu'elle aura surmonté sa colère initiale, je crois que le fait qu'on soit ensemble ne lui posera plus de problème.

—Je n'ai jamais dit qu'on était ensemble.

Il me caressa le cou avec un sourire entendu.

—Mais si je prenais ton sang, ne serait-ce que par accident ou dans un moment de passion ? (Ses yeux bleus se plissèrent, trahissant son inquiétude.) Une égratignure et elle me crucifie. La ville entière sait qu'elle considère que tu es à elle, et gare au vampire qui se mettra sur son chemin. J'ai pris ton corps. Si je touche ton sang, je suis mort – deux fois.

J'eus froid dans le dos.

—Kisten, tu commences à me faire peur.

—Et tu as raison d'avoir peur, petite sorcière. Un jour, Ivy sera la vampire la plus puissante de Cincinnati, et elle veut être ton amie. Elle veut que tu sois celle qui la sauvera. Elle pense que soit tu trouveras un moyen de tuer le virus vampire qui est en elle afin qu'elle puisse mourir avec une âme intacte, soit tu seras son scion et tu pourras veiller sur elle à sa mort.

—Arrête, Kisten.

Il sourit et déposa un baiser sur mon front.

—Ne t'inquiète pas. Rien n'a changé depuis hier. Et demain sera pareil. C'est ton amie, et elle ne te demandera rien que tu ne puisses pas lui offrir.

—Ça n'aide pas tellement de le savoir.

Il haussa les épaules et recula après m'avoir caressé les côtes une dernière fois. De la vapeur s'échappait de la porte entrebâillée de la cabine de douche. Kisten quitta son jean et se pencha dans la douche pour revérifier la température. Je regardai ses mollets galbés, ses fesses fermes, son dos large raisonnablement musclé. Je n'eus plus la moindre pensée pour la colère à venir d'Ivy. Merde.

Comme s'il sentait mon regard posé sur lui, il se tourna et me surprit en train de le reluquer.

Des volutes de vapeur s'échappaient de sa peau. Des gouttes s'accrochaient à sa barbe.

—Je vais t'aider à retirer ton corsage, dit-il.

Sa voix avait changé.

Je baissai les yeux pour le regarder et relevai la tête avec un sourire. Double merde.

Il glissa les mains dans mon dos et, non sans un petit coup de main de ma part, il m'attira vers le bord de la machine à laver et enleva mon débardeur. Je l'emprisonnai entre mes jambes, l'enlaçai et enfouis le menton dans le creux de sa gorge. Dieu me vienne en aide, qu'il était beau!

—Kisten?

À son tour, il enfouit le nez dans mes cheveux et trouva l'endroit sensible derrière mon oreille. Une sensation de chaleur partit de cet endroit et s'étendit à tout mon corps. Je ne pouvais qu'admettre son existence. L'accepter. La considérer comme un bienfait.

—Tu as toujours cette combinaison de moto en cuir moulant? demandai-je non sans embarras.

Il me souleva et m'emmena sous la douche en riant.

Chapitre 22

Je souris en entendant la musique s'arrêter et laisser place à un silence confortable. La pièce était éclairée à la bougie. Le tic-tac de l'horloge accrochée au-dessus de l'évier sembla presque bruyant. Je jetai un coup d'œil à la petite main qui indiquait l'heure. Il serait bientôt 4 heures du matin, et je n'avais rien d'autre à faire que de rester assise à rêver de Kisten. Il était parti vers 3 heures pour s'occuper des clients du Piscary ; il m'avait laissée réchauffée, contentée et heureuse.

Nous avions passé tout le début de soirée à nous goinfrer de sandwichs fromage-crudités et de malbouffe, à piller la collection de disques d'Ivy et la mienne. Nous avions fini par compiler un CD de nos morceaux préférés sur son ordinateur. Avec le recul, je crois que ç'avait été la plus belle soirée de ma vie d'adulte. Chacun avait ri des souvenirs de l'autre, et je m'étais rendu compte que j'avais envie de partager plus que du sexe avec lui.

J'avais allumé toutes les bougies que je possédais jusqu'à la dernière. C'était pour être sûre d'avoir le temps de parler de la nouvelle situation vis-à-vis de Kisten. De plus, leur lueur ajoutait au sentiment de paix que répandait le pot-pourri qui frissonnait sur le poêle, sentiment renforcé par la légère léthargie provoquée par mon amulette antidouleur. L'air était parfumé au gingembre, au pop-corn et aux brownies. J'étais assise, accoudée à la table d'Ivy. Je tripotai mes amulettes en me demandant ce que Kisten était en train de faire.

Même si j'avais du mal à l'admettre, je l'aimais vraiment beaucoup. Être passée de la peur au dégoût puis à l'attirance en moins d'un an m'inquiétait et m'embarrassait. Ça ne me ressemblait pas, de faire une croix sur ma saine défiance à l'encontre des vampires, et ce juste à cause d'un petit cul ferme et d'un comportement charmeur.

Peut-être que c'est à force de vivre avec une vampire, pensai-je en plongeant la main dans le bol de pop-corn ; j'en mangeais parce qu'ils étaient là, plutôt que par faim. Je ne croyais pas que ma nouvelle attitude était due à ma cicatrice ; j'avais un faible pour Kisten avant de coucher avec lui, ou il ne se serait rien passé. Il ne l'avait pas davantage utilisée pour m'influencer.

J'essuyai le sel resté collé à mes doigts, le regard perdu dans le vide. J'avais changé d'avis sur Kisten depuis qu'il m'avait relookée et m'avait fait me sentir si bien. *Peut-être*, songeai-je en reprenant un pop-corn. Peut-être allai-je trouver chez un vampire cette chose que je n'avais jamais réussi à saisir chez un sorcier, un magicien ou un humain.

Le menton dans les paumes, je caressai ma cicatrice du bout des doigts en repensant aux attentions qu'avait eues Kisten : il m'avait shampooiné les cheveux, m'avait savonné le dos. J'avais éprouvé beaucoup de plaisir à lui rendre la pareille. Il m'avait aussi laissé profiter de l'eau chaude plus souvent qu'à mon tour. Ce sont des détails qui ont de l'importance.

Je sursautai et regardai la pendule en entendant la porte d'entrée s'ouvrir. Ivy était de retour ? Déjà ? J'avais prévu d'être au lit et de faire semblant de dormir quand elle reviendrait.

— Tu es debout, Rachel ? demanda-t-elle assez fort pour que je l'entende, mais pas trop pour ne pas me réveiller le cas échéant.

— Dans la cuisine, répondis-je.

Je jetai un coup d'œil nerveux au pot-pourri. Ça irait. C'était Kisten qui l'avait dit. Je me levai, rallumai la lumière et me réinstallai. Les néons du plafond clignotèrent. Je rentrai mes amulettes sous mon pull en écoutant Ivy aller et venir dans sa chambre. L'instant d'après, ses pas rapides, presque pète-sec, résonnèrent dans le couloir.

— Salut, dis-je quand elle entra dans la cuisine.

Elle était tout de cuir moulant vêtue, avec des bottes qui montaient très haut, et portait une musette noire à l'épaule. Elle tenait un paquet emballé dans de la soie ; il faisait à peu près la taille d'une canne à pêche démontée. Je levai les sourcils en remarquant qu'elle s'était maquillée. Elle donnait l'image de quelqu'un de professionnel et sexy. Où pouvait-elle bien aller à cette heure-là ? Et habillée comme ça, en plus ?

— Et ton dîner avec tes parents ? demandai-je.

—Changement de plan. (Elle posa ses affaires sur la table à côté de moi et s'accroupit pour fouiller le tiroir du bas.) Je suis passée prendre quelques trucs, et je repars. (Toujours au niveau de mes genoux, elle me fit un grand sourire.) Je serai de retour dans quelques heures.

—D'accord, dis-je.

J'étais quelque peu déconcertée. Elle avait l'air heureuse. Elle avait vraiment l'air heureuse.

—Il fait froid, ici, remarqua-t-elle en sortant trois de mes pieux en bois et en les posant bruyamment à proximité de l'évier. À l'odeur, on dirait que tu as ouvert les fenêtres.

—Euh, ça doit être la porte en contreplaqué qui laisse passer les courants d'air.

Je fronçai les sourcils en la voyant se relever et tirer sur sa veste en cuir pour la déplisser. Elle traversa la pièce avec une rapidité à la limite du bizarre, ouvrit sa musette et y fourra les pieux. Dubitative, je la regardais sans rien dire.

Elle hésita un instant.

—Je peux les prendre ?

Elle avait pris mon silence pour de la désapprobation.

—Bien sûr. Garde-les.

Je me demandais ce qui se passait. Je ne l'avais jamais vue porter autant de cuir depuis qu'elle avait libéré un enfant vampire d'un ex jaloux. Et je ne voulais pas récupérer un pieu qui aurait servi.

—Merci.

Les talons claquant sur le lino, elle alla jusqu'à la machine à café. Elle fit la moue en voyant que la cafetière était vide.

—Tu as une course de prévue ? demandai-je.

—En quelque sorte.

Elle jeta le filtre usagé, et son enthousiasme s'émoussa.

Emportée par ma curiosité, je retroussai la couverture de soie pour voir ce qu'elle cachait.

—Putain de merde ! m'exclamai-je en découvrant la lame brillante qui sentait un peu l'huile. Où as-tu dégoté une épée ?

—Jolie, n'est-ce pas ? (Sans se retourner, elle ajouta trois cuillerées de café dans le filtre et appuya sur le bouton.) Et on ne peut pas tracer le propriétaire, contrairement aux balles ou aux amulettes.

Quelle pensée rassurante.

—Et tu sais t'en servir ?

Ivy quitta le plan de travail. Je m'enfonçai dans mon siège pendant qu'elle déballait l'épée. Elle prit la poignée et sortit la lame fine de son fourreau. L'arme produisit un murmure métallique qui me chatouilla l'oreille interne. Telle de la soie qui se plie, elle prit une pose classique, main libre recourbée au-dessus de la tête, le bras armé à la fois plié et braqué vers l'avant. Elle regardait le mur d'un œil vide ; ses cheveux noirs se balancèrent un moment avant de s'arrêter.

Purée, j'avais un samouraï pour coloc'. De mieux en mieux.

— Et en plus, tu sais t'en servir, admis-je à mi-voix.

Elle me sourit en se redressant et remit l'arme dans son fourreau.

— J'ai pris des cours du CM2 au lycée, dit-elle en posant l'épée sur la table. Je grandissais tellement vite que c'était dur de garder mon équilibre. Je n'arrêtais pas de rentrer dans les gens. Surtout ceux qui m'énervaient. C'est à l'adolescence qu'on acquiert les superréflexes. Mon entraînement m'aidait, alors j'ai continué.

Je léchai le sel sur mes doigts et éloignai le pop-corn. J'étais prête à parier qu'une bonne partie des cours était consacrée au self-control. J'étais moins stressée, car les bougies semblaient fonctionner. J'étendis les jambes sous la table. J'avais bien envie de boire un peu du café qu'elle était en train de faire. Ivy sortit sa thermos d'un des placards du haut. Je jetai un coup d'œil au café qui s'égouttait en espérant qu'elle n'allait pas tout prendre.

— Alors, commença-t-elle en remplissant le récipient d'eau bouillante pour le réchauffer. Tu me fais penser à un vampire qui a mordu le chat de la maison.

— Pardon ?

Mon estomac se noua.

Elle se retourna et s'essuya les mains avec un torchon.

— Nick a appelé ?

— Non, dis-je platement.

Son sourire s'élargit. Elle balança ses cheveux par-dessus son épaule.

— Bien. C'est très bien.

Je n'avais pas très envie que la conversation dérive sur ce sujet-là. Je me levai en m'essuyant les paumes sur mon jean. J'allai pieds nus raviver la flamme sous le pot-pourri. Ivy ouvrit le frigo et en sortit le fromage à tartiner et un sachet de petits pains. Cette fille mangeait comme si les calories ne pouvaient pas lui coller à la peau.

—Pas de Jenks? demandai-je.

Hélas, la réponse était évidente.

—Pas de Jenks. Mais il a accepté de me parler. (Elle plissa les yeux d'un air frustré.) Je lui ai dit que moi aussi, je savais ce qu'est Trent, et qu'il fallait qu'il arrête sa petite crise. Maintenant, il ne veut plus me voir non plus. (Elle remit le couvercle sur le fromage et tartina son petit pain.) Tu crois qu'on devrait mettre une annonce dans le journal?

Je levai la tête, surprise.

—Pour le remplacer?

Elle prit une bouchée et fit non de la tête.

—Pour le secouer, dit-elle la bouche pleine. Peut-être qu'en voyant une pub pour recruter des pixies, il viendra nous parler.

Je fronçai les sourcils et m'affalai sur ma chaise en posant les pieds sur celle d'Ivy.

—J'en doute. Ça lui ressemblerait assez de nous dire de ne pas nous gêner pour le remplacer.

Ivy haussa les épaules.

—De toute façon, on ne peut pas faire grand-chose avant le printemps.

—Je suppose que tu as raison.

Seigneur, comme c'était déprimant. Je devais trouver un moyen de m'excuser auprès de Jenks. Peut-être en lui faisant livrer un télégramme par un clown? Voire en jouant moi-même le rôle du clown?

—Je vais réessayer de lui parler, repris-je. Je lui apporterai du nectar. On ne sait jamais, s'il est saoul, il me pardonnera peut-être mes conneries.

—Je passerai en chercher tout à l'heure, proposa-t-elle. J'en ai vu à base de fleurs de cerisiers japonais – réservé aux gourmets.

Elle vida le thermos et le remplit de tout le contenu de la cafetière, emprisonnant l'odeur paradisiaque dans le métal et le verre.

Ravalant ma déception, j'ôtai mes pieds de sa chaise. Manifestement, Ivy avait elle aussi réfléchi à la meilleure manière de soulager l'orgueil de Jenks.

—Bon, alors, où vas-tu à cette heure avec un thermos de café, un sac plein de pieux et une épée? demandai-je.

Ivy s'appuya sur le plan de travail avec la grâce d'une panthère noire; son petit pain à moitié mangé était perché sur la pointe de ses doigts.

— Je dois faire les gros yeux à des vampires arrogants, histoire de les empêcher un peu de dormir. L'épée, c'est pour la frime, les pieux pour qu'ils se rappellent de moi, et le café c'est pour moi.

Je grimaçai en imaginant à quel point il devait être désagréable que quelqu'un comme Ivy cherche à vous empêcher de dormir. Surtout si elle s'appliquait. Mais j'écarquillai les yeux en comprenant le fin mot de l'histoire.

— Tu fais ça pour le compte de Piscary ? devinai-je.

Je fus sûre de sa réponse lorsque je la vis se retourner vers la fenêtre.

— Ouaip.

J'attendis en silence dans l'espoir qu'elle dise quelque chose. En vain. Je la regardai en détail, étudiai son air fermé.

— Ton père a trouvé un moyen ? tentai-je.

Elle soupira et se tourna vers moi.

— Tant que je m'occuperai de ses affaires, ce connard de Piscary ne viendra pas fouiner dans ma tête.

Elle jeta un coup d'œil à ce qui restait de son petit pain, fronça les sourcils et alla d'un pas nerveux le mettre à la poubelle.

Je ne dis rien. J'étais surprise qu'elle ait capitulé aussi facilement. Interprétant à tort mon silence comme une accusation, elle prit un air honteux.

— Piscary a accepté de me laisser continuer à utiliser Kisten comme façade. Il aime la notoriété, et tous ceux qui ont un minimum d'importance sauront que ce qu'il dit vient de moi – enfin, je veux dire, de Piscary. Je n'ai rien à faire tant que Kisten ne tombe pas sur un problème qu'il n'est pas capable de gérer. Si ça arrive, je n'aurai qu'à venir le dépanner.

Je revis Kisten battre sept sorciers avec la facilité et la nonchalance de quelqu'un qui casse une barre chocolatée. J'avais du mal à imaginer qu'il puisse rencontrer un problème qui le dépasse, mais il était vrai qu'il ne pourrait jamais affronter des vampires non morts sans puiser dans la force de Piscary.

— Et ça ne te dérange pas ? demandai-je bêtement.

— Non, dit-elle en croisant les bras. Mais c'est tout ce que mon père a trouvé, et, si je ne suis pas capable d'accepter son aide, c'est à moi de m'en passer.

— Excuse-moi, marmonnai-je.

J'aurais mieux fait de la fermer.

Apparemment apaisée, Ivy traversa la cuisine et mit le thermos dans son sac avec les pieux.

—Je ne veux pas de Piscary dans ma tête, reprit-elle en secouant sa musette pour que son contenu se mette en place avant qu'elle la referme. Tant que je ferai ce qu'il me demande, il n'entrera pas ; et il laissera Erica tranquille. C'est Kisten qui devrait être son scion, pas moi. Ça lui plaît, à lui.

J'acquiesçai distraitement. Ses doigts s'immobilisèrent sur la musette ; je reconnus sur son visage l'ombre de la douleur qu'elle avait éprouvée la nuit où Piscary l'avait violée de bien des façons. Tout à coup, ses narines s'écartèrent et son regard se perdit dans le vide. Un frisson me parcourut l'échine.

—Kisten est venu, dit-elle à voix basse.

Ma peau se hérissa. Bon sang. Je n'avais pas réussi à lui cacher la vérité ne serait-ce qu'une nuit.

—Euh, oui, avouai-je en me redressant sur ma chaise. Il te cherchait.

Il y a à peu près une demi-journée.

J'eus encore plus froid lorsque je vis qu'elle me dévisageait. Elle avait perçu mon malaise. Elle se tourna vers le pot-pourri. Double merde.

Les lèvres serrées, elle sortit en claquant des talons.

Je me levai ; les pieds de la chaise en bois grincèrent sur le lino.

—Eh, Ivy ? lançai-je en lui emboîtant le pas.

Le souffle coupé, je pilai dans le couloir sombre ; elle était déjà revenue du sanctuaire, et j'avais failli lui rentrer dedans.

—Excuse-moi, grommela-t-elle en me contournant avec sa rapidité de vampire.

Elle avait une posture tendue et, dans le peu de lumière qui provenait de la cuisine, je vis que ses pupilles étaient dilatées. *Merde. Elle passait en mode vamp'.*

— Ivy ? dis-je au couloir vide au moment où elle entrait dans le salon éclairé à la bougie. Pour Kisten, euh…

Les mots s'étranglèrent dans ma gorge. Je m'arrêtai au bord du tapis gris. Elle était debout, très raide, à côté du canapé. Le canapé sur lequel Kisten et moi avions fait l'amour. Diverses émotions la submergèrent avec une rapidité effrayante : désarroi, peur, colère, sentiment de trahison. Elle s'élança vers la chaîne et appuya sur le bouton avec une violence qui me fit sursauter.

Les cinq CD sortirent à moitié. Ivy les fixa du regard, comme paralysée.

— Je vais le tuer, dit-elle en effleurant Jeff Buckley.

Choquée, j'ouvris la bouche pour protester, mais mes mots moururent devant la colère noire et lourde contenue dans son expression.

— Je vais le tuer deux fois.

Elle savait. D'une manière ou d'une autre, elle savait. Mon cœur s'emballa.

— Ivy..., commençai-je.

J'entendis la peur dans ma propre voix. En prime, j'allais titiller ses instincts. Je fis marche arrière, mais un peu trop tard.

— Où c'est ? siffla-t-elle.

Elle tendit les bras vers moi, le regard fou.

— Ivy... (Mon dos toucha le mur ; j'écartai son bras d'un revers de la main.) Il ne m'a pas mordue.

— Où c'est !

L'adrénaline monta. Ivy le sentit et sa main jaillit. Elle avait les yeux noirs et vagues. Seules nos anciennes séances d'entraînement en commun me permirent de l'empêcher de me saisir ; je bloquai son bras et plongeai pour me retrouver debout au milieu du salon.

— Arrête ça, Ivy ! m'exclamai-je en essayant de ne pas me mettre en position défensive. Il ne m'a pas mordue !

Mais avant que j'aie eu le temps de respirer, elle était sur moi et me tirait par le col de mon sweat-shirt.

— Où est-ce qu'il t'a mordue ? demanda-t-elle de sa voix grise tremblante. Je vais le tuer. Bon sang, je vais le tuer ! Je sens son odeur partout sur toi !

Elle attrapa le bas de mon sweat-shirt, ce qui me fit passer la cote d'alerte. Je fus saisie de panique, et l'instinct prit le relais.

— Ivy ! Arrête ! hurlai-je.

Effrayée, je puisai de l'énergie. Elle tendit les mains vers moi, le visage déformé par la colère. La ligne emplit mon chi comme une déferlante incontrôlable. Un éclair d'énergie partit de mes mains et les brûla. Je n'avais pas pensé à le maîtriser à l'aide d'un charme.

Nous criâmes toutes deux lorsqu'une feuille d'au-delà noir et or s'échappa de moi et envoya Ivy s'écraser contre la porte de contreplaqué.

Elle glissa au sol, les mains sur la tête et les jambes de travers. L'explosion fit vibrer les fenêtres. Je faillis tomber en arrière, mais repris mon équilibre. La colère remplaça la peur ; peu m'importait qu'Ivy aille bien ou pas.

—Il ne m'a pas mordue ! hurlai-je. (Debout au-dessus d'elle, je crachai les cheveux qui me rentraient dans la bouche.) C'est compris ? On a fait l'amour, OK ? Bon sang, Ivy, c'était que du sexe !

Elle toussa et se mit à haleter, le visage rouge. Dans son dos, la planche de contreplaqué était fissurée. Elle me regarda et secoua la tête ; sa vue était encore floue. Elle ne se releva pas. Je discernais mal son visage dans la pénombre.

—Il ne t'a pas mordue ? répéta-t-elle d'une voix rauque.

Mes jambes tremblaient sous l'effet de l'adrénaline.

—Non ! Tu me prends vraiment pour une idiote !

Clairement secouée, elle me regarda de biais. Elle inspira lentement et s'essuya la lèvre inférieure du revers de la main. Mes tripes se nouèrent lorsque je m'aperçus qu'elle saignait. Ivy regarda le sang sur sa main, puis ramena ses jambes sous elle et se releva. Elle prit un mouchoir, s'essuya la main et le roula en boule. Je recommençai à respirer.

Elle tendit le bras dans ma direction. Je fis un bond en arrière.

—Ne me touche pas ! m'exclamai-je.

Elle me fit signe qu'elle n'insistait pas.

—Excuse-moi, dit-elle.

Elle regarda la planche fissurée et grimaça en se touchant le dos. Elle ajusta sa veste avec soin. Son regard croisa le mien, et elle prit le temps de respirer. Mon cœur battait en rythme avec la douleur qui pulsait dans ma tête.

—Tu as couché avec Kisten, et il ne t'a pas mordue ? insista-t-elle.

—Oui. Et non, il ne m'a pas mordue. Et si tu me retouches, je pars définitivement. Bon sang, Ivy. Je croyais qu'on s'était mises d'accord à ce sujet !

Je m'attendais à une excuse, ou quelque chose comme ça, mais elle se contenta de me dévisager d'un air dubitatif.

—Tu es sûre ? demanda-t-elle. Il a pu te couper l'intérieur de la lèvre sans que tu le remarques.

Ma peau se couvrit de chair de poule. Je passai ma langue sur les parois de ma bouche.

—Il avait mis des capuchons.

J'étais mal à l'aise en repensant à la facilité avec laquelle il aurait pu me blouser. Mais il ne l'avait pas fait.

Ivy cligna des yeux. Elle s'assit lentement au bord du canapé, posa les coudes sur les genoux et la tête sur les mains. Son corps fin semblait bien vulnérable, à la lumière des trois bougies posées sur la table. Merde. Je m'aperçus soudain que non seulement elle voulait que la nature de notre relation devienne plus intime, mais en plus, Kisten était son ex.

—Ivy ? Ça va aller ?

—Non.

Je pris soin de m'asseoir en face d'elle, avec le coin de la table entre nous. Pas à dire, c'était vraiment la merde. Je jurai en silence, puis tendis la main vers elle.

—Ivy, c'est supergênant.

Elle sursauta en sentant le poids de ma main sur son épaule et leva ses yeux effroyablement secs sur moi. J'eus un mouvement de recul et posai ma main sur mes cuisses comme si elle était morte. Je savais que je ne devais pas la toucher, alors qu'elle attendait davantage. Mais rester assise sans rien faire, c'était d'une froideur...

—C'est juste arrivé comme ça, expliquai-je.

Ivy se toucha la lèvre pour vérifier qu'elle ne saignait plus.

—Vous avez juste couché ensemble ? Tu ne lui as pas donné ton sang ?

Je fus frappée par la vulnérabilité de sa voix. J'acquiesçai pensivement. J'avais l'impression d'être une poupée, avec ma tête vide et mes yeux écarquillés.

—Je suis désolée, dis-je. Je ne pensais pas que Kisten et toi... (J'hésitai ; ce n'était pas le sexe qui la gênait, mais le sang qu'elle pensait que j'avais donné à Kisten.) Je ne savais pas que Kisten et toi étiez encore ensemble.

Je ne savais pas si le terme était exact.

—Je ne partage pas le sang avec Kisten, sauf les rares fois où il se fait plaquer et a besoin de mes soins dévoués, murmura-t-elle de sa voix de soie grise. (Elle n'avait toujours pas relevé la tête.) Le sang n'a rien à voir avec le sexe, Rachel. C'est une manière de montrer qu'on tient à quelqu'un, qu'on... qu'on l'aime.

Sa voix était à peine plus qu'un souffle. Ma respiration s'accéléra. J'avais l'impression que nous étions sur le fil du rasoir, et j'avais peur à m'en pisser dessus.

—Comment peux-tu dire que ça n'a rien à voir alors que tu es prête à coucher avec n'importe qui? dis-je d'une voix plus dure que je l'aurais voulu à cause de l'adrénaline. Bon Dieu, Ivy, c'était quand, la dernière fois que tu as couché avec quelqu'un sans boire son sang?

Alors seulement, elle releva la tête. Je fus choquée par la peur que je lus dans ses yeux. Elle était effrayée, mais ce n'était pas parce qu'elle croyait que j'avais donné mon sang à Kisten; ce qui lui faisait peur, c'étaient les réponses que j'exigeais d'elle. Je crois qu'elle n'avait jamais été confrontée à ces réponses, pas même dans le chaos dans lequel ses désirs l'avaient laissée. J'eus très chaud, puis très froid. Ramenant mes genoux sous mon menton, je collai mes talons nus contre moi.

—OK, dit-elle. (À sa manière de parler en exhalant, je sus qu'elle allait dire la vérité toute nue.) Tu as raison. J'ai pour habitude de mélanger le sexe et le sang. J'aime ça. C'est tellement fort, Rachel. Si seulement tu voulais bien…, commença-t-elle en levant les mains.

Je me sentis pâlir. Elle se ravisa en voyant que je secouais la tête. Elle me donna l'impression de se dégonfler comme une baudruche lorsque toute la tension qu'elle avait accumulée s'échappa d'elle.

—Rachel, ce n'est pas pareil, conclut-elle faiblement en m'implorant du regard.

Je pensai à Kist. L'élancement de ma cicatrice se propagea à mon entrejambe et ma respiration s'accéléra encore un peu plus. J'avalai ma salive pour me forcer à évacuer cette sensation. Je me reculai dans mon siège. J'étais contente qu'il y ait une table entre nous.

—C'est ce que dit Kisten, mais moi je ne peux pas séparer les deux. Et je crois que toi non plus, tu ne le peux pas. (Elle rougit, et je sus que j'avais vu juste.) Mince, Ivy, je ne suis pas en train de dire que ce n'est pas bien de mélanger les deux. Bon sang, ça fait sept mois que je vis avec toi. Tu ne crois pas qu'après tout ce temps, tu l'aurais remarqué, si je pensais autrement? Mais je ne suis pas faite comme ça. Tu es la meilleure amie que j'aie jamais eue, mais je ne partagerai pas mon oreiller avec toi, et je ne laisserai jamais personne goûter mon sang. (Je repris ma respiration.) Je ne suis pas comme ça non plus. Et je ne peux pas passer ma vie à éviter d'avoir une vraie relation parce que ça pourrait te rendre triste. Je t'ai dit que toi et moi, ça n'arriverait jamais, et c'est vrai. Peut-être… (Je me sentis soudain mal à l'aise.)… peut-être que je ferais mieux de déménager.

—Déménager?

Sa voix était à peine plus qu'un souffle, et son désarroi me fit monter les larmes aux yeux. Je fixai le mur, mâchoires serrées. Ces sept derniers mois avaient été les plus effrayants et les meilleurs de ma vie. Je n'avais aucune envie de partir – et pas seulement parce qu'elle me protégeait de la morsure et des revendications d'autres vampires. Mais rester là serait une mauvaise chose, si elle ne parvenait pas à surmonter ses sentiments.

—Jenks est parti, dis-je d'une voix basse pour ne pas montrer que je tremblais. Je viens de coucher avec ton ex. Ce n'est pas juste, pour toi, que je reste ici s'il ne peut pas y avoir plus que de l'amitié entre nous. Surtout maintenant que Skimmer est de retour dans ta vie. (Je regardai la porte cassée ; je me dégoûtais.) On devrait en rester là.

Seigneur, pourquoi étais-je au bord des larmes ? J'étais incapable de lui donner davantage alors qu'elle en avait désespérément besoin. Skimmer, elle, pouvait ; elle le voulait. Je devais partir. Mais, en relevant la tête, je fus choquée de voir la lueur des bougies se refléter sur une traînée humide sous ses yeux.

—Je ne veux pas que tu partes, dit-elle. (La boule dans ma gorge grossit.) L'amitié, c'est une raison suffisante pour rester, non ?

La souffrance que je lisais dans ses yeux était telle que je ne pus retenir une larme.

—Bon sang, grognai-je en l'essuyant. Regarde ce que tu m'as fait faire.

Elle tendit la main par-dessus la table et me saisit par le poignet. Son contact me fit sursauter. Mes yeux étaient rivés sur les siens. Elle attira ma main et posa mes doigts mouillés de larmes sur ses lèvres. Elle ferma les yeux et battit des cils. L'adrénaline monta en moi et mon pouls s'accéléra à l'évocation du souvenir de l'extase vampirique.

—Ivy ? dis-je doucement en retirant ma main.

Elle la lâcha sans rien dire. Le cœur battant, je la regardai prendre une grande inspiration pour goûter l'air et passer mes émotions en revue dans son cerveau incroyable pour évaluer ce que j'étais capable et ce que j'étais incapable de faire. Je n'avais aucune envie de connaître le résultat de ses calculs.

—Je vais faire mes valises, déclarai-je.

J'avais peur qu'elle en sache plus long que moi sur mon propre compte.

Ses yeux s'ouvrirent. Je crus y voir un soupçon de force – la première trace de sa volonté de fer retrouvée.

—Non, dit-elle. Toi et moi, on est des merdes, quand on est seules. Et je ne parle pas seulement de cette stupide société. Je te promets de ne rien te demander d'autre que d'être mon amie. S'il te plaît… (Elle prit sa respiration.) S'il te plaît, ne pars pas à cause de ça, Rachel. Fais ce que tu veux avec Kist. C'est un homme bon, et je sais qu'il ne te fera pas de mal. Mais… (Elle retint son souffle et sa détermination vacilla.)… sois là quand je rentrerai.

J'acquiesçai. Je savais qu'elle ne parlait pas que de cette nuit. De toute façon, je n'avais pas envie de partir. J'aimais notre collocation : ma cuisine, le jardin de sorcière… et puis vivre dans une église, ça avait un côté cool. Qu'elle tienne à notre amitié signifiait beaucoup pour moi, et après avoir évité pendant des années de me faire de vrais amis à cause de ce qui était arrivé à mon père, c'était très important pour moi aussi d'avoir une « meilleure amie ». Un jour, elle m'avait menacée de me retirer sa protection dont j'avais désespérément besoin si je partais. Mais pas cette fois-ci. J'avais peur de chercher une raison, peur que ce soit à cause de ce minuscule frisson que j'avais ressenti quand elle avait goûté mes larmes.

—Merci, dit-elle. (Je restai paralysée lorsqu'elle se pencha et me prit brièvement dans ses bras ; des odeurs d'amandes et de cuir inondèrent mes sens.) Si Kisten réussit à te convaincre que le sang c'est différent du sexe, tu promets de me le dire ?

Je la fixai du regard. Un instant, je revis Skimmer l'embrasser.

Apparemment satisfaite, elle me lâcha, se leva et alla dans la cuisine.

—Ivy, soufflai-je. (J'étais trop assommée, trop au bout du rouleau pour parler plus fort, mais je savais qu'elle m'entendait.) Combien de règles on est en train de violer ?

Elle reparut dans l'embrasure de la porte, musette à l'épaule et épée à la main, et sembla hésiter. Elle passait d'un pied sur l'autre sans me répondre.

—Je rentrerai après le lever du soleil. Il sera un peu tard, mais on pourrait peut-être dîner ? Papoter de Kisten autour d'un plat de lasagnes ? Dans le fond, c'est un mec sympa – il sera parfait pour toi.

Elle partit, non sans m'avoir gratifiée d'un sourire maladroit.

Elle avait fait cette dernière remarque avec un ton de regret, mais je ne savais pas si c'était parce qu'elle avait perdu Kisten ou moi. Je ne voulais pas le savoir. Les yeux rivés sur le tapis, j'écoutai le claquement lointain de la porte d'entrée. J'en avais oublié l'existence des bougies, des odeurs de paraffine et de parfum. Comment ma vie avait-elle pu foirer à ce point ? J'avais juste voulu quitter la SO, venir en aide à des gens, faire quelque chose de ma vie et de mon diplôme. Depuis, je m'étais trouvé un petit ami – le premier depuis des années – et je l'avais fait fuir, j'avais insulté un clan de pixies, j'étais devenue l'anneau doré d'Ivy, et j'avais couché avec un vampire vivant. Sans compter les deux menaces de mort auxquelles j'avais survécu, ou ma situation précaire avec Trent. Mais, bon Dieu, qu'est-ce que je fichais ?

Je me levai et me traînai jusque dans la cuisine, le visage glacé et les jambes en coton. Un bruit d'eau courante me fit relever la tête. Je m'immobilisai. Algaliarept était devant l'évier ; il remplissait la théière, dont le cuivre terni perlait sous l'effet de la condensation.

— Bonsoir, Rachel, dit-il avec un grand sourire qui révéla ses dents plates. J'espère que ça ne te dérange pas que je fasse du thé. On a beaucoup à faire avant l'aube.

Oh, seigneur. Je l'avais oublié, celui-là.

Chapitre 23

— **M**erde ! jurai-je en faisant volte-face.

Le sanctuaire. Si j'arrivais à atteindre une zone sanctifiée, il ne pourrait rien contre moi. Je poussai un cri en sentant une main lourde se poser sur mon épaule. Je me retournai pour lui griffer le visage. Il se transforma en brume, et j'en profitai pour fuir. Un instant plus tard, il me tirait par la cheville pour me faire tomber.

— Lâche-moi ! hurlai-je en m'écrasant au sol.

Je lui donnai un coup de pied, mais il m'envoya valdinguer dans le frigo. Son visage allongé devint aussi blanc que s'il n'avait jamais vu le soleil et, par-dessus ses lunettes fumées, ses yeux rouges de bouc prirent une expression avide. Je me remis précipitamment sur pieds. Il se jeta sur moi et ses mains gantées me saisirent avec une violence qui me fit claquer des mâchoires. Il me poussa et me propulsa contre le plan de travail central comme une vulgaire poupée de chiffon. Je me retournai et m'adossai au meuble, les yeux écarquillés et le cœur battant plus vite que jamais. Quelle idiote. Mais quelle idiote !

— Si tu t'échappes encore, je te ferai comparaître pour ne pas avoir respecté notre accord, déclara-t-il calmement. Tu es prévenue. S'il te plaît, fuis. Ça rendra tout teeeellement plus facile.

Le corps agité de tremblements, je m'appuyai sur le plan de travail pour garder l'équilibre.

— Va-t'en, dis-je. Je ne t'ai pas invoqué.

— Les choses ne sont plus aussi simples, maintenant. Mes recherches à la bibliothèque m'ont pris une bonne journée, mais j'ai fini par trouver un précédent. (Son accent précis devint encore plus obséquieux que d'habitude ; il posa les poings sur ses hanches et récita :) « Si un familier donné se trouve en un endroit bêta en raison d'un prêt ou autre, le maître peut aller le chercher pour accomplir des tâches. » Tu as ouvert la porte en puisant dans une ligne. Et, comme j'ai une tâche pour toi, je compte bien rester jusqu'à ce que tu l'aies accomplie.

J'étais piégée. J'en avais la nausée.

— Qu'est-ce que tu veux ?

Un chaudron rempli d'une mixture sentant le géranium était posé sur le plan de travail. Je ne m'étais pas attendue qu'il me ramène du boulot.

— Que veux-tu, Maître, corrigea Al en souriant à pleines dents.

Je coinçai mes cheveux derrière mon oreille.

— Je veux que tu foutes le camp de ma cuisine.

Il me frappa violemment du revers de la main sans se départir de son sourire. J'étouffai un cri et cherchai à garder l'équilibre. Je sentis une poussée d'adrénaline lorsqu'il me rattrapa par l'épaule et me remit droite.

— Comme tu es drôle, murmura-t-il. (Son élégance toute britannique me glaça ; ses beaux traits ciselés se firent sévères.) Dis-le.

J'avais un goût âcre de sang dans la bouche. Le plan de travail me faisait mal au dos.

— Qu'est-ce que tu veux, ô bienveillant maître de mes fesses ?

Il me frappa du plat de la main sans que j'aie le temps d'esquiver. La douleur irradia dans ma joue et j'allai m'écraser par terre. Les bottes à boucles argentées d'Al étaient dans mon champ de vision. Il portait des collants blancs, et il y avait même de la dentelle en bas de son pantalon.

Sentant la nausée monter, je me touchai la joue. Elle me brûlait. Je le détestais. J'essayai de me relever, mais il m'appuya sur l'épaule avec le pied pour me forcer à rester à terre. Je le détestai d'autant plus. J'écartai mes cheveux pour pouvoir le voir. *Qu'est-ce que ça va changer, de toute façon ?*

— Que veux-tu, Maître ?

J'avais l'impression que j'allais vomir.

Ses lèvres fines se retroussèrent en un sourire satisfait. Il tira sur la dentelle de ses manches et se baissa avec beaucoup de sollicitude pour m'aider à me relever. Je le repoussai, mais il me releva si violemment que je me retrouvai plaquée contre lui à renifler son odeur de velours et d'ambre brûlé.

— Voilà ce que je veux, chuchota-t-il en glissant une main sous mon sweat-shirt.

Mon cœur s'accéléra. Le corps raide, je serrai les dents. *Je le tuerai. D'une manière ou d'une autre, je le tuerai.*

— Vraiment touchante, ta conversation avec ta colocataire.

Je me crispai encore plus, car il avait pris la voix d'Ivy. Son apparence changea sans qu'il cesse de me tripoter et je sentis l'au-delà me transpercer. Il avait le visage d'Ivy, mais avec ses propres yeux de bouc. Son corps élancé et musclé, tout de cuir vêtu, se pressa contre le mien et me coinça contre le plan de travail. La dernière fois, il m'avait mordue. *Oh, Seigneur. Pas encore.*

— Mais peut-être que tu préfères ça, murmura-t-il de la voix de soie grise d'Ivy.

Je sentis la sueur perler dans le bas de mon dos. Ses longs cheveux raides glissèrent sur ma joue avec un bruissement soyeux qui me fit irrémédiablement frissonner. Il le sentit et se pencha pour me forcer à reculer.

— Ne te dérobe pas, dit-il de la belle voix d'Ivy. (Ma résolution n'en fut que plus forte ; ce type était une fiente, un sale connard, et il paierait de sa vie.) Je suis désolé, Rachel…, souffla-t-il en dessinant une ligne de mon épaule à ma hanche avec ses doigts brûlants. Je ne suis pas en colère. Je comprends que tu aies peur. Mais les choses que je pourrais t'apprendre – si tu savais les sommets de passion que nous pourrions atteindre.

Il lâcha un soupir chevrotant. Les bras frais et légers d'Ivy m'enserraient, m'attiraient doucement à lui contre ma volonté. Je sentais même sa riche senteur d'encens noir et de cendre. Il avait complètement cerné le personnage.

— Je peux te montrer ? murmura la vision d'Ivy. (Je fermai les yeux.) Juste un avant-goût… Je sais que je peux te faire changer d'avis.

Son ton implorant était chargé de ses désirs et de sa vulnérabilité. Il disait tout ce qu'elle n'avait pas dit, tout ce qu'elle ne dirait jamais. Mes yeux s'ouvrirent lorsque ma cicatrice prit vie. *Dieu, non.* L'incendie se propagea jusqu'à mon entrejambe. Mes genoux se dérobèrent sous moi. J'essayai en vain de le repousser. Ses yeux rouges de démon virèrent au brun liquide et il raffermit sa prise, me tira vers lui jusqu'à ce que je sente son souffle sur mon cou.

—Tout doux, Rachel, murmura la voix d'Ivy. Je pourrais te donner tellement de douceur. Je pourrais être tout ce qu'un homme ne peut pas être. Tout ce que tu veux. Tu n'as qu'un mot à dire, Rachel. Dis-moi que tu veux bien.

Je ne pouvais vraiment, vraiment pas gérer ça dans un tel moment.

—Tu n'avais pas quelque chose à me faire faire? demandai-je. Le soleil va bientôt se lever et il faut que j'aille me coucher.

—Doucement, susurra-t-il. (L'haleine d'Ivy sentait l'orange.) Il n'y a qu'une première fois.

—Lâche-moi, dis-je sèchement. Tu n'es pas Ivy, et je ne suis pas intéressée.

Les yeux pleins de passion d'Ivy s'étrécirent, mais Al regardait par-dessus mon épaule, et je ne croyais pas que c'était à cause de quelque chose que j'avais dit. Il me lâcha et je m'efforçai de ne pas tomber. Un voile d'au-delà s'abattit sur lui; ses traits se fondirent et il retrouva son apparence habituelle de jeune lord britannique du XVIIIᵉ. Ses yeux étaient de nouveau dissimulés sous ses lunettes. Il les ajusta sur la fine arête de son nez.

—Formidable, s'exclama-t-il. (Il avait aussi récupéré son accent.) Ceri.

J'entendis au loin la porte d'entrée s'ouvrir.

—Rachel! cria-t-elle d'une voix aiguë et apeurée. Il est de ce côté des lignes!

Surprise, je fis volte-face. Je pris ma respiration pour l'avertir, mais il était trop tard. Ma main tendue retomba lorsqu'elle apparut à l'entrée de la pièce. Sa robe blanche toute simple fit des plis sur ses pieds nus quand elle s'immobilisa. Ses yeux verts mélancoliques grands ouverts, elle posa la main sur le crucifix d'Ivy qui pendait à son cou.

—Rachel…, souffla-t-elle en baissant les épaules de désarroi.

Al fit un pas vers elle. Elle virevolta sur la pointe des pieds telle une danseuse en faisant tourbillonner ses cheveux détachés. Elle récita en silence un poème entrelacé d'obscurité et une onde d'énergie de ligne s'abattit entre nous. Le visage blême, les bras croisés pour se donner du courage, elle fixait Al en tremblant au milieu de son petit cercle.

Le démon, plus impressionnant que jamais, rayonnait littéralement. Il ajusta la dentelle de son col.

328

—Ceri. C'est vraiment magnifique de te voir. Tu me manques, ma chérie.

Il ronronnait presque.

Le menton de la jeune femme tremblait.

—Bannis-le, Rachel, dit-elle.

Elle était morte de peur, ça ne faisait aucun doute.

J'essayai en vain d'avaler ma salive.

—J'ai puisé dans une ligne. Il a trouvé un précédent. Il a une tâche pour moi.

Elle écarquilla les yeux.

—Non…

Al fronça les sourcils.

—Je n'ai pas mis les pieds à la bibliothèque depuis mille ans. Ils murmuraient dans mon dos, Ceri. J'ai dû renouveler ma carte. C'était très embarrassant. Tout le monde sait que tu es partie. C'est Zoë qui me fait mon thé. Je n'en ai jamais bu de pire – il ne peut pas tenir la cuiller à sucre, avec ses deux doigts. Reviens. (Son beau visage se fendit d'un sourire.) Je ferai en sorte que tu ne regrettes pas d'abandonner ton âme.

Ceri sursauta. Elle leva le menton et dit d'un ton hautain :

—Mon nom est Ceridwen Merriam Dulciate.

Al laissa échapper une exclamation de joie rauque. Il retira ses lunettes et posa un coude sur le plan de travail.

—Ceri, sois un amour et fais-nous un peu de thé, chuchota-t-il en imitant mon expression ahurie.

Abasourdie, je vis Ceri baisser la tête et avancer d'un pas. Al gloussa lorsqu'elle poussa un petit cri de dégoût et s'arrêta à la limite de son cercle. Elle fulminait et ses petits poings étaient serrés.

—Les vieilles habitudes ont la vie dure, railla Al d'un ton particulièrement vil.

Après tout ce qui s'était passé, elle était encore à lui.

—Laisse-la tranquille, grognai-je.

Une main gantée venue de nulle part me frappa et m'envoya valdinguer contre le plan de travail, la mâchoire en feu. Je restai voûtée au-dessus du comptoir, haletante, mes cheveux pendant tout autour de mon visage. Je commençais à en avoir assez de tout ça.

—Ne la frappe pas ! lança Ceri avec virulence.

—Ça te dérange ? demanda-t-il d'un ton léger. La souffrance

l'émeut plus que la peur. C'est d'ailleurs une bonne chose – la souffrance vous garde en vie plus longtemps que la peur.

Ma douleur se mua en colère. J'attendis de reprendre mon souffle. Les sourcils levés, il me défiait de protester. Ses yeux de bouc glissèrent jusqu'au chaudron de la taille d'une tête qu'il avait apporté.

—Et si on s'y mettait?

Je regardai le récipient. J'avais reconnu son contenu à l'odeur. C'était la mixture qu'on utilisait pour transformer les gens en familiers. Un frisson de peur me parcourut, et je dus croiser les bras pour le réprimer.

—Je suis déjà enveloppée dans ton aura, dis-je. Me forcer à en prendre davantage ne changera rien.

—Je ne t'ai pas demandé ton avis.

Je fis un bond en arrière quand il se mit en mouvement. Il sourit et me tendit le panier qui venait d'apparaître dans sa main. Je sentis une odeur de cire.

—Dispose les bougies, m'ordonna-t-il.

La rapidité avec laquelle je m'exécutai sembla l'amuser.

—Rachel…, murmura Ceri.

Mais je ne pouvais la regarder. J'avais promis d'être sa familière, et j'allais l'être, heureuse ou pas. Je pensai à Ivy en disposant les bougies vert laiteux aux endroits marqués par des traces de vernis à ongles noir. Pourquoi étais-je incapable de faire les bons choix dans ma vie?

Je pris la dernière bougie et ma main se mit à trembler. Elle était entaillée, comme si quelque chose avait essayé de briser le cercle en le traversant. Quelque chose qui avait de grandes vilaines dents.

—Rachel! aboya Al. (Je sursautai.) Tu ne les as pas disposées suivant leur nom.

Je le regardai, interloquée, sans lâcher ma dernière bougie. Derrière lui, Ceri se passa nerveusement la langue sur les lèvres.

—Tu ne connais pas leur nom. (Je secouai la tête; j'avais peur qu'il recommence à me frapper, mais il se contenta de soupirer.) Je les déplacerai en les allumant, grommela-t-il en rougissant. Je m'attendais à mieux de ta part. Apparemment, tu as passé le plus clair de ton temps à pratiquer la magie de terre en négligeant tes lignes d'énergie.

—Je suis une sorcière de terre. Pourquoi je m'embêterais avec ça?

Al menaça de me frapper. Ceri sursauta. Ses cheveux presque translucides volèrent en tous sens.

—Laisse-la partir, Algaliarept. Tu ne voudrais pas d'elle comme familière.

—Tu te proposes de prendre sa place? railla-t-il.

Je retins mon souffle de peur qu'elle accepte.

—Non! hurlai-je.

Il rit.

—Arrête de pleurnicher, Rachel, ma chérie, dit-il de son ton sirupeux. (Je fus prise d'un frisson de dégoût lorsqu'il me caressa le menton et descendit le long de mon bras jusqu'à la dernière bougie.) Je garde mes familiers jusqu'à trouver mieux, et, bien que tu sois aussi ignorante qu'une grenouille, tu es capable de contenir presque deux fois plus d'énergie qu'elle. (Il la regarda avec mépris.) Petite chanceuse.

Il claqua une fois dans ses mains gantées de blanc et se tourna en faisant virevolter sa queue-de-pie.

—Maintenant, regarde bien, Rachel. Demain, ce sera toi qui allumeras mes bougies. Ces mots agissent sur les dieux comme sur les mortels, les rendant tous capables de protéger l'intégrité de mon cercle, fût-ce contre Newt même.

Super.

—*Salax*, dit-il en allumant la première bougie à l'aide de la fine chandelle qui venait d'apparaître dans sa main. *Aemulatio.* (Il en alluma une deuxième.) *Adfictatio, cupidus*, et, ma préférée, *inscitia*.

Il alluma la dernière avec un sourire, et la chandelle, qui était toujours allumée, disparut. Je sentis qu'il puisait dans une ligne; dans un tourbillon translucide rouge et noir, son cercle s'éleva et alla se refermer au-dessus de nos têtes. Sa puissance me picota la peau.

C'est une des choses que je préfère, entendis-je dans mon esprit. Je réprimai un gloussement hystérique. J'allais devenir la familière d'un démon. Il n'y avait plus aucun moyen de l'éviter, à présent.

Al jubila en entendant le son étouffé que je venais d'émettre. Ceri sembla se calmer.

—Algaliarept, implora-t-elle. Tu la pousses trop à bout. Sa volonté est trop forte pour plier facilement.

—Je brise mes familiers comme je l'entends, rétorqua-t-il calmement. Avec quelques bases, elle sera aussi à sa place que la pluie dans le désert. (Il mit une main sur sa hanche, l'autre sous son menton et jeta un coup d'œil spéculateur dans ma direction.) C'est l'heure de ton bain, ma chérie.

Il claqua des doigts avec une classe digne d'un professionnel du spectacle, puis ouvrit la main. L'instant d'après, il tenait un seau en cèdre par son arceau. J'écarquillai les yeux lorsqu'il jeta son contenu sur moi.

Cet affront me coupa le souffle. C'était de l'eau froide. Salée, en prime, comme je m'en aperçus lorsqu'elle entra dans ma bouche et me piqua les yeux. La réalité m'envahit telle une vague et m'éclaircit les pensées. Il s'assurait que je n'avais pas bu la moindre potion susceptible de dénaturer le sort qu'il allait lancer.

—Je n'utilise pas de potions, grosse merde verte! criai-je en agitant mes bras trempés.

—Tu vois, Ceri? C'est encore mieux.

Il ne cachait pas son contentement. Mon charme antidouleur se brisa, et je ressentis une légère douleur au niveau des côtes. Mes livres de sorts étaient tout mouillés. Si je survivais, j'allais devoir les aérer pour les faire sécher. Quel connard.

—Oooh, on dirait que ton œil a bien récupéré, dit-il en tendant la main pour le tâter. Tu acceptes le Soufre de ta colocataire, hein? Attends un peu d'avoir essayé des trucs vraiment costauds. Tu vas t'éclater.

Sa main qui empestait la lavande me caressa la joue. J'eus un mouvement de recul, mais il m'attrapa par les cheveux. Je lançai mon pied dans sa direction, mais il s'en saisit. Il bougeait trop vite pour moi. Pleine de compassion, Ceri me regarda lutter en vain. Tout en maintenant mon pied en l'air, il me poussa contre le plan de travail. Ses lunettes étaient tombées; il me souriait avec un plaisir dominateur.

—Oh, oui, jouons-la violente. Merveilleux.

—Non! m'exclamai-je en voyant des ciseaux briller dans sa main.

—Tiens-toi tranquille, dit-il en lâchant mon pied et en me coinçant contre le plan de travail.

Je ne pus rien faire d'autre que me contorsionner pour lui cracher à la figure. Je paniquai en entendant le bruit métallique des ciseaux. Il finit par me lâcher en se transformant en brume. Je m'écrasai au sol.

Je me relevai en me tenant les cheveux.

—Arrête ça! Arrête! m'exclamai-je en regardant tour à tour son grand sourire et la touffe de cheveux qu'il m'avait coupée. (Bon sang, il y en avait au moins dix centimètres.) Tu sais combien de temps ça va mettre à repousser?

Les ciseaux disparurent. Al jeta un regard en coin à Ceri en jetant mes cheveux dans la potion.

—Elle s'inquiète pour ses cheveux?

Je regardai soudain les mèches rousses qui flottaient à la surface de la mixture d'Algaliarept, et mon dos se glaça – d'autant plus que mon pull était trempé. Le but de la potion, ce n'était pas qu'Al me donne son aura; c'était que moi, je lui donne la mienne.

—Oh là, non! m'écriai-je en reculant. Je ne te donnerai pas mon aura!

Al prit l'une des cuillers en céramique qui pendaient au-dessus du plan de travail et immergea mes cheveux dans son breuvage. Il était incroyablement raffiné, dans ses vêtements de velours vert et de dentelle; il était plus mince et plus élégant qu'il était humainement possible de l'être.

—C'est un refus, Rachel? Allez, s'il te plaît, dis-moi que c'est un refus.

—Non, murmurai-je.

J'étais coincée. Je ne pouvais rien faire. Absolument rien.

Son sourire s'élargit.

—Et maintenant, ma chérie, il me faut du sang pour l'aviver.

Le pouls battant, je regardai le chaudron, puis l'aiguille qu'il tenait entre le pouce et l'index. Si je fuyais, j'étais à lui. Si je faisais ce qu'il me demandait, il pourrait m'utiliser à travers les lignes. Merde, merde et re-merde.

Faisant passer mes pensées au second plan, je pris l'aiguille en argent noirci. Ma bouche s'assécha lorsque je sentis son poids considérable dans ma main. Elle était ouvragée et longue comme ma paume. La pointe était en cuivre pour que l'argent n'interfère pas avec le sort. Je la regardai de plus près et mon estomac se retourna. Une femme nue s'entortillait autour du corps de l'aiguille.

—Dieu me vienne en aide, murmurai-je.

—Il ne t'écoute pas. Il est trop occupé.

Je me raidis. Al s'était approché par-derrière. Il me chuchotait à l'oreille.

—Termine la potion, Rachel.

Je sentais son souffle chaud sur ma joue. Je ne pouvais pas bouger, car il me tirait la tête en arrière par les cheveux. Il inclina la tête et se rapprocha encore plus, ce qui me fit frissonner.

—Termine-la…, souffla-t-il en m'effleurant avec ses lèvres.

Il sentait la lavande et l'amidon.

Je serrai les dents, retins mon souffle et me plantai l'aiguille dans la peau. Je soufflai, puis recommençai à retenir mon souffle. Je crus entendre Ceri pleurer.

—Trois gouttes, chuchota Al en fourrant le nez au creux de mon cou.

J'avais mal à la tête et mon pouls s'était emballé. Je mis le doigt au-dessus du chaudron et le massai pour en tirer trois gouttes de sang. Une odeur de séquoia monta et submergea brièvement celle, mielleuse, d'ambre brûlé.

—Mmm, des plus riches. (Sa main enveloppa la mienne, me prit l'aiguille, qui disparut dans une lueur d'au-delà, puis il se saisit de mon doigt blessé.) Tu me fais goûter ?

Je reculai autant que possible, le bras tendu entre nous.

—Non.

—Laisse-la tranquille ! implora Ceri.

Al relâcha lentement sa prise et me regarda. Pour la première fois, il me sembla tendu.

Je lui arrachai ma main et reculai d'un pas supplémentaire. J'avais froid malgré le chauffage qui soufflait sur mes pieds nus.

—Va te mettre sur le miroir, ordonna-t-il.

Derrière ses lunettes fumées, son visage était dénué d'expression. Je jetai un coup d'œil à l'objet qui m'attendait, posé par terre.

—Je… je ne peux pas.

Sa bouche se crispa. Je serrai les dents pour ne rien dire quand il me souleva et me posa sur le miroir. Je retins mon souffle en sentant que je m'enfonçais de cinq centimètres dans le verre.

—Oh mon Dieu, oh mon Dieu, pleurnichai-je.

Je tendis les mains vers le plan de travail, mais Al était sur le chemin et souriait à pleines dents.

—Expulse ton aura.

—Je ne peux pas.

J'étais en hyperventilation.

Al descendit ses lunettes sur son nez fin et me dévisagea par-dessus la monture.

—Peu importe. Elle se dissout comme du sucre sous la pluie.

—Non, murmurai-je.

334

Mes genoux se mirent à trembler et le battement dans ma tête s'accentua. Je sentais littéralement mon aura me quitter et celle d'Al renforcer son emprise sur moi.

— Excellent! dit-il en posant ses yeux de bouc sur le miroir.

Je suivis son regard et mis une main sur mon estomac. Je me voyais dedans. Ma tête était recouverte de l'aura vide et noire d'Al. Seuls mes yeux étaient visibles; ils brillaient d'une petite lueur jaune. C'était mon âme, qui essayait de fabriquer assez d'aura pour s'interposer entre celle d'Al et moi. Mais c'était insuffisant, car le miroir l'aspirait au fur et à mesure, et je sentais la présence du démon s'insinuer en moi.

Je m'aperçus que je haletais. Je m'imaginais ce qu'avait dû vivre Ceri qui, complètement privée de son âme, avait enduré l'invasion perpétuelle de l'aura étrangère et tordue d'Algaliarept.

Je me remis à trembler. Je plaquai les mains sur ma bouche et cherchai désespérément un endroit où vomir. Un haut-le-cœur me fit quitter précipitamment le miroir. Je ne voulais pas dégueuler. C'était hors de question.

— Merveilleux, dit Al. (J'étais voûtée, les dents serrées; j'essayai de contenir une montée de bile.) On a tout. Voilà. Je vais la mettre pour toi dans le chaudron.

Sa voix était joyeuse. De sous mes cheveux, je le vis jeter le miroir dans la potion, qui devint instantanément transparente, comme prévu.

Ceri était assise par terre. Elle pleurait, la tête sur les genoux. Elle la releva, et je la trouvai encore plus belle avec ces larmes sur son visage. Moi, pleurer, ça me rendait moche.

Un gros grimoire jauni atterrit sur le plan de travail juste à côté de moi. Je sursautai. Dehors, le ciel s'éclaircissait, mais l'horloge indiquait qu'il n'était que 5 heures. Il restait pas moins de trois heures avant que le soleil se lève et mette fin à ce cauchemar – à moins qu'Al s'en charge avant.

— Lis.

Je baissai les yeux sur le livre et le reconnus. C'était le grimoire que j'avais trouvé dans mon grenier, celui dont Ivy avait dit qu'il ne faisait pas partie des livres qu'elle y avait entreposés pour moi. Celui que j'avais confié à la garde de Nick après m'en être servie accidentellement pour faire de lui mon familier. Celui qu'Al nous avait piqué. Celui, enfin, qu'Algaliarept avait écrit et qui portait sur la transformation des gens en familiers. Merde.

J'avalai ma salive. Mes doigts me semblèrent bien pâles lorsque je les posai sur le texte. Je le parcourus pour trouver la bonne incantation. Elle était en latin, mais je connaissais sa traduction.

—Une partie pour toi, murmurai-je, mais tout pour moi. Liée par des liens créés par choix.

—*Pars tibi, totum mihi*, traduisit Al en souriant. *Vinctus vinculis, prece factis.*

Mes doigts se mirent à trembler.

—La lune est sauve, la lumière saine, murmurai-je. Le chaos est décrété, le pire peut arriver.

—*Luna servata, lux sanata. Chaos statutum, pejus minutum.* Allez, vas-y. Finis.

Il ne restait qu'un seul vers. Un vers, et le sort serait terminé. Neuf mots et ma vie deviendrait un enfer, que je me trouve de ce côté-ci des lignes ou pas. Je pris le temps de respirer.

—Voile d'esprit, murmurai-je d'une voix tremblante. (Je commençais à avoir du mal à respirer.) Porteur de douleur. Esclave jusqu'à ce que les mondes se meurent…

Son sourire s'élargit et ses yeux virèrent au noir.

—*Mentem tegens, malum ferens*, psalmodia-t-il. *Semper servus dum duret… mundus.*

Al retira ses gants et plongea ses mains avec avidité dans le chaudron. J'eus un mouvement de recul. Un son nasillard résonna en moi, suivi d'une sensation de vertige à vous donner la nausée. Le charme noir et étouffant enveloppa mon âme, me privant de mes sensations.

Al sortit ses mains dégoulinantes aux phalanges rouges et s'appuya contre le plan de travail. Un voile rouge scintillant s'abattit sur lui et il devint flou l'espace d'un instant. Il cligna des yeux, l'air secoué.

Je repris mon souffle. C'était fait. Il avait mon aura, et pour de bon – à part peut-être la partie que mon âme s'efforçait désespérément de fabriquer pour faire tampon entre moi et l'aura d'Al dans laquelle j'étais toujours encroûtée. Ça finirait peut-être par s'arranger, mais j'en doutais.

—Bien, dit-il en tirant sur ses manches avant de s'essuyer les mains dans une serviette noire qu'il venait de faire apparaître. (Ses gants blancs se rematérialisèrent autour de ses mains.) Vite fait, bien fait. Magnifique.

Ceri pleurait doucement. J'étais trop lessivée pour seulement la regarder.

Mon téléphone sonna dans mon sac posé sur le plan de travail. Le son semblait bien déplacé, étant donné la situation.

Al sembla avoir surmonté son léger malaise.

— Oh, attends, je vais répondre, dit-il en brisant le cercle pour aller décrocher.

Je frissonnai en sentant mon chi se vider ; l'énergie traversa Al et retourna dans la ligne d'où elle était venue. Quand il se retourna avec mon portable à la main, Al était si heureux que ses sourcils étaient arqués.

— Je me demande qui c'est, minauda-t-il.

Incapable de rester plus longtemps debout, je me laissai glisser au sol, dos au plan de travail, et ramenai mes genoux vers moi. Le soupirail crachait de l'air chaud sur mes pieds nus, mais mon jean mouillé ne laissait passer que du froid. J'étais la familière d'Al. Pourquoi m'embêtais-je même à respirer ?

— C'est pour ça qu'ils prennent ton âme, murmura Ceri. Sans volonté, tu ne peux pas te tuer.

J'avais le regard rivé dans le vide. C'était seulement maintenant que je comprenais.

— Allooooo ? ronronna Al. (Il était appuyé contre l'évier ; le cylindre rose de mon portable ne collait pas à son charme du vieux monde.) Nicholas Gregory Sparagmos ! Quel plaisir !

— Nick ? soufflai-je en relevant la tête.

Al tenait l'appareil dans sa longue main. Il ne se départait pas de son sourire affecté.

— C'est ton petit ami. Je réponds pour toi, tu as l'air fatiguée. (Son nez se plissa et il se tourna vers le téléphone.) Ah, vous l'avez senti ! dit-il gaiement. On dirait qu'il manque quelque chose, maintenant, non ? Attention aux vœux que vous faites, petit magicien.

— Où est Rachel ? demanda la petite voix métallique de Nick.

Il avait l'air paniqué. Je sentis mon cœur se briser. Je tendis la main tout en sachant qu'Al ne me donnerait pas le téléphone.

— Mais à mes pieds, cher ami. Elle est à moi, tout à moi. Elle a commis une erreur, et maintenant elle est à moi. Envoyez des fleurs pour sa tombe. C'est tout ce que vous pouvez faire.

Le démon écouta un moment. Diverses émotions passèrent sur son visage.

— Oh, arrêtez de faire des promesses que vous ne pouvez pas tenir. C'est vrrraiment petit. En l'occurrence, je n'ai plus besoin de familier, donc je ne répondrai pas à vos supplications; inutile de m'appeler. Elle a sauvé votre âme, petit homme. Dommage que vous ne lui ayez pas dit combien vous l'aimiez. Les humains sont vraiment stupides.

Al coupa la communication alors que Nick était en train de protester. Il referma l'appareil et le remit dans mon sac. Il recommença à sonner dans la seconde. Al appuya dessus. Mon téléphone joua sa petite musique d'adieu haïssable et s'éteignit.

—Bon, alors, reprit le démon en claquant dans ses mains. Où en étions-nous? Ah, oui. Je reviens. J'ai hâte de voir si ça marche.

Ses yeux rouges brillaient de plaisir. Il disparut avec un léger déplacement d'air.

—Rachel, s'écria Ceri.

Elle se jeta sur moi et me traîna hors du cercle brisé. Je la repoussai. J'étais trop déprimée pour essayer de fuir. Ça n'allait plus tarder. Algaliarept allait m'emplir de son énergie, me faire sentir ses pensées, me transformer en batterie doublée d'une bonniche qui lui ferait son thé et sa vaisselle. Une première larme d'impuissance m'échappa, mais je n'avais pas assez de volonté pour m'en vouloir de pleurer. C'était normal. J'avais parié ma vie pour mettre Piscary au frais, et j'avais perdu.

—Rachel! Je t'en prie! m'implora Ceri en s'agrippant à mon bras.

Elle me faisait mal à force d'essayer de m'entraîner avec elle. Mes pieds mouillés couinèrent sur le lino. Je la poussai pour qu'elle arrête de me tirer.

Une bulle rouge d'au-delà apparut à l'endroit où Al s'était évaporé. La pression de l'air augmenta violemment, et Ceri et moi dûmes nous boucher les oreilles.

—La peste soit du paradis et du reste! jura Al. (Il était tout dépenaillé; ses cheveux étaient en bataille et ses lunettes avaient disparu.) Tu as tout fait dans les règles, pourtant! hurla-t-il en gesticulant en tous sens. J'ai ton aura. Tu as la mienne. Pourquoi je n'arrive pas à t'atteindre à travers les lignes?

Ceri s'agenouilla derrière moi et me prit dans ses bras comme pour me protéger.

—Ça n'a pas fonctionné? demanda-t-elle d'une voix chevrotante tout en me tirant en arrière.

Elle se dépêcha de tracer un cercle autour de nous de son doigt mouillé.

—À ton avis, ça a l'air d'avoir fonctionné ? s'exclama-t-il. J'ai l'air content, peut-être ?

—Non, souffla-t-elle. (Autour de nous, le cercle s'éleva ; il était fort, malgré les souillures noires dont il était constellé.) Rachel, dit-elle en me pressant le bras. Tu vas t'en sortir.

Al se calma. Il se tourna dans un silence de mort, à l'exception du couinement de ses bottes sur le lino.

—Certainement pas.

J'écarquillai les yeux en entendant la colère et la frustration qui perçaient dans sa voix. *Seigneur, non. J'ai déjà donné.*

Je me raidis en le sentant puiser de l'énergie dans une ligne. Il m'en envoya une violente décharge, et je perçus un peu de ses émotions du moment – un mélange d'anticipation et de satisfaction. Le feu se propagea en moi et m'arracha un cri de douleur. Je repoussai Ceri. Sa bulle éclata, me transperçant de milliers d'aiguilles enflammées, ce qui n'arrangea rien.

Recroquevillée en position fœtale, je criai mentalement le mot « Tulpa » et profitai de la sensation de répit lorsque le torrent bouillant alla se loger dans la sphère logée dans mes pensés. Je relevai lentement la tête en haletant. La confusion et la frustration d'Al m'emplirent. Ma colère enfla, jusqu'à éclipser ses émotions.

Dans ma tête, je sentis ses pensées se muer en franche surprise. Je me redressai tant bien que mal. Ma vision se brouilla – ce que je voyais entrait en conflit avec ce que mon cerveau me disait être vrai. La plupart des bougies étaient éteintes ; elles étaient renversées dans des flaques de cire et l'air sentait la fumée. Al perçut ma révolte à travers le lien qui nous unissait. Il grimaça lorsque la fierté que je ressentais à avoir appris à stocker l'énergie s'insinua en lui.

—Ceri…, menaça-t-il.

Ses yeux de bouc se plissèrent.

—Ça n'a pas marché, dis-je à voix basse en le regardant de derrière mes cheveux emmêlés. Casse-toi de ma cuisine.

—Je finirai par t'avoir, Morgan, grogna-t-il. Si je ne peux pas te ramener alors que tu me reviens de droit, par dieu, je te soumettrai à coups de poing et je te traînerai dans l'au-delà en sang et en morceaux.

—Ah oui ? répliquai-je.

Je jetai un coup d'œil au chaudron qui contenait mon aura. Il écarquilla les yeux de surprise en lisant mes pensées au moment où elles me venaient. À présent, le lien allait dans les deux sens. Il avait commis une erreur.

—Tire-toi de ma cuisine! m'exclamai-je en lui renvoyant l'énergie qu'il m'avait forcée à stocker à travers notre lien familier.

Je me redressai sous la violence du mouvement énergétique; ma sphère s'était vidée quasi instantanément. Al recula en titubant, sous le choc.

—Espèce de sale petite chienne! s'écria-t-il.

Son image se brouilla. S'efforçant de rester debout, il puisa davantage d'énergie dans la ligne.

Je plissai les yeux et me concentrai pour la lui renvoyer directement. Il allait se manger l'intégralité de la décharge qu'il me destinait.

Il s'étrangla en sentant ce que je lui réservais. Une douleur me déchira les tripes. Je titubai et me rattrapai à la table. Il avait brisé notre connexion vivante. Haletant bruyamment, je le fixai à l'autre bout de la cuisine. Nous allions régler ça ici et maintenant. L'un de nous allait perdre, et il était hors de question que ce soit moi. Pas dans ma cuisine. Pas ce soir.

Al recula un pied et prit une position faussement décontractée. Il se passa une main sur les cheveux pour les lisser. Ses lunettes rondes fumées réapparurent sur son nez, et il reboutonna sa redingote.

—Ça ne marche pas, déclara-t-il d'un ton neutre.

—Non, grinçai-je. Ça ne marche pas.

À l'abri de son cercle, Ceri ricana.

—Tu ne peux pas l'avoir, Algaliarept, espèce de gros idiot, railla-t-elle. (Je m'interrogeai sur le choix de ses mots.) Tu as ouvert la porte à familiers dans les deux sens en la forçant à te donner son aura. Tu es son familier autant qu'elle est ta familière.

L'expression temporairement calme du démon se transforma en rictus de colère.

—J'ai utilisé ce sort des milliers de fois pour voler des auras, et ça ne s'est jamais produit. Je ne suis pas son familier!

À la fois crispée et nauséeuse, je vis un tabouret à trois pieds apparaître derrière Al. On aurait dit le genre de siège qu'aurait pu utiliser Attila le Hun, avec un coussin de velours rouge et des franges en crin de cheval qui pendaient jusqu'au sol. Sans prendre la peine de regarder s'il était bien derrière lui, il s'assit. Il avait l'air interloqué.

—C'est pour ça que Nick a appelé, dis-je.

Al me jeta un regard condescendant. En prenant mon aura, il avait brisé mon lien avec Nick. Ce dernier l'avait senti. *Merde alors! Al est mon familier?*

Ceri me fit signe de la rejoindre dans son cercle, mais je ne voulais pas risquer qu'Al lui fasse mal le temps qu'elle le reforme. Cependant, Al était perdu dans ses pensées.

—C'est anormal, marmonna-t-il. Je l'ai déjà fait avec des centaines de sorcières qui avaient leur âme et c'est la première fois que ça crée un lien de cette force. Qu'as-tu de si différent…?

Mon estomac se noua; son visage ne trahit plus la moindre émotion. Il regarda l'horloge au-dessus de l'évier, puis moi.

—Viens ici, petite sorcière.

—Non.

Il serra les lèvres et se leva.

Je reculai en retenant mon souffle, mais il m'avait attrapée par le poignet. Il me tira contre le plan de travail.

—Tu l'as déjà lancé, ce sort, dit-il. (Il pressa le doigt que je m'étais piqué, ce qui le refit saigner.) Quand tu as fait de Nicholas Gregory Sparagmos ton familier. C'est ton sang, petite sorcière, que tu as mis dans la potion pour créer le lien?

—Tu le sais bien. (J'étais trop lessivée pour avoir peur.) Tu étais là.

Je ne voyais pas ses yeux, mais la fille qui se reflétait dans ses lunettes était moche et pâle, et elle avait les cheveux emmêlés et mouillés.

—Et ça a marché, constata-t-il pensivement. Ça ne vous a pas juste reliés; votre lien a été suffisamment fort pour que tu puises l'énergie des lignes à travers lui?

—C'est pour ça qu'il est parti.

À ma grande surprise, je m'aperçus que j'en souffrais encore.

—C'est ton sang qui a donné toute sa force au sort… (Ses yeux de bouc dubitatifs me dévisageaient par-dessus ses lunettes; il tira ma main vers sa bouche, et malgré mes efforts pour l'en empêcher il lécha le sang sur le bout de mon doigt, ce qui me procura une sensation de froidure lancinante.) Quelle senteur subtile, souffla-t-il sans que ses yeux quittent les miens. Comme un nuage parfumé dans le sillage d'un amour.

—Lâche-moi, dis-je en le repoussant.

—Tu devrais être morte, poursuivit-il, fasciné. Comment se fait-il que tu sois toujours en vie ?

Mâchoire serrée, je m'efforçai d'insérer mes doigts entre sa main et mon poignet pour le faire lâcher prise.

—J'y travaille de toutes mes forces.

Je tombai en arrière, le souffle coupé, lorsqu'il me lâcha.

—Tu y travailles de toutes tes forces. (Il recula d'un pas en souriant et me dévisagea.) Les fous sont bénis à leur manière. Il faut que je lance un groupe d'étude sur la question. (Effrayée, je me pris le poignet et le serrai contre ma poitrine.) Et bientôt, tes semblables seront miens, Rachel Mariana Morgan. Tu peux me croire.

—Je n'irai jamais dans l'au-delà, lançai-je sèchement. Il faudra que tu me tues d'abord.

—Tu n'as pas le choix, chantonna-t-il. (Sa petite mélodie me donna les chocottes.) Puise de l'énergie quand le soleil est couché, et je te trouverai. Tu ne peux pas faire de cercle assez puissant pour que je ne puisse pas le pénétrer. Si tu es sur de la terre sanctifiée, je te battrai à te rendre dingue, et ensuite je te traînerai dans l'au-delà. Et, quand tu y seras, il n'y aura plus aucune évasion possible.

—Essaie un peu, le menaçai-je en prenant le marteau à attendrir la viande qui était pendu au-dessus du plan de travail. Tu ne peux pas me toucher sans redevenir solide, et je te promets que ça va faire mal, peau-rouge.

Sourcils froncés, Al hésita. Je me pris à penser que ça devait être comme d'essayer de tuer une guêpe – une question de timing, autrement dit.

Ceri avait un sourire indéchiffrable sur le visage.

—Algaliarept, dit-elle à mi-voix. Tu as fait une erreur. Elle a trouvé une lacune dans votre contrat ; tu vas l'accepter et la laisser tranquille. Sinon, je crée une école pour apprendre aux gens à stocker l'énergie des lignes.

Le démon blêmit.

—Euh, Ceri, attends un peu, ma chérie.

Marteau en main, je reculai jusqu'à sentir la bulle froide contre mon dos. Elle tendit la main. Je sursautai lorsqu'elle m'attira à l'intérieur de son cercle, qui se referma avant même que je comprenne qu'elle l'avait ouvert. Je me détendis en voyant le scintillement noirâtre qui nous séparait d'Al. On ne discernait qu'un soupçon de bleu pâle – la couleur de l'aura abîmée de Ceri – au milieu de la souillure que le démon avait laissée sur son âme. Soulagée, elle m'enlaça de côté, sans quitter Al des yeux. Je lui tapotai la main en signe de reconnaissance.

—C'est censé être un problème? demandai-je.

Je ne comprenais pas pourquoi Algaliarept avait l'air aussi bouleversé.

Ceri prit un air suffisant.

—Je sais stocker l'énergie, et je lui ai échappé. Il va avoir des problèmes. De gros problèmes. Je suis surprise qu'on ne lui ait pas encore demandé des comptes. Mais bon, je suppose que personne n'est au courant. (Elle posa ses yeux verts moqueurs sur Al). Enfin, pour l'instant.

Je ressentis une impression de danger en voyant son expression de satisfaction sauvage. Elle savait tout ça depuis le début et avait attendu le moment propice pour porter l'estoc. Cette femme était plus retorse que Trent, et en plus, jouer la vie des gens – y compris la mienne – ne lui posait aucun problème. Dieu merci, elle était de mon côté. Du moins je l'espérais.

Al leva une main en signe de protestation.

—Ceri, on pourrait peut-être en parler.

—D'ici à une semaine, dit-elle avec confiance, il n'y aura plus une sorcière des lignes à Cincinati qui ne saura pas comment être son propre familier. Dans un an, le monde entier te sera fermé, ainsi qu'à tes semblables, et ce sera toi qui devras en répondre.

—Mais c'est si grave que ça? intervins-je.

Al dansait d'un pied sur l'autre en ajustant ses lunettes. Il faisait froid, à l'écart de la ventilation, et je frissonnais dans mes vêtements imbibés.

—Il est plus difficile de pousser quelqu'un à faire de mauvais choix quand la personne est capable de contre-attaquer, expliqua Ceri. Si ce savoir se répand, leur vivier de familiers potentiels sera uniquement composé d'individus faibles et indésirables d'ici à quelques années à peine.

Ma bouche s'ouvrit.

—Ah.

—Je t'écoute, dit Al.

Il était assis dans une pose très raide et sans doute peu confortable.

L'espoir s'empara de moi, tellement fort que c'en était presque douloureux.

—Retire ta marque démonique de moi, brise le lien qui nous unit, laisse-moi tranquille à jamais, et je ne dirai rien.

Al laissa échapper un reniflement méprisant.

—Eh bien, toi au moins, tu n'as pas peur de demander des faveurs.

Ceri me pressa le bras en guise d'avertissement et me lâcha.

—Laisse-moi faire. J'écris la plupart de ses contrats oraux depuis sept cents ans. Je peux parler en ton nom ?

Je l'observai. Elle avait le regard sauvage, enflammé par son désir de vengeance. Lentement, je reposai mon marteau.

—Bien sûr, répondis-je en me demandant ce que j'avais sauvé de l'au-delà.

Elle se tint droite et prit un air officiel.

—Je propose qu'Al retire sa marque de ton corps et brise le lien qui vous unit en échange de ton vœu solennel de n'enseigner à personne comment stocker l'énergie des lignes. De plus, toi et ta famille, par le sang comme par les lois des hommes, serez à l'abri d'éventuelles représailles de la part du démon connu sous le nom d'Algaliarept ou de ses agents de ce monde ou de l'au-delà, et cela jusqu'à ce que les deux mondes entrent en collision.

J'essayai en vain de trouver de la salive à avaler. Je n'aurais jamais pensé à tout ça.

—Non, répondit Al avec fermeté. Ça fait trois faveurs contre une, et je ne veux pas perdre complètement mon emprise sur ses semblables. Je veux quelque chose pour compenser ma perte. Et si elle traverse les lignes, peu m'importe notre accord ; elle est à moi.

—On peut le forcer ? chuchotai-je. Je veux dire, il n'a vraiment pas le choix ?

Al gloussa.

—Je peux appeler Newt pour trancher, si tu veux…

Ceri pâlit.

—Non. (Elle prit sa respiration pour se calmer et me regarda ; sa confiance en elle était certes ébranlée, mais pas anéantie.) Laquelle des trois peux-tu supporter de garder ?

Je pensai à ma mère et à mon frère Robbie. Ainsi qu'à Nick.

—Je veux qu'il brise le lien qui nous unit et qu'il nous laisse tranquilles ma famille par le sang ou par la loi et moi. Je garde la marque démonique ; je réglerai ça plus tard.

Algaliarept posa la cheville sur son genou.

— Tu es une petite sorcière très maligne. Si elle ne respecte pas sa parole, elle perd son âme.

Ceri prit un air sérieux.

— Rachel, si tu enseignes à qui que ce soit à stocker l'énergie des lignes, ton âme appartiendra à Algaliarept. Il pourra t'attirer dans l'au-delà suivant son bon vouloir, et tu seras à lui. Tu comprends ?

J'acquiesçai. Pour la première fois, j'eus l'espoir de revoir le soleil se lever.

— Et que se passe-t-il si c'est lui qui brise notre accord ?

— S'il vous fait du mal à toi ou à ta famille – volontairement –, Newt l'enfermera dans une bouteille et tu auras un génie à ton service. C'est une règle de base, mais je suis contente que tu m'aies demandé.

J'écarquillai les yeux. Mon regard passa d'Al à Ceri.

— Sans déconner ?

Al attira notre attention en soupirant.

— Et toi ? demanda-t-il sans chercher à cacher son agacement. Que veux-tu en échange de ton silence ?

Les yeux de Ceri trahirent la satisfaction qu'elle éprouvait à reprendre quelque chose à son ancien ravisseur et tourmenteur.

— Tu vas reprendre la souillure sur mon âme dont j'ai hérité dans ton sillage, et tu ne chercheras pas à te venger de moi ou de ma famille par le sang ou la loi, et ce, jusqu'à ce que les deux mondes entrent en collision.

— Hors de question que je retire mille ans de malédiction à sens unique, s'indigna Algaliarept. C'est bien pour ça que tu étais ma familière, bordel. (Il reposa les deux pieds par terre et se pencha en avant.) Mais je ne veux pas qu'on dise que je ne suis pas aimable. Tu gardes la souillure, mais je t'autorise à apprendre à une personne à stocker l'énergie des lignes. (Un sourire satisfait mais forcé s'empara de ses yeux impies.) Un enfant. Une fille. Ta fille. Et si elle transmet ce secret à qui que ce soit, son âme m'appartiendra. Dans la seconde.

Ceri pâlit sans que je sache pourquoi.

— Elle pourra le dire à une de ses filles, et ainsi de suite, contra-t-elle.

Al sourit.

—C'est réglé, dit-il en se levant. (Il entremêla ses doigts et fit craquer ses phalanges ; une lueur d'au-delà planait au-dessus de lui comme une ombre.) Ah, c'est super. Très bien.

Je jetai un regard interrogateur à Ceri.

—Je pensais qu'il serait en colère, chuchotai-je.

Elle secoua la tête. Pas de doute, elle était inquiète.

—Il a toujours une emprise sur toi. Et il compte sur le fait qu'une de mes descendantes oublie la gravité de notre arrangement et fasse une erreur.

—Le lien qui nous unit, rappelai-je en regardant le ciel noir au-dehors. Il va le briser maintenant ?

—Le moment de la dissolution n'a jamais été précisé, dit Al.

Il touchait les objets qu'il avait rapportés, les renvoyant les uns après les autres dans l'au-delà.

Ceri se redressa.

—C'était sous-entendu. Brise le lien, Algaliarept.

Il la regarda par-dessus ses lunettes en souriant et mit une main derrière lui et une autre devant dans une parodie de révérence.

—Ce n'est pas grand-chose, Ceridwen Merriam Dulciate. Tu ne peux pas m'en vouloir d'avoir essayé.

Il ajusta sa redingote en chantonnant. Un saladier rempli de bouteilles et d'outils en argent apparut sur le plan de travail central. Un petit livre était posé dessus. Le titre était écrit à la main, d'une écriture élégante avec de belles boucles.

—Pourquoi est-il si joyeux ? murmurai-je.

Ceri secoua la tête. Le bout de ses cheveux bougea encore un peu après qu'elle se fut immobilisée.

—Quand il jubile comme ça, c'est qu'il a découvert un secret. Je suis désolée, Rachel. Tu sais quelque chose qui le rend très content.

Super.

Tenant le livre de manière à pouvoir le lire, il le feuilleta à toute vitesse d'un air érudit.

—Briser notre lien m'est aussi facile que de te briser le cou. Toi, par contre, tu devras te débrouiller ; je ne vais pas gâcher un sort que j'ai en réserve pour toi. Et comme je ne veux pas que tu saches briser les liens de familiers, je vais ajouter un petit quelque chose... Ah, voilà. De l'essence de lilas. Ça commence par de l'essence de lilas. (Il leva les yeux de son livre et les plongea dans les miens.) Pour toi.

Un frisson me parcourut le corps lorsqu'il me fit signe de sortir du cercle pour venir le rejoindre. Une petite bouteille violet fumé apparut dans ses longs doigts.

Je pris une rapide inspiration.

— Tu brises le lien et tu t'en vas ? Rien de plus ?

— Rachel Mariana Morgan, me réprimanda-t-il. As-tu une si mauvaise opinion de moi ?

Je jetai un coup d'œil à Ceri, qui me fit signe d'y aller. Je ne faisais pas confiance à Al, mais à elle, si. Je m'avançai. Elle cassa le cercle le temps que j'en sorte, puis le reforma.

Al déboucha la bouteille et versa une goutte scintillante d'améthyste dans une coupe en cristal taillé grande comme mon pouce. Il posa un doigt ganté sur ses lèvres fines et me tendit la coupe. Je la pris en faisant la grimace. Mon cœur battait la chamade, mais je n'avais pas le choix.

Il s'approcha avec une avidité qui ne m'inspira pas confiance et me montra le livre ouvert. Il était écrit en latin. Il mit le doigt sur des instructions manuscrites.

— Tu vois ce mot ? demanda-t-il.

Je pris ma respiration.

— *Umb…*

— Pas encore ! cria-t-il. (Il m'avait fait faire un bond sur place ; je n'avais pas besoin de ça pour que mon cœur batte à tout rompre.) Pas tant que l'essence ne baigne pas ta langue, idiote. Mon dieu, on dirait que tu n'as jamais lancé de malédiction !

— Je ne suis pas une sorcière des lignes ! m'écriai-je d'une voix probablement plus dure qu'elle aurait dû l'être.

Al haussa les sourcils.

— Tu pourrais. (Son regard se posa sur le verre que je tenais.) Bois-le.

Je jetai un coup d'œil à Ceri. Elle m'encouragea à obtempérer. Je permis donc à la minuscule quantité de liquide de passer mes lèvres. C'était sucré et ça picotait légèrement la langue. Je sentis l'effet se répandre dans mon corps. Mes muscles se détendirent. Al tapota le livre. Je baissai les yeux pour lire le mot.

— *Umbra*, dis-je en gardant la goutte sur la langue.

De très sucré, le goût vira à l'aigre.

— Berk, fis-je en me penchant pour recracher le liquide.

—Avale…, murmura Al.

Je retins mon souffle quand il me prit par le menton et ramena ma tête en arrière pour m'empêcher d'ouvrir la bouche.

Les larmes aux yeux, je m'exécutai. J'entendis mon pouls battre dans mes oreilles. Al se pencha vers moi. Ses yeux virèrent au noir. Il desserra sa prise et ma tête s'affaissa. Mes muscles devinrent lâches, presque liquides, et lorsqu'il me lâcha complètement je m'écroulai par terre.

Il n'essaya même pas de me rattraper, aussi m'affalai-je en un tas endolori. Ma tête heurta le sol et ma respiration se coupa. Je fermai les yeux pour rassembler mes esprits, puis je m'appuyai pour m'asseoir.

—Bon sang, merci beaucoup de m'avoir prévenue, grognai-je.

Je relevai la tête mais ne le vis pas.

Déconcertée, je me levai et vis que Ceri était assise à la table, la tête enfouie dans les mains, ses pieds nus repliés sous elle. Les néons étaient éteints, et une unique bougie blanche éclairait faiblement la pièce noyée dans la pénombre de l'aube nuageuse. Je regardai la fenêtre avec incrédulité. Le soleil était levé ? J'avais dû m'assoupir.

—Où est-il ? soufflai-je.

Je blêmis en m'apercevant qu'il était presque 8 heures.

Elle releva la tête, et je fus choquée de voir à quel point elle avait l'air épuisée.

—Tu ne t'en souviens pas ?

Mon estomac gargouilla. Je me sentais à la fois légère et mal à l'aise.

—Non. Il est parti ?

Elle se tourna pour me faire face.

—Il a repris son aura. Tu as repris la tienne. Tu as brisé ton lien avec lui. Tu as pleuré, tu l'as traité de fils de pute et tu lui as ordonné de partir. C'est ce qu'il a fait – après t'avoir frappée si fort que tu t'es évanouie.

Je me tâtai la mâchoire, puis la nuque. Les deux me faisaient très mal. J'étais mouillée, j'avais froid ; je me levai en croisant les bras pour me tenir chaud.

—OK, dis-je en me touchant les côtes pour vérifier qu'il ne m'avait rien cassé. Il y a autre chose que je devrais savoir ?

—Tu as descendu une cafetière entière en à peu près vingt minutes.

Ça expliquait sans doute les tremblements. Oui, ça devait être ça. Je commençais à avoir l'habitude de me jouer des démons. Je m'assis à côté de Ceri et exhalai longuement. Ivy n'allait pas tarder à rentrer.

— Tu aimes les lasagnes ?

Un sourire fleurit sur son visage.

— Oh, oui, s'il te plaît.

Chapitre 24

Mes tennis ne faisaient pas de bruit sur la moquette fade des couloirs du fond, chez Trent. Quen et Jonathan m'accompagnaient; à moi de décider si c'était une escorte ou si j'étais leur prisonnière. Nous avions déjà arpenté les bureaux publics et autres salles de conférences qui servaient de couverture à ses activités illégales. Comme c'était un dimanche, les locaux étaient fermés. Officiellement, Trent contrôlait une bonne partie des transports qui entraient à Cincinnati et en ressortaient dans toutes les directions : trains, camions – il y avait même un petit aérodrome municipal.

Officieusement, il contrôlait bien plus; il utilisait cette infrastructure pour faire venir ses produits génétiques illégaux et étendre sa distribution de Soufre. Que Saladan vienne lui disputer le marché dans sa propre ville devait l'emmerder au plus haut point. Saladan prenait la température. La soirée allait être riche d'enseignements; soit Trent allait péter le thermomètre et le lui mettre dans l'orifice qui convenait, soit il allait perdre la partie. Je n'aimais pas Trent mais, si c'était cette dernière option qui se réalisait, j'allais faire de mon mieux pour qu'il reste en vie.

Même si je ne sais pas trop pourquoi, pensai-je en suivant Quen. C'était vraiment fonctionnel, là, en bas. Au moins, dans la partie publique, il y avait des décos de fête institutionnelles. Ce type était une saloperie. Il m'avait pourchassée comme un animal, la fois où il m'avait prise à voler des preuves dans son bureau annexe. Je rougis en m'apercevant que le couloir que nous remontions menait justement à cette pièce.

Quen, qui marchait cinquante centimètres devant moi, était très tendu. Il était habillé de son espèce d'uniforme noir. Cette fois, il portait une veste moulante noire et verte par-dessus le collant. On aurait dit que Scotty pouvait le téléporter dans l'Entreprise à tout moment. Mes cheveux me frôlèrent le cou. Je bougeai la tête pour que les pointes me chatouillent les épaules. Comme Al m'en avait coupé dix centimètres, je les avais fait égaliser dans l'après-midi. L'après-shampooing du coiffeur avait du mal à les maintenir en place.

Je portais à l'épaule un sac contenant la tenue que Kisten m'avait choisie, et qui revenait tout juste de chez le teinturier. J'avais même pensé à emporter des bijoux et des bottes. Je ne me changerais pas avant d'être sûre d'accepter le job. Je soupçonnais Trent d'avoir d'autres plans, et mon jean et mon sweat-shirt avec le logo des Hurleurs étaient un peu déplacés à côté du costard de Jonathan.

Ce bonhomme répugnant se tenait trois pas derrière moi, ce qui était particulièrement agaçant. Il était venu à notre rencontre sur le perron du bâtiment principal, et depuis il nous suivait, froid, professionnel, accusateur. Il devait faire près de deux mètres dix et avait le visage taillé à coups de serpe. À voir son nez aquilin et aristocratique, on aurait juré qu'il avait repéré une mauvaise odeur. Ses yeux étaient d'un bleu froid et ses cheveux noirs bien coiffés commençaient à grisonner. Je le détestais, et je devais faire un effort surhumain pour ne pas penser au fait qu'il m'avait maltraitée pendant les trois jours de folie où je m'étais retrouvée en vison, piégée dans le bureau de Trent.

Ce souvenir me donna chaud. Je me contorsionnai pour retirer mon manteau en marchant – aucun de mes deux accompagnateurs ne se proposa de me prendre mon sac. Plus nous nous enfoncions vers l'arrière du bâtiment, plus l'air était moite. J'entendis le bruit – tellement léger qu'il en était presque subliminal – de l'eau coulant dans les canalisations, quelque part dans les profondeurs de l'immeuble. Je ralentis en reconnaissant la porte du bureau secondaire de Trent. Derrière moi, Jonathan s'arrêta. Quen continua au même rythme, et je dus presser le pas pour le rattraper.

Manifestement, Jonathan n'était pas content.

— Où tu l'emmènes ? demanda-t-il d'un ton belliqueux.

Quen se crispa.

— Voir Trenton.

Il ne se retourna pas, et ne ralentit pas davantage.

—Quen…, dit Jonathan d'un ton lourd de menace.

Je jetai un coup d'œil moqueur par-dessus mon épaule et fus heureuse de lire de l'inquiétude sur son visage ridé et allongé, plutôt que son perpétuel rictus bêcheur. Il fronça les sourcils et se dépêcha de nous rattraper. Au moment où nous nous arrêtions devant la porte voûtée au bout du couloir, le grand échalas nous passa devant et posa une main sur le lourd loquet métallique à l'instant même où Quen tendait la main pour ouvrir la porte.

—Hors de question que tu l'emmènes là-dedans, avertit Jonathan.

Je remontai mon sac de vêtements sur mon épaule avec un bruit de nylon. Mes yeux allaient d'un homme de main à l'autre, au fil des courants politiques qui passaient entre eux. Quel que soit ce qui nous attendait derrière la porte, c'était toujours bon.

Le plus petit des deux – et le plus dangereux – plissa les yeux, et ses cicatrices de varicelle virèrent au blanc lorsqu'il rougit.

—Ce soir, elle va lui sauver la vie. Je ne vais pas la faire se changer et attendre dans un bureau secondaire comme une putain.

Les yeux bleus de Jonathan se firent encore plus déterminés. Mon pouls s'accéléra. Je reculai pour ne pas rester entre eux.

—Pousse-toi, ordonna Quen d'une voix si grave qu'elle résonna en moi.

Tout péteux, Jonathan recula d'un pas. Les muscles du dos de Quen jouèrent sous sa veste lorsqu'il ouvrit la porte.

—Merci, ajouta-t-il sans conviction.

La lourde porte pivota lentement sous l'effet de l'inertie.

Mes lèvres s'entrouvrirent ; bon sang, cette porte devait bien faire douze centimètres d'épaisseur ! Un bruit d'eau qui coule s'échappa de la pièce, de même qu'une odeur de neige mouillée. Par contre, il ne faisait pas froid. Je jetai un coup d'œil par-dessus l'épaule étroite de Quen et vis un épais tapis marbré et un mur couvert de panneaux de bois sombre cirés avec de légers reflets dorés. Il entra et je le suivis.

Il doit s'agir des quartiers privés de Trent, pensai-je.

Le petit corridor déboucha sur une coursive surplombant la pièce, plus basse d'un étage. Je restai paralysée en découvrant le gigantisme des lieux. La salle devait faire dans les quarante mètres de long, environ la moitié en largeur et six mètres de haut. Nous avions débouché à l'étage, près du plafond. Parmi les riches tapis et les boiseries étaient disposés des canapés, des chaises et des tables basses. Tout n'était que douces couleurs de terre avec des accents bordeaux et noirs. Une cheminée de la taille d'un camion de pompiers occupait tout un mur, mais ce fut surtout la baie vitrée qui laissait entrer la lumière crépusculaire de ce début de soirée qui attira mon attention. Elle s'étendait sur toute la hauteur de la pièce et recouvrait tout le mur en face de moi.

Quen me toucha le coude et je descendis le large escalier tapissé. Je gardai la main posée sur la rambarde, car je ne parvenais pas à quitter la fenêtre des yeux – j'étais littéralement fascinée. C'était bien une fenêtre, plutôt que plusieurs ; elle était faite d'un seul panneau de verre. Je ne pensais pas qu'une telle surface de verre soit structurellement viable, mais la preuve était devant moi, et il semblait qu'elle ne faisait que quelques millimètres d'épaisseur sans la moindre distorsion, si bien qu'elle était invisible.

— Ce n'est pas du plastique, expliqua Quen à mi-voix en contemplant la vue. C'est de l'énergie de ligne.

Je me tournai soudain vers lui et lus dans ses yeux qu'il me disait la vérité. Lorsqu'il vit mon étonnement, un léger sourire se dessina sur ses traits marqués par le Tournant.

— C'est la première question que se posent les gens, poursuivit-il pour expliquer comment il avait su à quoi je pensais. Seuls le son et l'air passent à travers.

— Ç'a dû coûter une fortune, dis-je en me demandant comment ils avaient réussi à effacer la lueur rouge caractéristique de l'au-delà.

De la fenêtre, la vue était merveilleuse. Elle donnait sur les jardins privés de Trent, qui étaient recouverts de neige. Un mur de pierre presque aussi haut que le toit du bâtiment s'y dressait, surmonté par une cascade qui laissait des traînées glacées de plus en plus épaisses dans lesquelles se reflétaient les dernières lueurs du crépuscule. L'eau s'accumulait dans un bassin qui semblait naturel mais dont j'étais prête à parier qu'il ne l'était pas, puis elle formait un ruisseau qui serpentait entre les arbres à feuillage persistant et les buissons jusqu'à disparaître. Une vieille plate-forme grise sur laquelle on avait balayé la neige s'étendait entre la fenêtre et le paysage. Tout en descendant l'escalier, je me dis que le disque de cèdre dans l'alignement de la plate-forme et débordant de vapeur devait être un jacuzzi. Non loin, il y avait une zone plus basse avec des sièges, pour les réceptions. J'avais toujours trouvé que le gril d'Ivy était très exagéré, avec ses chromes rutilants et ses énormes brûleurs, mais celui de Trent était carrément obscène en comparaison.

Je baissai les yeux en quittant l'escalier ; j'avais l'impression de marcher sur du terreau, plutôt que de la moquette.

—Sympa, soufflai-je.

Quen me fit signe d'attendre près des sièges les plus proches.

—Je vais lui parler, dit le chef de la sécurité.

Il jeta à Jonathan ce qui me sembla être un regard d'avertissement, puis remonta à l'étage et ressortit.

Je posai mon manteau et mon sac de vêtements sur un canapé en cuir et pivotai lentement pour mieux voir la pièce. Maintenant que j'étais descendue, la cheminée me sembla encore plus grande. Elle n'était pas allumée, et j'étais certaine de pouvoir me tenir debout dans l'âtre sans avoir à me voûter. De l'autre côté de la pièce, une piste de danse de bonne taille était entourée de tables de cocktail, avec des amplis intégrés et des éclairages.

Un bar tout en longueur était caché sous le surplomb de la coursive. Ses chromes et ses boiseries cirées étaient rutilants. Autour, il y avait une concentration de tables à la fois plus longues et moins hautes. Elles étaient entourées d'énormes pots débordant de plantes vert foncé capables de se développer malgré la pénombre, et qui donnaient à ce coin de la pièce l'intimité qui manquait au reste, plus ouvert.

Le bruit de la cascade ne fut bientôt plus qu'un babillage à peine discernable ; je me laissai pénétrer par le silence des lieux. Pas de personnel, aucun individu vaquant à ses occupations dans cette pièce. À vrai dire, il n'y avait même pas une bougie de fête ou un panier de bonbons. C'était comme si la salle était prisonnière d'un sort de conte de fées et attendait qu'on la réveille. J'avais l'impression qu'elle n'avait pas servi pour ce à quoi elle était destinée depuis la mort du père de Trent. Onze ans de silence, c'est long.

Trouvant la paix dans le calme de la pièce, je pris une lente inspiration et me retournai pour m'apercevoir que Jonathan me regardait avec un dégoût évident. La légère tension dans sa mâchoire me fit jeter un coup d'œil pour voir si Quen ne revenait pas. Je m'autorisai un petit sourire.

—Trent ne sait pas que vous avez monté tout ça tous les deux, hein ? Il croit que c'est Quen qui l'accompagne, ce soir.

Jonathan ne répondit pas mais la crispation de sa paupière m'indiqua que j'avais vu juste. Je laissai tomber mon sac à côté du canapé avec un sourire satisfait.

— Trent pourrait faire une sacrée teuf ici, ajoutai-je dans l'espoir de lui arracher un son.

Il resta muet. Je me glissai le long d'une table basse et allai contempler la vue, les mains sur les hanches.

Des ondes parcoururent le voile d'au-delà sous l'effet de mon souffle. Incapable de me retenir, je le touchai. Je retirai précipitamment la main en retenant ma respiration. Je ressentis une sensation curieuse d'aspiration. Je me pris la main comme si elle était brûlée. Elle était froide. La feuille d'énergie était froide au point de brûler. Je me retournai, m'attendant à voir un petit sourire méprisant sur le visage de Jonathan, mais il regardait la fenêtre d'un air étonné.

Je suivis son regard et m'aperçus que la fenêtre était parcourue de reflets dorés et ambrés. Mon estomac se noua. Mince. Elle avait pris la couleur de mon aura. Manifestement, Jonathan ne s'y était pas attendu. Je passai la main dans mes cheveux mi-longs.

— Euh… oups.

— Qu'avez-vous fait à cette fenêtre ? s'exclama-t-il.

— Rien. (Prise en faute, je reculai d'un pas.) Je l'ai juste touchée, c'est tout. Désolée.

Ses traits de faucon se firent encore plus laids. Il vint vers moi avec des pas longs et saccadés.

— Tocarde. Regardez ce que vous avez fait ! Hors de question que je laisse Quen vous confier la sécurité de M. Kalamack ce soir.

Je me sentis rougir. J'avais besoin d'évacuer mon embarras ; je choisis la colère.

— Ce n'était pas mon idée, répliquai-je. Et j'ai dit que j'étais désolée, pour la fenêtre. Vous devriez vous estimer chanceux que je ne vous fasse pas un procès pour mauvais traitement.

Jonathan respira bruyamment.

— S'il lui arrive quelque chose par votre faute, je…

La colère m'envahit, alimentée par le souvenir des trois jours d'enfer que j'avais passés à endurer ses tourments.

— Fermez-la, le coupai-je. (Agacée par sa taille, je montai sur la table basse la plus proche.) Je ne suis plus en cage, dis-je en gardant tout juste assez de présence d'esprit pour ne pas lui coller l'index sur la poitrine. (Il eut tout d'abord l'air surpris, puis il rougit de colère.) La seule chose qui s'oppose à ce que mon pied devienne intime avec votre tronche, c'est mon professionnalisme regrettable. Et si vous me menacez encore, ne serait-ce qu'une fois, je vous fais traverser la moitié de la pièce avant que vous ayez eu le temps de dire ouf. C'est compris, le grand streum ?

Il serra les poings de frustration.

—Allez-y, mon joli petit elfe, bouillonnai-je en sentant l'énergie que j'avais accumulée plus tôt manquer de se renverser et de se répandre dans tout mon corps. Donnez-moi un prétexte.

Une porte qui se referma à l'étage attira notre attention. Jonathan ravala visiblement sa colère et recula d'un pas. Je me sentis soudain bête, perchée sur ma table. En chemise et pantalon de costume, Trent s'immobilisa, les yeux écarquillés.

—Rachel Morgan ? murmura-t-il à l'intention de Quen, qui était un peu en retrait. Non, c'est inacceptable.

M'efforçant de tirer quelque chose de la situation, je levai une main en l'air et posai l'autre sur ma hanche avec l'extravagance d'un mannequin présentant un nouveau modèle de voiture.

—Ta-da ! lançai-je gaiement sans oublier une seconde que j'étais en jean et sweat-shirt et que ma coupe laissait à désirer. Salut, Trent. C'est moi votre baby-sitter, ce soir. Où vos parents cachent-ils les bouteilles ?

Trent fronça les sourcils.

—Je ne veux pas qu'elle vienne. Mets ton costume. On part dans une heure.

—Non, Sa'han.

Trent s'était déjà retourné pour repartir, mais il s'immobilisa.

—Je peux te parler un moment ? demanda-t-il à mi-voix.

—Oui, Sa'han, répondit Quen avec déférence et sans bouger d'un pouce.

Je descendis de ma table. Il n'y avait pas à dire, j'étais vraiment douée pour faire bonne impression.

Trent fronça de nouveau les sourcils et regarda à tour de rôle Quen, bien assis sur ses positions, et Jonathan, qui semblait particulièrement nerveux.

—Vous êtes tous les deux dans le coup, devina-t-il.

Jonathan cacha ses mains dans son dos et mit discrètement un pas supplémentaire entre lui et moi.

—J'ai confiance dans le jugement de Quen, Sa'han, dit ce dernier. (Sa voix grave s'éleva haute et claire dans la pièce déserte.) Par contre, je n'ai aucune confiance dans le jugement de Mlle Morgan.

Vexée, je soupirai bruyamment.

—Va bouffer les pissenlits par la racine, Jon.

L'homme grimaça légèrement. Je savais qu'il détestait ce surnom. Trent était fâché, lui aussi. Il jeta un coup d'œil à Quen et descendit l'escalier d'un pas rapide et régulier. Il avait l'air d'un mannequin de magazine pour hommes, avec son pantalon de créateur foncé. Ses mèches blondes étaient peignées en arrière et ses épaules tiraient sur sa chemise. Sa démarche bondissante et son œil qui brillait étaient la preuve parfaite que les elfes étaient au meilleur de leur forme dans les quatre heures autour du coucher et du lever du soleil. Il n'avait pas encore noué sa cravate vert foncé qui pendait nonchalamment à son cou. Dieu me vienne en aide, il était vraiment beau – il avait tout ce dont n'importe quelle fille qui se respecte voudrait : la jeunesse, la beauté, la puissance et la confiance. Ça me déplaisait, de le trouver beau, mais je n'y pouvais rien.

Le regard interrogateur, Trent secoua ses manches avant de les boutonner avec des gestes vifs mais inquiets. Les deux derniers boutons de sa chemise étaient défaits – la vue était fascinante. Il leva la tête en quittant l'escalier et marqua une courte pause en voyant la fenêtre.

—Qu'est-il arrivé à la barrière ? s'enquit-il.

—C'est Mlle Morgan qui l'a touchée. (Jonathan jubilait comme un gosse de six ans qui cafte son grand frère.) Je ne suis pas d'accord avec le plan de Quen. Morgan est imprévisible et dangereuse.

Quen lui lança un regard noir. Trent ne le vit pas, car il finissait de boutonner sa chemise.

—Pleine lumière, dit-il.

Je fus obligée de plisser les yeux lorsque les gigantesques néons accrochés au plafond s'allumèrent un par un jusqu'à ce qu'il fasse parfaitement jour dans la pièce. Je regardai la fenêtre et mon estomac se noua. Merde. Je l'avais bel et bien cassée. Il y avait même les nuances rouges de mon aura ; je n'aimais pas trop que ces trois hommes sachent que mon passé recelait autant de tragédies. Mais, au moins, le noir de l'aura d'Al avait disparu. Dieu merci.

Trent se rapprocha. Son visage lisse était impassible. Il s'arrêta dans une bouffée d'après-rasage.

—Ça a donné ça, quand vous l'avez touchée ? demanda-t-il.

Son regard passa de ma nouvelle coupe de cheveux à la fenêtre.

—Euh, oui. Quen a dit que c'était une feuille d'au-delà. Je me suis dit que c'était un cercle de protection modifié.

Quen baissa la tête et se rapprocha encore.

—Ce n'est pas un cercle de protection, c'est une barrière. Votre aura et celle de la personne qui l'a installée ont dû entrer en résonance en vibrant à la même fréquence.

Ses jeunes traits se ridèrent d'inquiétude. Il regarda la fenêtre en plissant les yeux. Une pensée dont je ne saisis pas la nature le traversa et ses doigts s'agitèrent. Ce tic révélateur me fit penser qu'il trouvait ça très bizarre, et très important. Cela se confirma lorsque Quen et lui échangèrent un regard. C'était manifestement une question de sécurité. Quen haussa légèrement les épaules et Trent inspira lentement.

—Demandez à la maintenance d'y jeter un œil, dit-il. (Il tira sur son col et ajouta d'une voix puissante :) lumières éteintes.

L'éclairage éblouissant disparut. Je me tins tranquille, le temps que mes yeux s'habituent.

—Je ne suis pas d'accord pour qu'elle vienne, reprit Trent.

Je vis Jonathan sourire dans la pénombre apaisante.

—Oui, Sa'han, répondit calmement Quen. Mais soit vous emmenez Morgan, soit vous n'y allez pas.

Eh ben…, pensai-je en voyant le bord des oreilles de Trent rougir. Je ne savais pas que Quen avait le droit de dire à Trent ce qu'il devait faire. Cependant, il était évident qu'il faisait rarement usage de ce droit et que ce n'était jamais sans conséquences. Jonathan, qui se tenait à côté de moi, avait carrément l'air malade.

—Quen…, commença Trent.

Le chef de la sécurité prit une pose ferme, les mains dans le dos, les yeux rivés dans le vide au-dessus de l'épaule de Trent.

—Ma morsure de vampire me rend peu fiable, Sa'han. (La douleur évidente qu'il éprouvait à l'admettre me fit grimacer.) Je ne suis plus certain de pouvoir être efficace à 100 %

—Bon sang, Quen, s'exclama Trent. Morgan aussi a été mordue. Qu'est-ce qui la rend plus sûre que vous ?

—Mlle Morgan vit avec une vampire depuis sept mois, et elle n'a pas succombé, répliqua Quen d'un ton rigide. Elle a mis en place une série de stratégies défensives pour lutter contre les tentatives des vampires pour l'ensorceler. Ce n'est pas mon cas pour l'instant, donc je ne suis plus fiable dans les situations délicates.

Son visage couvert de cicatrices était crispé sous l'effet de la honte, et j'aurais voulu pour lui que Trent la ferme et se contente de laisser faire. Cette confession était en train de tuer son responsable de la sécurité.

— Sa'han, ajouta ce dernier d'une voix égale. Morgan peut vous protéger. Moi pas. Ne me demandez pas de m'en charger.

Je gigotai. J'aurais aimé être ailleurs. Jonathan me fusilla du regard comme si c'était ma faute. Le visage de Trent exprimait à la fois souffrance et inquiétude. Quen se raidit lorsqu'il posa une main sur son épaule en signe de compassion. Sa main retomba avec une lenteur réticente.

— Trouvez-lui une boutonnière, et allez voir dans la suite verte s'il y a quelque chose qui lui va. Elle a l'air de faire à peu près la bonne taille.

Le soulagement de Quen fut vite remplacé par un profond doute de soi injuste et angoissant. Il avait l'air brisé ; je me demandai ce qu'il allait faire, s'il avait l'impression de ne plus être en mesure de protéger Trent.

— Oui, Sa'han. Merci.

Les yeux de Trent se posèrent sur moi. Incapable de déchiffrer son regard, je ressentis un certain malaise, au point d'avoir froid dans le dos. Ce sentiment se renforça lorsqu'il hocha la tête à l'intention de Quen et lui demanda :

— Vous avez un moment ?

— Bien sûr, Sa'han.

Ils se dirigèrent tous deux vers une des salles invisibles de l'étage, me laissant seule avec Jonathan. Mécontent, l'homme me lança un regard rempli de dégoût.

— Laissez votre manteau ici et suivez-moi.

— J'ai emporté ma propre tenue, merci, dis-je en ramassant mon sac à main, mon manteau et le sac qui contenait mes vêtements.

Je le suivis jusqu'au pied de l'escalier. Il se retourna. Ses yeux froids se posèrent sur moi, sur mon sac ; il laissa échapper un reniflement de mépris.

— C'est une jolie tenue, je vous assure, ajoutai-je.

Je me sentis rougir en voyant son petit sourire narquois.

Il monta rapidement, me forçant à me dépêcher pour rester à sa hauteur.

— Vous avez le droit de ressembler à une putain si ça vous plaît, mais M. Kalamack a une réputation à tenir. (Une fois arrivé en haut des

360

marches, il jeta un coup d'œil par-dessus son épaule.) Dépêchez-vous. Vous n'avez pas beaucoup de temps pour vous rendre présentable.

Je lui emboîtai le pas en bouillonnant intérieurement. Pour chacun de ses pas, j'en faisais deux. Il tourna brusquement à droite et entra dans une grande suite avec un salon d'une taille plus normale et qui avait l'air confortable. Il y avait un coin cuisine dans le fond, et même ce qui ressemblait à un coin repas. Une caméra montrait un plan du jardin plongé dans le crépuscule. Plusieurs lourdes portes donnaient sur cette salle, aussi pensai-je que c'était l'endroit où Trent vivait sa vie « normale ». Cela se confirma lorsque Jonathan ouvrit la première, qui donnait sur un petit salon relié à une chambre extravagante. Elle était intégralement décorée dans des tons verts et or et réussissait à avoir l'air riche sans sombrer dans le bariolé. Derrière le lit, une autre fausse fenêtre montrait la forêt grise sous le crépuscule.

Je supposai que les autres portes donnaient sur des suites semblables. Toute la richesse et les privilèges ne pouvaient cacher que les lieux étaient disposés de manière à être éminemment défendables. Il n'y avait probablement pas la moindre vraie fenêtre dans toute cette partie de l'immeuble hormis celle d'en bas, qui était recouverte d'énergie de ligne.

— Pas par là, ordonna Jonathan en voyant que je me dirigeais vers la chambre. (Il avait presque aboyé.) C'est la chambre. N'entrez pas. Le vestiaire, c'est par ici.

— Désolée, dis-je sardoniquement.

Je remontai mon sac sur mon épaule et le suivis dans une salle de bains. Du moins me semblait-il que c'était une salle de bains ; la pièce regorgeait tellement de plantes qu'il était difficile d'en être sûr. En plus, elle faisait la taille de ma cuisine. Jonathan alluma la lumière, qui se refléta dans une multitude de miroirs jusqu'à en devenir éblouissante. Il sembla aussi incommodé que moi, car il tritura les nombreux interrupteurs jusqu'à ce qu'il n'y ait plus qu'une ampoule d'allumée au-dessus de la commode et une autre au-dessus du lavabo et du grand comptoir. La lumière étant moins agressive, je me détendis un peu.

— Par ici, conseilla-t-il en passant sous une arcade.

Je le suivis et m'arrêtai dès que j'eus mis le pied à l'intérieur. Je suppose qu'il s'agissait d'un placard, puisqu'il contenait des vêtements – des habits féminins qui avaient l'air particulièrement chers – mais la pièce était vraiment immense. Un paravent en papier de riz appuyé contre une coiffeuse occupait un angle. À ma droite se trouvait une petite table avec deux chaises. Sur la gauche, il y avait un miroir à trois pans. Il ne manquait qu'un bar de salon. Bon sang, j'avais vraiment choisi la mauvaise branche professionnelle.

— Vous pouvez vous changer ici, dit-il en ouvrant à peine la bouche. Essayez de ne toucher à rien.

Agacée, je posai mon manteau sur le dossier d'une chaise et pendis mon sac à un crochet bien utile. Les épaules crispées, je l'ouvris et me tournai en sachant que Jonathan était en train de me juger. Mais je haussai les sourcils en voyant sa surprise lorsqu'il découvrit la tenue que Kisten m'avait choisie. Il retrouva aussitôt son expression glacée.

— Vous n'allez pas porter ça, dit-il d'un ton neutre.

— Allez vous faire foutre, Jon.

D'un air guindé, il ouvrit des portes coulissantes en verre et sortit une robe noire, comme s'il avait su exactement où elle se trouvait.

— Vous allez mettre ça, affirma-t-il en me tendant la robe.

— Pas question.

J'avais essayé de parler d'une voix froide, mais la robe était magnifique. Elle était faite d'un tissu léger, descendait très bas dans le dos mais montait très haut devant et autour du cou. Elle me tomberait jusqu'aux chevilles et me ferait paraître grande et élégante.

— Elle est trop échancrée dans le dos, dis-je en ravalant mon envie. Je ne pourrai pas cacher mon flingue. Et puis elle est trop serrée pour courir. Elle est merdique, cette robe.

Son bras tendu retomba, et j'eus du mal à me retenir de grimacer en voyant la robe s'affaisser en tas par terre.

— Alors choisissez-en une autre.

— Je veux bien essayer, concédai-je en me rapprochant timidement du placard.

— Les robes de soirée sont dans celui-ci.

Il avait retrouvé son ton condescendant.

— Ah ouais? raillai-je.

Mais j'écarquillai les yeux et tendis la main pour toucher le contenu du placard. Dieu, les robes étaient toutes magnifiques, d'un grand raffinement. Elles étaient rangées par couleur; des chaussures et autres sacs à main assortis étaient disposés sous chacune d'elles. Certaines s'accompagnaient d'un chapeau, posé dans une étagère au-dessus. Je touchai une robe rouge flamboyante qui me subjuguait, mais le qualificatif que Jonathan utilisa pour la décrire – «pute» – m'encouragea à poursuivre mes recherches. Mes yeux la quittèrent avec réticence.

—Alors, Jon, dis-je pendant qu'il me regardait passer les robes en revue. Soit Trent est transformiste, soit il aime ramener des femmes d'un mètre quatre-vingts chez lui pour les habiller en robe de soirée et les renvoyer chez elles en haillons. (Je jetai un coup d'œil pour voir sa réaction.) Ou alors il les trucide quand elles tombent enceintes?

Il rougit et sa mâchoire se crispa.

—Ces robes sont pour Mlle Ellasbeth.

—Ellasbeth?

Mes mains glissèrent sur une robe violette qui me coûterait un mois de courses.

Trent a une petite amie?

—Ah non! repris-je. Pas question que je porte les robes d'une autre sans lui demander la permission.

Il ricana, mais une ombre dans l'expression de son visage allongé trahit son agacement.

—Elles appartiennent à M. Kalamack. S'il dit que vous pouvez les porter, vous pouvez.

Je retournai à mes recherches, même si je n'étais pas complètement rassurée. Mais toutes mes appréhensions s'évanouirent lorsque mes doigts se posèrent sur un tissu gris vaporeux.

—Oh, regardez-moi ça, soufflai-je.

Je sortis un haut et une jupe du placard et les brandis triomphalement, comme s'il en avait quelque chose à faire.

Jonathan venait d'ouvrir un placard qui contenait des écharpes, des ceintures et des sacs à main. Il se tourna vers moi pour voir ce que je lui montrais.

—Tiens, je croyais qu'on l'avait jeté, ce truc.

Je fis la grimace. Je savais qu'il essayait de me faire croire que la tenue que j'avais choisie était moche. Mais ce n'était pas le cas. Le bustier moulant et la jupe assortie étaient élégants; le tissu était doux au toucher tout en étant suffisamment épais pour la saison, mais assez fin pour qu'on ne se sente pas engoncée. Une fois à la lumière, la tenue était d'un noir chatoyant. La jupe tombait jusqu'au sol, mais elle était découpée en une multitude de fines lanières à partir des genoux de manière à flotter autour des chevilles. Comme les lanières partaient d'assez haut, je n'aurais aucun mal à atteindre mon pistolet en accrochant le holster à ma cuisse. C'était parfait.

—Ça conviendra? demandai-je en allant accrocher le bustier et la robe par-dessus ma propre tenue.

Comme il ne répondait pas, je me retournai et vis qu'il grimaçait.

—Ça ira bien. (Il mit le bracelet de sa montre devant sa bouche, appuya sur un bouton et parla dedans; j'avais oublié leurs communicateurs – ils étaient vraiment cool.) Pour la boutonnière, prenez-la noir et or. (Il jeta un coup d'œil en direction de la porte.) Je vais chercher les bijoux qui conviennent dans le coffre, grommela-t-il à mon intention.

—J'ai emporté les miens, dis-je avant d'hésiter. (Dans le fond, je ne voulais pas vraiment savoir ce que mes bijoux en toc allaient donner sur un tissu pareil.) Mais c'est comme vous voulez, corrigeai-je.

Je n'eus pas le courage d'affronter son regard. Jonathan soupira.

—Je vais vous envoyer quelqu'un pour se charger de vous maquiller, ajouta-t-il en sortant.

Alors ça, c'était carrément vexant.

—Je peux faire mes retouches moi-même, merci, lançai-je.

Je portais du maquillage normal par-dessus mon sort de teint qui cachait ce qui restait de mon œil au beurre noir. Je ne voulais pas que qui que ce soit y touche.

—Alors je n'ai plus qu'à demander au coiffeur de faire quelque chose avec vos cheveux, répliqua-t-il depuis l'autre pièce.

—Ma coiffure est très bien! hurlai-je. (Je me regardai dans un miroir en touchant les boucles libres qui commençaient à friser.) Elle est très bien, répétai-je moins fort. J'en reviens, de chez le coiffeur.

Je n'entendis rien de plus qu'un gloussement, puis le bruit d'une porte que l'on ouvre.

—Je ne peux pas la laisser seule dans les quartiers d'Ellasbeth, dit la voix d'outre-tombe de Quen en réponse à un marmonnement de Jonathan. Elle la tuerait.

Je levai les sourcils. Voulait-il dire que je tuerais Ellasbeth ou qu'Ellasbeth me tuerait? C'était le genre de détail qui avait une certaine importance.

Je me retournai au moment où la silhouette de Quen boucha le cadre de la porte de la salle de bains.

—Vous me chaperonnez? demandai-je en emmenant mes bas, ma combinaison et la tenue noire derrière le paravent.

—Mlle Ellasbeth ne sait pas que vous êtes ici. Je n'ai pas jugé bon de la prévenir, comme elle rentre chez elle, mais il n'est pas inhabituel qu'elle change ses plans sans prévenir.

Je jetai un coup d'œil au papier de riz qui me séparait de Quen, puis j'enlevai mes chaussures avec les pieds. Soudain, je me sentis petite et vulnérable. Je me tortillai pour sortir de mes vêtements. Au lieu de les laisser en tas à mes pieds comme à mon habitude, je les pliai soigneusement.

—Vous êtes vraiment branché sur les cachotteries, hein? (Je l'entendis chuchoter à l'intention de quelqu'un qui venait d'entrer.) Qu'est-ce que vous ne me dites pas?

L'autre personne, celle dont j'ignorais l'identité, quitta la pièce.

—Rien, s'empressa-t-il de répondre.

Ouais, c'est ça.

La robe avait une doublure de soie. J'étouffai un gémissement en la sentant glisser sur ma peau. Je baissai les yeux pour voir jusqu'où elle descendait. Il me semblait que la longueur serait parfaite, une fois que j'aurais remis mes bottes. Le sourcil froncé, j'hésitai. Les bottes, par contre, n'iraient pas. Je n'avais plus qu'à espérer qu'Ellasbeth faisait du 39 et que j'allais pouvoir me friter avec des talons hauts. Le bustier me posa un léger problème; je finis par me résoudre à laisser les deux derniers centimètres ouverts.

Je me contemplai une dernière fois et coinçai mon amulette de teint entre mon ventre et le bustier. Une fois le holster en place autour de ma cuisse, je contournai le paravent.

—Tu peux remonter ma fermeture, chéri? lançai-je gaiement. (Ce trait d'humour me valut un sourire aussi précieux que rare de la part de Quen; il acquiesça et je lui présentai mon dos.) Merci, dis-je quand il eut terminé.

Il se tourna vers la table et les chaises et se baissa pour ramasser une boutonnière qui n'était pas là quand j'étais allée derrière le paravent. C'était une orchidée noire attachée avec un ruban vert et or. Il se redressa, défit l'épingle et marqua une pause en voyant l'étroitesse de ma bretelle. Je compris tout de suite son dilemme, et je ne comptais pas l'aider le moins du monde.

Son visage plein de cicatrices se plissa. Les yeux rivés sur ma robe, il serra les lèvres.

—Excusez-moi, dit-il en tendant les mains vers ma poitrine.

Je restai immobile, sachant qu'il ne me toucherait pas à moins de ne pas pouvoir faire autrement. Il y avait assez de tissu pour fixer la boutonnière, mais il allait devoir mettre ses doigts entre l'épingle et ma peau. Je vidai mes poumons pour lui ménager un peu de place.

—Merci, murmura-t-il.

Le dos de sa main était froid, et je dus réprimer un frisson. Je regardai le plafond en essayant de ne pas gigoter. Un léger sourire me traversa. Il s'accentua lorsque Quen termina de fixer l'orchidée et s'écarta avec un soupir de soulagement.

—Il y a quelque chose de drôle, mademoiselle Morgan? demanda-t-il d'un ton aigre.

Je baissai la tête et le regardai de derrière le rideau de mes boucles.

—Pas vraiment. Vous m'avez rappelé mon père, pendant une minute.

Quen prit un air à la fois incrédule et interrogateur. Je secouai la tête, pris mon sac à main qui était posé sur la table, puis allai m'asseoir devant la coiffeuse appuyée contre l'écran.

—En fait, je devais aller à un bal, quand j'étais en cinquième, et j'avais une robe sans bretelles, racontai-je en sortant mon maquillage. Mon père ne voulait pas que mon cavalier accroche la fleur à ma robe, alors il l'a fait lui-même. (Ma vision se troubla et je croisai les jambes.) Il a raté la remise de mon diplôme.

Quen restait debout. Je ne pus m'empêcher de remarquer qu'il s'était positionné de manière à voir à la fois la porte et moi.

—Votre père était un homme bien. Il serait fier de vous, s'il vous voyait ce soir.

Je retins douloureusement ma respiration. J'expirai lentement et recommençai à me pomponner. Je n'étais pas du tout surprise que Quen ait connu mon père – ils avaient le même âge – mais ça faisait quand même mal. Je ne pus m'empêcher de poser la question.

—Vous l'avez connu?

Il me lança un regard indéchiffrable dans le miroir.

—Il a eu une belle mort.

Une belle mort? Mais qu'est-ce qu'ils avaient tous avec ça?

Furieuse, je me retournai sur mon siège pour le regarder directement.

—Il est mort dans une petite chambre d'hôpital merdique, avec de la crasse dans les coins. Bon sang, il était censé vivre. (Ma voix était égale, mais je savais que ça n'allait pas durer.) Il était censé être là quand j'ai décroché mon premier boulot et quand je l'ai perdu trois jours plus tard, après avoir pété la gueule du fils du patron qui avait essayé de me peloter. Il était censé être là quand j'ai eu mes diplômes, au lycée puis à la fac. Il était censé être là pour faire peur à mes petits amis et les forcer à bien se tenir – ça m'aurait évité de rentrer à pieds après que ces connards m'avaient plantée en découvrant que je n'étais pas du genre à me laisser faire. Il était censé être là, mais il n'y était pas. Il n'y était pas parce qu'il était mort en faisant quelque chose avec le père de Trent, et personne n'a les couilles de me dire quelle était cette grande chose qui valait la peine de foutre la vie de sa fille en l'air.

Mon cœur battait très vite. Je fixai le visage grêlé impassible de Quen.

—Ça fait longtemps que vous êtes votre propre chaperon, dit-il.
—Ouais.

Je serrai les mâchoires et me retournai vers le miroir en tapant nerveusement du pied.

—Ce qui ne vous tue pas…
—… vous fait mal. (Je regardai son reflet.) Ça fait mal. Très mal. (Je touchai mon œil au beurre noir; il m'élançait à cause de l'augmentation de ma tension sanguine.) Je suis bien assez forte, déclarai-je amèrement. Je ne veux pas l'être davantage. Piscary est un salaud, et, s'il sort de prison, il mourra deux fois.

Je pensai à Skimmer en espérant qu'elle était aussi mauvaise avocate qu'elle était proche d'Ivy.

Quen bougea un pied.
—Piscary?

L'interrogation dans sa voix me fit relever la tête.

—Il a dit qu'il avait tué mon père. Il m'a menti?

J'ai le droit de savoir. La question, c'est: « Est-ce que Quen pense que j'ai enfin le droit de savoir? »

—Oui et non.

Les yeux de l'elfe se tournèrent vers la porte.

Je me retournai de nouveau dans mon siège. Il allait peut-être me le dire. Je crois qu'il en avait envie.

—Oui ou non?

Quen baissa la tête et fit un pas symbolique en arrière.

—Ce n'est pas à moi de vous le dire.

Mon cœur s'emballa. Je me levai en serrant les poings.

— Dites-moi ce qui s'est passé, ordonnai-je.

Quen regarda encore une fois dans la direction de la salle de bains. Un néon s'alluma et un rayon de lumière entra par la porte du dressing pour se fondre dans le néant. Un homme à la voix efféminée se parla à lui-même – du moins m'en donna-t-il l'impression – et emplit l'air d'une présence brillante. Jonathan lui répondit. Je regardai Quen, paniquée. Je savais qu'il ne dirait rien en présence de son comparse.

— C'était ma faute, murmura-t-il. Ils travaillaient ensemble. Ç'aurait dû être moi, pas votre père. Piscary les a tués aussi certainement que s'il avait appuyé sur la détente.

J'avais une impression d'irréel. Je m'approchai suffisamment près pour le voir suer. Il était évident qu'il avait outrepassé ses droits en me révélant le peu qu'il venait de dire. Jonathan entra à la suite d'un petit homme avec un costume noir moulant et des bottes brillantes.

— Oh! s'exclama ce dernier en s'approchant d'un pas vif de la coiffeuse. (Il portait des boîtes de matériel de pêche.) J'adooore les cheveux roux. Et ils sont naturels, en plus. Ça se voit d'ici. Venez vous asseoir, ma colombe. Je vais en faire, des belles choses, avec vous! Vous n'allez pas vous reconnaître.

Je me tournai vers Quen. Ses yeux fatigués avaient l'air hantés. Pantelante, je le regardai s'éloigner. J'en voulais davantage, et je savais que je n'obtiendrais rien. Bon sang, le timing de ce type était vraiment à chier. Je forçai mes mains à rester tranquilles pour ne pas l'étrangler.

— Allez, posez vos fesses sur cette chaise! s'exclama le coiffeur au moment où Quen me faisait un signe de tête et quittait la pièce. Je n'ai qu'une demi-heure!

Je fronçai les sourcils et lançai un regard épuisé à Jonathan, qui me gratifia de son sourire moqueur, puis je m'assis et m'efforçai d'expliquer au coiffeur que j'aimais ma coupe telle qu'elle était, et que je voulais juste un coup de brosse rapide. Mais il siffla pour me faire taire et sortit bouteille sur bouteille de spray, ainsi que des outils bizarroïdes dont je n'arrivais pas à deviner à quoi ils pouvaient bien servir. Je savais que la bataille était perdue d'avance.

Chapitre 25

Je pris place dans la limousine de Trent, croisai les jambes et arrangeai l'une des franges de ma robe pour couvrir mon genou. Le châle qui remplaçait mon manteau glissa dans mon dos. Je ne fis rien pour le remonter. Il portait l'odeur d'Ellasbeth, et mon propre parfum, plus subtil, ne pouvait pas lutter.

Les chaussures étaient une demi-taille trop petites, mais la robe m'allait parfaitement : le bustier était serré mais je ne me sentais nullement engoncée, et la jupe me montait jusqu'à la taille. Aussi léger qu'une graine de pissenlit, le holster que je portais à la cuisse était parfaitement invisible. Randy avait relevé mes cheveux pour me dégager la nuque et les avait attachés avec un fil d'or épais et des perles anciennes pour sculpter une coiffure élaborée qui lui avait demandé une vingtaine de minutes au cours desquelles il n'avait jamais cessé de jacasser. Cela dit, il avait raison ; je me sentais très différente et très « chèèère ».

C'était ma seconde limousine de la semaine. Peut-être une nouvelle tendance dans ma vie ? Si c'était le cas, je me sentais de taille à la gérer. Je jetai un coup d'œil nerveux à Trent. Il fixait les arbres gigantesques du regard pendant que nous nous dirigions vers le portail d'entrée. Les troncs noirs se détachaient sur la neige. Trent avait l'air d'être à des milliers de kilomètres ; il ne semblait même pas se rendre compte que j'étais assise à côté de lui.

— La voiture de Takata est plus sympa, dis-je pour briser le silence.

Trent sursauta et fut instantanément de retour parmi nous. Sa réaction le fit paraître aussi jeune qu'il l'était en réalité.

— La mienne n'est pas une location, répliqua-t-il.

Je haussai les épaules et regardai par la fenêtre fumée en agitant nerveusement le pied.

— Vous avez assez chaud ?

— Quoi ? Oh, oui. Merci.

Jonathan dépassa le poste de garde sans ralentir. La barrière atteignit son sommet à l'instant où nous passions dessous. Elle se referma tout aussi vite. N'arrivant pas à rester en place, je vérifiai que j'avais bien mis mes charmes dans ma pochette ; je tâtai mon pistolet et me touchai les cheveux. Trent avait recommencé à contempler le paysage. Il était perdu dans son monde, et je n'avais rien à y faire.

— Eh, je suis désolée pour la fenêtre.

Décidément, je n'aimais pas ce silence.

— Je vous enverrai la facture, si on n'arrive pas à la réparer. Il se tourna vers moi. Vous êtes très bien.

Je regardai son costume pure laine avec une doublure de soie. Il ne portait pas de par dessus, et la veste le moulait comme une seconde peau. En guise de boutonnière, il portait un minuscule bouton de rose noir. Je me demandais s'il l'avait fait pousser lui-même.

— Merci. Vous n'êtes pas mal non plus.

Il me gratifia d'un de ses sourires professionnels, mais il y avait dans ses yeux un éclat inédit qu'on aurait presque pu prendre pour un soupçon de chaleur humaine.

— La tenue est belle, ajoutai-je en me demandant comment j'allais réussir à passer la nuit avec lui sans parler météo. Je me penchai en avant pour tirer sur mes bas.

— Ce qui me fait penser… (Trent se contorsionna pour mettre la main dans une de ses poches.) Ça va avec. (Il tendit la main et laissa tomber de lourdes boucles d'oreilles dans ma paume.) Et il y a aussi un collier.

— Merci.

Je penchai la tête pour enlever mes anneaux tout simples. Je les mis dans ma pochette et la refermai. Les boucles de Trent consistaient en une série d'anneaux entrelacés ; ils étaient assez lourds pour être en or véritable. Je les accrochai à mes lobes. Je n'étais pas habituée à porter des boucles aussi lourdes.

— Et voici le collier…

Trent me le montra et mes yeux s'écarquillèrent. Il était magnifique. Comme les boucles, il était fait d'anneaux entrelacés de la taille de mon ongle de pouce. On aurait dit de la dentelle. Je l'aurais qualifié de gothique s'il n'avait pas eu l'air aussi cher. Il y avait un pendentif en bois qui avait la forme de la rune celtique symbolisant la protection en son centre. Je tendis la main mais hésitai à le prendre. C'était un très bel objet, mais son motif ajouré allait me donner l'air d'une vraie fille à vampires.

En plus, la magie celte me filait les chocottes. C'était un art très spécialisé qui reposait davantage sur la croyance que sur la bonne exécution du sort. Bref, ça relevait plus de la religion que de la magie. Et je n'aimais pas mélanger les deux – quand quelque chose d'incommensurable ajoutait sa puissance à celle du magicien, cela créait des forces terribles, et le résultat n'était pas forcément celui qu'on attendait. C'était de la magie sauvage ; moi je préférais la mienne, gentiment scientifique. Quand on invoque l'aide d'un être supérieur, on ne peut pas se plaindre si les choses ne se passent pas comme on l'avait prévu mais plutôt comme lui l'avait prévu.

— Tournez-vous, dit Trent. (Je plongeai les yeux dans les siens.) Je vais vous le mettre. L'idéal, c'est qu'il soit porté ras du cou.

Je ne voulais pas passer pour une chochotte, et comme les sorts de protection étaient assez stables, je retirai le cordon imitation or que je portais autour du cou et le mis dans ma pochette avec mes boucles d'oreilles. Je me demandais si Trent savait ce que porter un tel collier signifiait. Je conclus qu'il devait le savoir, et qu'il pensait probablement que c'était de la blague.

Les épaules crispées, je rassemblai les mèches que Randy avait relevées pour faire bien. Le collier s'installa naturellement autour de mon cou. Sa lourdeur me donna une sensation de sécurité. Il avait conservé la chaleur de la poche de Trent.

Les doigts de ce dernier m'effleurèrent. Je poussai un jappement de surprise, et une décharge d'énergie m'échappa et le frappa. La voiture fit une embardée et Trent retira brusquement ses mains. Le collier tomba sur le sol moquetté avec un tintement métallique. Je le dévisageai en portant une main à mon cou. Mon cœur battait la chamade.

Il s'était tassé dans le coin de la voiture. La lumière ambrée du plafonnier clignotait, projetant des ombres sur lui. Il me jeta un regard agacé puis se pencha pour ramasser le collier. Il le secoua dans sa main jusqu'à ce qu'il ait repris sa forme normale.

—Désolée, dis-je sans enlever ma main de mon cou.

Trent fronça les sourcils et son regard croisa celui de Jonathan dans le rétroviseur. Il me fit signe de me retourner. Je m'exécutai. Je n'étais pas très rassurée de le savoir dans mon dos.

—Quen a dit que vous aviez travaillé la magie des lignes, fit-il en me remettant le collier autour du cou. Il m'a fallu trois semaines pour apprendre à empêcher l'énergie de mon familier de s'égaliser quand je touchais un autre praticien. Bien sûr, à l'époque, j'avais trois ans, alors j'avais une excuse.

Ses mains me quittèrent. Je m'enfonçai dans le siège rembourré. Il avait une expression suffisante, bien éloignée de son professionnalisme habituel. C'était la première fois que j'essayais de stocker de l'énergie par commodité, mais à vrai dire ça ne le regardait pas. J'étais prête à retourner d'où je venais. J'avais mal aux pieds et, grâce à Quen, j'avais envie de rentrer chez moi me taper une boîte de glaces en pensant à mon père.

—Quen a connu mon père, rétorquai-je d'un ton maussade.

—C'est ce qu'on m'a dit.

Il regardait le paysage plutôt que moi. Nous arrivions en ville.

Ma respiration s'accéléra et je me mis à bouger dans mon siège.

—Piscary a dit qu'il avait tué mon père. Quen a sous-entendu que ce n'était pas aussi simple.

Trent croisa les jambes et déboutonna sa veste.

—Quen parle trop.

La tension me nouait l'estomac.

—Nos pères travaillaient ensemble? Qu'est-ce qu'ils faisaient?

Ses lèvres furent agitées par un tic, et il tâta sa coiffure pour s'assurer qu'elle n'avait pas bougé. Depuis le siège du conducteur, Jonathan toussa pour me faire comprendre que je ne devais pas insister. Comme si ses menaces pouvaient me faire peur.

Trent se tourna pour me regarder droit dans les yeux. Il me sembla que j'avais piqué sa curiosité.

—Vous êtes prête à travailler avec moi?

Je levai un sourcil. *Travailler* avec *moi? La dernière fois, c'était travailler* pour *moi.*

—Non. (Je souris, même si j'avais envie de lui marcher sur les pieds.) Il me semble que Quen s'en veut, pour la mort de mon père. Je trouve ça très intéressant. Surtout sachant que Piscary s'est accusé.

Trent soupira. Il posa la main sur la banquette pour se stabiliser lorsque nous entrâmes sur l'autoroute.

—Piscary a tué mon père, dit-il. Le vôtre s'est fait mordre en essayant de lui venir en aide. C'est Quen qui était censé être là, pas votre père. C'est pourquoi il est venu vous aider à maîtriser Piscary. Il voulait prendre la place de votre père, et de la même façon il pense que c'est sa faute s'il n'était pas là pour vous aider lui-même.

Sentant mon visage refroidir, je m'enfonçai dans la banquette en cuir. Je pensais que Trent avait envoyé Quen m'aider ; Trent n'avait rien à voir là-dedans. Une pensée insidieuse fit surface au beau milieu de ma confusion.

—Mais mon père n'est pas mort d'une morsure de vampire.

—Non, répondit-il avec précaution sans quitter des yeux les bâtiments de plus en plus hauts qui défilaient à la fenêtre. En effet.

—Il est mort quand ses globules blancs se sont attaqués à ses tissus mous, l'encourageai-je. (J'en attendais davantage, mais la posture de Trent se ferma.) Je n'en saurai pas plus, c'est ça ? demandai-je d'un ton neutre.

Il m'adressa un demi-sourire plein de charme et de ruse.

—Mon offre d'emploi sera toujours valable, mademoiselle Morgan.

C'était difficile, mais je parvins à conserver une expression à peu près agréable. Je m'affalai sur la banquette. J'avais l'impression qu'on m'endormait, qu'à force de tromperie on me forçait à aller dans des directions où j'avais jadis juré de ne pas aller, comme travailler pour Trent, coucher avec un vampire, traverser la rue sans regarder. On pouvait toujours se tirer de ces situations, mais un beau jour on finissait sous les roues d'un bus. Mais, bon sang, qu'est-ce que je faisais dans la limousine de Trent ?

Nous étions entrés dans le Cloaque. Je me redressai, soudain plus intéressée. Les lumières festives étaient denses, principalement vertes, blanches et or. Le silence se prolongea.

—Alooors, c'est qui, cette Ellasbeth ?

Trent me lança un regard empoisonné. Je lui répondis par un sourire sucré.

—Ce n'était pas mon idée, dit-il.

Comme c'est intéressant, pensai-je. *J'ai trouvé un nerf. Ce serait drôle, non, de le piétiner un bon coup ?*

— Une ancienne petite amie ? proposai-je d'un ton enjoué. Une concubine ? Une sœur moche que vous cachez dans votre sous-sol ?

L'expression de Trent avait retrouvé sa neutralité professionnelle, mais ses doigts bougeaient sans arrêt.

— J'aime bien vos bijoux, déclara-t-il. J'aurais peut-être dû demander à Jonathan de les mettre dans le coffre pendant notre absence.

Je posai une main sur son collier. Le contact de mon corps l'avait réchauffé.

— C'est de la merde, et vous le savez.

Bon sang, j'avais assez de son or sur moi pour faire un râtelier complet de fausses dents à un cheval.

— Si vous préférez, on peut parler de Nick. (Il s'était exprimé d'une voix douce, mais la décision perçait.) Moi, je préfère largement. C'était bien Nick, n'est-ce pas ? Nick Sparagmos ? J'ai entendu dire qu'il avait quitté la ville après avoir eu une crise d'épilepsie par votre faute. (Les mains jointes sur les genoux, il me lança un regard lourd de sens en levant ses sourcils clairs.) Mais qu'est-ce que vous lui avez fait ? J'ai beau chercher, je ne vois pas.

— Nick va très bien. (Je m'empressai de reposer mes mains avant qu'elles se mettent à jouer avec mes cheveux.) Je garde son appartement pendant qu'il est en voyage d'affaires. (Je regardai par la fenêtre et remontai le châle sur mes épaules ; il était plus fort pour vous traîner dans la boue que ces salopes de petites filles riches à l'école.) Il faut qu'on discute de ce dont je dois vous protéger.

Jonathan lâcha un reniflement de mépris. Trent ricana.

— Je n'ai pas besoin de protection, dit-il. Si c'était le cas, Quen serait là. Vous êtes ici pour faire joli, et accessoirement pour vous rendre utile.

Pour faire joli…

— Ah ouais ? répliquai-je.

J'aurais aimé pouvoir dire que j'étais surprise.

— Ouais, reprit-il aussitôt. (Ce mot faisait bizarre dans sa bouche.) Alors restez assise bien tranquillement, et fermez-la.

Me sentant rougir, je me déplaçai de manière que mes genoux touchent presque sa cuisse.

— Écoutez-moi bien, monsieur Kalamack, dis-je sèchement. Quen me paie grassement pour que je garde votre cul au sec, alors ne quittez pas la pièce sans moi et ne vous mettez pas dans ma ligne de tir. Compris ?

Jonathan s'engagea dans un parking. Il freina si brusquement que je fus forcée de me tenir. Les deux hommes se regardèrent dans le rétroviseur. Toujours en colère, je me tournai vers la vitre et vis de gros tas de neige bien dégoûtants, hauts de près de deux mètres. Nous étions descendus au bord du fleuve. Je me raidis en apercevant le bateau casino dont les cheminées fumaient légèrement. *Le bateau de Saladan ? Encore ?*

Je repensai à ma soirée avec Kisten et ce type en costard qui m'avait appris à jouer au craps. *Merde.*

— Eh, euh, vous savez à quoi ressemble Saladan ? C'est un sorcier ?

Ce fut probablement l'hésitation dans ma voix qui attira l'attention de Trent. Il se tourna vers moi pendant que Jonathan se garait dans la place prévue pour les voitures de la longueur de notre limousine.

— C'est un sorcier des lignes. Les cheveux et les yeux noirs. Même âge que moi. Pourquoi ? Vous êtes inquiète ? Vous avez raison. Il est meilleur que vous.

— Non.

Merde. Ou devrais-je dire craps[1] ? Je pris ma pochette et m'enfonçai dans la banquette. Jonathan ouvrit la portière, et Trent sortit avec une grâce qu'il avait forcément travaillée. Il fut remplacé par un souffle de vent glacé, si bien que je me demandai comment l'elfe pouvait rester planté là comme si on était en été. J'avais l'impression d'avoir déjà rencontré Saladan. *Idiote !* m'admonestai-je. Mais montrer à Lee que je n'avais pas peur de lui après son petit sort foiré de magie noire serait extrêmement satisfaisant.

Finalement, j'attendais la confrontation avec une certaine hâte. Je me glissai le long de la banquette pour sortir par la portière de Trent, mais Jonathan me la claqua au nez. Je sursautai.

— Eh là ! hurlai-je.

Le rush d'adrénaline me fit mal à la tête.

---

1. *Craps* signifie merde, foutaise au pluriel. (*NdT*)

La portière se rouvrit, et Jonathan m'adressa un petit sourire satisfait.

—Désolé, mademoiselle, dit-il.

Trent attendait derrière lui, une expression fatiguée sur le visage. Je sortis en maintenant mon châle d'emprunt contre moi.

—Oh, merci, Jon, répondis-je gaiement en regardant l'homme de main. Espèce de sale con.

Trent baissa la tête pour cacher un sourire. Je remontai le châle en m'assurant de conserver l'énergie de ligne là où je l'avais stockée, puis je pris le bras de Trent pour qu'il m'aide à monter la rampe gelée. Il se braqua et voulut s'écarter, mais je saisis son bras de ma main libre et coinçai ma pochette entre nous. Il faisait froid, et j'avais hâte d'aller me réchauffer à l'intérieur.

—C'est pour vous que je porte des talons, grommelai-je. Le moins que vous puissiez faire, c'est de m'éviter de tomber sur les fesses. À moins que vous ayez peur de moi?

Trent ne dit rien. Il prit un air résigné qui trahissait son malaise. Nous traversâmes le parking d'un pas lent. Il se retourna pour regarder Jonathan et lui faire signe de rester près de la voiture. J'affectai un petit sourire contrit en faisant les oreilles de lapin – version Erica – avec mes doigts. Il faisait complètement nuit, à présent, et le vent projetait des morceaux de neige sur mes jambes seulement recouvertes de bas. Pourquoi n'avais-je pas insisté pour emprunter un manteau? Ce châle était inefficace au possible. Et il puait le lilas. Je détestais le lilas.

—Vous n'avez pas froid? m'étonnai-je en voyant que Trent se comportait comme si on était en juillet.

—Non, dit-il.

Je revis Ceri marcher pieds nus dans la neige avec la même tolérance.

—Ça doit être une spécialité d'elfe, marmonnai-je.

Il gloussa.

—Ouaip.

Je ne pus que le dévisager en entendant un mot aussi désinvolte dans sa bouche. Ses yeux brillaient de gaieté. Je me tournai vers la rampe accueillante.

—Ben moi, je suis transie de froid, grognai-je. On ne pourrait pas avancer un peu plus vite?

Il accéléra le pas, mais je tremblais encore au moment où nous arrivâmes devant la porte d'entrée. Trent me la tint ouverte avec sollicitude et me fit entrer la première. Je lâchai son bras et entrai en me mettant les mains sur les bras pour me réchauffer. Je souris brièvement au portier et j'eus droit à un regard vide et stoïque en retour. Je retirai mon châle et le tendis à l'hôtesse en me demandant si je pouvais le laisser ici par la plus pure inadvertance.

— Monsieur Kalamack et mademoiselle Morgan, annonça Trent en ignorant le registre. Nous sommes attendus.

— Oui, monsieur. (Le portier fit signe à quelqu'un de venir prendre sa place.) Par ici.

Trent m'offrit son bras. J'hésitai, essayant en vain de déchiffrer son expression neutre. Je pris ma respiration et passai mon bras dans le sien. Lorsque mes doigts effleurèrent le dos de sa main, je sentis une dépression dans mon chi ; je dus faire un effort conscient pour maintenir mon niveau d'énergie.

— C'est mieux, dit-il. (Nous emboîtâmes le pas au portier, et Trent fouilla du regard la salle de jeu bondée.) Vous progressez à vitesse grand V, mademoiselle Morgan.

— Vous savez où vous pouvez vous le mettre, votre compliment, Trent, répondis-je en souriant aux gens qui nous regardaient entrer.

Sa main était chaude. J'avais l'impression d'être une princesse. Il y eut une accalmie dans le brouhaha, et quand les conversations reprirent, elles étaient empreintes d'une excitation qui n'était pas complètement imputable au jeu.

Il faisait chaud, et l'air sentait bon. Le disque accroché au plafond au centre de la salle semblait inanimé, mais en utilisant ma double vue je me serais sans doute aperçue que ses pulsations baignaient la pièce de cet odieux mélange de noir et de violet. Je jetai un coup d'œil à mon reflet pour voir si mes cheveux restaient en place, avec toute la laque et les fils de fer que le coiffeur avait utilisés ; j'étais contente que l'auréole jaune autour de mon œil soit toujours cachée par ma couche de vrai maquillage. Puis j'y regardai à deux fois.

Bon sang! pensai-je en ralentissant. Pas étonnant que les gens nous regardent comme ça ; Trent et moi étions magnifiques. Il était fin et raffiné, et moi, très élégante avec ma robe d'emprunt, mon cou dégagé et mes cheveux attachés à l'aide d'accessoires dorés. Nous étions confiants, nous étions tout sourires. Mais alors même que je me disais que nous formions le couple parfait, je m'aperçus que bien que nous soyons ensemble, chacun de nous était seul. Nous ne dépendions pas l'un de l'autre, et sans que ce soit fondamentalement grave, ça ne correspondait pas à l'idée que je me faisais d'un couple. Nous étions beaux, l'un à côté de l'autre, mais ça n'allait pas plus loin.

— Qu'y a-t-il ? demanda Trent en me faisant signe de le précéder dans l'escalier.

— Rien.

Faisant de mon mieux pour rassembler les lanières de ma jupe fendue, je gravis les étroites marches moquettées à la suite du portier. Le bruit des joueurs s'éloigna jusqu'à n'être plus qu'un murmure qui me remuait le subconscient. Des acclamations retentirent. J'aurais aimé être en bas à attendre, pantelante et le cœur battant la chamade, de voir le résultat des dés.

— Je pensais qu'ils nous fouilleraient, dit doucement Trent de manière que le portier ne l'entende pas.

Je haussai les épaules.

— Pour trouver quoi ? Vous avez vu ce gros disque au plafond ? (Il jeta un coup d'œil par-dessus son épaule.) C'est un gigantesque amortisseur de sorts. Un peu comme les charmes que je portais aux revers et que vous avez complètement cramés, sauf que ça agit sur tout le bateau.

— Vous avez apporté une arme, non ? chuchota-t-il au moment où nous atteignîmes le palier de l'étage.

— Oui, dis-je entre mes dents sans cesser de sourire. Et je pourrais m'en servir pour tirer sur quelqu'un, mais les potions ne prendront effet que lorsque ma cible quittera le bateau.

— À quoi bon, alors ?

— Je ne tue pas, Trent. Il va falloir vous y faire.

Cela dit, je vais peut-être faire une exception pour Lee.

Je vis sa mâchoire se serrer, puis se relâcher. Notre guide ouvrit une porte étroite et me fit signe d'entrer. Je m'exécutai. Lee releva la tête des papiers disséminés sur son bureau. Il eut l'air agréablement surpris de me voir. Je m'efforçai de garder une expression neutre ; le souvenir de cet homme qui se tortillait comme un ver sous l'effet d'un sort de magie noire qui m'était destiné me mit en colère en même temps qu'il me donna la nausée.

Une femme de grande taille se tenait derrière lui, penchée au point de pouvoir lui souffler dans le cou. Elle était mince, avec de longues jambes, et était habillée d'une combinaison noire pattes d'éléphant dont le décolleté lui arrivait presque au nombril. Je décidai qu'il s'agissait d'une vampire ; ses yeux se posèrent sur mon collier et elle sourit, révélant ses petites canines pointues. Ma cicatrice m'élança et ma colère faiblit. Quen n'aurait pas eu la moindre chance.

Les yeux brillants, Lee se leva et tira sur sa veste de smoking. Il écarta la vampire de son chemin et contourna son bureau. Lorsque Trent entra, son regard s'anima encore plus.

— Trent ! s'exclama-t-il en venant vers lui bras tendus. Comment ça va, mon vieux !

Je reculai d'un pas pendant qu'ils échangeaient une chaude poignée de mains. *C'est une blague ou quoi ?*

— Stanley, dit Trent en souriant.

Les pièces finirent de s'assembler. Lee était le diminutif de Stanley.

— Bon sang ! s'écria Lee en donnant une tape dans le dos de Trent. Combien de temps ça fait ? Dix ans ?

Le sourire de Trent vacilla. L'agacement que lui procura cette tape était presque indétectable ; seul en témoignait le léger plissement de ses yeux.

— Presque. Tu as l'air d'aller bien. Tu fais toujours du surf ?

Lee baissa la tête. Malgré son costume, son petit sourire lui donna l'air d'une canaille.

— De temps en temps. Pas aussi souvent que je le voudrais. Mon fichu genou me pose des problèmes. Mais toi, on dirait que ça va. Tu as enfin un peu de muscle. Tu n'es plus ce petit gringalet qui luttait pour tenir mon rythme.

Le regard de Trent croisa le mien. Je restai silencieuse.

— Merci, dit-il.

— On dit que tu vas te marier ?

Il va se marier ? Oh, alors je porte la robe de sa fiancée. De mieux en mieux.

Lee dégagea sa mèche de ses yeux et s'assit au bord du bureau. La vampire entreprit de lui masser voluptueusement les épaules, à la manière d'une putain. Elle ne m'avait pas quittée des yeux, et je n'aimais pas ça.

— C'est quelqu'un que je connais ? encouragea Lee.

Trent serra les dents.

—Une belle jeune femme du nom d'Ellasbeth Withon. De Seattle.

—Ah. (Lee écarquilla les yeux et sourit comme s'il se moquait de Trent.) Félicitations ?

—Tu la connais, dit Trent avec aigreur.

Lee ricana.

—J'ai entendu parler d'elle. (Il prit une expression de souffrance.) Je suis invité au mariage ?

Je poussai un soupir d'impatience. Moi qui pensais que nous venions taper sur des gens... Au lieu de ça, nous étions en pleines retrouvailles. Dix ans, ça devait remonter à la fin de leur adolescence. Peut-être à la fac ? Je n'aimais pas qu'on m'ignore, mais ça devait être monnaie courante pour les filles qu'on payait pour se faire accompagner. Au moins, Pupute non plus n'avait pas été présentée.

—Bien sûr, répondit Trent. Les invitations partiront dès qu'elle aura choisi entre les huit options sur lesquelles elle s'est arrêtée, ajouta-t-il sèchement. Je te demanderais bien d'être mon témoin, mais ça m'étonnerait que tu veuilles remonter un jour sur un cheval.

Lee s'écarta du bureau et se mit hors de portée de la vampire.

—Non, non et non, protesta-t-il en allant prendre deux verres et une bouteille dans un petit placard. Plus jamais. Pas avec toi. Et puis qu'est-ce que tu avais chuchoté à l'oreille de ce cheval, d'abord ?

Trent sourit – pour de vrai, cette fois-ci – et prit le verre à liqueur que lui tendait Lee.

—Ce n'était que justice, surfeur, railla-t-il. (Je clignai des yeux en entendant l'accent qu'il avait pris.) Vu que tu avais failli me noyer.

—Moi ? (Lee se rassit sur le bureau, un pied à terre.) Je n'ai rien à voir là-dedans. Le canoë fuyait. J'ignorais que tu ne savais pas nager.

—C'est ce que tu dis toujours. (Un œil de Trent se crispa ; il se tourna vers moi en prenant une gorgée minuscule.) Stanley, je te présente Rachel Morgan. C'est elle qui veille sur moi, ce soir.

Je le gratifiai d'un sourire feint.

—Salut, Lee. (Je tendis la main en prenant soin de maîtriser l'énergie que j'avais stockée ; cependant, en repensant aux cris de cet homme, j'eus du mal à m'empêcher de lui envoyer une bonne décharge.) Je suis contente de découvrir l'étage, cette fois-ci.

—Rachel, dit-il avec chaleur en retournant ma main pour y déposer un baiser au lieu de la serrer. Vous ne pouvez pas savoir combien je me suis senti mal de vous avoir mêlée à cette horrible affaire. Je suis vraiment content que vous vous en soyez sortie saine et sauve. J'espère que vous êtes bien rémunérée, ce soir.

Je retirai ma main avant que ses lèvres se posent dessus et l'essuyai ostensiblement.

— Inutile de vous excuser. Mais je serais bien négligente de ne pas vous remercier pour m'avoir appris à jouer au craps. (Mon pouls s'accéléra et je dus réprimer une envie de lui en coller une.) Il va falloir que je vous rende la monnaie de votre pièce.

La vampire se glissa derrière lui et posa des mains avides sur ses épaules. Le sourire de Lee ne bougea pas ; il ne sembla pas avoir remarqué ma pique. *Bon Dieu, ce type saignait par tous les pores, et le sort m'était destiné. Salaud.*

— L'orphelinat a accueilli votre don avec reconnaissance, reprit-il sans délai. Ils s'en sont servis pour mettre une nouvelle toiture, à ce qu'on m'a dit.

— Fantastique, dis-je honnêtement. (Trent commençait à gigoter à côté de moi ; il brûlait de nous interrompre.) Je suis toujours heureuse de pouvoir venir en aide aux déshérités.

Lee prit la vampire par la main et la fit venir devant le bureau. Trent profita de ce moment de distraction pour m'attraper par le bras.

— C'est vous qui avez payé le nouveau toit ? murmura-t-il.

— Apparemment, grommelai-je en remarquant qu'il était surpris par le toit mais pas par l'échauffourée en pleine rue.

— Trent, Rachel, dit Lee sans lâcher la main de la vampire, voici Candice.

Le sourire de la jeune femme dévoila ses dents. Ignorant Trent, elle fixa mon cou de ses yeux marron et se passa la langue sur le coin des lèvres. Elle exhala et se rapprocha de Lee.

— Lee, mon cœur, murmura-t-elle. (Je serrai le bras de Trent – sa voix envoyait des ondes voluptueuses sur ma cicatrice.) Tu m'as dit que j'allais distraire un homme. (Elle me lança un sourire carnassier.) Mais ça me va très bien.

Je me forçai à expirer. Des vagues de promesses émanaient de ma cicatrice, et j'avais l'impression que mes genoux allaient se dérober sous moi. Mon sang battait et mes yeux faillirent se fermer. Je pris le temps de respirer plusieurs fois. J'eus besoin de toute l'expérience accumulée à force de vivre avec Ivy pour ne pas répondre à ses stimuli. Elle avait faim, et elle savait ce qu'elle faisait. Si elle avait été morte, je n'aurais pas pu lui résister. Dans l'état actuel des choses, même avec ma cicatrice, elle ne pouvait pas m'ensorceler sans mon consentement. Et je ne comptais pas le lui donner.

Consciente que Trent m'observait, je me contrôlai, même si je sentais la tension sexuelle se lever en moi comme le brouillard par une nuit humide. Je pensai à Nick, puis à Kisten, et les choses ne firent qu'empirer.

— Candice, is-je doucement en me penchant. (*Je ne la toucherai pas. Je ne la toucherai pas.*) Enchantée. Si vous regardez encore une fois ma cicatrice, je vous pète les dents et je m'en sers pour vous faire un piercing dans le nombril.

Ses yeux virèrent au noir. Ma cicatrice cessa aussitôt de chauffer. Elle se retira, en colère, sans lâcher l'épaule de Lee.

— Peu m'importe que vous soyez le joujou de Tamwood, rétorqua-t-elle. (Elle essaya d'avoir l'air très Reine des damnés, mais la vampire avec laquelle je vivais était vraiment dangereuse ; à côté de ce que j'avais vécu, les efforts de Candice étaient pathétiques.) Si je voulais, je ne ferais qu'une bouchée de vous.

Je serrai les dents.

— Je vis avec Ivy. Je ne suis pas son joujou, répliquai-je en entendant des acclamations étouffées provenant du rez-de-chaussée. Il y a un problème ?

— Non, aucun, répondit-elle.

Son beau visage se déforma.

— Vous n'aurez rien de moi, alors laissez tomber.

Lee s'interposa.

— Candice, dit-il en posant une main dans le bas de son dos et en la guidant vers la porte. Rends-moi un service, ma belle. Va chercher du café pour Mlle Morgan, d'accord ? Elle est de service, cette nuit.

— Noir, sans sucre, croassai-je.

Mon cœur battait à cent à l'heure, et j'étais en sueur. Les sorcières noires, j'en faisais mon affaire. Mais les vampires expérimentés et affamés, c'était un peu plus difficile.

Je desserrai mes doigts crispés sur le bras de Trent et m'écartai de lui. Il me regarda, puis regarda Candice sans se départir de son calme.

— Quen..., commença-t-il à voix basse.

— Quen n'aurait pas eu la moindre chance, le coupai-je.

Les battements de mon cœur ralentirent. Si Candice avait été une morte-vivante, ç'aurait été la même pour moi. Mais Saladan n'aurait jamais réussi à convaincre un vamp mort de l'aider ; si Piscary l'avait appris, il l'aurait tué une seconde fois. Les morts avaient le sens de l'honneur. À moins que ce soit de la peur.

Lee dit quelques mots à Candice qui sortit furtivement, non sans m'avoir au préalable lancé un regard sournois. Ses talons rouges furent la dernière chose que je vis d'elle avant qu'elle disparaisse dans le couloir. Je remarquai qu'elle portait une chaîne de cheville identique à celle d'Ivy. Il ne pouvait pas en exister plusieurs sans raison. Peut-être Kisten et moi allions-nous devoir parler un peu.

Sans savoir ce que ce point commun signifiait, et si même il signifiait quelque chose, je m'affalai dans l'un des fauteuils à garniture verte avant de m'affaisser sous l'effet de la décrue d'adrénaline. Je joignis les mains pour cacher leur léger tremblotement et pensai à Ivy et à la protection qu'elle m'apportait. Ça faisait des mois que personne ne m'avait joué ce genre de petit numéro ; ça n'était pas arrivé depuis la fois où un vampire m'avait prise pour une autre, dans cette parfumerie. Si j'avais dû lutter contre ce genre de tentations quotidiennement, ça n'aurait été qu'une question de temps avant que je devienne l'ombre de moi-même : amaigrie, anémique et, surtout, la propriété de quelqu'un. Ou pire, la propriété de tout le monde.

Un bruissement d'étoffe attira mon attention. Trent s'assit sur l'autre fauteuil.

— Vous allez bien ? souffla-t-il au moment où Lee refermait sèchement la porte derrière Candice.

Je fus surprise qu'il s'adresse à moi d'une voix aussi apaisante. Je m'efforçai de me redresser et acquiesçai en me demandant ce qu'il pouvait bien en avoir à faire, et même s'il en avait vraiment quelque chose à faire. J'expirai et forçai mes poings à se desserrer.

En homme efficace, Lee retourna s'asseoir derrière son bureau. Il souriait, dévoilant ses dents d'autant plus blanches que son visage était bronzé.

— Trent, commença-t-il en s'appuyant sur le dossier de son fauteuil. (Ce dernier était plus grand que les nôtres, et il me semblait qu'il lui rajoutait quelques centimètres – le petit malin.) Je suis content que tu sois venu me voir. On devrait parler avant que les choses nous échappent davantage.

— Que les choses nous échappent ?

Trent ne bougea pas. Je vis son inquiétude à mon égard fondre jusqu'à disparaître complètement. Le regard dur, il posa son verre entre eux, sur le bureau. Le bruit étouffé fut plus fort qu'il aurait dû l'être. Sans quitter des yeux le sourire baveux de Saladan, il prit possession des lieux. C'était l'homme qui tuait ses employés dans son bureau sans être inquiété, l'homme qui possédait la moitié de la ville, l'homme qui faisait des pieds de nez à la justice en vivant au-dessus des lois dans sa forteresse au beau milieu d'une vieille forêt.

Trent était en colère, et je fus soudain bien contente qu'ils m'ignorent.

— Tu as fait dérailler deux de mes trains, tu as failli provoquer une grève de ma compagnie de camionnage et tu as mis le feu à mon principal investissement de relations publiques, accusa Trent.

Une mèche de cheveux avait bougé sur sa coiffure impeccable. Lee haussa les épaules. Je ne pus m'empêcher de dévisager Trent. *Principal investissement de relations publiques ? C'était un orphelinat ! Seigneur, ce qu'il peut être froid.*

— C'était la manière la plus facile d'attirer ton attention. (Lee sirota sa boisson.) Ça fait dix ans que ton territoire s'étend peu à peu de l'autre côté du Mississippi. Tu t'attendais à moins ?

La mâchoire de Trent se crispa.

— Tu tues des innocents, avec ton Soufre trop puissant.

— Non ! aboya Lee en poussant son verre. Il n'y a pas d'innocents. (Les lèvres serrées sous l'effet de la colère, il se pencha en avant dans une posture menaçante, les épaules tendues sous sa veste.) Tu as franchi la limite. Et je ne serais pas là à éliminer ta clientèle de faibles si tu étais resté de ton côté du fleuve, comme promis.

— C'est mon père qui avait fait cette promesse, pas moi. J'ai demandé à ton père de produire du Soufre moins fort. Les gens veulent un produit sûr. Je le leur fournis. Peu m'importe où ils vivent.

Lee s'appuya contre le dossier de son fauteuil en poussant un grognement incrédule.

— Épargne-moi ton plan « je suis un bienfaiteur », siffla-t-il. On ne vend qu'à des gens consentants. Et tu sais quoi ? Ils le sont, consentants. Plus c'est fort, mieux c'est. Il faut moins d'une génération pour que le niveau de mortalité se régularise. Les faibles s'éteignent, les forts survivent, et ils sont prêts à en racheter. Ils ont hâte, même. D'acheter plus, et plus fort. Ta réglementation tatillonne affaiblit tout le monde. Il n'y a pas d'équilibre naturel, aucun renforcement de l'espèce. C'est sans doute pour ça que vous êtes devenus si peu nombreux. Vous vous êtes tués en essayant de les sauver.

Mes mains étaient posées sur mes cuisses, faussement inertes. Je sentais la tension monter dans la petite pièce. *Éliminer sa clientèle de faibles? Renforcer l'espèce?* Mais, bon sang, pour qui il se prenait?

Lee fit un geste rapide qui faillit me faire sursauter.

—Mais la principale raison de ma présence, dit-il (il s'était un peu calmé en me voyant bouger), c'est que tu changes les règles du jeu. Et je ne partirai pas. C'est trop tard. Soit tu me donnes tout gracieusement et tu quittes le continent, soit je prends tout à la fois – un orphelinat, un hôpital, une gare, un coin de rue, un innocent au cœur qui saigne. (Il prit une gorgée et abrita son verre dans ses mains jointes.) J'aime bien jouer, Trent. Et si tu te souviens bien, je gagnais à tous les jeux auxquels nous jouions.

Trent plissa les yeux. Ce fut son seul signe d'émotion.

—Tu as deux semaines pour quitter ma ville, contra-t-il d'une voix qui me fit penser à un ruban d'eau calme cachant un courant mortel. Je vais maintenir ma distribution. Si ton père veut me parler, je suis à l'écoute.

—Ta ville? (Le regard de Lee fit un rapide aller-retour entre Trent et moi.) Moi, il me semble qu'elle est coupée en deux. (Il arqua ses fins sourcils.) Très dangereuse, très attirante. Piscary est en prison. Son scion est inefficace. Tu es vulnérable, sous ce vernis d'honnête homme d'affaires derrière lequel tu te caches. Je vais prendre Cincinnati et le réseau de distribution que tu as si laborieusement développé, et m'en servir comme il faut. C'est du gâchis, Trent. Tu pourrais contrôler tout l'hémisphère ouest, et toi tu tires la chasse sur tout ce que tu possèdes en distribuant des demi-portions de Soufre et des biomédicaments à des pouilleux et des cas sociaux qui ne feront jamais rien de leur vie – ni rien pour toi.

Un fourmillement de colère me chauffa le visage. Il se trouvait que j'étais l'un de ces cas sociaux. Si ça se savait, je serais envoyée en Sibérie dans un sac de confinement biologique, mais je n'en étais pas moins hérissée. Trent était un pourri, mais Lee me dégoûtait. J'ouvris la bouche pour lui dire de ne pas parler de ce qu'il ne connaissait pas, mais Trent me toucha du pied pour me faire taire.

Le bord de ses oreilles avait rougi et il avait les dents serrées. Il tapa le bras de son fauteuil pour bien montrer son agacement.

— Mais *je* contrôle l'hémisphère ouest, dit-il de sa voix grave et sonore qui fit se nouer mon estomac. De plus, mes cas sociaux m'ont apporté plus que les clients payants de mon père – Stanley.

Le visage bronzé de Lee devint blême de rage, et je me demandai ce qui se disait dont j'ignorais le sens. Peut-être ne s'étaient-ils pas rencontrés à la fac, mais en colonie.

— Ton argent ne pourra pas me forcer à partir, ajouta Trent. Jamais. Va dire à ton père de baisser ses niveaux de Soufre, et je me retirerai de la rive ouest du fleuve.

Lee se leva. Mes muscles se tendirent ; j'étais prête à bondir. Il s'appuya sur son bureau, bras écartés.

— Tu as le bras moins long que tu le penses, Trent. C'était déjà le cas quand nous étions enfants, et ça n'a pas changé. C'est pour ça que tu as failli te noyer en essayant de regagner la rive, et c'est pour ça que tu perdais à tous les jeux auxquels nous jouions, toutes nos courses, toutes les filles que nous nous disputions. (Il pointait le doigt vers Trent pour souligner ses propos.) Tu te crois plus fort que tu l'es en réalité – on t'a dorloté et acclamé pour avoir réussi des choses que tout le monde considère comme acquises. Regarde la vérité en face. Tu es le dernier de ta race, et c'est ton arrogance qui t'a amené là où tu es.

Mes yeux passaient de l'un à l'autre. Trent était assis confortablement, jambes croisées et mains jointes. Il était parfaitement immobile. Il était fou de colère, mais ça se voyait uniquement au léger tremblement de l'ourlet de son pantalon.

— Ne commets pas une erreur irréparable, menaça-t-il à mi-voix. Je n'ai plus douze ans.

Lee recula, une expression de satisfaction et de confiance mal placée sur le visage. Il jeta un coup d'œil à la porte derrière moi.

— C'est que tu as failli m'avoir, dit-il.

Je sursautai en entendant le loquet s'ouvrir. Candice entra, une tasse blanche comme un mur d'hôpital à la main.

— Excusez-moi, murmura-t-elle.

Sa voix, douce comme celle d'une chatte, ne fit qu'ajouter à la tension. Elle se glissa entre Trent et Lee, brisant leur contact visuel.

Trent secoua ses manches et inspira lentement. Je le regardai avant de prendre ma tasse. Il avait l'air secoué, mais c'était à force de contenir sa colère plutôt que par peur. Je pensai à ses laboratoires biologiques et à Ceri, qui était cachée en toute sécurité chez un vieil homme en face de chez moi. Faisais-je à sa place les choix qu'elle devait faire pour elle-même ?

La tasse était épaisse. Sa chaleur se propagea dans mes doigts. Mes lèvres se retroussèrent lorsque je m'aperçus que Candice avait mis de la crème dans mon café. De toute façon, je n'avais pas l'intention de le boire.

—Merci, grognai-je.

Elle s'assit sur le bureau de Lee et prit une pose suggestive, jambes croisées au niveau des genoux. Je lui fis une grimace de mon cru.

—Lee, dit-elle en se penchant dans une attitude provocante. Il y a un petit problème qui requiert ton attention, en bas.

Il l'écarta avec agacement.

—Occupe-t'en, Candice. Je suis avec des amis.

Ses yeux virèrent au noir et ses épaules se raidirent.

—On a vraiment besoin de toi. Magne-toi le cul. Ça ne peut pas attendre.

Je jetai un coup d'œil à Trent et vis qu'il était aussi surpris que moi. Apparemment, la jolie vamp n'était pas qu'une potiche. *Une associée ?* me demandai-je. En tout cas, elle se conduisait comme telle.

Elle leva un sourcil pour simuler la colère tout en se moquant de Lee. J'aurais aimé pouvoir faire la même chose. Je n'avais encore jamais pris la peine d'apprendre.

—Maintenant, Lee.

Elle descendit du bureau et alla lui tenir la porte.

Il fronça les sourcils, écarta ses courtes mèches de ses yeux et repoussa son siège avec une force excessive.

—Excusez-moi.

Lèvres serrées, il fit un signe de tête à Trent et sortit. Ses pas résonnèrent dans l'escalier.

Candice m'adressa un autre sourire carnassier et sortit à son tour.

—Profitez de votre café, dit-elle en refermant la porte.

Un claquement retentit lorsqu'elle la verrouilla.

Chapitre 26

J e pris une profonde inspiration en écoutant le silence. Trent posa la cheville droite sur son genou gauche. Le regard distant et inquiet, il se mâchonnait la lèvre inférieure. Il n'avait rien du baron de la drogue et de l'assassin qu'il était en réalité. C'était étrange : ça ne se voyait vraiment pas.

—Elle a verrouillé la porte, dis-je.

Le son de ma propre voix me fit sursauter.

Trent haussa les sourcils.

—Elle ne veut pas que vous alliez fureter. Je trouve que c'est une bonne idée.

Quels gros râleurs, ces elfes, pensai-je. Réprimant un froncement de sourcils, j'allai devant le hublot qui donnait sur le fleuve gelé et au-delà. J'essuyai la buée du plat de la main et contemplai la ligne d'horizon accidentée. La tour Carew était illuminée pour les fêtes. Les fenêtres du dernier étage brillaient en rouge, vert et or, grâce aux films transparents qui les recouvraient pour donner l'impression qu'il s'agissait de gigantesques ampoules. La nuit était dégagée ; j'arrivai même à discerner quelques étoiles à travers la pollution lumineuse de la ville.

Je me retournai et mis les mains dans le dos.

—Je n'ai pas confiance en votre ami.

—Moi je n'ai jamais eu confiance en lui. C'est tant mieux : vous vivrez plus longtemps. (Sa mâchoire se détendit et ses yeux verts s'adoucirent quelque peu.) Lee et moi passions nos étés ensemble, quand nous étions petits. Quatre semaines dans l'une des colonies de mon père, quatre semaines dans la maison de plage de ses parents sur une île artificielle au large de la Californie. C'était censé encourager nos familles à s'entendre. En fait, c'est lui qui a posé le sort de garde de ma fenêtre. (Il secoua la tête.) Il avait douze ans. C'était fort pour quelqu'un d'aussi jeune. D'ailleurs, c'est fort aussi pour un adulte. On a fait la fête. Ma mère est tombée dans la baignoire chaude, tellement elle était pompette. Je devrais la faire remplacer par du verre, maintenant que nos relations sont… un poil tendues.

Il souriait, perdu dans ses souvenirs doux-amers, mais je ne l'écoutais déjà plus. C'était Lee qui avait créé la barrière? Elle avait pris la couleur de mon aura, tout comme le disque dans la salle de jeu. Nos auras résonnaient à la même fréquence. Les yeux mi-clos, je pensai à notre aversion partagée pour le vin rouge.

—Il a la même maladie sanguine que moi, c'est ça?

Ça ne pouvait pas être une coïncidence. Pas avec Trent. Il releva la tête.

—Oui, dit-il d'un ton soupçonneux. C'est pour ça que je ne comprends pas. Mon père lui a sauvé la vie, et maintenant il chipote pour quelques millions par an?

Quelques millions par an. De l'argent de poche pour ces salauds de riches. Je jetai un coup d'œil nerveux au bureau de Lee, mais décidai que je n'apprendrais rien de spécial en fouillant les tiroirs.

—Vous, euh… vous contrôlez la composition du Soufre que vous produisez?

Il eut l'air méfiant, puis, comme s'il réfléchissait à ce qu'il allait me révéler, il se lissa les cheveux.

—Avec le plus grand soin, mademoiselle Morgan. Je ne suis pas le monstre que vous aimeriez que je sois. Mon travail, ce n'est pas de tuer les gens; mes affaires sont uniquement une question d'offre et de demande. Si je ne produisais pas le Soufre moi-même, quelqu'un d'autre s'en chargerait, et le produit serait moins fiable. Les gens mourraient par milliers. (Il regarda dans la direction de la porte et décroisa les jambes.) Je vous le garantis.

Je pensai à Erica. L'idée qu'elle meure parce qu'elle était une membre faible de son espèce était insupportable. Mais ce qui était illégal était illégal. Je coinçai une mèche de cheveux derrière mon oreille, et ma main rencontra une des boucles dorées de Trent.

— Peu m'importe que vous peigniez votre tableau avec de belles couleurs ; vous restez un meurtrier. Faris n'est pas mort d'une piqûre d'abeille.

Il fronça les sourcils.

— Faris allait donner ses dossiers à la presse.

— Il aimait sa fille, et il avait peur pour elle.

Je posai une main sur ma hanche et le regardai remuer. C'était très subtil : la tension dans sa mâchoire, la manière qu'il avait de disposer ses doigts manucurés, son absence totale d'expression.

— Alors pourquoi vous ne me tuez pas avant que je fasse la même chose ? demandai-je.

Mon cœur battait comme si j'étais au bord d'une falaise.

Trent s'autorisa un sourire qui brisa son personnage de baron de la drogue bien habillé.

— Parce que vous n'irez pas parler à la presse. Ils vous feront tomber en même temps que moi, et votre survie vous importe plus que la vérité.

La moutarde me monta au nez.

— Fermez-la.

— Ce n'est pas un défaut, mademoiselle Morgan.

— Fermez-la !

— Et j'ai toujours su que vous finiriez par travailler pour moi.

— Jamais de la vie.

— Mais vous travaillez *déjà* pour moi.

Sentant mon estomac se nouer, je me retournai. Je regardai sans le voir le fleuve gelé en fronçant les sourcils. Le silence était tel que j'entendais mon cœur battre – il devait y avoir une explication.

Je fis volte-face en m'agrippant les coudes. Trent, qui était en train de lisser les plis de son pantalon, releva la tête. Je vis dans ses yeux que j'avais l'air effrayée.

— Qu'est-ce qu'il y a ? demanda-t-il d'un ton soupçonneux.

Me sentant irréelle, déconnectée, je fis un pas en direction de la porte.

— Écoutez.

— Je n'entends rien.

J'essayai de tourner le bouton de la porte. En vain.

— C'est bien le problème. Le bateau est désert.

Il y eut une seconde de silence, brisée par le bruissement agréable de son costume. Il avait l'air plus soucieux qu'alarmé. Il secoua ses manches et s'avança vers moi. Il m'écarta et essaya de tourner la poignée.

—Quoi, vous croyez que vous allez y arriver mieux que moi?

Je le pris par le coude et le poussai de devant la porte. Je retins mon souffle, me mis en équilibre sur un pied et donnai un coup de talon dans le jambage – heureusement, même sur les bateaux de luxe, les constructeurs essaient toujours d'utiliser des matériaux légers. Mon talon traversa le fin panneau de bois et mon pied en resta prisonnier. Les lanières de ma belle robe se balancèrent au rythme de mes efforts maladroits pour me libérer.

—Eh, attendez! m'exclamai-je en voyant Trent arracher les échardes du trou et y passer le bras pour déverrouiller la porte de l'extérieur.

Il m'ignora, ouvrit la porte et sortit en courant.

—Bon sang, Trent! fulminai-je.

Je pris ma pochette et lui emboîtai le pas, clopin-clopante. Je le rattrapai en bas de l'escalier étroit. Je le saisis par l'épaule et le tirai en arrière, l'envoyant valser épaule la première dans le mur.

—Qu'est-ce que vous trafiquez? demandai-je à quelques centimètres de ses yeux furieux. C'est comme ça que vous traitez Quen? Vous ne savez pas sur quoi vous allez tomber et, si vous mourez, c'est moi qui vais souffrir, pas vous!

Il ne desserra pas les mâchoires.

—Maintenant, l'ablette, collez-moi au train sans moufter, dis-je en lui envoyant une bourrade.

À la fois inquiète et renfrognée, je le laissai en plan. J'avais envie de sortir mon pistolet, mais tant que le disque violet fonctionnait, les doses de potions qu'il contenait ne serviraient qu'à énerver ma cible en salopant son costume de soirée avec un vilain mélange d'aconit et de tradescantia. Je ne pus réprimer un petit sourire. Je n'avais rien contre un peu d'activité physique.

La salle, ou ce que je pouvais en voir, était déserte. Je tendis l'oreille mais ne perçus aucun son. Je m'accroupis et jetai un œil de l'autre côté de l'angle. Je m'étais baissée pour deux raisons. D'abord, si quelqu'un m'attendait pour me frapper, il allait devoir ajuster son coup, ce qui me laisserait le temps de m'esquiver. Ensuite, si j'étais touchée, je n'aurais pas à tomber de bien haut. Mais lorsque je regardai la salle de jeux élégante, mon estomac se retourna. Le sol était jonché de cadavres.

—Oh, mon Dieu, dis-je à mi-voix en me relevant. Trent, il les a tués.

Alors c'est ça ? Lee veut nous mettre un meurtre de masse sur le dos ?

Trent me dépassa. J'essayai de l'attraper au passage, mais il n'eut aucun mal à me glisser entre les doigts. Il s'accroupit auprès du corps le plus proche.

—Il est dans les pommes, constata-t-il sur un ton monocorde.

Sa belle voix s'était faite acier.

Mon horreur se mua en confusion.

—Pourquoi ?

Je scrutai la pièce ; il semblait que les clients étaient tombés sur place.

Trent se leva et regarda la porte. J'étais d'accord.

—Sortons d'ici, dis-je.

Trent sur mes talons, je me dépêchai de retourner dans le hall. La porte d'entrée était évidemment fermée à clé. Je regardai à travers le verre gelé et vis les voitures dans le parking. La limousine de Trent était restée là où nous l'avions laissée.

—Tout ça ne me dit rien qui vaille, murmurai-je.

Trent m'écarta pour regarder.

Je savais que je n'allais pas pouvoir défoncer cette porte-ci – le bois était trop épais. Tendue, je fouillai ma pochette. Pendant que Trent s'épuisait à essayer de casser une fenêtre avec un tabouret de bar, j'appuyai sur la touche de raccourci numéro un de mon portable.

—Les fenêtres sont blindées, dis-je en écoutant l'appareil sonner.

Il baissa son tabouret et se passa une main dans les cheveux pour remettre sa coiffure parfaitement en ordre. Il n'était même pas essoufflé.

—Comment le savez-vous ?

Je haussai les épaules et me tournai de côté pour avoir un peu d'intimité.

—C'est ce que j'aurais mis, à leur place. (Ivy décrocha ; je m'éloignai en direction de la salle de jeu pour lui parler.) Allô, Ivy ? fis-je à voix haute. (Je ne voulais pas donner l'impression à Monsieur Elfe que je n'avais pas prévu ce genre de situation.) Saladan nous a enfermés dans son bateau casino et s'est enfui. Tu pourrais venir me crocheter la porte ?

Trent scrutait le parking.

—Jonathan est là. Appelez-le.

Ivy me répondait quelque chose, mais sa voix était couverte par celle de Trent. Je mis la main sur le micro de mon téléphone et dis à Trent :

—S'il était conscient, vous ne croyez pas que le départ de Lee l'aurait un peu intrigué et qu'il serait venu jeter un coup d'œil ?

Trent blêmit encore un peu plus.

—Quoi ? repris-je en m'adressant à Ivy.

Elle était à la limite de la frénésie.

—Tirez-vous ! hurla-t-elle. Rachel, Kist a posé une bombe sur la chaudière. Je ne savais pas que c'était là que tu te rendais ! Foutez le camp !

Mon visage se figea.

—Euh, il faut que j'y aille, Ivy. À plus tard.

Ivy hurla quelque chose, mais je refermai le couvercle de mon téléphone et le rangeai.

Je me tournai vers Trent en souriant.

—Kisten va faire sauter le bateau de Lee en guise de démonstration. Il vaudrait mieux que nous partions.

Mon téléphone sonna. Je l'ignorai, et l'appel – était-ce Ivy ? – fut détourné sur le répondeur. La confiance de Trent fondit littéralement ; je n'avais plus devant moi qu'un beau jeune homme bien habillé qui s'efforçait de montrer qu'il n'avait pas peur.

—Lee ne laisserait personne brûler son bateau, dit-il. Ce n'est pas comme ça qu'il travaille.

Je croisai les bras à la recherche de quelque chose – quoi que ce soit – qui aurait pu m'aider à sortir d'ici.

—Il a cramé votre orphelinat.

—C'était pour attirer mon attention.

Je le regardai, fatiguée.

—Est-ce que votre « ami » laisserait son bateau brûler avec vous dedans si on accusait Piscary ? Moi, ça me semble être la manière idéale de mettre la main sur la ville.

Ses lèvres se serrèrent.

—La salle des machines ? demanda-t-il.

J'acquiesçai.

—Comment le savez-vous ?

Il se dirigea vers une petite porte, derrière le bar.

—C'est ce que j'aurais fait.

—Super. (Je le suivis en zigzaguant entre les corps ; les battements de mon cœur s'accélérèrent.) Où allons-nous ?

—Je veux la voir.

Je me figeai. Trent se retourna pour descendre les échelons.

—Vous savez désamorcer une bombe ?

C'était la seule manière de sauver tous les clients. Il devait y en avoir une douzaine.

Depuis le bas de l'échelle, Trent leva la tête pour me regarder. Il avait l'air bizarre, en costard au milieu de la crasse et du bazar.

—Non. Je veux seulement y jeter un coup d'œil.

—Vous êtes dingue ! Vous voulez y jeter un coup d'œil ? Mais il faut qu'on se tire !

Il ne me quitta pas des yeux. Son visage était calme.

—Il y a peut-être un minuteur. Vous venez ?

—Mais bien sûr, dis-je.

J'étouffai un rire ; j'étais à peu près certaine de passer pour une hystérique, si je riais.

Trent traversa le bateau avec une absence de précipitation dérangeante. Je sentais des odeurs de fumée et de métal bouillant. Je scrutais la pénombre tout en essayant de ne pas accrocher ma robe.

—Elle est là ! criai-je en pointant la bombe du doigt.

Mon doigt tremblait ; je baissai la main pour qu'il ne le remarque pas.

Trent se rapprocha et je lui emboîtai le pas, cachée derrière lui. Il s'accroupit devant la boîte métallique dont s'échappaient des faisceaux de fils et tendit la main pour l'ouvrir, ce qui me fit paniquer.

—Eh là ! m'écriai-je en l'attrapant par l'épaule. Nom d'un petit Tournant, mais qu'est-ce que vous faites ? Vous ne savez pas comment ça s'éteint !

Il retrouva son équilibre sans se relever et me regarda d'un air agacé. Sa coiffure n'avait pas bougé d'un cheveu.

—C'est forcément là que se trouve le minuteur, s'il y en a un, Morgan.

J'avalai ma salive et regardai par-dessus son épaule pendant qu'il soulevait le couvercle avec précaution.

—Combien de temps ? m'inquiétai-je.

Mon souffle souleva une mèche de ses cheveux fins.

Il se releva et recula d'un pas.

—Environ trois minutes.

—Oh, bon sang, non !

Ma bouche s'assécha et mon téléphone se remit à sonner. Je l'ignorai une fois de plus et me penchai pour voir la bombe de plus près. Je commençais à me sentir un peu chancelante.

Trent tira sur son gousset et sortit une montre à l'air antique. Il lança le chronomètre moderne.

—Nous avons trois minutes pour trouver un moyen de sortir.

—Trois minutes ! On ne peut pas descendre en trois minutes. Les fenêtres sont blindées, les portes plus dures que votre tête et ce gros disque violet absorbera tous les sorts qu'on lui jettera !

Trent me regardait avec froideur.

—Reprenez-vous, Morgan. Une crise d'hystérie ne nous mènera à rien.

—Ne me dites pas ce que je dois faire ! m'exclamai-je. (Mes genoux se mirent à trembler.) J'arrive mieux à réfléchir, quand j'ai une crise d'hystérie. Fermez-la et laissez-moi faire ma crise !

Je regardai la bombe, bras croisés. Il faisait sacrément chaud, là, en bas, et j'étais en sueur. Trois minutes. Bon sang, mais qu'est-ce qu'on pouvait faire en trois minutes ? Chanter quelques notes. Danser quelques pas. Faire un peu l'amour. Une nouvelle romance, pourquoi pas ? *Oh, mon Dieu, je fais de la poésie.*

—Peut-être a-t-il une sortie de secours dans son bureau ? suggéra Trent.

—Et il nous aurait enfermés dedans ? répliquai-je. Venez. (Je l'attrapai par la manche et tirai.) Nous n'avons pas le temps de trouver un moyen de sortir. (Mes pensées se posèrent sur le disque violet, dans la salle de jeu ; je l'avais déjà influencé une fois – peut-être pouvais-je le plier à ma volonté.) Venez ! répétai-je. (Sa manche me glissa entre les doigts ; il refusait de bouger.) À moins que vous vouliez rester ici à suivre le compte à rebours. Il se peut que j'arrive à briser la zone de non-sort que Lee a créée sur son bateau.

Trent se mit en mouvement.

—Je pense toujours qu'on peut trouver un point faible dans sa sécurité.

Je remontai l'échelle sans me soucier du fait que Trent puisse voir si je portais une culotte ou pas.

— Pas assez de temps, grommelai-je.

Bon sang, mais pourquoi Kisten ne me disait-il pas ce qu'il faisait ? J'étais entourée d'hommes qui me cachaient des choses. Nick, Trent, et maintenant Kisten. Je les choisissais, ou quoi ? Et en plus, Kist tuait des gens. Je ne voulais pas tomber amoureuse d'un tueur. Ça devait vraiment être moi qui avais un problème.

Mon cœur battant comme pour marquer les secondes qui s'égrenaient, je retournai dans la salle de jeu, Trent sur les talons. Elle était silencieuse et immobile. En attente. Je grimaçai en voyant les gens endormis. Ils étaient morts. Je n'allais pas réussir à les sauver, ni eux ni Trent. Je ne savais même pas comment j'allais réussir à me sauver moi-même.

Le disque au-dessus de ma tête avait l'air plutôt inoffensif, mais je sus qu'il fonctionnait toujours lorsque Trent le regarda et pâlit. Je supposai qu'il était en train de se servir de sa double vue.

— Vous n'arriverez pas à briser ce truc, dit-il. Mais vous n'êtes pas obligée. Vous pouvez créer un cercle de protection assez grand pour nous deux ?

J'écarquillai les yeux.

— Vous voulez le désactiver dans un cercle de protection ? Vous êtes vraiment timbré ! À l'instant où je le ferai, mon cercle va disparaître !

Il commençait à s'énerver.

— Vous pouvez, ou pas, Morgan ?

— Mais la dernière fois, j'ai déclenché l'alarme rien qu'en le regardant !

— Et alors ? s'exclama-t-il. (Sa confiance se craquela ; il n'était pas désagréable de le voir secoué, mais étant donné les circonstances il m'était difficile de me réjouir.) Déclenchez l'alarme ! Le disque ne vous empêche pas de puiser de l'énergie et de faire un sort. Il ne fait que vous repérer quand vous le faites. Créez ce foutu cercle !

— Ah ! (Je le regardai en m'apercevant que l'espoir fou qu'il venait de faire naître en moi allait être de courte durée ; je ne pouvais pas puiser l'énergie nécessaire – pas au-dessus d'un plan d'eau.) Euh, allez-y, vous, dis-je.

Il sursauta presque.

— Moi ? Il me faudrait cinq bonnes minutes avec de la craie et des bougies.

Je grognai de frustration.

— Mais quel genre d'elfe vous êtes ?

— Et vous, quel genre de coureuse vous êtes ? répliqua-t-il. Je ne crois pas que ça gênera votre petit ami, que vous puisiez dans une ligne à travers lui pour sauver votre vie. Faites-le, Morgan. On est à court de temps !

— Je ne peux pas.

Gênée, je me tournai vers un hublot. Cincinnati brillait de tous ses feux derrière le verre incassable.

— Rien à foutre de votre foutu honneur, Rachel. Brisez la promesse que vous lui avez faite, ou on est morts !

Je me retournai vers lui, à l'agonie. *Il me croit honorable ?*

— Ce n'est pas ça. Je ne peux plus puiser d'énergie à travers Nick. Le démon a coupé notre lien.

Trent était blême.

— Mais vous m'avez envoyé une décharge, tout à l'heure, dans la voiture. C'était beaucoup trop fort pour le peu d'énergie qu'une sorcière peut stocker dans son chi.

— Bon, je suis ma propre familière, OK ? J'ai conclu un pacte avec un démon ; je lui ai promis d'être sa familière en échange de son témoignage contre Piscary. C'est pour ça que j'ai dû apprendre à stocker l'énergie. Oh, j'en ai des tonnes en réserve, mais un cercle requiert de rester connecté à une ligne. Je ne peux pas.

— Vous êtes la familière d'un démon ? demanda-t-il.

Il avait l'air horrifié – je lui faisais peur.

— Plus maintenant ! hurlai-je. (J'étais en colère d'avoir à admettre que c'était arrivé.) J'ai acheté ma liberté, d'accord ? Lâchez-moi les baskets ! En tout cas, je n'ai pas de familier, donc je ne peux pas puiser d'énergie au-dessus d'un plan d'eau !

J'entendis la sonnerie étouffée de mon téléphone provenant de mon sac. Trent me dévisageait.

— Que lui avez-vous donné en échange de votre liberté ?

— Mon silence.

Les battements de mon cœur résonnaient dans ma cage thoracique. Quelle différence cela faisait-il si Trent était au courant ? De toute façon, nous allions mourir.

Trent enleva son manteau en grimaçant comme s'il avait pris une décision. Il secoua son avant-bras, déboutonna sa manche et la remonta jusqu'au coude.

—Vous n'êtes pas au service d'un démon? insista-t-il dans un murmure inquiet.

—Non! (Je tremblais; bouche bée, je le vis m'attraper par le bras, juste sous le coude.) Eh! m'écriai-je en me dérobant.

—Faites ce que vous avez à faire, dit-il d'un air grave. (Il resserra sa prise sur mon bras et se servit de sa main libre pour m'agripper comme le font les trapézistes au cirque.) Faites en sorte que je n'aie pas à le regretter, grommela-t-il.

J'écarquillai les yeux en sentant un afflux d'énergie m'envahir.

—Sainte merde! m'exclamai-je en manquant de tomber.

C'était de la magie sauvage, et elle avait la saveur insaisissable du vent. Il avait joint sa volonté à la mienne, avait puisé dans une ligne à travers son propre familier et m'avait transmis l'énergie comme si nous ne faisions qu'un. En le traversant, la ligne s'était teintée de son aura. Comme celle de Ceri, elle était pure, propre, et avait le goût du vent.

Trent grogna. Je plongeai les yeux dans les siens. Il avait les traits tirés et était en sueur. Mon chi était plein, et bien que l'excédent d'énergie soit retourné dans la ligne, apparemment, ce que j'avais mis en réserve dans ma tête le brûlait en traversant son corps.

—Oh, mon Dieu, murmurai-je. Je suis désolée, Trent.

J'aurais aimé pouvoir rétablir l'équilibre. Il avait la respiration rocailleuse.

—Faites le cercle, haleta-t-il.

Je jetai un coup d'œil à la montre qui pendillait au bout de sa chaîne et commençai l'invocation. Nous titubâmes lorsque l'énergie reflua. La bulle protectrice nous enveloppa, mais je ne me sentis pas rassurée pour autant. J'avais beau regarder sa montre, je n'arrivais pas à voir combien de temps il nous restait.

Trent écarta une mèche de ses yeux sans me lâcher le bras. L'œil hagard, il regarda la bulle parcourue de reflets dorés, puis les gens au-delà. Il prit une expression vide, avala sa salive et resserra sa prise. Manifestement, l'énergie ne le brûlait plus, mais la pression n'allait faire qu'augmenter jusqu'à retrouver le niveau qu'elle avait atteint.

—Il est vraiment gros, dit-il en contemplant le miroitement énergétique. Vous pouvez tenir un cercle de cette taille sans le dessiner?

—Je peux, affirmai-je en évitant de croiser son regard. (Sa peau était chaude, et je sentais des picotements là où nous nous touchions; je n'aimais pas cette proximité.) Et je voulais le faire assez grand pour qu'on ait de la marge quand l'explosion nous frappera. Dès que vous me lâcherez ou que je toucherai le cercle…

— … il tombera, finit-il à ma place. Je sais. Arrêtez de digresser, Morgan.

— La ferme! m'exclamai-je. (J'étais nerveuse comme une pixie enfermée dans une pièce pleine de grenouilles.) Vous avez peut-être l'habitude que des bombes pètent autour de vous, mais moi, c'est la première fois!

— Avec un peu de chance, ce ne sera pas la dernière.

— Oh, mais fermez-la!

J'espérais que mes yeux avaient l'air moins effrayés que les siens. À supposer que nous survivions à la déflagration, il resterait à en affronter les conséquences. Les morceaux de bateau qui nous tomberaient dessus, l'eau glacée… Le pied, quoi.

— Euh, combien de temps? demandai-je d'une voix tremblante.

Mon téléphone avait recommencé à sonner.

Il baissa les yeux.

— Dix secondes. On devrait peut-être s'asseoir avant de tomber.

— Oui, dis-je. C'est sans doute une bonne i…

Je retins ma respiration en entendant une explosion qui secoua le plancher. Je me rapprochai de Trent de peur que nous nous lâchions. Le plancher se souleva. Nous tombâmes. Il s'agrippa à mon épaule et m'attira à lui pour m'empêcher de rouler. À son contact, je sentis la soie et l'après-rasage.

Mon cœur se souleva et un mur de feu s'éleva autour de nous. Je hurlai et mes oreilles se bouchèrent. Le bateau se cassa, et nous fûmes soulevés dans un mouvement irréel, sans bruit. Le ciel nocturne se zébra de flammes rouges. Je sentis le cercle se briser, et ce fut la chute.

Trent me lâcha. Je criai en traversant les flammes. Mes oreilles engourdies s'emplirent d'eau et je ne pus plus respirer. Je ne brûlais pas, je me noyais. Il faisait froid, pas chaud. Prise de panique, je luttai contre le poids de l'eau qui m'engloutissait.

J'étais incapable de bouger. Je ne savais pas dans quelle direction était la surface. L'obscurité était pleine de bulles et de morceaux de bateau. Une légère lueur attira mon attention sur la gauche. Je me repris et essayai de me diriger vers elle, m'efforçant de convaincre mon cerveau qu'il s'agissait de la surface, même si elle était sur le côté plutôt que vers le haut.

Seigneur, je priai pour que ce soit la surface.

J'émergeai dans une gerbe d'eau. Mes oreilles étaient toujours bouchées. Je fus frappée par le froid glacial. Je pris une grande goulée d'air qui me déchira les poumons, ce qui ne m'empêcha pas d'en inspirer une autre.

Les débris du bateau continuaient à pleuvoir. Je fis du surplace, heureuse d'avoir choisi une robe qui me permettait de nager. L'eau avait le goût d'huile ; la tasse que j'avais bue me pesait.

— Trent ! m'écriai-je. (J'entendis à peine le son de ma propre voix, comme à travers un oreiller.) Trent !

— Ici !

Je secouai la tête pour écarter les cheveux collés sur mes yeux et me tournai dans la direction de la voix. Je me sentis soulagée. Il faisait sombre, mais je parvins à voir Trent malgré les blocs de glace et les morceaux de bois qui flottaient entre nous. Il avait les cheveux plaqués mais semblait indemne. Prise de frissons, je me débarrassai de la seule chaussure qui me restait et nageai vers lui. Les débris continuaient à tomber sporadiquement. Comment était-ce possible ? Il y avait assez de morceaux entre nous pour reconstituer deux bateaux complets.

Trent s'élança avec un mouvement de nageur professionnel. Apparemment, il avait pris des leçons de natation. Le reflet du feu sur l'eau glacée s'intensifia. Je levai la tête, et ma respiration se coupa. Quelque chose n'était pas encore tombé – quelque chose de gros et d'enflammé.

— Trent ! hurlai-je sans qu'il m'entende. Trent, attention ! insistai-je en pointant le doigt vers le danger.

Mais il ne m'écoutait pas. Je plongeai sous l'eau pour échapper au débris.

Je fus projetée, comme si on m'avait frappée. Autour de moi, l'eau vira au rouge. Mes poumons se vidèrent presque complètement lorsque quelque chose me heurta violemment le dos. Mais l'eau me sauva. Les poumons en feu, les yeux douloureux, je suivis les bulles que je venais de cracher vers la surface.

— Trent ! criai-je en émergeant dans le froid brûlant de la nuit.

Je le trouvai agrippé à un coussin qui n'allait pas tarder à être plein d'eau. Je croisai son regard trouble. La lumière provenant de l'épave en feu s'amenuisait. Je nageai dans sa direction. Il n'y avait plus de débarcadère. Je ne savais pas comment nous allions nous en sortir.

—Trent, dis-je dans une quinte de toux en arrivant à son niveau. (J'avais les oreilles qui sifflaient, mais au moins je m'entendais parler ; je recrachai les cheveux qui s'étaient collés dans ma bouche.) Ça va ?

Il cligna des yeux comme pour s'éclaircir la vue. Il saignait au cuir chevelu et une ligne brune souillait ses cheveux blonds. Ses yeux se fermèrent, et je vis avec horreur sa prise sur le coussin se relâcher.

—Non, ne faites pas ça ! m'exclamai-je en le rattrapant avant qu'il coule.

Sans cesser de trembler, je passai un bras autour de son cou et coinçai son menton dans le creux de mon coude. Il respirait. Mes jambes fonctionnaient au ralenti à cause du froid, et j'avais des crampes aux orteils. Je cherchai de l'aide du regard. Mais bon sang, où était la SO ? Quelqu'un avait forcément vu l'explosion.

—Jamais là quand on a besoin d'eux, grommelai-je en écartant un bloc de glace de la taille d'une chaise de mon chemin. Ils sont probablement occupés à donner une amende à quelqu'un qui a vendu des charmes périmés.

Il n'y avait plus de débarcadère. Il fallait que je nous sorte de l'eau, mais la digue de béton faisait un bon mètre. La seule manière de m'en tirer serait de remonter sur la glace et d'aller rejoindre un autre embarcadère.

Je poussai un soupir de découragement en m'élançant vers le bord du trou que l'explosion avait creusé dans la glace. Je n'y arriverais jamais, même si le courant était faible. Le niveau de l'eau montait lentement, et mes mouvements étaient de plus en plus lents et difficiles. De plus, je ne sentais plus le froid, ce qui n'était pas rassurant. J'aurais peut-être pu y arriver… si je n'avais pas traîné Trent.

—Putain de merde ! hurlai-je. (J'utilisais ma colère pour me forcer à avancer ; j'allais crever là, en essayant de lui sauver les miches.) Pourquoi tu ne m'as pas dit ce que tu mijotais, Kisten ! m'exclamai-je en sentant mes larmes me brûler la peau. Pourquoi je ne t'ai pas dit où j'allais ? répliquai-je à ma propre intention. Je suis une connasse. Et votre putain de montre avance, Trent ! Vous le saviez ? Votre putain de… (Sanglot.)…montre avance.

J'avais mal à la gorge, mais j'avais l'impression que nager me réchauffait. La température de l'eau me semblait carrément douce, à présent. À bout de souffle, je m'arrêtai et fis du surplace. Ma vision se brouilla lorsque je m'aperçus que j'y étais presque. Cependant, il y avait un gros bloc de glace sur mon chemin, et j'allais devoir le contourner.

Je pris une goulée d'air, puis, avec détermination, je relevai mon bras alourdi et m'élançai. Je ne sentais plus mes jambes, mais je supposai qu'elles bougeaient, puisque la plaque de glace de vingt centimètres d'épaisseur se rapprochait. Je posai la main dessus. L'incendie mourant du bateau teintait la surface brillante de rouge. Ma main glissa sur la neige et je coulai. Sous le coup de l'adrénaline, je donnai un coup de talon et remontai à la surface. Trent toussa de l'eau.

— Oh, Trent, dis-je. (De l'eau me rentrait dans la bouche pendant que je parlais.) J'avais oublié que vous étiez là. Passez le premier. Allez hop. Sur la glace.

Me servant de ce qui me semblait être un morceau du bar du casino en guise de levier de fortune, je hissai Trent à moitié sur la glace. Des larmes m'échappèrent. Je pouvais à présent me servir de mes deux bras pour rester à flot. Je pris le temps de faire une courte pause, la tête posée sur la glace, mes mains engourdies dans la neige. J'étais si fatiguée. Trent n'était pas en train de se noyer. J'avais fait mon boulot. Maintenant, je pouvais me sauver moi-même.

Je tendis les bras pour me hisser sur la glace… sans y parvenir. La neige tomba dans l'eau et fondit. Décidant de changer d'approche, j'essayai de lever une jambe. Elle refusa de bouger. Je n'arrivais plus à bouger le bas du corps.

— OK, dis-je.

Je n'étais pas aussi effrayée que j'aurais dû l'être. Ça devait être le froid – même mes pensées étaient embrouillées. J'étais censée faire quelque chose, mais impossible de me rappeler quoi. Je clignai des yeux en voyant Trent, qui avait toujours les jambes dans l'eau.

— Ah oui, murmurai-je.

Il fallait que je sorte de l'eau. Au-dessus de moi, le ciel était noir, et la nuit était silencieuse, à l'exception du sifflement dans mes oreilles et du cri des sirènes, au loin. La lueur de l'incendie était de plus en plus faible. Mes doigts ne bougeaient plus. Je dus me servir de mes bras comme de massues pour ramener un morceau de bateau vers moi. Me concentrant pour ne pas perdre le fil de mes pensées, je le fis passer sous moi pour l'utiliser comme une bouée et me surélever. Un grognement m'échappa lorsqu'à l'aide de ma bouée de fortune je parvins à mettre une jambe sur la glace. Je fis une roulade et restai étendue, haletante. Le vent me brûlait le dos. À côté, la glace me semblait chaude. J'avais réussi.

—Où sont-ils tous passés? soufflai-je. (Ma chair était durcie par le froid.) Où est Ivy? Où sont les pompiers? Où est mon téléphone?

Je gloussai en me rappelant que ce dernier était au fond du fleuve avec ma pochette, mais je retrouvai vite mon sérieux en pensant à ces gens inconscients qui s'enfonçaient dans l'eau glacée et qui n'allaient pas tarder à les rejoindre, parés de leurs plus beaux atours. Bon sang, j'étais même prête à embrasser Denon, mon ancien patron à la SO, s'il se montrait – et pourtant, je ne l'aimais pas.

Ce qui me fit penser…

—Jonathan, murmurai-je. Oh, Jonathaaan, chantonnai-je. Où es-tu? Viens là, viens là, où que tu sois – espèce de grand monstre de la nature.

Je levai la tête. Heureusement, j'étais tournée dans la bonne direction. Plissant les yeux pour voir à travers le rideau de mes cheveux collés, je discernai une lumière à l'endroit où se trouvait la limousine. Les phares éblouissants étaient braqués sur le fleuve et révélaient l'étendue de la destruction et les morceaux de bateau qui coulaient un à un. Je vis la silhouette de Jonathan sur le quai. Je savais que c'était lui, parce que c'était la seule personne de ma connaissance qui soit aussi grande. Il regardait dans la mauvaise direction. Il n'allait pas me voir, et je ne pouvais plus crier.

Bon sang. J'allais devoir me lever.

J'essayai. Non, vraiment. Mes jambes refusaient de bouger, et mes bras restaient plantés là, à m'ignorer. Et puis la glace était chaude, et je n'avais aucune envie de me lever. Peut-être que si je hurlais, il m'entendrait.

Je pris une grande inspiration.

—Jonathan, murmurai-je.

Mince, ça ne donnait rien.

Rebelote.

—Jonathan, dis-je. (Cette fois, j'entendis le son de ma propre voix; je relevai la tête et m'aperçus qu'il n'avait pas bougé.) Peu importe, annonçai-je en laissant ma tête retomber sur la glace. (La neige était chaude; je me lovai contre elle.) C'est bon, marmonnai-je (bien qu'en réalité je ne crois pas que les mots aient dépassé mes lèvres).

J'avais l'impression que le monde tournait. J'entendais l'eau clapoter. Je souriais, vautrée dans la neige. Ça faisait plusieurs jours que je n'avais pas bien dormi. J'exhalai, me laissai aller à dériver dans le néant, me baignai dans la chaleur du soleil qui envahit soudain la glace.

Quelqu'un me prit dans ses bras. Je sentis ma tête tamponner contre une poitrine mouillée et je fus soulevée.

— Denon ? m'entendis-je murmurer. Viens là, Denon. Je te dois un gros… bisou…

— Denon ? répondit une voix.

— Je vais la porter, Sa'han.

Je m'efforçai d'ouvrir les yeux mais m'abandonnai de nouveau au néant en me sentant bouger. Je somnolais à la frontière de l'éveil et du sommeil. À un moment, tout devint immobile. J'essayai de m'endormir, un sourire aux lèvres. Mais ma joue battait et me pinçait. Et puis j'avais mal aux jambes.

Agacée, j'envoyai une ruade dans la glace et m'aperçus qu'elle n'était plus là. J'étais assise, et on me donnait des gifles.

— Assez, ordonna Trent. Tu vas lui laisser des traces.

Les pincements cessèrent, et il ne resta que les battements. *C'est Jonathan qui me collait des claques ?*

— Eh, sale gueule, soufflai-je. Si tu me tapes encore une fois, je m'occupe de ta contraception.

Je sentis une odeur de cuir. Mon visage se déforma lorsque mes membres retrouvèrent leurs sensations. Oh, mon Dieu, ça faisait mal. J'ouvris les yeux et vis Trent et Jonathan penchés sur moi. Du sang suintait du cuir chevelu de l'elfe, et de l'eau lui gouttait du nez. Au-dessus de leurs têtes, il y avait le plafond de la limousine. J'étais en vie ? Comment avais-je regagné la voiture ?

— L'était temps qu'vous nous trouviez, murmurai-je en fermant les yeux.

J'entendis Trent soupirer.

— Elle va bien, dit-il.

Je suppose. C'est possible. Comparé à la mort, ça s'appelle sans doute aller bien.

— Dommage, grogna Jonathan. (Je l'entendis s'éloigner de moi.) Les choses auraient été plus simples, si elle y était passée. Il n'est pas trop tard pour la remettre à l'eau avec les autres.

— Jon ! aboya Trent.

Sa voix était bouillante, mais ma peau ne l'était pas moins. Bon sang, je brûlais littéralement.

— Elle m'a sauvé la vie, reprit-il doucement. Peu m'importe que tu l'aimes ou pas – elle a gagné ton respect.

—Trenton…, commença Jonathan.

—Non. (Plus froidement.) Elle *a* gagné ton respect.

Il y eut un temps d'hésitation, et je me serais volontiers laissé dériver si mes jambes endolories me l'avaient permis. Et mes doigts ne valaient guère mieux.

—Oui, Sa'han, dit finalement Jonathan.

Je me réveillai en sursaut.

—Ramène-nous à la maison. Appelle pour que Quen lui fasse couler un bain. Il faut la réchauffer.

—Oui, Sa'han. (L'homme de main avait répondu lentement, à contrecœur.) La sécurité est là. Pourquoi ne la laisse-t-on pas avec eux ?

Je sentis une légère torsion de mon chi lorsque Trent puisa de l'énergie.

—Je ne veux pas qu'on me voie ici. Ne te mets pas en travers du chemin de qui que ce soit, et personne ne nous remarquera. Fais vite.

Mes yeux refusaient de m'obéir, mais j'entendis Jonathan sortir et fermer la portière. Il y eut un autre claquement lorsqu'il prit place derrière le volant, puis la voiture se mit en mouvement. Les bras qui m'enserraient raffermirent leur prise. Je m'aperçus que j'étais sur les genoux de Trent. Le contact de son corps me réchauffait plus sûrement que l'air de la voiture. Je sentais la douceur de la couverture qui m'enveloppait. Ils avaient dû m'emmailloter ; je n'arrivais plus à bouger ni les bras ni les jambes.

—Je suis désolée, murmurai-je. (J'abandonnai l'idée d'ouvrir les yeux.) Je suis en train de tremper votre costume. (Je ricanai en me disant que mon intervention devait être bien pathétique : après tout, il était déjà trempé.) Votre charme celte ne vaut rien. J'espère que vous avez gardé la facture.

—La ferme, Morgan, dit Trent d'une voix distante et préoccupée.

La voiture accéléra, et le bruit du moteur me calma.

Je peux me détendre, pensai-je en sentant la circulation sanguine se rétablir dans mes membres. J'étais dans la voiture de Trent, enveloppée dans une couverture, et il me serrait dans ses bras. Il ne laisserait personne me faire du mal.

Par contre, il ne chante pas. Il n'est pas censé chanter ?

Chapitre 27

J'étais assise dans l'eau chaude, et c'était bien agréable. Je n'avais aucune envie de sortir malgré ma peau toute flétrie. La baignoire immergée d'Ellasbeth était fabuleuse. Je soupirai en reposant ma tête pour contempler le plafond de trois mètres, encadré par les orchidées en pots qui entouraient la baignoire. Peut-être qu'il y avait un intérêt à être baron de la drogue, après tout, si on avait une baignoire comme celle-là. Ça faisait plus d'une heure que j'étais dedans.

Trent avait appelé Ivy pour moi avant même que nous ayons atteint la limite de la ville. Je l'avais rappelée en personne quelques minutes plus tôt pour lui dire que j'allais bien, que je macérais dans de l'eau chaude et que je n'en sortirais pas avant qu'il gèle en enfer. Elle m'avait raccroché au nez, mais je savais qu'il n'y avait pas de problème entre nous.

Je fis glisser mes doigts parmi les bulles et ajustai l'amulette anti-douleur pendue à mon cou et que j'avais empruntée à Trent. Je ne savais pas qui l'avait invoquée – sa secrétaire, peut-être ? Tous mes charmes étaient au fond de l'Ohio. Mon sourire mourut. Je repensai aux gens que je n'avais pas pu sauver. Je refusais de me sentir coupable de respirer alors qu'ils étaient morts. C'était Saladan, le responsable, pas moi. Ou bien Kisten. Bon sang. Qu'est-ce que j'allais faire à ce propos ?

Je fermai les yeux pour réciter une prière pour eux, mais ils se rouvrirent lorsque j'entendis des pas rapides se rapprocher. Je restai paralysée en voyant une femme mince au tailleur chic couleur crème entrer sans s'annoncer et traverser le carrelage de la salle de bains à grand renfort de claquements de talons. Elle avait un sac du centre commercial pendu au bras. Son regard glacé était fixé sur la porte du dressing, et elle y entra sans m'avoir vue.

C'était probablement Ellasbeth. Merde. Qu'est-ce que j'étais censée faire? Essuyer la mousse de mes doigts et proposer de lui serrer la main? Toujours incapable de bouger, je regardai la porte. Mon manteau était pendu à une chaise, et le sac contenant mes vêtements était accroché au paravent. Mon pouls s'accéléra. Je me demandai si j'allais pouvoir atteindre la serviette verte avant qu'elle se rende compte qu'elle n'était pas seule.

Le léger bruissement d'étoffe cessa. Je me fis toute petite sous ma mousse lorsqu'elle revint dans la salle de bains. Il y avait le feu au lac. Ses yeux sombres étaient plissés par la colère, et ses hautes pommettes étaient rouges. Elle se raidit. Le sac n'avait pas quitté son bras; apparemment, elle l'avait oublié. Ses cheveux blonds épais et ondulés étaient attachés, ce qui lui donnait un air de beauté sévère. Tête haute, lèvres serrées, elle me fixa du regard avec véhémence dès qu'elle eut passé la porte.

Alors c'est comme ça, quand il gèle en enfer.

—Qui êtes-vous? demanda-t-elle d'une voix puissante et dominatrice.

Je lui adressai un sourire tout en sachant qu'il devait paraître bien maladif.

—Euh, je suis Rachel Morgan. De Charmes vampiriques? Non?

J'allais me redresser, mais je me ravisai. Je n'aimais pas mon ton dubitatif, mais c'était trop tard. Si je n'étais pas très sûre de moi, c'était peut-être parce que j'étais nue sous la mousse, alors qu'elle était en talons hauts avec son costume à la fois exquis et sans complexe – le genre que Kisten aurait pu me choisir s'il m'avait emmenée faire du shopping à New York.

—Que faites-vous dans ma baignoire?

Elle regarda mon œil au beurre noir avec mépris.

Je tendis le bras et tirai la serviette à moi pour me couvrir.

—Je me réchauffe.

Elle fit la moue.

—Je ne me demande pas pourquoi, dit-elle sèchement. Il est froid comme un glaçon, ce salaud.

Je me redressai en éclaboussant tout autour de moi. Elle sortit.

—Trenton! appela-t-elle.

Sa voix était dure, comparée à la paix dans laquelle j'avais passé l'heure à me vautrer.

Je soufflai et baissai les yeux sur la serviette trempée qui me moulait. Je me levai et ouvris la bonde avec le pied en poussant un soupir. L'eau cessa de tourbillonner autour de mes mollets et le niveau commença à descendre. Ellasbeth, pleine de présence d'esprit, avait veillé à laisser toutes les portes ouvertes. Je l'entendais hurler après Trent. Elle n'était pas très loin. Peut-être même dans la salle commune. Décidant que je pouvais me sécher sans danger tant que je l'entendais là-bas, j'essorai la serviette trempée et en pris deux autres dans le chauffe-serviettes.

—Mais bon sang, Trenton, proféra-t-elle d'une voix amère et grossière. Tu ne peux même pas attendre que je sois partie pour ramener une de tes putains?

Je rougis, et mes mouvements pour me sécher les bras se firent plus saccadés.

—Mais justement, je croyais que tu étais partie, répondit calmement Trent (ce qui ne fit rien pour arranger les choses). Et ce n'est pas une putain, mais une associée.

—Peu m'importe comment tu l'appelles, elle est dans mes appartements, espèce de salaud.

—Je n'avais nulle part où la mettre.

—Il y a huit salles de bains de ce côté du mur, et tu l'as mise dans la mienne?

J'étais contente que mes cheveux soient à peu près secs. Ils sentaient le shampooing d'Ellasbeth, et c'était franchement classe. Sautillant maladroitement sur un pied, j'essayai d'enfiler ma culotte. Heureusement, en allant à la baille, je ne portais que les bas que j'avais ramenés de chez moi. Ma peau était encore humide et toute collante. Je faillis me casser la figure lorsque mon pied resta accroché au milieu de la jambe de mon jean. Je me penchai en avant et me rattrapai au comptoir.

—Va te faire voir, Trenton! N'essaie même pas de dire que c'est professionnel! Il y a une sorcière nue dans ma baignoire, et toi, tu es en robe de chambre!

—Non, écoute-moi. (La voix de Trent était dure comme l'acier, et j'entendais sa frustration, même à deux pièces de distance.) Je te dis que c'est une associée, et c'est une associée.

Ellasbeth laissa échapper un rire très sec.

—Une associée de chez Charmes vampiriques ? C'est elle-même qui m'a dit le nom de son bordel !

—Elle est coureuse, au cas où ça te concernerait, répliqua-t-il si froidement que je pouvais presque le voir serrer les dents. Sa partenaire est une vampire. C'est un jeu de mots, Ellasbeth. Rachel s'est chargée de ma sécurité, ce soir, et elle est tombée dans le fleuve en me sauvant la vie. Je n'allais quand même pas la déposer à son bureau à moitié morte d'hypothermie comme un chat errant. Tu m'avais dit que tu partirais par le vol de 19 heures. Je croyais que tu n'étais plus là, et je ne pouvais pas l'installer dans mes quartiers.

Il y eut un instant de silence. Je me contorsionnai pour enfiler mon sweat-shirt. Quelque part au fond du fleuve reposaient plusieurs milliers de dollars de fils d'or provenant de la coiffure de Randy et une boucle d'oreille. Au moins, le collier avait survécu. Peut-être le charme de protection ne fonctionnait-il que sur le collier lui-même.

—Tu étais sur ce bateau… celui qui a explosé…, comprit Ellasbeth.

Sa voix était plus douce, mais il n'y avait pas la moindre trace d'excuse dans son ton empreint d'une soudaine inquiétude.

Dans le silence qui s'ensuivit, je m'efforçai de me recoiffer en grimaçant. Peut-être que si j'avais disposé d'une demi-heure, j'aurais pu tirer quelque chose de mes cheveux. De toute façon, il n'y avait rien à faire pour rattraper la première impression – forcément stellaire – que je lui avais faite. Je repris ma respiration pour me calmer, puis je me redressai et me rendis dans la salle commune en chaussettes. Du café. Je sentais une odeur de café. Tout irait mieux après une bonne tasse.

—Tu peux comprendre ma confusion, dit Ellasbeth lorsque j'arrivai sur le pas de la porte.

J'hésitai. Ils n'avaient pas remarqué ma présence, mais moi je les voyais. Ellasbeth était debout à côté de la table ronde dans le coin déjeuner. Elle avait l'air docile, tel le tigre qui comprend qu'il ne va pas pouvoir manger l'homme au fouet. Trent était assis, habillé en robe de chambre verte à liseré bordeaux. Son front semblait avoir été bandé par un professionnel. Il avait l'air ennuyé – ce qui n'avait rien d'anormal si on considérait que sa fiancée venait de l'accuser de la tromper.

—Je n'aurai pas mieux en guise d'excuse, n'est-ce pas ? demanda Trent.

Ellasbeth lâcha son sac et posa une main sur sa hanche.

—Je veux qu'elle quitte mes appartements. Je me fiche de qui elle est.

Les yeux de Trent se plongèrent dans les miens comme s'ils avaient été attirés. Je fis une grimace contrite.

—Quen la raccompagnera chez elle après un léger dîner, décida-t-il. Tu es bienvenue si tu veux te joindre à nous. Comme je te l'ai dit, je te croyais partie.

—J'ai changé ma réservation pour un vol vampire, histoire d'avoir plus de temps pour faire mon shopping.

Trent regarda de nouveau dans ma direction pour faire comprendre à Ellasbeth qu'ils n'étaient pas seuls.

—Tu as passé six heures à faire du shopping et tu reviens avec un seul sac ? demanda-t-il non sans un soupçon d'accusation dans la voix.

Ellasbeth suivit son regard. En me voyant, elle se dépêcha de dissimuler sa colère derrière une expression amène. Mais je lisais sa frustration. Restait à voir de quelle manière elle se manifesterait. Je pariai pour des piques discrètes et autres sarcasmes déguisés en compliments. Mais, tant qu'elle resterait correcte, je le serais aussi.

Je fis mon apparition en jean et sweat-shirt à l'effigie des Hurleurs et en affichant un sourire de circonstance.

—Euh, merci pour l'amulette antidouleur et pour m'avoir permis de me nettoyer, monsieur Kalamack. (Je m'arrêtai à côté de la table ; le silence maladroit était aussi bourratif qu'un gâteau au fromage.) Inutile de déranger Quen. Je vais appeler mon associée pour qu'elle passe me chercher. De toute façon, elle doit déjà être en train de marteler la porte du gardien.

Trent fit un effort visible pour dissimuler sa colère. Il posa les coudes sur la table de telle sorte que les manches de sa robe de chambre se retroussèrent et révélèrent les poils blonds de ses avant-bras.

—Je préférerais que Quen vous ramène, mademoiselle Morgan. Je n'ai pas particulièrement envie de parler à Mlle Tamwood. (Il se tourna vers Ellasbeth.) Tu veux que j'appelle l'aéroport, ou tu restes une nuit de plus ?

Son ton n'invitait pas du tout Ellasbeth à rester.

—Je reste, répondit-elle néanmoins.

Elle se pencha, ramassa son sac de shopping et retourna dans ses appartements. J'observai ses pas rapides et cliquetants et vis en eux une dangereuse combinaison de dédain inflexible et d'ego bafoué.

—Elle ne serait pas fille unique? demandai-je quand le bruit de ses talons mourut sur la moquette.

Trent cligna des yeux et sa bouche s'entrouvrit.

—Si, acquiesça-t-il. (Il me fit signe de m'asseoir.) Je vous en prie.

Peu rassurée à l'idée de manger avec eux, je m'assis timidement en face de Trent. Je regardai la fausse fenêtre qui recouvrait l'intégralité du mur et longeait le petit salon en contrebas. D'après les horloges que j'avais croisées, il était un peu plus de 23 heures; la nuit était noire et sans lune.

—Je suis désolée, dis-je en jetant un coup d'œil dans la direction des quartiers d'Ellasbeth.

Il serra les dents un instant, puis se détendit.

—Je vous offre une tasse de café?

—Oh, oui. Ce serait super.

J'avais tellement faim que j'étais sur le point de tomber d'inanition. En plus, la chaleur du bain avait drainé le peu d'énergie qu'il me restait. Je levai des yeux étonnés en voyant une femme en tablier à l'allure de matrone émerger sans se presser de la petite cuisine au fond de la pièce. C'était une cuisine américaine, et, bien qu'elle soit visible depuis l'endroit où nous nous trouvions, je ne l'avais pas remarquée.

La femme m'adressa un grand sourire et posa une tasse de ce café à l'odeur si paradisiaque devant moi. Puis elle remplit la tasse de Trent, plus petite que la mienne, d'un breuvage ambré. Il me sembla discerner une odeur de gardénia, mais je n'en aurais pas mis ma main à couper.

—Merci infiniment, dis-je en mettant mes mains en coupe autour de la tasse et en humant la vapeur qui s'en échappait.

—De rien, répondit la femme avec la chaleur professionnelle d'une bonne domestique. (Elle se tourna vers Trent en souriant.) Qu'est-ce que ce sera, ce soir, monsieur Kalamack? Il est presque trop tard pour prendre un dîner convenable.

Tout en soufflant sur mon café, je réfléchis à la différence d'horloge biologique entre les sorciers et les elfes. Je trouvais intéressant que, bien qu'une des deux espèces ne dorme jamais, les deux prennent leur dîner au même moment.

—Oh, disons quelque chose de léger, dit Trent. (C'était une tentative manifeste pour détendre l'atmosphère.) Je dois avoir un ou deux litres d'eau de l'Ohio quelque part dans le ventre. Si on prenait plutôt un petit déjeuner? Comme d'habitude, Maggie.

La femme acquiesça sans que ses cheveux blancs coupés très courts bougent.

—Et vous, mademoiselle?

Je regardai Trent, puis la domestique.

—C'est quoi, «comme d'habitude»?

—Quatre œufs sur le plat et trois tranches de pain de seigle grillées d'un côté.

Je me sentis devenir livide.

—C'est ça que vous appelez manger léger? m'écriai-je avant de pouvoir m'en empêcher.

Trent ajusta le col de son pyjama qui dépassait de sous sa robe de chambre.

—Question de métabolisme.

Je repensai au fait que lui et Ceri n'aient jamais froid. La température de l'eau ne l'avait pas affecté.

—Hmm, fis-je en m'apercevant que Maggie attendait ma réponse. Les toasts me semblent bien, mais pas d'œufs pour moi.

Trent leva les sourcils et prit une gorgée de thé en me regardant par-dessus sa tasse.

—C'est vrai, dit-il d'un ton qui n'était pas spécialement accusateur. Vous ne les tolérez pas bien. Maggie, disons plutôt des gaufres.

Sous le choc, je me laissai retomber contre le dossier de ma chaise.

—Comment savez-vous...

Trent haussa les épaules. Il était beau, pieds nus dans sa robe de chambre. Il avait de jolis pieds.

—Vous croyez que je ne connais pas votre historique médical?

Je revis Faris étendu mort sur le sol de son bureau, et mon étonnement mourut.

Qu'est-ce que je fais là, à dîner à la table de ce type?

—Des gaufres, ce sera parfait.

—À moins que vous préfériez un dîner plus traditionnel. Le chinois, ce n'est pas très long à préparer. Vous préférez ça? Maggie fait très bien les raviolis chinois.

Je secouai la tête.

—Des gaufres, ce sera très bien.

Maggie sourit et retourna en cuisine.

—Ça ne sera pas long.

Je mis ma serviette sur mes cuisses en me demandant dans quelle mesure ce plan «Soyons sympas avec Rachel» était dû à la présence d'Ellasbeth dans la pièce d'à côté. Elle devait nous écouter, et Trent voulait lui faire payer ses accusations. Je décidai que je n'en avais rien à faire. Je posai les coudes sur la table et pris une gorgée du meilleur café que j'aie jamais bu. Je fermai les yeux et inspirai la vapeur montante en gémissant de plaisir.

—Oh, Seigneur, Trent, soufflai-je. C'est bon.

Les claquements de talons reprirent soudain, étouffés par la moquette. Je rouvris les yeux. Le monstre était de retour.

Je me redressai sur ma chaise au moment où Ellasbeth entra. Son manteau ouvert révélait une chemise blanche au col amidonné et une écharpe couleur pêche. Je blêmis en voyant la bague qu'elle portait au doigt. Son éclat aurait suffi à alimenter une ville.

Ellasbeth s'assit à côté de moi – juste un peu trop près à mon goût.

—Maggie? dit-elle avec légèreté. Je prendrai du thé et des biscuits, s'il vous plaît. J'ai mangé dehors.

—Bien, madame, répondit Maggie en se penchant par la porte de la cuisine.

Il n'y avait aucune chaleur dans sa voix. Il était clair que Maggie non plus n'aimait pas Ellasbeth.

Cette dernière accrocha un sourire à son visage et posa ses longs doigts frêles sur la table pour que je voie bien sa bague de fiançailles. *Salope.*

—Je crois que nous avons commencé du mauvais pied, mademoiselle Morgan, déclara-t-elle gaiement. Ça fait longtemps que vous vous connaissez, vous et Trenton?

Je n'aimais pas cette femme. Je pense que j'aurais été aussi bouleversée qu'elle si j'avais trouvé une fille dans la baignoire de Nick, mais après l'avoir vue hurler après Trent, je n'arrivais pas à éprouver la moindre compassion pour elle. Accuser quelqu'un de vous tromper, c'est dur. Mon sourire vacilla lorsque je m'aperçus que j'avais quasiment fait de même avec Nick. Je l'avais accusé de me plaquer tout en lui demandant s'il y avait quelqu'un d'autre. Ça faisait une différence, mais elle était minime. Merde. J'allais devoir m'excuser. Le fait qu'il ait passé les trois derniers mois à disparaître sans me dire où il allait ne semblait plus être une raison suffisante, à présent. Bon, au moins, je ne l'avais pas traité de tous les noms. Je sortis de mes pensées en sursaut et souris à Ellasbeth.

—Oh là, Trent et moi, ça remonte sacrément, dis-je avec désinvolture. (J'enroulai une mèche autour de mon index, ce qui me rappela à quel point mes cheveux étaient courts.) On s'est connus à la colonie, quand on était petits. C'est assez romantique, quand on y pense.

L'expression soudainement neutre de Trent me fit sourire.

—Vraiment ?

Elle s'était tournée vers lui en parlant – la lenteur de son élocution avait quelque chose du grognement d'un tigre.

Je mis les jambes en tailleur et passai le doigt sur le rebord de ma tasse d'une manière suggestive.

—C'était un vrai louveteau, quand il était petit, plein de feu et de volonté. J'ai dû le repousser, le pauvre chou. C'est de là que date sa cicatrice au bras. (Je me tournai vers Trent.) Je ne peux pas croire qu'Ellasbeth ne soit pas au courant ! Trent, vous n'allez pas me dire que cette anecdote vous embarrasse encore aujourd'hui, si ?

Ellasbeth cilla mais ne cessa pas de sourire. Maggie posa près de son coude une tasse fine remplie du même liquide ambré que buvait Trent et s'éloigna en silence. Ellasbeth leva ses sourcils soigneusement épilés et évalua l'absence de dénégation de la part de son fiancé. Elle tapota nerveusement des doigts sur la table.

—Je vois, dit-elle. (Elle se leva.) Trenton, finalement, je crois que je vais prendre l'avion dès ce soir.

Trent affronta son regard. Il avait l'air fatigué, mais aussi un peu soulagé.

—Comme tu voudras, ma chérie.

Elle se pencha sur lui en me regardant.

—C'est pour te laisser le temps de régler tes affaires… chéri, ajouta-t-elle. (Elle avait parlé très près de son oreille ; elle déposa un petit baiser sur sa joue sans me quitter des yeux – son regard était dénué d'émotion à l'exception d'un reflet vindicatif.) Appelle-moi demain.

L'expression de Trent ne trahit pas non plus la moindre émotion. Rien. Cette vacuité me fit froid dans le dos.

—Je compterai les heures, dit-il d'un ton tout aussi neutre. (Ils avaient tous les deux les yeux rivés sur moi ; il leva la main pour lui effleurer la joue, mais ne lui rendit pas son baiser.) Tu veux que Maggie te mette ton thé dans un thermos ?

—Non.

Sans cesser de me dévisager, elle se redressa. Sa main s'attarda, possessive, sur l'épaule de Trent. À eux deux, ils formaient une image à la fois belle et puissante. Et unie. Je me rappelai notre reflet sur le bateau de Saladan. Il y avait entre eux ce lien qui n'existait pas entre Trent et moi. Cela dit, ce n'était pas de l'amour. C'était davantage comme… (Je fronçai les sourcils)… comme une fusion d'entreprises.

—C'est un plaisir de vous avoir rencontrée, Rachel, dit Ellasbeth. (Son intervention me ramena dans le présent.) Et merci d'avoir escorté mon fiancé, ce soir. Vos services, pour lesquels vous avez une grande pratique, sont appréciés à leur juste valeur, je n'en doute pas. Dommage que Trent ne compte pas y recourir de nouveau.

Je me penchai pour serrer avec neutralité la main qu'elle me tendait. Je crois qu'elle venait – pour la seconde fois – de me traiter de putain. Soudain, je m'aperçus que je ne comprenais rien à ce qui se passait. L'aimait-il ou pas ?

—Bon vol, dis-je.

—J'y compte bien. Merci. (Sa main se glissa hors de la mienne et elle recula d'un pas.) Tu m'accompagnes jusqu'à la voiture ? demanda-t-elle à Trent d'une voix douce et satisfaite.

—Je ne suis pas habillé, chérie, dit-il sans la lâcher. Jonathan peut se charger de tes bagages.

Un soupçon d'agacement la traversa. Je lui fis un sourire venimeux. Elle se retourna et monta l'escalier jusqu'à la coursive qui surplombait la pièce en faisant claquer ses talons.

—Jonathan ? appela-t-elle.

Mon Dieu. Ces deux-là jouaient au plus fin comme si c'était un sport olympique.

Trent souffla. Je lui adressai un sourire narquois en reposant mes pieds par terre.

—Elle est sympa.

Il me lança un regard plein d'aigreur.

—Non. Mais elle va devenir ma femme. J'apprécierais que vous cessiez de sous-entendre que nous couchons ensemble.

Je souris – pour de vrai, cette fois.

—Je voulais juste la faire partir.

Maggie s'affaira autour de nous. Elle mit le couvert et emporta la tasse et la soucoupe d'Ellasbeth.

—Méchante, méchante femme, marmonna-t-elle. (Ses gestes étaient rapides, voire secs.) Et vous pouvez me renvoyer si ça vous chante, monsieur Kalamack, mais je ne l'aime pas, et ça ne changera jamais. Vous verrez. Elle ramènera une fille qui prendra possession de ma cuisine. Elle rangera mes placards à son idée. Elle me poussera vers la sortie.

—Jamais, Maggie, la rassura Trent. (Il changea de comportement ; il avait l'air plus à l'aise, plus amical.) On doit faire avec.

—Mouais, mouais, mouais, grommela-t-elle en retournant dans sa cuisine.

Me sentant moi-même plus à l'aise maintenant qu'Ellasbeth était partie, je repris une gorgée de ce merveilleux café.

—Elle, elle est sympa, déclarai-je en regardant dans la direction de la cuisine.

Il acquiesça, ses yeux verts doux comme ceux d'un enfant.

—Oui, c'est vrai.

—Ce n'est pas une elfe, ajoutai-je. (Son regard se posa sur le mien.) Ellasbeth, si.

Il se ferma de nouveau.

—Vous prenez vos aises, mademoiselle Morgan, dit-il en reculant sur sa chaise comme pour s'éloigner de moi.

Je posai mes coudes de part et d'autre de l'assiette blanche et reposai mon menton sur le pont formé par mes mains.

—C'est le problème d'Ellasbeth, vous savez. Elle se prend pour une poulinière.

Trent secoua sa serviette et l'étala sur ses cuisses. Peu à peu, sa robe de chambre se défaisait, révélant un pyjama d'employé de bureau. C'était une déception – je m'attendais plutôt à un boxer.

—Ellasbeth ne veut pas emménager à Cincinnati, expliqua-t-il sans s'apercevoir que je le détaillais en douce. Son travail, ses amis sont à Seattle. On ne dirait pas comme ça, mais c'est l'un des meilleurs ingénieurs au monde en matière de transplantation nucléaire.

Mon silence surpris lui fit relever la tête. Je le dévisageai, incrédule.

—Elle peut prendre le noyau d'une cellule endommagée et le transplanter dans une cellule saine.

—Ah.

Belle et intelligente à la fois. En apprenant à mentir un peu mieux, elle pourrait devenir Miss Amérique. En tout cas, ça m'avait tout l'air d'être de la manipulation génétique illégale.

—Ellasbeth pourrait aussi bien travailler de Cincinnati, ajouta Trent, qui prenait mon silence pour de l'intérêt. J'ai déjà commencé à financer le département de recherche de l'université pour qu'ils modernisent leurs installations. Elle va apporter un surcroît de reconnaissance à Cincinnati grâce à ses recherches, mais ça la met en colère que ce soit elle qui doive déménager. (Il affronta mon regard interrogateur.) C'est tout à fait légal.

—Bonnet blanc et blanc bonnet, murmurai-je au moment où Maggie apporta un pot de beurre et un pichet de sirop d'érable fumant.

Elle retourna en cuisine, et Trent plongea ses yeux verts dans les miens en haussant les épaules.

Je perçus une odeur de cuisson fort prometteuse qui me fit saliver. Maggie revint avec deux assiettes de gaufres fumantes. Elle en posa une devant moi et hésita, attendant de voir si j'étais contente.

—Elles ont l'air merveilleuses, vos gaufres, dis-je en tendant la main vers le beurre.

Trent ajusta la position de son assiette en attendant que j'aie terminé.

—Merci, Maggie. Je m'occuperai de débarrasser. Il se fait tard. Prenez le reste de votre soirée.

—Merci, monsieur Kalamack, dit-elle avec gratitude en posant une main sur l'épaule de son patron. Je ramasserai les miettes avant de partir. Vous voulez encore du café ou du thé ?

Je relevai la tête en poussant le beurre vers Trent et m'aperçus qu'ils m'attendaient.

—Oh, euh, non, répondis-je en jetant un coup d'œil à ma tasse. Merci.

—Ça ira, répondit Trent à son tour.

Maggie hocha la tête comme si nous faisions quelque chose de bien, puis elle retourna dans la cuisine en chantonnant. Je souris en reconnaissant la berceuse *À la claire fontaine*.

Je soulevai le couvercle d'un récipient et découvris qu'il était plein de fraises écrasées. J'écarquillai les yeux en voyant des fraises entières – minuscules, de la taille de l'ongle de mon petit doigt – disposées tout autour du pot. On se serait cru en juin, pas en décembre. Je me demandai où il les avait dénichées. Je tartinai avidement de la pulpe de fraise sur ma gaufre. En relevant la tête, je m'aperçus que Trent m'observait.

—Vous en voulez? demandai-je.

—Quand vous vous serez servie.

J'en repris une cuiller avant de me raviser, de la reposer et de lui tendre le pot. Je versai le sirop sur la gaufre. Les cliquetis de l'argenterie étaient presque assourdissants, au milieu de tout ce silence.

—Vous savez que la dernière fois que j'ai vu un homme en robe de chambre, je l'ai assommé à coups de pied de chaise, plaisantai-je pour briser le silence.

Trent faillit sourire.

—Je ferai attention.

La gaufre était craquante à l'extérieur et fondante à l'intérieur. Elle se coupait sans problème avec la fourchette. Trent, quant à lui, se servait d'un couteau. Je mis le carré parfait dans ma bouche avec le plus grand soin, de manière à ne pas baver.

—Oh, mon Dieu, dis-je la bouche pleine (et tant pis pour les bonnes manières). C'est parce qu'on a failli mourir que c'est aussi bon, ou est-ce que Maggie est la meilleure cuisinière de la terre?

C'était du vrai beurre, et le sirop d'érable avait cette légère saveur mate qui montrait qu'il était 100 % véritable. Pas deux, pas sept; c'était du vrai sirop d'érable, point. Me rappelant la planque de bonbons à l'érable que j'avais trouvée en fouillant le bureau de Trent, je ne fus pas surprise.

Trent mit un coude sur la table sans quitter son assiette des yeux.

—Maggie y ajoute de la mayonnaise. Ça leur donne une texture intéressante.

J'hésitai en regardant le contenu de mon assiette, puis décidai que si je ne sentais pas le goût des œufs, c'est qu'il n'y en avait pas assez pour que ça m'inquiète.

—De la mayonnaise?

Nous entendîmes un petit gémissement de désarroi provenant de la cuisine.

—Monsieur Kalamack… (Maggie en sortit en s'essuyant les mains sur son tablier.) Ne dévoilez pas mes secrets, sinon, demain, vous trouverez des feuilles dans votre thé.

Trent se pencha pour regarder par-dessus son épaule et afficha un grand sourire qui le changea complètement.

—Comme ça, je pourrai lire mon avenir dedans. Bonne nuit, Maggie.

Elle soupira et partit presque sans faire de bruit. Elle traversa le salon et tourna à gauche pour s'engager sur la coursive qui surplombait la grande salle. La porte principale claqua. Le silence qui s'ensuivit n'était troublé que par le bruit de l'eau courante.

Baron de la drogue, assassin, méchant homme, me rappelai-je en reprenant une bouchée de gaufre. Il ne parlait pas, et je commençais à me sentir mal à l'aise.

— Au fait, désolée d'avoir mouillé votre limousine.

Trent s'essuya la bouche.

— Je crois que ce que vous avez fait pour moi mérite bien un petit nettoyage à sec.

— Quand même, dis-je en regardant le pot de fraises. Je suis désolée.

Voyant mes yeux passer des fraises à lui, Trent m'interrogea du regard. Il n'allait pas me proposer d'en prendre, aussi me décidai-je à me servir.

— La voiture de Takata n'est pas mieux que la vôtre, repris-je en renversant le récipient au-dessus de ce qui restait de ma gaufre. Je vous faisais juste tourner en bourrique.

— J'avais compris, se moqua-t-il.

Il ne mangeait pas. Je levai les yeux et vis qu'il me regardait, couverts à la main, racler les dernières fraises avec mon couteau à beurre.

— Quoi? demandai-je en reposant le pot. Vous n'aviez pas l'intention d'en reprendre.

Il se recoupa soigneusement un carré de gaufre.

— Alors vous êtes en contact avec Takata?

Je haussai les épaules.

— Ivy et moi, on se charge de la sécurité de son concert, vendredi prochain. (Je pris une petite bouchée de gaufre et fermai les yeux en mâchant.) C'est vraiment bon. (Il ne dit rien; je rouvris les yeux.) Vous… euh… vous y allez?

— Non.

Revenant à mon assiette, je le regardai de sous ma mèche.

— Bien. (Je repris une bouchée.) L'homme, c'est encore autre chose – quand on s'est parlé, il avait un pantalon orange. Et il a les cheveux jusque-là. (Je montrai la longueur à Trent.) Mais vous devez le connaître. Personnellement.

Trent continuait à découper méthodiquement sa gaufre au rythme lent mais régulier d'un escargot.

— On s'est rencontrés une fois.

Satisfaite, je fis glisser toutes les fraises restantes de ma gaufre et me concentrai dessus.

— Il m'a ramassée dans la rue, m'a fait faire un tour de limousine et m'a larguée sur l'autoroute, dis-je en souriant. Au moins, il a demandé à un de ses gars de nous suivre avec ma voiture. Vous avez entendu son nouveau *single*?

La musique. Je pouvais tenir la conversation, si on parlait de musique. Et puis Trent aimait bien Takata. Ça, au moins, c'était sûr.

— *Rubans rouges*? demanda Trent avec une drôle de détermination.

J'acquiesçai en avalant les dernières fraises et je repoussai mon assiette. J'étais rassasiée.

— Vous l'avez entendu? insistai-je en m'adossant à ma chaise avec mon café.

— Je l'ai entendu.

Il lui restait une petite portion de gaufre. Il posa sa fourchette et l'écarta symboliquement. Il entoura sa tasse des mains et s'adossa à son tour. J'allais boire une gorgée de café lorsque je m'aperçus que Trent imitait à la fois mon attitude et mes gestes.

Oh, merde. Je lui plais.

Imiter les gestes était un classique du langage corporel; c'était synonyme d'attirance. Je me sentais comme si je m'étais retrouvée par hasard dans un lieu où je ne voulais surtout pas aller. Je me penchai intentionnellement, posai l'avant-bras à plat sur la table et entourai ma tasse chaude avec mes doigts. Je refusais de jouer à ce petit jeu avec lui. C'était hors de question!

— « Tu es à moi, mais tout à fait toi », récita-t-il d'un ton sec. (Il n'avait manifestement pas lu dans mes pensées.) Ce type n'a aucun sens de la discrétion. Un jour, ça va lui retomber dessus.

Le regard distant, perdu, il posa l'avant-bras à plat sur la table. Mon visage se décomposa et je fus prise d'une quinte de toux. Ce n'était pas à cause de ce qu'il venait de faire, mais plutôt de ce qu'il venait de dire.

— Sainte merde! Vous êtes le scion d'un vampire!

Il me dévisagea.

— Je vous demande pardon ?

— Ces paroles ! m'écriai-je. Elles ne sont pas audibles par les gens normaux. C'est la piste pour les vampires – il n'y a que les vampires morts et leurs scions qui puissent l'entendre. Oh, mon Dieu ! Vous avez été mordu !

Lèvres serrées, Trent ramassa sa fourchette et découpa un triangle dans sa gaufre. Il s'en servit pour éponger ce qui restait de sirop d'érable dans son assiette.

— Je ne suis pas le scion d'un vampire. Et je ne me suis jamais fait mordre.

Le cœur battant à tout rompre, je le fixai.

— Alors comment connaissez-vous ces paroles ? Je vous ai entendu. Vous les avez prononcées. Elles viennent tout droit de la piste pour vampires.

Ses sourcils fins s'arquèrent.

— Comment connaissez-vous l'existence de cette piste ?

— Par Ivy.

Trent se leva. Il s'essuya les mains, ajusta sa robe de chambre et alla dans le salon décontracté en contrebas avec sa gigantesque télé et sa chaîne. Je le regardai prendre un CD sur une étagère et le mettre dans le lecteur. Pendant que le disque se chargeait, il appuya sur un numéro de morceau, et *Rubans rouges* sortit par des baffles dissimulés quelque part. Bien que le volume soit très raisonnable, je sentis la ligne de basse résonner dans mes tripes.

Trent se tourna vers moi avec une expression à la fois résignée et lasse. Il tenait un casque sans fil, un modèle professionnel du genre qui s'adapte à votre oreille plutôt que de se poser dessus.

— Écoutez, dit-il en me tendant le casque.

Je me reculai avec suspicion. Il me mit le casque sur la tête.

Bouche bée, je le regardai dans les yeux. C'était bien *Rubans rouges*, mais en même temps ce n'était pas la même chanson. Elle était incroyablement riche, et j'avais l'impression qu'elle m'allait droit au cerveau sans passer par les oreilles. Elle résonnait en moi, tourbillonnait à travers et au fond de mes pensées. Il y avait des sons suraigus impossibles, et des basses grondantes qui me faisaient vibrer la langue. C'était la même chanson, mais tellement plus riche.

Je m'aperçus que j'avais les yeux rivés sur mon assiette. Ce que je n'avais jamais entendu de la chanson était magnifique. Je pris une bouffée d'air et relevai la tête. Trent s'était rassis et m'observait. Hallucinée, je touchai le casque pour m'assurer de son existence. La piste vampire était indescriptible.

C'est alors que la femme commença à chanter. Je regardai Trent, prise de panique tellement c'était beau. Il me fit un sourire digne du chat du Cheshire. La fille avait une voix lyrique, à la fois dure et tragique. Elle me tira des émotions dont j'ignorais l'existence. Un regret profond et douloureux. Un besoin inassouvi.

Pendant que j'écoutais le morceau jusqu'à la fin, incapable que j'étais de retirer le casque, Trent rapporta nos assiettes dans la cuisine. Il revint avec un thermos de thé et remplit sa tasse avant de se rasseoir. Le morceau se termina, laissant place au silence. Abasourdie, je fis glisser le casque et le posai à côté de mon café.

— Je ne savais pas, répétai-je. (Je devais avoir l'air hantée.) Ivy entend tout ça ? Pourquoi Takata n'inclut-il pas cette piste dans ses morceaux ?

Trent se mit plus à l'aise sur sa chaise.

— C'est ce qu'il fait. Mais seuls les morts peuvent l'entendre.

Je posai la main sur le casque.

— Mais vous...

— J'ai fabriqué ces écouteurs après avoir entendu parler de la piste pour vamps. Je n'étais pas sûr qu'ils fonctionneraient avec une sorcière. À voir votre tête, on dirait que c'est le cas ?

Je hochai mollement la tête.

— Magie des lignes ? demandai-je.

Il me sourit presque avec timidité.

— Je suis spécialisé dans le détournement. Quen trouve que c'est une perte de temps, mais vous seriez surprise d'apprendre ce que peuvent faire les gens pour avoir un casque comme celui-ci.

J'arrachai mes yeux au casque.

— J'imagine.

Trent sirota son thé pensivement, appuyé sur son dossier.

— Vous n'en... voudriez pas un, si ?

Je pris une inspiration en fronçant les sourcils ; je n'aimais pas ce léger ton railleur dans sa voix.

— Pas pour le prix que vous demandez, non.

Je posai ma tasse à bout de bras et me levai. Soudain, ses imitations répétées de mes gestes furent limpides. C'était un expert en manipulation. Il était forcément conscient des messages qu'il envoyait. Ce n'était pas le cas de la plupart des gens – du moins consciemment – et, qu'il ait essayé de s'attacher mon aide en me draguant après avoir compris que son argent ne lui serait d'aucune aide, c'était positivement méprisable.

—Merci pour le dîner, déclarai-je. C'était fabuleux.

Il se redressa sur sa chaise sous le coup de la surprise.

—Je dirai à Maggie que ça vous a plu, répondit-il en serrant les lèvres.

Il avait commis une erreur, et il le savait.

Je m'essuyai les mains sur mon sweat-shirt.

—Ce serait sympa. Je vais chercher mes affaires.

—Je vais dire à Quen que vous êtes prête à partir, dit-il d'une voix neutre.

Je m'éloignai, le laissant seul assis à table. Je le vis du coin de l'œil en tournant pour aller dans les appartements d'Ellasbeth. Il tripotait le casque, incapable de cacher son ennui. Il avait l'air seul et vulnérable, avec son bandeau dans les cheveux et ses pieds nus.

Imbécile de solitaire, pensai-je.

Et toi, pauvre idiote, qui t'apitoies sur son sort.

Chapitre 28

J e récupérai mon sac à main que j'avais laissé sur le sol de la salle de bains et fis un petit circuit pour m'assurer que je n'oubliais rien. Mon sac de vêtements me revint à l'esprit. J'allai le prendre dans le dressing, ainsi que mon manteau. Je restai bouche bée en voyant l'annuaire posé sur la table basse. Je rougis. Il était ouvert aux pages réservées aux services d'escorte, plutôt qu'à celles des coureurs indépendants.

—Elle me prend pour une prostituée, marmonnai-je.

Je déchirai la page et la fourrai dans ma poche de jean. Bon sang, même s'il nous arrivait à l'occasion de jouer les escort girls en tout bien tout honneur, Ivy allait me retirer cette annonce. Je haussai les épaules avec agacement dans mon horrible manteau à col en fausse fourrure et ramassai la tenue de soirée que j'avais prévu de mettre. Je sortis en courant et faillis bousculer Trent sur la coursive.

—Oh! Pardon, m'exclamai-je en reculant de deux pas.

Il serra la ceinture de sa robe de chambre, l'œil vide.

—Qu'allez-vous faire à propos de Lee?

Les événements de la soirée me revinrent d'un coup. Je fronçai les sourcils.

—Rien.

Trent eut un mouvement de recul. La surprise sur son visage le fit paraître plus jeune.

—Rien?

Ma vision se troubla et je revis tous ces gens tombés sur place, juste un peu trop loin pour que je puisse les sauver. Lee était un boucher.

Il aurait pu les tirer de là, mais il les avait laissé mourir pour que ça ait l'air d'un coup de Piscary. C'était d'ailleurs le cas, et je n'aurais jamais cru que Kisten pourrait faire ça. Il avait dû les prévenir. Forcément. Il fallait que je dise quelque chose ; Trent était planté devant moi et m'interrogeait du regard.

—Ce n'est pas mon problème, dis-je en le dépassant.

Il m'emboîta le pas. Ses pieds nus ne faisaient pas le moindre bruit.

—Il a essayé de vous tuer.

Sans ralentir, je jetai un coup d'œil par-dessus mon épaule et répondis :

—C'est vous, qu'il a essayé de tuer. Je n'ai fait que m'interposer. *Deux fois.*

—Vous comptez ne rien faire ?

Mes yeux se posèrent sur la grande baie vitrée. C'était difficile à dire avec cette obscurité, mais il me semblait qu'elle était redevenue incolore.

—Pas exactement. Je vais rentrer faire un somme. Je suis vannée.

Je me dirigeai vers la grosse porte au bout de la coursive. Trent était toujours sur mes talons.

—Vous vous fichez qu'il inonde Cincinnati avec son Soufre dangereux et qu'il tue des centaines de personnes ?

Je serrai les dents en pensant à la sœur d'Ivy. Le son discordant de mes pas remonta ma colonne vertébrale.

—Vous allez vous occuper de lui, répliquai-je sèchement, vu que ça porte atteinte à vos affaires.

—Vous n'avez aucun désir de vengeance. Absolument aucun.

Sa voix remplie d'incrédulité m'arrêta sur place.

—Écoutez. Je me suis mise en travers de son chemin. Il est plus fort que moi. Vous, d'un autre côté… Pour moi, vous pouvez aussi bien griller, Monsieur l'Elfe. Peut-être que Cincinnati s'en tirerait mieux sans vous.

Son visage lisse perdit toute expression.

—Vous ne croyez pas sérieusement ce que vous dites.

Je soufflai en remontant mon sac de vêtements sur mon épaule.

—Je ne sais pas ce que je crois. Vous n'êtes pas honnête avec moi. Excusez-moi, il faut que je rentre nourrir mon poisson.

Je repartis en direction de la porte. Je connaissais le chemin de la sortie, et Quen me rattraperait sans doute quelque part avant que j'aie quitté le bâtiment.

—Attendez.

Je m'arrêtai, main sur la poignée de la porte, comme paralysée par son ton implorant. Je me retournai. Quen apparut au bas de l'escalier. Son visage était inquiet et menaçant. Quelque chose me disait que ce n'était pas parce que j'allais me promener dans l'immeuble de Trent, mais plutôt à cause de ce qu'il allait dire. Ma main retomba de la poignée.

Ça vaut peut-être le coup de rester.

—Si je vous révèle ce que je sais sur votre père, vous m'aiderez, avec Lee?

Au rez-de-chaussée, Quen sursauta.

—Sa'han…

Trent fronça les sourcils avec un air de défi.

—*Exitus acta probat.*

Mon pouls s'accéléra. Je réajustai mon col en fausse fourrure.

—Eh là, les gars! On parle anglais! Et, la dernière fois que vous m'avez dit que vous me parleriez de mon père, j'ai appris sa couleur préférée et ce qu'il aimait dans son hot-dog.

Trent regarda Quen, toujours au pied de l'escalier. L'homme de main secoua la tête.

—Vous ne voulez pas vous asseoir? me demanda Trent.

Quen grimaça.

—Pourquoi pas.

Je revins sur mes pas en jetant des coups d'œil méfiants à Trent. Nous redescendîmes. Il prit place dans un fauteuil face à la fenêtre et dos à un mur. Sa pose confortable me laissa penser que c'était son fauteuil de prédilection quand il venait dans cette pièce. Il avait une vue sur la cascade sombre, et quelques livres étaient posés à sa portée. Les rubans qui servaient de marque-pages étaient autant de preuves d'après-midi passés à lire en prenant des bains de soleil. Quatre cadres en verre abritant chacun une carte de tarot Visconti passablement abîmée étaient accrochés au mur derrière lui. Je me sentis pâlir en voyant que la dame captive sur la carte du Diable ressemblait à Ceri.

—Sa'han, dit Quen à voix basse. Ce n'est pas une bonne idée.

Trent l'ignora. Quen battit en retraite et se posta derrière lui. De là, il avait tout le loisir de me regarder de travers.

Je posai mon sac de vêtements sur un fauteuil proche et m'assis en face de lui, jambes croisées aux genoux, mon pied droit se balançant avec impatience. Aider Trent à régler le cas de Lee, ce ne serait pas grand-chose, s'il me révélait une information importante. Bon sang, de toute façon, je comptais me charger de ce connard dès que je serais repassée à la maison récupérer quelques charmes. Oui, j'étais une menteuse, mais au moins j'étais toujours honnête avec moi-même sur ce point.

Trent s'avança au bord de son siège, posa les coudes sur les genoux et contempla la nuit.

— Il y a deux millénaires, le vent a tourné dans nos tentatives d'arracher l'au-delà des mains des démons.

J'écarquillai les yeux. Je cessai de balancer mon pied et retirai mon manteau. Ça allait prendre du temps pour en arriver à mon père. Le regard de Trent croisa le mien par-dessus la table basse. Il dut y lire mon acceptation du chemin détourné qu'il avait choisi d'emprunter car il se renfonça dans son fauteuil en cuir, qui couina. Quen laissa échapper un gémissement de douleur guttural.

— Les démons ont vu que leur fin était proche, reprit doucement Trent. Ils firent un effort inhabituel pour coopérer et mirent de côté leurs querelles internes pour la suprématie ; ils s'unirent pour lancer une malédiction sur nous tous. Pendant trois générations, nous ne nous en sommes même pas aperçus – nous ne tirions pas les conséquences de la hausse de la mortalité de nos nouveau-nés.

Je clignai des yeux, incrédule. Les démons étaient responsables de la disparition des elfes ? J'avais toujours mis ça sur le compte de l'habitude qu'ils avaient de se croiser avec des humains.

— La mortalité infantile augmentait exponentiellement à chaque génération, continua Trent. Notre fragile victoire nous échappa dans de petits cercueils et au son du deuil. Nous avons fini par comprendre qu'ils nous avaient maudits en changeant notre ADN pour qu'il se brise spontanément, chaque génération devenant pire que la précédente.

Mon estomac remua. Un génocide génétique.

— Vous avez essayé de réparer ces dommages en vous croisant avec des humains ? demandai-je.

Je fus étonnée par la faiblesse de ma voix.

Il décolla un instant les yeux de la fenêtre pour me regarder.

— C'était le dernier recours pour sauver quelque chose le temps de trouver un remède. En fin de compte, ce fut un désastre, mais ça nous a maintenus en vie jusqu'à ce que nous finissions par améliorer nos techniques génétiques pour stopper et même réparer les dégâts. Quand le Tournant les a rendus illégaux, les labos ont continué leur travail dans la confidentialité, dans un effort désespéré pour sauver les quelques elfes qui avaient survécu. Le Tournant nous a dispersés, et il m'arrive de temps en temps de tomber sur un enfant perdu.

—Vos hôpitaux et vos orphelinats, murmurai-je.

J'avais une impression d'irréalité. Je n'avais jamais pensé qu'il y avait un autre motif que les relations publiques derrière ces établissements.

Trent sourit légèrement en lisant la compréhension dans mes yeux. Quen, quant à lui, avait l'air positivement malade ; ses rides se fondaient les unes dans les autres et, les mains derrière le dos, il regardait dans le vide en signe de protestation silencieuse.

—Quand je les trouve, ils sont malades, mourants, et ils nous sont toujours reconnaissants de prendre soin d'eux et de leur faire rencontrer d'autres membres de leur espèce. Nous sommes sur la corde raide depuis un demi-siècle. C'est cinquante-cinquante. Cette nouvelle génération causera notre renaissance ou notre disparition.

Ceri s'insinua en silence dans mes pensées.

—Quel est le rapport avec mon père ?

Il hocha rapidement la tête.

—Votre père travaillait avec le mien à essayer de trouver un vieil échantillon d'ADN elfique dans l'au-delà. Ils comptaient l'utiliser pour créer un schéma sain. Nous pouvions réparer les parties de la structure qui clochent mais, pour l'améliorer, pour ramener la mortalité infantile à un niveau nous permettant de survivre sans assistance médicale, nous avions besoin de l'ADN de quelqu'un qui serait mort avant la malédiction. Une base sur laquelle fonder les réparations.

Un gémissement d'incrédulité m'échappa.

—Il vous faut un échantillon d'ADN de plus de deux mille ans ?

Il haussa les épaules – elles n'avaient pas l'air aussi larges, sous sa robe de chambre, ce qui le faisait paraître bien vulnérable.

—C'est possible. Il y avait beaucoup de groupuscules d'elfes qui pratiquaient la momification. Tout ce dont nous avons besoin, c'est une cellule la plus parfaite possible. Rien qu'une.

Je regardai Quen, toujours stoïque, puis Trent.

—Piscary a failli me tuer en essayant de savoir si vous m'aviez payée pour me rendre dans l'au-delà. C'est hors de question. Je n'irai pas. (Je pensai à Al qui m'attendait de l'autre côté des lignes, où notre accord serait caduc.) Pas question.

Trent plissa les yeux en signe de contrition.

—Je suis désolé. Je ne voulais pas que Piscary s'en prenne à vous. J'aurais préféré vous raconter toute l'histoire l'année dernière, quand vous avez quitté la SO, mais j'étais inquiet… (Il prit une longue inspiration.) Je ne pensais pas que vous tairiez notre existence.

—Et maintenant, vous me faites confiance ? demandai-je en pensant à Jenks.

—Pas vraiment, mais je n'ai pas le choix.

Pas vraiment, mais je n'ai pas le choix. Qu'est-ce que c'est que cette réponse ?

—Nous sommes trop peu nombreux pour révéler notre existence au monde, expliqua-t-il en contemplant ses doigts entrelacés. Un fanatique n'aurait aucun mal à nous dénicher un par un, et j'ai déjà bien assez de mal à empêcher Piscary de le faire. Il sait que si notre nombre augmente, ce sera une menace pour sa position.

Je fis la moue en m'enfonçant dans le cuir de mon fauteuil. La politique… C'était toujours une question de politique.

—Vous ne pourriez pas tout simplement défaire la malédiction ?

Il tourna son visage fatigué vers la fenêtre.

—C'est ce que nous avons fait quand nous avons découvert ce qui s'était passé. Mais les dommages causés à notre patrimoine génétique restent, et ils empireraient si nous ne parvenions pas à retrouver les enfants elfes jusqu'au dernier, afin de réparer ce qui est réparable.

Ma bouche s'entrouvrit. Je venais de comprendre.

—La colonie. C'est pour ça que vous y étiez ?

Il remua dans sa chaise, l'air réticent.

—Oui, dit-il nerveusement.

Je m'enfonçai encore un peu plus dans mon fauteuil, ne sachant pas si je voulais vraiment qu'il réponde à ma question suivante.

—Et… et moi, pourquoi j'y étais ?

Trent sembla se détendre.

—Vous avez un défaut génétique assez inhabituel. Plus de 5 % des sorciers sont dotés de ce défaut – un gène récessif qui reste sans conséquence, à moins qu'ils s'accouplent.

—Une chance sur quatre ?

—Si les deux parents en sont porteurs. Et si les deux gènes récessifs se mélangent, ça vous tue avant votre premier anniversaire. Mon père a réussi à garder votre gène sous contrôle jusqu'à ce que vous soyez assez âgée pour supporter un traitement complet.

— Il l'a souvent fait ?

Mon estomac faisait des nœuds. Je vivais grâce à des manipulations génétiques illégales. C'était bien ce que j'avais toujours pensé, mais à présent j'en étais sûre. Peut-être valait-il mieux l'accepter. Après tout, l'espèce elfe tout entière survivait uniquement par l'intermédiaire d'une pratique illégale de la médecine.

— Non, répondit Trent. Les dossiers révèlent qu'à quelques exceptions près, il laissait mourir les bébés atteints de la même affliction que vous. Leurs parents ne savaient pas qu'il existait un remède. C'est assez cher.

— Toujours l'argent, grognai-je.

La mâchoire de Trent se crispa.

— Si la décision avait été prise sur la base de l'argent, vous n'auriez jamais atteint votre premier anniversaire, répliqua-t-il. Mon père n'a pas gagné le moindre dollar en vous sauvant la vie. Il l'a fait parce que votre père et lui étaient amis. Lee et vous êtes les deux seules personnes sous le soleil qu'il ait arrachées à la mort, et c'était chaque fois par amitié. Il n'a rien gagné à vous sauver, ni vous ni Lee. Personnellement, je commence à penser qu'il a commis une erreur.

— Voilà qui ne me donne pas envie de vous aider, dis-je.

Trent répondit à mon sarcasme par un regard las.

— Mon père était quelqu'un de bien, poursuivit-il à mi-voix. Il ne pouvait pas refuser de vous sauver alors que votre père avait déjà consacré toute sa vie à sauver notre espèce entière.

Je posai une main sur mon ventre en fronçant les sourcils. Les sensations que j'éprouvais me déplaisaient. Mon père n'avait pas sacrifié sa vie en échange de la mienne – ce qui était une bonne chose. Mais il n'avait jamais été un type droit et honnête travaillant pour la SO comme je l'avais toujours cru. Il avait de plein gré contribué aux activités illégales du père de Trent, et ce bien avant ma naissance et ma maladie.

— Je ne suis pas mauvais, Rachel, reprit Trent. Mais je suis prêt à éliminer quiconque empêchera l'argent d'affluer. Les recherches que je mène pour réparer les dommages causés par les démons au génome des gens de mon espèce ne sont pas données. Si nous parvenions à trouver un échantillon suffisamment ancien, nous pourrions régler le problème à jamais. Mais les choses ont dérapé au point que nous ne discernons même plus la couleur des pièces du puzzle.

Mes pensées se posèrent sur Ceri et je m'efforçai de garder un visage impassible. Je trouvais l'idée que Trent et elle se rencontrent parfaitement intolérable. Et, de toute façon, elle n'avait que mille ans.

Les traits lisses de Trent exprimèrent une lassitude qui le fit paraître bien plus vieux.

— Si l'argent n'entre plus, la prochaine génération d'elfes recommencera à dériver. Nous ne pourrons régler le problème qu'en trouvant un échantillon antérieur à la malédiction – c'est la seule chance de mon espèce. Votre père pensait que cette tâche valait que l'on meure pour elle.

Mes yeux se posèrent sur la carte de tarot dont le personnage ressemblait à Ceri. Je n'ouvris pas la bouche. Trent se servirait d'elle et la jetterait comme un Kleenex usagé.

Trent s'enfonça dans son fauteuil et me dévisagea d'un œil acéré.

— Alors, mademoiselle Morgan, dit-il. (Il arrivait à avoir l'air de contrôler la situation alors qu'il était en robe de chambre et pyjama.) Vous en ai-je appris assez long ?

Je le regardai longuement et le vis serrer les dents au moment où il s'aperçut que je pesais le pour et le contre et que je ne savais pas encore de quel côté j'allais me jeter. Rassurée, je levai un sourcil avec un rien d'impudence.

— Oh, bon sang, Trent, de toute façon, j'avais l'intention de me charger de Lee. Vous croyez que je faisais quoi, dans votre baignoire, pendant deux heures ? Que je me lavais les cheveux ?

Je n'avais pas d'autre choix que de mettre Lee hors jeu, maintenant qu'il avait essayé de me réduire en poussière. Sinon, tous ceux que j'avais mis derrière les barreaux allaient se lancer à ma poursuite.

Trent avait l'air ennuyé.

— Vous avez déjà tout prévu, c'est ça ? demanda-t-il.

La colère perçait dans sa voix gris rivière.

— Dans les grandes lignes. (Je devais être rayonnante ; Quen soupira – il avait manifestement prévu que j'arnaquerais son patron dans les grandes largeurs.) Il faut juste que j'appelle mon agent d'assurances pour préparer le terrain.

Savoir que j'avais pris le dessus sur Trent valait plus qu'il ne pourrait jamais m'offrir, même en remplissant mes poches de billets. Je ricanai en entendant Quen chuchoter :

— Son agent d'assurances ?

Sans prendre la peine de me redresser, je pointai un doigt sur Trent.

—Il y a deux choses que je voudrais que vous fassiez. Deux choses, et ensuite vous vous écartez et vous me laissez travailler. Je ne ferai pas ça en comité. Compris?

Trent haussa les sourcils.

—Que voulez-vous? demanda-t-il d'un ton neutre.

—D'abord, je veux que vous alliez voir le BFO pour leur dire que c'est Lee qui a mis tous ces gens dans le coltard et qu'il a verrouillé le bateau tout en sachant qu'il y avait une bombe à bord.

Trent rit. Sa voix chaude se fit mordante.

—À quoi ça va vous avancer?

—Ils vont se mettre à sa recherche. Il va se cacher. Un mandat d'arrêt sera déposé, et comme ça je pourrai le cueillir en toute légalité.

Trent écarquilla les yeux. Derrière lui, Quen hochait la tête.

—C'est pour ça que…, murmura Trent.

Je ne pus m'empêcher de sourire.

—Vous pouvez fuir la justice, mais vous opposer à votre agent d'assurances? (Je secouai la tête.) Mauvaise idée.

—Vous allez le tuer en vous faisant passer pour un agent d'assurances?

J'aimerais pouvoir dire que j'étais surprise. Mon Dieu, qu'il était arrogant.

—Je ne tue pas, Trent. Je mets les gens en taule. Et j'ai besoin d'une bonne raison pour qu'il y reste. Je croyais que Lee était votre ami.

L'ombre d'une incertitude traversa son visage.

—Moi aussi, je le croyais.

—Peut-être que sa copine l'a assommé pour le forcer à quitter le bateau? dis-je sans y croire. Ça ne vous embêterait pas de le tuer et d'apprendre par la suite qu'il a essayé de vous sauver la vie?

Trent me lança un regard empreint de lassitude.

—Vous voyez toujours le bon côté des gens, mademoiselle Morgan?

—Oui. Sauf avec vous.

Je commençai à dresser mentalement une liste des personnes à qui j'allais devoir dire que j'étais en vie: Kisten, Jenks – au cas où ça l'intéresserait –, Ceri, Keasley… Nick? Oh, mon Dieu. Maman.

Voilà qui promet une franche rigolade.

Trent enfonça ses doigts dans son front et soupira.

—Vous ne savez absolument pas comment les choses fonctionnent.

Vexée, je soufflai en réaction à son attitude paternaliste.

—Aidez-moi un petit peu, sur ce coup-là, OK? Qui sait, peut-être que ce sera bon pour votre karma, de laisser le méchant en vie.

Il n'avait pas l'air convaincu – plutôt condescendant.

—C'est une erreur, de laisser Lee vivre. Sa famille n'appréciera pas de le savoir en prison. Pour eux, ce serait moins embarrassant qu'il meure.

—Alors là, c'est vraiment dommage. Je ne le tuerai pas, et je ne vous laisserai pas non plus le tuer, alors asseyez-vous, fermez-la, et attendez un peu pour voir comment on règle les problèmes dans la vraie vie.

Trent secoua la tête, ce qui agita ses cheveux autour de ses oreilles bordées de rouge.

—Qu'est-ce que ça va vous apporter, d'arrêter Lee? Il n'aura pas eu le temps de s'asseoir sur le lit de sa cellule que ses avocats l'auront déjà fait libérer.

—Vous parlez d'expérience? raillai-je en me rappelant la fois où j'avais failli le faire mettre en prison, à l'automne précédent.

—Oui, dit-il d'un ton sombre. Grâce à vous, le BFO a mes empreintes dans ses fichiers.

—Et la SO a un échantillon de mon ADN pour m'identifier. Faut se sortir les doigts du cul.

Quen toussota et je pris soudain conscience que nous nous disputions comme des gamins.

Irrité, Trent s'enfonça dans son fauteuil et croisa les doigts sur le ventre. Il avait les traits tirés par la fatigue.

—Il va être difficile d'admettre que j'étais sur ce bateau. On ne nous a pas vus partir. Et puis j'aurai du mal à expliquer comment nous avons survécu alors que les autres sont morts.

—Soyez inventif, dites la vérité! balançai-je avec arrogance. (C'était assez drôle, en fait, de faire joujou avec Trent.) Tout le monde sait qu'il essaie de tirer Cincinnati de sous vos pieds, à Piscary et vous. Servez-vous-en. Laissez-moi juste pour morte dans le fleuve.

Trent me dévisagea avec suspicion.

—Vous allez dire à votre capitaine du BFO que vous êtes en vie, quand même?

—C'est une des raisons pour lesquelles vous allez porter plainte au BFO plutôt qu'à la SO.

Je levai les yeux et vis Jonathan qui commençait à descendre l'escalier, l'air énervé. Je me demandai ce qui se passait. Personne ne dit rien pendant qu'il approchait, et je regrettai d'avoir poussé Trent à bout. Il n'avait pas l'air content. C'était bien son genre de tuer Lee dans mon dos.

—Vous voulez que Saladan quitte la ville ? repris-je. Je vous le fais gratuitement. Tout ce que je vous demande, c'est de porter plainte et de payer des avocats pour qu'il reste en prison. Vous pouvez faire ça pour moi ?

Son expression se fit neutre ; des pensées le traversaient, mais il ne voulait pas les partager avec moi. Il hocha lentement la tête et fit signe à Jonathan d'approcher.

Je me détendis – ça devait vouloir dire « oui ».

—Merci, marmonnai-je.

La grande perche se baissa pour chuchoter quelques mots à son patron, qui me fusilla du regard. Je tendis l'oreille sans le moindre succès.

—Qu'il reste à la porte, lança Trent en jetant un coup d'œil à Quen. Je ne veux pas de lui sur mes terres.

—Qui ? demandai-je, interloquée.

Trent se leva et serra la ceinture de sa robe de chambre.

—J'ai dit à M. Felps que je m'occupai de votre retour, mais il semble penser que vous avez besoin qu'on vienne à votre rescousse. Il vous attend chez le gardien.

—Kisten ? demandai-je en réprimant un sursaut.

J'étais contente de le voir, mais j'avais peur des réponses qu'il allait me donner. J'aurais voulu qu'il ne soit pas l'auteur de l'attentat, mais Ivy avait dit que c'était lui. Bon sang, pourquoi fallait-il toujours que je tombe amoureuse des mauvais garçons ?

Les trois hommes attendaient ; je me levai, rassemblai mes affaires et hésitai un instant avant de tendre la main.

—Merci pour votre hospitalité… Trent. (J'avais marqué une légère pause, ne sachant pas trop comment je devais l'appeler après tout ce qui s'était passé.) Et merci de ne pas m'avoir laissé mourir de froid.

Il sourit très légèrement en entendant mon hésitation et nous échangeâmes une poignée de mains bien ferme.

—C'était le moins que je pouvais faire, comme vous m'avez sauvé de la noyade. (Il fronça les sourcils, manifestement désireux d'en dire plus, mais il se ravisa et se détourna de moi.) Jonathan, veux-tu bien raccompagner Mlle Morgan jusqu'à la maison du gardien? Je veux parler à Quen.

—Bien sûr, Sa'han.

Je jetai un dernier coup d'œil à Trent en emboîtant le pas à Jonathan en direction de l'escalier. Mon esprit était déjà concentré sur ce que j'allais faire ensuite. Je commencerais par appeler Edden chez lui dès que je serai dans mon bureau. Il serait peut-être encore debout. Ensuite, ma mère. Puis Jenks. Ça allait marcher. Il le fallait.

Mais alors que j'accélérais le pas pour ne pas me faire distancer par Jonathan, une vague d'inquiétude me traversa. J'allais voir Saladan, d'accord, mais après?

Chapitre 29

Kisten avait mis le chauffage à fond. L'air chaud agitait une de mes mèches les plus courtes, qui me chatouillait la nuque. Je baissai le chauffage, dans l'idée qu'il supposait à tort que je souffrais toujours d'hypothermie et que plus il faisait chaud, mieux c'était. J'étouffais, et l'obscurité compacte à travers laquelle nous roulions n'arrangeait pas les choses. J'entrouvris la vitre et m'enfonçai dans mon siège pour profiter du froid de la nuit qui s'insinuait.

Le vamp me regarda en douce. Dès que nos yeux se croisèrent, il se remit à regarder la route seulement éclairée par nos phares.

— Tu vas bien ? demanda-t-il pour la troisième fois. Tu n'as toujours pas dit un mot.

J'acquiesçai en secouant mon manteau ouvert pour m'éventer. Il avait eu droit à une embrassade devant le portail de Trent, et il avait sans aucun doute senti mon hésitation.

— Merci d'être passé me chercher. Je n'avais pas très envie que Quen me ramène à la maison.

Je promenai mes doigts sur la poignée de la portière de la Corvette de Kisten, la comparant avec la limousine de Trent. Je préférais la voiture de Kisten.

Ce dernier expira longuement.

— Il fallait que je sorte. Ivy était en train de me rendre dingue. (Il détourna les yeux de la route sombre.) Je suis content que tu n'aies pas attendu pour lui en parler.

— Vous avez discuté ? m'étonnai-je.

J'étais un peu inquiète. Mais pourquoi je n'aimais pas les gentils garçons ?

— C'est surtout elle qui parlait. (Il gémit pour exprimer son embarras.) Elle a menacé de me couper les deux têtes si je te prends ton sang dans son dos.

— Désolée.

Je me tournai vers ma vitre, de plus en plus énervée. Je n'avais pas envie de quitter Kisten parce qu'il avait condamné ces gens dans sa lutte débile pour le pouvoir dont ils ne savaient rien. Il allait dire quelque chose mais je l'interrompis.

— Je peux utiliser ton téléphone ?

L'air inquiet, il sortit son portable brillant du holster qu'il portait à la ceinture et me le tendit. Pas particulièrement heureuse, j'appelai les renseignements pour avoir le numéro de la société de David et, pour quelques dollars de plus, ils me mirent en relation. Pourquoi pas ? Après tout, ce n'était pas mon téléphone.

Kisten ne pipa mot. Je franchis leur réseau de répondeurs automatiques. Il était près de minuit ; il devait être au bureau, à moins qu'il soit sorti pour une course ou qu'il soit rentré tôt chez lui.

— Bonjour, dis-je en entendant enfin une vraie personne au bout du fil. Je voudrais parler à David Hue.

— Je suis désolée, répondit une femme âgée d'un ton débordant de professionnalisme. M. Hue n'est pas là pour l'instant. Je peux vous passer un autre de nos agents ?

— Non ! m'exclamai-je avant qu'elle me rebalance dans le réseau. Y a-t-il un numéro où je puisse le joindre ? C'est une urgence.

Note mentale : ne jamais, jamais jeter une carte de visite.

— Si vous voulez laisser votre nom et votre numéro…

Quelle partie du mot « urgence » elle ne comprend pas ?

— Écoutez, soupirai-je. Je dois vraiment lui parler. Je suis sa nouvelle associée, et j'ai perdu son numéro. Si vous pouvez juste…

— Sa nouvelle associée ? me coupa-t-elle.

Le choc dans sa voix me fit hésiter. Était-il si difficile que ça de travailler avec David ?

— Oui, dis-je en jetant un coup d'œil à Kist. (J'étais certaine qu'il entendait les deux côtés de la conversation, avec ses oreilles de vamp.) Il faut vraiment que je lui parle.

— Euh, vous pouvez attendre un instant ?

— Un peu, oui.

Le visage de Kisten s'illumina à la lumière des phares des voitures qui arrivaient en face de nous. Mâchoire serrée, il ne quittait pas la route des yeux.

Il y eut un bruit au bout du fil lorsque mon interlocutrice passa le téléphone.

— David Hue, annonça-t-elle d'une voix méfiante.

— David, répondis-je en souriant. C'est Rachel. (Il ne dit rien ; je m'empressai de le garder en ligne.) Attendez ! Ne raccrochez pas. Il faut que je vous parle. C'est à propos d'une déclaration de sinistre.

J'entendis une main se poser sur le combiné.

— C'est bon, émit sa voix assourdie. Je la prends. Pourquoi ne rentreriez-vous pas chez vous en avance, ce soir ? J'éteindrai votre ordinateur.

— Merci, David. À demain, répondit sa secrétaire.

Au bout d'un long moment, la voix de David revint au bout du fil.

— Rachel, dit-il d'un ton inquiet. C'est à propos du poisson ? J'ai déjà classé l'affaire. Si vous m'avez menti, je vais être très en colère.

— Mais enfin, qu'est-ce que vous avez à toujours vous attendre au pire avec moi ? m'énervai-je. (Je regardai Kisten, qui raffermit sa prise sur son volant.) Je me suis trompée, pour Jenks. J'essaie de corriger mon erreur, OK ? Mais j'ai quelque chose qui pourrait vous intéresser.

Il y eut un court silence.

— J'écoute, dit-il avec méfiance.

Je soufflai de soulagement. Comme je ne pouvais m'empêcher de gigoter, je pris un stylo dans mon sac à main. J'ouvris mon agenda et appuyai sur le bouton du stylo.

— Euh, vous travaillez à la commission, n'est-ce pas ?

— Quelque chose comme ça.

— Bon, alors vous avez entendu parler de ce bateau qui a explosé ?

Nouveau coup d'œil à Kisten, qui serrait les dents. Les phares des voitures qui nous croisaient faisaient briller sa barbe d'un jour.

J'entendis le cliquetis de touches d'ordinateur au bout du fil.

— J'écoute toujours…

Mon pouls s'accéléra.

— Est-ce que le bateau était assuré chez vous ?

Le cliquetis s'accéléra, puis s'arrêta.

—Probablement, puisque nous assurons tout ce qui ne concerne pas Piscary. (Il y eut une nouvelle série de cliquetis.) Oui. C'est bien chez nous.

—Super, soupirai-je. (Ça allait marcher.) J'étais à bord quand il a explosé.

J'entendis une chaise couiner au bout du fil.

—Quelque part, ça ne me surprend pas. Vous êtes en train de me dire que ce n'était pas un accident ?

—Euh, non.

Je jetai un nouveau coup d'œil à Kisten. Il serrait tellement son volant que ses phalanges étaient blanches.

—Vraiment.

Ce n'était pas une question. Le bruit de cliquetis recommença, suivi de près par le vrombissement d'une imprimante.

Je changeai de position sur mon siège en cuir chauffé et mis le bout du stylo dans ma bouche.

—Ai-je raison de penser que votre compagnie ne dédommage pas les propriétés détruites…

—… à cause d'actes de guerre ou d'activités liées aux gangs ? termina-t-il à ma place. Non. Effectivement pas.

—Fantastique, m'écriai-je. (Je n'estimai pas nécessaire de lui dire que j'étais assise à côté du type qui avait monté tout ça.) Ça vous dirait que je passe vous voir pour signer une déclaration ?

Dieu, faites que Kisten ait quelque chose à me répondre.

—Ça me dirait bien, en effet. (David hésita avant d'ajouter :) Vous ne me semblez pas être le genre de femme à faire des choses par pure générosité, Rachel. Qu'est-ce que vous voulez en échange ?

Mon regard courut le long de la mâchoire crispée de Kisten jusqu'à ses larges épaules, puis s'attarda sur ses mains qui serraient le volant comme pour en faire sortir l'armature.

—Je veux être avec vous quand vous irez expertiser la déclaration de sinistre de Saladan.

Kisten sursauta. Manifestement, il venait juste de comprendre le but de ma conversation avec David. Le silence, au bout de la ligne, était à couper au couteau.

—Euh…, murmura David.

—Je ne vais pas le tuer ; je vais l'arrêter, m'empressai-je de lui expliquer.

La vibration du moteur qui me remontait dans les jambes s'intensifia, puis redevint normale.

— Ce n'est pas ça, dit David. Je ne travaille avec personne. Et je ne travaillerai pas avec vous.

Je sentis le rouge me monter aux joues. Je me doutais qu'il avait une bien piètre opinion de moi depuis qu'il avait appris que j'avais caché des choses à mon propre associé. Mais c'était sa faute à lui, si ça s'était su.

— Écoutez, poursuivis-je en tournant le dos à Kisten, qui me dévisageait. Je viens de faire gagner un beau paquet de fric à votre compagnie. Vous me ferez entrer en allant expertiser la déclaration de Saladan, ensuite vous vous écarterez de mon chemin et vous nous laisserez travailler, mon équipe et moi.

Je jetai un coup d'œil à Kisten. Quelque chose avait changé en lui. Il ne serrait plus son volant, et son expression était complètement neutre.

Il y eut un court silence.

— Et après ?

— Après ? (Impossible de déchiffrer l'expression de Kisten, avec toutes ces lumières mouvantes.) Rien. On essaie de travailler ensemble. Ça ne fonctionne pas. Vous aurez droit à un délai supplémentaire pour trouver un nouveau partenaire.

Cette fois-ci, le silence dura plus longtemps.

— C'est tout ?

— C'est tout.

Je refermai mon stylo et le jetai avec mon agenda dans mon sac. Pourquoi persistai-je à essayer de m'organiser ?

— D'accord, accepta-t-il finalement. Je vais aller renifler un peu dans le terrier pour voir si quelque chose en sort.

— Fantastique. (J'étais vraiment heureuse, mais lui ne semblait pas content du tout.) Au fait, dans quelques heures, je serai officiellement morte dans cette explosion, alors pas de panique, OK ?

Il laissa échapper un soupir de lassitude.

— Bien. Je vous appelle demain dès que la déclaration arrive.

— Super. On se verra à ce moment-là. (L'absence d'excitation de David était déprimante ; il raccrocha sans dire au revoir, et je refermai le téléphone avant de le rendre à Kisten.) Merci, dis-je en me sentant particulièrement maladroite.

—Je croyais que tu allais me balancer, murmura Kisten.

Je le regardai bouche bée. Je venais juste de comprendre sa tension des minutes précédentes.

—Non, murmurai-je.

D'une certaine manière, sa réaction m'effrayait. Il était resté là sans rien faire alors qu'il croyait que j'allais le livrer ?

—Rachel, reprit-il sans bouger ni quitter la route des yeux, je ne pensais pas qu'il allait laisser mourir ces gens.

Mon souffle se coupa. Je le forçai à sortir, puis pris une autre inspiration.

—Parle-moi, l'encourageai-je.

Me sentant étourdie, je regardai par ma vitre, les mains sur les cuisses. Mon estomac se noua. *Je vous en prie, faites que je me trompe, cette fois-ci.*

Je me retournai vers lui. Après un coup d'œil dans le rétroviseur, il fit une embardée pour rejoindre le bord de la route. Mes tripes se crispèrent. Bon sang, pourquoi fallait-il que je l'apprécie autant ? Pourquoi ne m'intéressais-je pas aux gentils garçons ? Pourquoi la puissance et la force personnelle qui m'attiraient tant conduisaient-elles systématiquement à un mépris total pour la vie des gens ?

Il freina brusquement. Je fus emportée vers l'avant, puis retombai dans mon siège. La voiture était à l'arrêt. Elle tanguait chaque fois qu'un véhicule passait à cent trente à l'heure. Kisten se tourna sur son siège pour me faire face et prit mes mains dans les siennes. Sa barbe d'un jour brillait à la lumière des voitures de l'autre côté de la ligne centrale, et ses yeux bleus étaient plissés.

—Rachel, commença-t-il. (Je retins mon souffle en espérant qu'il allait me dire qu'il avait commis une erreur.) J'ai fait fixer cette bombe à la chaudière. (Je fermai les yeux.) Je ne voulais pas la mort de tous ces gens. J'ai appelé Saladan. (Je rouvris les yeux lorsqu'un camion secoua la voiture en passant en trombe.) J'ai dit à Candice qu'il y avait une bombe sur son bateau. Bon sang, je lui ai dit où elle se trouvait, et que s'ils la touchaient, elle exploserait. Je leur ai laissé tout le temps nécessaire pour faire descendre tout le monde. Je n'avais pas l'intention de tuer des gens. Je voulais juste provoquer un cirque médiatique pour couler son affaire. Je n'ai pas pensé un instant qu'il fuirait en laissant tout le monde mourir. Je l'ai mal jugé. (Sa voix était pleine d'amertume et de récrimination.) Et ces gens ont payé de leur vie mon manque de discernement. Seigneur, Rachel, si j'avais seulement pu deviner qu'il ferait ça, j'aurais trouvé un autre moyen. Dire que tu étais à bord… (Il prit une grande goulée d'air.) J'ai failli te tuer…

J'avalai ma salive, sentant la boule dans ma gorge diminuer.

—Mais tu as déjà tué des gens, dis-je tout en sachant que le problème n'était pas tant lié à ce qui s'était passé cette nuit-là qu'à un long passé de servitude à faire les quatre volontés de Piscary.

Kisten s'appuya sur son siège sans me lâcher les mains.

—J'avais dix-huit ans quand j'ai tué pour la première fois.

Oh, mon Dieu.

Je fis une tentative pour m'écarter, mais il me retint en douceur.

—Il faut que tu entendes ce que j'ai à te dire. Si tu désires partir, je veux que tu saches la vérité pour ne pas revenir. Et si tu restes, alors tu n'auras pas pris la décision par manque d'informations.

Rassemblant mon courage, j'essayai de déchiffrer son regard. Je l'estimai sincère, comportant peut-être un soupçon de culpabilité et les traces de souffrances passées.

—Tu l'as déjà fait, murmurai-je.

J'avais peur. J'étais la dernière d'une longue lignée de femmes. Elles étaient toutes parties. Peut-être étaient-elles plus malignes que moi.

Il acquiesça et ferma brièvement les yeux.

—J'en ai assez d'avoir mal, Rachel. Je suis un gentil garçon qui se trouve avoir tué pour la première fois à dix-huit ans.

J'avalai ma salive et récupérai mes mains sous prétexte de remettre mes cheveux derrière mes oreilles. Kisten sentit que je m'éloignais. Il se tourna vers le pare-brise et remit les mains sur le volant. Je lui avais dit de ne pas prendre mes décisions à ma place ; je suppose que je méritais donc d'entendre jusqu'au dernier les détails sordides qu'il comptait me donner. L'estomac plein de nœuds, je l'invitai à continuer.

—Vas-y.

Kisten avait le regard dans le vide, ce qui accentuait l'immobilité de la voiture en contraste avec le trafic à l'extérieur.

—J'ai fait ma deuxième victime un an plus tard, environ, reprit-il d'une voix plate. C'était un accident. J'ai réussi à ne pas en faire d'autre jusqu'à l'année dernière, quand… (Je le regardai reprendre son souffle ; toute tremblante, j'attendais qu'il poursuive.) Seigneur, je suis désolé, Rachel. J'avais juré de faire mon possible pour ne jamais avoir à tuer de nouveau. C'est peut-être pour ça que Piscary ne veut plus que je sois son scion. Il veut quelqu'un qui puisse partager l'expérience avec lui, et je m'y refuse. C'est lui, en fait, qui les a tués, mais moi j'étais là. Je l'ai aidé. Je les maintenais à terre, je les occupais pendant qu'il prenait son pied à les massacrer un par un. Qu'ils le méritent ne me semblait plus être une raison suffisante. Pas de la manière dont il le faisait.

—Kisten ? dis-je avec hésitation.

J'avais le cœur qui battait très vite.

Il se tourna vers moi. Son regard me paralysa, même si je faisais mon maximum pour ne pas avoir peur. L'évocation de ses souvenirs avait fait virer ses yeux au noir.

—Cette sensation de domination pure est perverse – c'est le pied, et on en devient facilement dépendant. (La faim et le trouble qu'on entendait dans sa voix me firent frissonner.) Il m'a fallu du temps pour en faire abstraction, pour me rappeler la sauvagerie inhumaine qui se cachait derrière la décharge d'adrénaline pure. Je me suis perdu, submergé que j'étais par les pensées et la force de Piscary. Mais maintenant, je sais gérer, Rachel. Je peux être à la fois son scion et quelqu'un de juste. Je suis capable d'être son homme de main et un amant attentionné. Je sais que je peux garder l'équilibre. Pour l'instant, il me punit, mais il me reprendra. Et, ce jour-là, je serai prêt.

Mais qu'est-ce que je faisais là ?

—Alors…, dis-je, tremblante. C'est tout ?

—Oui. C'est tout, répondit-il d'une voix monocorde. Le premier, c'était sous les ordres de Piscary, pour faire un exemple d'un gars qui appâtait des gosses trop jeunes. C'était excessif, mais j'étais jeune et stupide ; j'essayais de prouver à Piscary que j'étais prêt à tout pour lui, et il a pris plaisir à voir mes remords par la suite. La dernière fois, c'était pour empêcher la formation d'une nouvelle coterie. Ils défendaient un retour aux traditions d'avant le Tournant qui consistaient notamment à enlever les gens qui ne manqueraient à personne. La deuxième, la femme. (Il jeta un coup d'œil vers moi.) C'est elle, qui me hante. C'est après l'avoir tuée que j'ai décidé d'être honnête chaque fois que ce serait possible. J'ai juré de ne jamais mettre un terme à la vie d'un autre innocent. Peu importe qu'elle m'ait menti…

Il ferma les yeux et ses mains se mirent à trembler sur le volant. Les phares des voitures d'en face révélaient les rides de souffrance qui traversaient son visage.

Oh, mon Dieu. Il a tué quelqu'un dans un accès de rage.

— Et maintenant, voilà que je mets fin à la vie de seize personnes, finit-il dans un murmure.

J'étais vraiment une idiote. Il avait admis avoir tué des gens – la SO l'aurait sans doute remercié de l'avoir débarrassée de ces gens-là, mais tout de même. Je m'étais lancée dans cette relation en sachant qu'il ne correspondait pas à l'archétype du petit ami sûr, mais des petits amis sûrs, j'en avais eu, et ça s'était toujours mal terminé pour moi. Et malgré toute la brutalité dont il était capable, il s'était livré avec honnêteté. Des gens étaient morts cette nuit-là. C'était une tragédie, mais il ne l'avait pas voulu.

— Kisten ?

Je baissai les yeux sur ses mains, sur ses ongles courts et ronds qu'il gardait bien propres, coupés au ras des doigts.

— J'ai fait poser la bombe, dit-il d'une voix rendue sévère par la culpabilité.

D'un geste hésitant, je desserrai ses mains crispées sur le volant. Mes doigts sur les siens étaient très froids.

— Tu ne les as pas tués. C'est Lee.

Il se tourna vers moi, ses yeux noirs dans la lumière incertaine. Je mis la main sur sa nuque pour l'attirer à moi, mais il résista. Kisten était un vampire, et ce n'était pas chose facile – ce n'était pas une excuse, mais un simple fait. Qu'il me parle franchement signifiait plus pour moi que les horreurs de son passé. Et il était resté là à ne rien faire alors qu'il croyait que j'allais le dénoncer. Il avait fait abstraction de ce en quoi il croyait et m'avait fait confiance. J'allais donc essayer de lui faire confiance à mon tour.

Je ne pouvais que compatir. En observant Ivy, j'avais fini par conclure qu'être le scion d'un maître vampire équivalait à se trouver dans une relation d'abus mental où l'amour était perverti par le sadisme. Kisten essayait de prendre ses distances avec les exigences perverses de son maître. Non, il *avait* pris ses distances. Il les avait tellement prises que Piscary l'avait abandonné au profit d'une âme encore plus assoiffée de reconnaissance : ma colocataire. Super.

Kisten était seul. Il souffrait. Il était honnête avec moi… Je ne pouvais pas l'abandonner. Nous avions tous les deux commis des actes discutables. Comment le considérer comme mauvais alors que c'était moi qui portais une marque démonique ? Les circonstances avaient décidé à notre place. Je faisais de mon mieux, et lui aussi.

—Ce n'est pas ta faute s'ils sont morts, répétai-je.

J'avais l'impression d'avoir trouvé une nouvelle manière de voir les choses. Le monde qui se trouvait devant mes yeux n'avait pas changé, mais je regardais ce qu'il y avait de l'autre côté des murs. Qu'étais-je en train de devenir ? Une idiote qui faisait trop facilement confiance, ou quelqu'un qui avait gagné en sagesse et s'était découvert une capacité à pardonner ?

Kisten lut dans ma voix que j'acceptais son passé. Le soulagement qu'exprima son visage était si fort qu'il faisait presque mal à voir. Ma main, qui n'avait pas quitté sa nuque, l'attira vers moi, par-dessus la console.

—Ça va, murmurai-je tandis que ses mains glissaient de mes doigts à mes épaules. Je comprends.

—Je ne crois pas que tu puisses…, insista-t-il.

—Alors on en reparlera quand je comprendrai.

J'inclinai la tête, fermai les yeux et me penchai vers lui. Ses mains commencèrent à se dérober. Je le rattrapai et me laissai aller lorsque nos lèvres se touchèrent. Mes doigts s'enfoncèrent dans sa nuque et l'attirèrent encore plus près. Une décharge me frappa et mon sang remonta à fleur de peau, m'envahissant de fourmillements tandis que le baiser de Kisten se faisait plus intense, plus prometteur. Cette sensation ne venait pas de ma cicatrice. Je posai sa main dessus et retins mon souffle quand le bout de ses doigts effleura la marque presque invisible. Je repensai au manuel vampirique d'Ivy ; je le voyais d'un œil totalement différent, à présent. *Oh, mon Dieu, ce que je serais prête à faire, avec cet homme. Après tout, j'ai peut-être besoin d'hommes dangereux*, pensai-je en sentant des émotions incontrôlables m'envahir. Seul quelqu'un qui avait commis des erreurs pouvait comprendre que j'avais beau avoir fait des choses discutables, j'étais tout de même quelqu'un de bien. Si Kisten pouvait être les deux à la fois, alors moi aussi.

Sur ce, j'arrêtai de faire semblant de penser. Le pouls de ma gorge contre ses doigts, mes lèvres sur les siennes, j'insinuai timidement ma langue entre ses dents, sachant qu'une approche en douceur l'exciterait davantage qu'une invasion impérieuse. Ma langue tentatrice se recroquevilla derrière ses dents lisses.

Sa respiration s'accéléra et il s'écarta de moi.

Son absence soudaine me paralysa. Ma peau gardait le souvenir de sa chaleur.

—Je ne porte pas mes capuchons, haleta-t-il. (Ses pupilles noires se dilatèrent encore un peu plus et je sentis ma cicatrice pulser dans l'attente de ce qui pouvait arriver.) J'avais tellement peur pour toi que je n'ai pas pris le temps de… Je ne suis pas… (Il exhala un souffle chevrotant.) Dieu, que tu sens bon.

Le cœur battant la chamade, je me forçai à me rasseoir correctement. Je le regardai en coinçant mes cheveux derrière mon oreille. Je n'étais pas certaine d'en avoir quelque chose à faire, qu'il ait mis ses capuchons ou pas. J'étais essoufflée, toujours sous l'empire de mon sang qui battait.

—Je ne voulais pas aller aussi loin, dis-je.

Mais c'est toi qui as cet effet-là sur moi.

—Ne t'excuse pas. Ce n'est pas toi qui as négligé… des choses.

Kisten souffla en essayant de cacher son besoin troublant. Sous ses émotions brutes, je perçus un air de compréhension, de reconnaissance soulagée. J'avais accepté son terrible passé tout en sachant que son avenir ne serait peut-être pas mieux.

Sans un mot, il passa la première et accéléra. Je m'accrochai à la poignée de ma portière jusqu'à ce que nous ayons regagné la route. J'étais contente que rien n'ait changé, bien que tout soit différent.

—Pourquoi es-tu si gentille envers moi ? demanda-t-il à mi-voix tandis que nous accélérions et dépassions une voiture.

Parce qu'il se pourrait que je t'aime, pensai-je. Mais je ne pouvais pas le dire – pas encore.

Chapitre 30

J e levai la tête en entendant frapper légèrement à la porte. Ivy me lança un regard d'avertissement, se leva et s'étira comme pour toucher le plafond de la cuisine.

— J'y vais, dit-elle. Ça doit encore être des fleurs.

Je repris une bouchée de toast à la cannelle.

— Si c'est de la bouffe, tu la ramèneras, tu veux bien? répondis-je la bouche pleine.

Elle sortit en soupirant. Elle était à la fois sexy et décontractée, avec ses collants de gym et son sweat-shirt flottant qui lui arrivait aux cuisses. La radio du salon était allumée. L'annonce du commentateur sur l'attentat de la nuit précédente me laissait des sentiments partagés. Ils avaient même un extrait d'interview de Trent où il disait que j'étais morte en lui sauvant la vie.

C'est vraiment bizarre, pensai-je en essuyant le beurre sur mes doigts. Des cadeaux avaient commencé à apparaître sur notre seuil. Il était agréable de sentir que j'allais manquer aux gens. Je ne savais pas que j'avais touché tant de personnes dans ma vie. Cela dit, ça n'allait pas être joli, quand j'allais sortir vivante de mon placard – c'était un peu comme de planter quelqu'un devant l'autel et être obligé de rendre tous les cadeaux. Bien sûr, si je mourais cette nuit, je pourrais aller dans la tombe en sachant qui étaient mes amis. J'avais l'impression d'être Huckleberry Finn.

— Oui? lança Ivy d'une voix soupçonneuse à l'autre bout de l'église.

— Je suis David. David Hue, répondit une voix familière.

J'enfournai la dernière bouchée de mon toast et me rendis à l'entrée de l'église.

Je mourais de faim ; je me demandais si Ivy n'avait pas mis du Soufre en douce dans mon café histoire de me retaper après mon plongeon dans le fleuve.

—Et elle, c'est qui ? demanda Ivy d'un ton agressif au moment où j'entrais dans le sanctuaire.

Ils étaient sur le seuil, le soleil couchant au niveau de leurs pieds.

—Je suis sa secrétaire, dit une femme bien mise affichant un grand sourire. Pouvons-nous entrer ?

J'écarquillai les yeux.

—Oh là, oh là, oh là ! m'exclamai-je en agitant les mains en signe de protestation. Je ne peux pas veiller sur vous deux et arrêter Lee en même temps.

David regarda mon pull décontracté et mon jean. Il m'évaluait sans détour. Ses yeux s'attardèrent sur mes cheveux raccourcis que j'avais fait temporairement teindre en brun dans l'après-midi, comme il me l'avait suggéré au téléphone.

—Mme Aver ne vient pas avec nous, précisa-t-il en faisant un signe de tête approbateur probablement inconscient. J'ai jugé plus prudent que vos voisins me voient arriver et repartir avec une femme. Vous avez à peu près la même carrure.

—Ah, d'accord.

Quelle idiote ! Pourquoi je n'y ai pas pensé ?

Mme Aver ne cessa pas de sourire, mais je voyais bien qu'elle aussi me trouvait idiote.

—Je vais juste aller me changer dans votre salle de bains, et puis je m'en irai, lança-t-elle gaiement.

Elle fit un pas dans le sanctuaire, posa sa mallette étroite contre le banc du piano et hésita.

Ivy partit.

—Par ici, dit-elle en faisant signe à la femme de la suivre.

—Merci. C'est très gentil.

Tous ces sous-entendus me firent faire une petite grimace. Je les regardai sortir – Mme Aver faisait beaucoup de bruit avec ses talons noirs et fades, tandis qu'Ivy était parfaitement silencieuse dans ses chaussons. Leur conversation s'arrêta lorsque la porte de ma salle de bains se ferma. Je me tournai vers David.

C'était un tout autre garou, sans son bas de survêtement et son tee-shirt. Et il était encore plus éloigné de ce type que j'avais vu appuyé contre un arbre, dans le parc, avec son cache-poussière qui lui arrivait aux bottes et son chapeau de cow-boy baissé au ras des yeux.

Sa barbe de trois jours avait disparu, faisant place à des joues rendues rêches par le soleil. Ses cheveux longs étaient soigneusement coiffés et sentaient la mousse. Seuls les garous du plus haut rang arrivaient à être classe sans avoir l'air de se forcer. David y parvenait. Le costume trois pièces et les ongles manucurés aidaient beaucoup. Avec ses lunettes sur son nez et sa cravate serrée au maximum, il faisait plus vieux que l'âge qu'on lui donnait en voyant son corps athlétique. En fait, il était vraiment beau, dans le genre éduqué, professionnel.

—Merci encore de m'aider à entrer chez Saladan, dis-je maladroitement.

—Ne me remerciez pas. Je touche une très grosse prime.

Il posa sa mallette, qu'il avait dû acheter très cher, sur le banc du piano. Il avait l'air préoccupé – pas en colère contre moi, mais inquiet et réticent. Cela me rendit d'autant plus mal à l'aise. Sentant que je l'observais, il releva la tête.

—Ça ne vous dérange pas si je prépare quelques papiers ?

Je fis un pas en arrière.

—Non, non, allez-y. Vous voulez du café ?

David regarda le bureau de Jenks et hésita. Il fronça les sourcils, s'assit à califourchon sur le banc et ouvrit sa mallette devant lui.

—Non, merci. On ne restera pas très longtemps.

—D'accord.

Je battis en retraite, sentant le poids de son mécontentement sur mes épaules. Je savais qu'il n'aimait pas le fait que j'aie menti à mon associé par omission, mais j'attendais juste de lui qu'il me permette d'entrer chez Lee. Je m'arrêtai à l'entrée du couloir.

—Je vais me changer. Je voulais voir ce que vous portiez.

David releva le nez de sa paperasse. Comme il essayait de faire deux choses à la fois, ses yeux marron restèrent distants.

—Vous allez mettre les vêtements de Mme Aver.

Je haussai les sourcils.

—Vous avez déjà fait ce genre de trucs ou quoi ?

—Je vous ai dit que mon boulot était beaucoup plus intéressant qu'on pourrait le penser, répondit-il, le nez toujours dans ses papiers.

J'attendis qu'il ajoute quelque chose, mais il ne le fit pas. Me sentant bête et quelque peu déprimée, j'allai donc retrouver Ivy. Il n'avait pas dit un mot sur Jenks, mais sa désapprobation était claire.

Lorsque j'entrai, Ivy était occupée avec ses stylos et ses cartes. Elle ne pipa mot pendant que je nous versai du café.

—Que penses-tu de David? demandai-je en posant sa tasse à côté d'elle.

Elle baissa la tête et tapota sur la table avec un stylo de couleur.

—Je crois que tu vas t'en tirer. Il a l'air de savoir ce qu'il fait. Et ce n'est pas comme si je n'allais pas être là.

Appuyée sur le plan de travail, je pris une longue gorgée en tenant ma tasse à deux mains. Le café calma mon trac en descendant dans ma gorge. Quelque chose dans l'attitude d'Ivy attira mon attention. Ses joues étaient légèrement rouges.

—Je crois qu'il te plaît, déclarai-je. (Elle releva la tête en sursaut.) Je crois que tu aimes les hommes plus âgés. Surtout les hommes plus âgés en complet, qui mordent et sont encore plus prévoyants que toi.

Cette fois, elle rougit pour de bon.

—Et moi, je crois que tu ferais mieux de la boucler.

Quelqu'un frappa au mur à l'entrée de la cuisine, et nous sursautâmes. C'était Mme Aver, et il était assez embarrassant que ni l'une ni l'autre ne l'ait entendue sortir de la salle de bains. Elle avait enfilé mon peignoir et portait ses vêtements au bras.

—Et voilà, chérie, dit-elle en me tendant son tailleur gris.

—Merci.

Je posai mon café et pris le costume.

—Si vous voulez bien le déposer à la laverie Gar'aux taches. Ils se débrouillent bien pour enlever les traces de sang et recoudre les accrocs. Vous savez où c'est?

Je regardai cette femme autoritaire qui se tenait devant moi, vêtue de mon peignoir bleu pelucheux, avec ses cheveux bruns qui lui tombaient sur les épaules, et jugeai que nous devions faire à peu près la même taille, bien que ses hanches soient légèrement plus imposantes. Mes cheveux étaient un peu plus foncés, mais c'était vraiment très proche.

—Oui, répondis-je.

Elle sourit. Ivy nous ignorait. Elle tapait silencieusement du pied en consultant ses cartes.

—Parfait, dit la garou. Je vais me changer et dire au revoir à David avant de rentrer chez moi à quatre pattes. (Elle me sourit à pleines dents, puis retourna dans le couloir d'un pas lent et hésitant.) Où est la porte de derrière ?

Ivy se leva en faisant couiner les pieds de sa chaise sur le lino.

—Elle est cassée, dit-elle. Je vais vous l'ouvrir.

—Merci, répondit Mme Aver avec le même sourire poli.

Elles quittèrent la cuisine. J'en profitai pour coller le nez à ses vêtements. Ils étaient encore chauds d'avoir été portés. Leur légère odeur de musc était mélangée à une senteur printanière. Je fis la grimace à l'idée de porter les vêtements de quelqu'un d'autre, mais l'idée, c'était justement de sentir le garou. Et puis elle n'était pas venue en haillons. Ce tailleur en laine doublée avait dû lui coûter un joli paquet de fric.

J'allai dans ma chambre avec lenteur, à pas mesurés. Le manuel était toujours sur ma commode. Je le regardai avec un mélange de déprime et de culpabilité. Quelle drôle d'idée j'avais eue, de vouloir le relire pour rendre Kisten dingue. Effondrée, je le remis au fond du placard. Dieu, quelle idiote je faisais.

Résignée, je quittai mon jean et mon pull. J'entendis bientôt des cliquetis de pattes sur le plancher du couloir. Au moment où j'enfilais mon collant s'éleva un gémissement de douleur ; elle arracha ses griffes plantées dans le bois. La nouvelle porte ne serait pas livrée avant demain, et elle n'allait quand même pas sortir par la fenêtre.

Tout ça me rendait un peu mal à l'aise sans que je puisse vraiment dire pourquoi. *Au moins, je n'y vais pas sans charmes*, pensai-je en enfilant la jupe grise. Je glissai la chemise blanche dedans. Ivy et Kisten apporteraient tout ce dont j'aurais besoin : j'avais déjà rempli un sac marin de sorts ; il m'attendait dans la cuisine. Mon malaise ne venait pas non plus du fait que j'allais me mesurer à quelqu'un qui maîtrisait mieux que moi la magie de lignes. Après tout, ça m'arrivait sans arrêt.

Je passai la veste et mis le mandat d'arrêt au nom de Lee dans une poche intérieure. J'enfilai les chaussures à talons plats que j'avais exhumées du fond de mon placard, et je contemplai mon reflet dans le miroir. C'était mieux, mais on me reconnaissait encore. Je pris les lentilles de contact que David m'avait fait porter plus tôt dans la journée.

Tout en mettant les fines rondelles de plastique marron en place avec force larmes et clignements d'yeux, je décidai que mon malaise venait du fait que David ne me fasse pas confiance. Il n'avait confiance ni en mes capacités, ni en moi. Je n'avais jamais connu de relation d'associé à associé dans laquelle c'était de moi qu'on doutait. On m'avait prise pour une idiote, une excentrique, même pour une incompétente, mais jamais pour quelqu'un à qui on ne pouvait pas se fier. Je n'aimais pas ça. Mais à repenser à ce que j'avais fait à Jenks, c'était probablement mérité.

Lentement, sans conviction, je me fis un chignon bien chiche, bien professionnel. Je mis une bonne couche de maquillage, utilisant une base trop sombre qui me força à me tartiner aussi les mains et le cou. L'avantage était que mes taches de rousseur étaient recouvertes. Vaguement mécontente, je retirai l'anneau en bois que je portais au petit doigt. Le charme était rompu. Avec le fond de teint sombre et les lentilles marron, j'avais l'air différente, mais c'étaient vraiment les vêtements qui changeaient tout. Debout devant mon miroir, je me regardai : un tailleur terne et ennuyeux, une coiffure terne et ennuyeuse, une expression terne et ennuyeuse sur le visage – je crois que même ma mère ne m'aurait pas reconnue.

Je mis une goutte du parfum hors de prix d'Ivy, celui qui dissimulait mon odeur, puis enchaînai avec une bonne giclée de ce parfum musqué dont Jenks disait qu'il rappelait le dessous d'une bûche : une senteur riche et terreuse. Je fixai le portable d'Ivy à ma ceinture et retournai dans le hall. Mes talons claquaient. Je n'étais pas habituée. J'entendis Ivy et Dave discuter dans le sanctuaire. Je m'y rendis et les trouvai assis au piano. J'aurais vraiment aimé que Jenks soit avec nous, et pas seulement pour jouer les éclaireurs et débusquer les caméras. Non, la véritable raison, c'est qu'il me manquait.

David et Ivy relevèrent la tête en m'entendant arriver. Ivy en resta comme deux ronds de flanc.

— Que Dieu me morde et me jette, dit-elle. C'est le truc le plus horrible que tu aies jamais porté. Il te donne même l'air respectable.

Je souris faiblement.

— Merci.

Je restai plantée devant eux, mains jointes comme pour me servir de feuille de vigne, tandis que David me regardait de bas en haut. Il releva légèrement les sourcils, et ce fut le seul signe d'approbation qu'il donna. Il se détourna, jeta ses papiers dans sa mallette et la referma sèchement. Mme Aver avait laissé la sienne. Je la ramassai quand David me le demanda.

— Tu emportes mes sorts ? demandai-je à Ivy.

Elle soupira en levant les yeux au ciel.

—Kisten va arriver. On révisera le plan une dernière fois, ensuite on fermera l'église et on partira. Je te biperai quand on sera sur place. (Elle me regarda.) Tu as pris mon téléphone de rechange ?

—Euh… (Je mis la main à ma taille.) Oui.

—Bien. Vas-y, dit-elle. (Elle fit volte-face et partit.) Avant que je fasse une bêtise, genre te prendre dans mes bras.

Triste et incertaine, je me dirigeai vers la sortie. David me suivit. Il ne faisait pas de bruit, mais une légère senteur de fougère trahissait sa présence.

—Lunettes de soleil, murmura-t-il lorsque je tendis la main vers la poignée de porte.

Je mis donc les lunettes sur mon nez. J'ouvris la porte et clignai des yeux, éblouie par le soleil de fin de journée. Je traversai le dédale des témoignages de sympathie à mon égard. Ces derniers allaient de la couronne de fleurs à la page de cahier à colorier griffonnée de couleurs vives. L'air vif était rafraîchissant.

Le bruit de la voiture de Kisten attira mon attention. Mon pouls s'accéléra. Je m'immobilisai sur les marches de l'église, et David faillit me rentrer dedans. Il donna un coup de pied dans un vase trapu qui dévala les marches et s'en alla rouler jusqu'au trottoir en se vidant de son eau et de l'unique rose rouge à l'état de bouton qu'il contenait.

—Quelqu'un de votre connaissance ? demanda-t-il si près que je sentis son souffle chaud sur mon oreille.

—C'est Kisten.

Je le regardai se garer et descendre de voiture. Dieu, qu'il était beau, avec sa silhouette mince et sexy.

David me prit par le coude et me força à avancer.

—Ne vous arrêtez pas. Ne dites rien. Je veux vérifier que votre déguisement tient la route. Ma voiture est de l'autre côté de la rue.

L'idée me plut. Je me remis à descendre l'escalier. Je ne m'arrêtai que pour ramasser le vase et le poser sur la marche la plus basse. En réalité, c'était une bonbonnière en verre avec un pentacle de protection dessiné dessus. Je sifflotai en reconnaissant le récipient. Je n'en avais pas vu de tels depuis des années. Je remis le bouton de rose dedans et me redressai.

Mon estomac se noua lorsque j'entendis les pas de Kisten se rapprocher.

—C'est gentil à vous, dit-il en passant devant moi.

Il devait penser que c'était moi qui avais mis la fleur dans le vase, et pas que je m'étais contentée de la ramasser. J'ouvris la bouche pour dire quelque chose, mais David me fit taire en me pinçant le bras.

—Ivy! cria Kisten en martelant la porte. Il faut y aller! On va être en retard!

David m'escorta jusqu'au côté passager de sa voiture – le sol était glissant, et mes talons n'étaient pas adaptés au verglas.

—Très beau, dit-il. (Il semblait impressionné, mais à contrecœur.) Mais bon, ce n'est pas comme si vous couchiez avec lui.

—En fait, répliquai-je pendant qu'il m'ouvrait la portière, c'est le cas.

Il me dévisagea, à la fois choqué et dégoûté.

—Putain, tu plaisantes! s'écria une voix à l'intérieur de l'église. C'était elle? Putain de merde, c'est pas possible!

Je fis mine de me masser le front pour me cacher. Au moins, il ne jurait pas comme ça quand j'étais dans le coin. Je regardai David, de l'autre côté de la portière.

—Question d'espèce, pas vrai? lançai-je d'un ton neutre.

Il ne répondit pas. Dents serrées, je me dis qu'il pouvait bien penser ce qu'il voulait. Je n'avais pas à me conformer à ses standards. Des tas de gens n'aimaient pas ça. Des tas de gens s'en foutaient. Ça n'avait rien à voir avec notre relation professionnelle, avec qui je couchais.

Sentant mon humeur se détériorer, je montai dans la voiture et fermai la portière avant qu'il puisse le faire. Je bouclai ma ceinture. Il se mit derrière le volant et démarra sa petite voiture grise. Je ne dis pas un mot tandis qu'il déboîtait et prenait la direction du pont. L'eau de Cologne de David se fit envahissante. J'entrouvris ma vitre.

—Ça ne vous dérange pas, d'y aller sans vos charmes? demanda-t-il.

Son ton n'était pas empreint du dégoût que j'attendais. Je sautai sur l'occasion.

—Ce n'est pas la première fois. Et puis je fais confiance à Ivy pour me les apporter.

Il ne bougea pas la tête, mais le coin de ses yeux se plissa.

—Mon ancien associé ne quittait jamais ses charmes. Je me moquais de lui, quand on allait quelque part et qu'il en avait trois ou quatre autour du cou. «David, il disait, celui-ci, c'est pour voir s'ils mentent. Celui-là, pour savoir s'ils portent un déguisement. Et celui-là

456

me dira s'ils ont stocké de l'énergie dans leur chi et s'ils sont prêts à nous réduire en poussière. »

Je le regardai, un peu plus détendue.

—Vous n'avez rien contre travailler avec des sorciers ?

—Non. (Il enleva une main du volant quand la voiture traversa en cahotant la ligne de chemin de fer.) Ses charmes m'ont épargné pas mal de souffrances. Mais je ne saurais dire le nombre de fois où il a perdu du temps à chercher le bon sort alors qu'un simple crochet du droit aurait suffi à régler la situation.

Nous franchîmes le fleuve et entrâmes à Cincinnati même. Les bâtiments projetaient leurs éclairages sur moi par intermittence. Ses préjugés ne concernaient que le sexe. Ça, je savais gérer.

—Je n'y vais pas complètement sans défense, dis-je en rougissant. S'il le faut, je peux faire un cercle de protection autour de moi. Mais, dans le fond, je suis une sorcière de terre. Ce qui peut compliquer les choses dans la mesure où il est difficile d'arrêter quelqu'un quand on n'est pas capable de pratiquer le même type de magie. (Je fis une grimace qu'il ne pouvait pas voir.) En plus, il n'y a aucune chance que je batte Saladan en magie de lignes, alors autant ne pas essayer. Je l'aurai à coups de charmes de terre ou de pied dans le bide.

David s'arrêta en douceur à un feu rouge. Il se tourna vers moi. Son visage commençait tout juste à montrer quelques signes d'intérêt.

—J'ai entendu dire que vous aviez vaincu trois assassins de lignes.

—Ah, ça. (Je rougis encore un peu plus.) On m'a aidée. J'avais le BFO avec moi.

—Et Piscary, vous l'avez battu toute seule ?

Le feu passa au vert. J'appréciai qu'il attende que la voiture de devant démarre au lieu de la coller.

—Le chef de la sécurité de Trent m'a aidée, admis-je.

—Il l'a distrait, dit David à mi-voix. C'est vous qui lui avez tapé dessus jusqu'à ce qu'il sombre dans l'inconscience.

Je serrai les cuisses et me tournai vers lui pour le regarder directement.

—Comment vous savez ça ?

La mâchoire épaisse de David se serra, puis se détendit, mais il garda les yeux fixés sur la route.

—J'ai parlé à Jenks, ce matin.

—Quoi ? m'exclamai-je en manquant de me cogner au plafond.

Il va bien ? Qu'est-ce qu'il a dit ? Vous lui avez dit que je suis désolée ? Il me parlera, si je l'appelle ?

David me regarda de travers et je retins mon souffle. Il ralentit et tourna sans rien dire sur la route panoramique.

— Non, non et non. Il est très en colère.

Je m'enfonçai dans mon siège, à la fois nerveuse et inquiète.

— S'il choisit de vous reparler un jour, vous pourrez le remercier, ajouta-t-il sèchement. Il a une très haute opinion de vous ; c'est principalement pour ça que je ne suis pas revenu sur ma promesse de vous emmener voir Saladan.

Mon estomac se noua.

— Que voulez-vous dire ?

Nous dépassâmes une voiture. Il hésita.

— Il est blessé que vous ne lui ayez pas fait confiance, mais il n'a pas dit le moindre mal de vous – il vous a même défendue quand je vous ai traitée d'idiote frivole.

Ma gorge se serra. Je me tournai vers ma vitre. *Quelle conne je fais.*

— Il s'est mis dans la tête qu'il a mérité que vous lui mentiez, que vous ne lui avez pas parlé parce que vous avez estimé qu'il était incapable de se la fermer, et que vous avez sans doute eu raison. Il est parti parce qu'il pense vous avoir laissé tomber plutôt que l'inverse. Je lui ai dit que vous étiez une abrutie et que si un coéquipier s'avisait de me mentir, je lui ouvrirais la gorge. (Il souffla pour exprimer son mépris.) Il m'a mis à la porte. Un homme de dix centimètres m'a mis à la porte. Il m'a juré que si je ne vous aidais pas comme promis, il me retrouverait aux beaux jours et me lobotomiserait pendant mon sommeil.

— Il en serait capable.

Ma gorge était serrée ; je sentais les larmes poindre dans ma voix.

— Je sais, mais ce n'est pas pour ça que je suis ici. Je suis ici à cause de ce qu'il n'a pas dit. Ce que vous avez fait à votre associé est lamentable, mais une âme aussi honorable n'aurait pas une si haute opinion de quelqu'un qui ne le mériterait pas. Cela dit, je ne comprends pas ce qu'il vous trouve.

— J'essaie de lui parler depuis trois jours, déclarai-je. (Ma gorge était toujours aussi serrée.) Je voudrais m'excuser. Je fais de mon mieux pour réparer.

— C'est aussi pour ça que je suis venu. Une erreur, ça se répare, mais quand on la répète ce n'est plus une erreur.

Je ne répondis rien. Je commençais à avoir mal à la tête. Nous passâmes devant un parc qui surplombait le fleuve et nous engageâmes dans une petite rue. David toucha son col, et je vis à son attitude que nous n'allions pas tarder à arriver.

— En plus, c'est un peu ma faute s'il a eu vent de votre mensonge, reprit-il à voix basse. L'herbe de Saint-Christophe a tendance à rendre bavard. J'en suis désolé, mais ce que vous avez fait était mal de toute façon.

Peu importait comment Jenks l'avait appris. Il était furieux contre moi, et c'était mérité.

David mit son clignotant et tourna sur une voix pavée. Je tirai sur ma jupe grise et ajustai ma veste. Je m'essuyai les yeux et me redressai pour avoir l'air professionnelle – il ne fallait pas que l'on voie que mon monde s'écroulait autour de moi et que je ne pouvais compter que sur un garou qui me considérait comme une moins que rien. J'aurais donné n'importe quoi pour que Jenks soit sur mon épaule, à me balancer des vannes sur ma nouvelle coiffure ou sur le fait que je cocotte comme des latrines au fond du jardin. N'importe quoi.

— Je la bouclerais, si j'étais vous, dit David d'un ton sombre. (Je hochai la tête – j'étais vraiment déprimée.) Le parfum de ma secrétaire est dans la boîte à gants. Mettez-vous-en une bonne giclée sur le collant. Pour le reste, votre odeur est parfaite.

J'obtempérai sans rien dire ; habituellement, je n'acceptais pas qu'on me donne des ordres, mais la piètre opinion qu'il avait de moi me coupait les jambes. L'odeur musquée du parfum envahit l'habitacle. David ouvrit sa vitre en grimaçant.

— Ben c'est vous qui m'avez dit de…, marmonnai-je en sentant l'air froid s'amonceler au niveau de mes chevilles.

— Une fois qu'on sera à l'intérieur, tout va aller très vite, me coupa David. (Il avait les larmes aux yeux.) Votre coéquipière vampire a au mieux cinq minutes avant que la déclaration de sinistre énerve Saladan et qu'il nous jette dehors.

Je resserrai ma prise sur la mallette de Mme Aver, qui était posée sur mes cuisses.

— Elle sera au rendez-vous.

David gronda en guise de réponse. Nous nous engageâmes sur une courte allée qui montait en spirale. Elle avait été désenneigée et balayée, et les briques d'argile rouge étaient imbibées de neige fondue.

En haut de l'allée trônait une maison imposante avec des volets rouges et de grandes fenêtres étroites. C'était l'un des rares vieux manoirs qui avaient été rénovés sans perdre leur charme. Le soleil était derrière la maison. David se gara à l'ombre derrière un pickup noir et coupa le moteur. Le rideau d'une fenêtre bougea.

—Vous vous appelez Grace, précisa David. S'ils demandent une pièce d'identité, vous en avez une dans le portefeuille qui se trouve à l'intérieur de votre mallette. Tenez. (Il me tendit ses lunettes.) Mettez-les.

—Merci.

Je posai la monture en plastique sur mon nez et découvris que David était presbyte. J'eus aussitôt mal à la tête. Je baissai les lunettes pour voir le monde par-dessus plutôt qu'à travers. J'avais les boules – mais à ce niveau, c'étaient plutôt des boules de bowling.

David soupira et se retourna pour prendre sa mallette.

—Allons-y.

Chapitre 31

— D avid Hue, annonça-t-il calmement. (Il avait l'air de s'ennuyer, et même un peu agacé, au beau milieu du hall du manoir.) J'ai un rendez-vous.

« J'ai » un rendez-vous, pas « nous », pensai-je en gardant les yeux baissés et en m'efforçant de faire profil bas pendant que Candice, la vampire qui était restée collée à Lee comme une sangsue quand nous lui avions rendu visite sur son bateau, regardait la carte de visite de David en prenant une pose provocante dans son jean moulant. Derrière elle, il y avait deux autres vampires en costumes noirs. Ça sentait le service de sécurité à plein nez. Jouer la subordonnée effacée ne me posait aucun problème ; si Candice me reconnaissait, les choses tourneraient très vite au vinaigre.

— C'est moi que vous avez eue au téléphone, dit notre hôtesse sexy sans chercher à dissimuler un soupir d'ennui. Après tout ce grabuge, M. Saladan s'est retiré dans un endroit… moins public. Il n'est pas ici, et il ne donne pas non plus de rendez-vous. (Elle sourit de toutes ses dents, parvenant à se donner l'air à la fois polie et menaçante, puis rendit sa carte à David.) Cela dit, je serai heureuse de m'entretenir avec vous.

Le cœur battant, je fixai le carrelage italien. Il était ici – j'entendais presque les chips craquer – mais si je n'arrivais pas à le voir, ç'allait être beaucoup plus difficile.

David la regarda et ses yeux se plissèrent. Il ramassa sa mallette.

— Très bien, répliqua-t-il sèchement. Si je ne peux pas parler avec M. Saladan, ma compagnie n'aura d'autre choix que de conclure que notre hypothèse de l'acte terroriste est correcte, et nous refuserons tout dédommagement pour le sinistre. Au revoir, madame. Venez, Grace, on s'en va, dit-il en me regardant à peine.

Je retins mon souffle et me sentis blêmir. Si nous partions, Kisten et Ivy se jetteraient tête la première dans un piège. David regagna la porte d'un pas bruyant. J'allais le rattraper quand une voix onctueuse que je connaissais bien se fit entendre en haut du grand escalier.

—Candice, appela la voix irritée de Lee depuis le palier du premier étage. Mais qu'est-ce que tu fais ?

Je fis volte-face et David me rattrapa par le coude pour m'empêcher de me trahir. Lee se tenait derrière la balustrade, un verre dans une main, un dossier et une paire de lunettes en fer dans l'autre. Il portait un costume, mais sans la veste. Sa cravate défaite pendait autour de son cou, ce qui ne l'empêchait pas d'avoir l'air soigné.

—Stanley chéri, ronronna Candice en s'appuyant contre la petite table près de l'entrée dans une pose lascive. Tu as dit que tu ne voulais voir personne. Et puis ce n'est qu'un petit bateau. Combien ça peut coûter ?

Lee fronça les sourcils et plissa les yeux.

—Près d'un quart de million… ma chère. Ce sont des agents d'assurances, pas des inspecteurs de la SO. Vérifie qu'ils n'ont pas de sorts sur eux et fais-les monter. La loi leur impose le secret professionnel – ils ne pourront même pas dire qu'ils sont venus ici. (Il regarda David et écarta ses mèches de surfeur d'un mouvement de tête.) J'ai raison ?

David lui rendit son sourire et ils échangèrent cette expression de bons vieux potes que j'exècre.

—Oui, monsieur. (Les murs blancs lisses du vestibule ouvert nous renvoyèrent l'écho de sa voix.) Sans ce petit amendement constitutionnel, nous ne pourrions pas faire notre travail.

Lee leva la main en signe d'accord puis tourna les talons et disparut. Une porte grinça et se referma. Candice me fit sursauter en posant la main sur ma mallette. Je me raidis sous le coup de l'adrénaline et la serrai contre moi.

—Pas de panique, Grace, dit David d'un ton paternaliste en me prenant la mallette. Ça n'a rien d'inhabituel.

Les deux vampires en retrait s'avancèrent, et je m'efforçai de ne pas bouger.

—Veuillez excuser mon assistante, soupira David en posant nos deux mallettes sur la petite table. (Il ouvrit la sienne en premier, la fit pivoter vers Candice, puis fit de même avec la mienne.) C'est l'enfer, de faire entrer le métier dans la tête d'un bleu.

Candice prit un air moqueur.

—C'est vous qui lui avez fait cet œil au beurre noir ?

Je rougis en posant la main sur ma pommette et baissai les yeux sur mes horribles chaussures. Apparemment, le maquillage foncé n'était pas aussi efficace que prévu.

—Une chienne, ça se dresse, dit David d'un ton léger. Mais, en s'appliquant, un coup suffit.

Je serrai les dents. Candice rit, ce qui m'agaça. Tête baissée, je regardai l'un des vampires farfouiller dans ma mallette. Cette dernière était pleine d'affaires qui ne pouvaient appartenir qu'à un expert en assurances : une calculette dont les boutons minuscules étaient plus nombreux que les paires de bottes d'un farfadet, des blocs-notes, des dossiers avec des taches de café, de petits calendriers inutiles à coller sur votre frigo, des stylos avec des Smiley. Il y avait des factures de matériel de bureau et de vente par correspondance. Mon Dieu, quelle horreur. Candice jeta un coup d'œil distrait à mes fausses cartes de visite.

Elle s'absenta par une porte dérobée pendant que la mallette de David était soumise à la même fouille et revint avec des lunettes en métal. Elle nous scruta ostensiblement. Mon cœur s'accéléra lorsqu'elle sortit une amulette qui projetait un halo rouge menaçant.

—Chad chéri, murmura la vamp, recule. Ton sort fait des interférences.

L'un de ses sbires rougit et battit en retraite. Je me demandai ce que Chad chéri pouvait bien avoir sur lui comme sort pour que ses oreilles rougissent de cette manière si particulière. Je laissai échapper un souffle de soulagement quand l'amulette vira au vert, et me félicitai d'avoir opté pour un déguisement « naturel ». À côté de moi, David agita les doigts.

—On ne pourrait pas se dépêcher un peu ? s'impatienta-t-il. J'ai d'autres personnes à voir.

Candice sourit et fit tourner l'amulette au bout de son doigt.

—Par ici.

D'un geste rapide qui semblait être dû à son irritation, David referma sa mallette et la récupéra. Je l'imitai et fus soulagée de voir les deux vampires disparaître à leur tour par la porte dérobée, suivant une bonne odeur de café. Candice gravit l'escalier d'un pas lent en roulant des hanches comme si elle allait se dévisser. Je la suivis en m'efforçant d'ignorer son cinéma.

La maison était vieille et, maintenant que j'avais le loisir de la voir plus en détail, je m'aperçus qu'elle était aussi mal entretenue. À l'étage, on commençait à voir à travers la moquette. Les tableaux qui surplombaient le vestibule du haut de l'escalier étaient si vieux qu'ils avaient dû faire partie d'un lot avec la maison. Le lambris était peint dans ce vert cradingue particulièrement populaire avant le Tournant. C'était vraiment dégueu. Quelqu'un qui manquait d'imagination s'était servi de la peinture pour recouvrir les grosses lattes sur lesquelles avaient été gravés des motifs de lierre et des colibris. J'eus une pensée émue pour toute cette beauté cachée sous une couche de peinture merdique et des fibres synthétiques.

—Monsieur Saladan, annonça Candice avec un sourire malicieux en ouvrant une porte au vernis foncé.

David entra. Je le suivis, prenant soin de garder les yeux rivés au sol au moment où je passais devant Candice. Je retins mon souffle et priai pour qu'elle ne me reconnaisse pas. J'espérais qu'elle n'allait pas entrer. Pourquoi le ferait-elle? Après tout, Lee était expert en magie de lignes. Il n'avait pas besoin qu'on le protège de deux garous.

Le bureau de Saladan était de bonne taille, avec des murs couverts de panneaux de bois. Le plafond était haut, et le cadre épais autour de la baie vitrée était la seule preuve que la pièce avait été une chambre avant d'être transformée en bureau. Tout le reste avait été recouvert de chrome et camouflé avec de fines plaques de chêne, âgé de quelques années à peine. En tant que sorcière, ce genre de choses me sautait aux yeux.

Derrière Lee, les fenêtres allaient jusqu'au sol. Lorsqu'il se leva de son bureau, il fut baigné d'un halo de soleil couchant. Il y avait un chariot de bar dans un coin de la pièce et un home cinéma occupait presque tout le mur d'en face. Deux fauteuils confortables étaient installés devant le bureau; un troisième, beaucoup moins beau, était exilé dans un coin. Enfin, un gigantesque miroir était accroché au mur. Il n'y avait pas le moindre livre. Mon opinion sur Lee toucha le fond.

—Monsieur Hue, lança-t-il d'un ton chaud en tendant sa main bronzée par-dessus son bureau de style moderne. (La veste de son costume était pendue à un portemanteau, mais au moins il avait noué sa cravate.) Je vous attendais. Désolé pour le malentendu, tout à l'heure. Candice est parfois un peu protectrice. Ça se comprend, vu que les bateaux ont tendance à exploser autour de moi.

David ricana. Le son me fit penser à un chien.

—Aucun problème, monsieur Saladan. Je ne vais pas vous prendre trop de temps. C'est une visite de courtoisie pour vous expliquer comment votre déclaration va être traitée.

Lee sourit et, maintenant sa cravate contre sa poitrine, il s'assit en nous indiquant de faire de même.

—Je vous fais porter un verre de quelque chose? demanda-t-il pendant que je m'installais dans le siège en cuir souple et posais ma mallette par terre.

—Non, merci, répondit David.

Lee m'avait à peine regardée – il ne m'avait même pas serré la main. Ça sentait à plein nez le club réservé aux hommes. En temps normal, je me serais affirmée avec charme; cette fois-ci, je serrai les dents et fis semblant de ne pas exister, comme une gentille petite chienne tout en bas de la hiérarchie.

Tandis que Lee ajoutait un glaçon dans son verre, David mit une seconde paire de lunettes, posa sa mallette sur ses genoux et l'ouvrit. Sa mâchoire bien rasée était crispée. Je sentais qu'il avait de plus en plus de mal à contenir son excitation.

—Bon, dit-il doucement en sortant un gros tas de documents. J'ai le regret de vous informer qu'au terme de notre inspection initiale et après avoir recueilli le témoignage d'un survivant, ma compagnie refuse de vous dédommager.

Lee plongea un second glaçon dans son verre.

—Je vous demande pardon? (Il fit volte-face sur ses talons brillants.) Votre «survivant» aurait tout à perdre à affirmer qu'il s'agit d'autre chose que d'un accident. Quant à votre inspection... je vous signale que le bateau est au fond de l'Ohio.

David hocha la tête.

—C'est tout à fait vrai. Cependant, le bateau a bel et bien été détruit dans une lutte de pouvoir à l'échelle de la ville. Sa destruction relève donc de la clause sur le terrorisme.

Lee lâcha un jappement incrédule et s'assit à son bureau.

—Ce bateau était tout neuf. Je n'avais payé que deux traites. Il est hors de question que je m'asseye sur la perte sèche. C'est pour ça que je suis assuré.

David posa un tas de papiers agrafés sur le bureau. Il jeta un coup d'œil par-dessus ses lunettes et sortit un autre document, qu'il signa après avoir refermé sa mallette.

— Et voici un document qui vous informe que vous allez avoir un malus de 15 % sur les autres possessions que nous assurons. Si vous voulez bien signer ici.

— 15 % ! s'exclama Lee.

— Rétroactifs sur le début du mois en cours. Si vous voulez me faire un chèque, je suis près à l'encaisser.

Eh ben, pensai-je. La compagnie de David ne plaisantait pas. De Lee, mes pensées dérivèrent sur Ivy. Les choses étaient en train de tourner au vinaigre à vitesse grand V. Qu'est-ce qu'elle attendait pour appeler ? Ils devaient être en position depuis belle lurette, pourtant.

Lee n'était pas content. Dents serrées, il croisa les doigts et posa les mains sur son bureau. Sous ses mèches noires, son visage vira au rouge. Il se pencha en avant.

— Vous allez regarder dans votre mallette comme un bon chienchien, et je suis sûr que vous allez y trouver un chèque à mon nom. (Sous l'effet de la colère, son accent de Berkeley était plus prononcé.) Je n'ai pas l'habitude d'être déçu.

David verrouilla sa mallette avec un claquement et la posa délicatement au sol.

— Il faudrait que vous élargissiez votre horizon, monsieur Saladan. Moi, ça m'arrive tout le temps.

— Pas moi.

Son visage rond déformé par la colère, Lee se leva. La tension monta d'un cran. Je le regardai, puis jetai un coup d'œil à David. Ce dernier respirait la confiance, même s'il restait assis. Aucun des deux ne céderait de terrain.

— Signez, monsieur, répéta David à mi-voix. Je ne suis que le messager. Ne faites pas entrer les avocats dans cette histoire. Ils seront les seuls à se faire de l'argent, et vous, vous serez inassurable.

Lee inspira brusquement. Ses yeux sombres étaient plissés par la colère.

Mon téléphone sonna soudain et me fit sursauter. J'écarquillai les yeux. Il jouait le thème de la série *Lone Ranger*. Je m'empressai de l'éteindre, mais je m'aperçus que je ne savais pas comment faire. *Dieu, aidez-moi.*

—Grace! aboya David.

Je sursautai de nouveau. Le téléphone me glissa des doigts. J'essayai de le rattraper, rouge comme une pivoine. J'étais déchirée entre deux émotions contradictoires : j'étais à la fois paniquée car ils me regardaient tous les deux, et soulagée qu'Ivy soit prête.

—Grace, je vous ai dit d'éteindre ce téléphone quand nous étions dans l'allée! hurla David.

Il se leva. Je le regardai, impuissante. Il m'arracha le téléphone des mains. La musique se coupa et il me le rendit en me le lançant.

Le portable me heurta la paume avec un claquement. Je serrai les dents. J'en avais assez. Voyant à quel point j'étais en colère, David se plaça entre Lee et moi et m'attrapa par l'épaule en signe d'avertissement. Agacée, je repoussai sa main, mais ma colère mourut lorsque je vis son sourire et son clin d'œil.

—Vous êtes un bon agent, chuchota-t-il tandis que Lee appuyait sur un bouton de son interphone et parlait à voix basse avec une Candice passablement contrariée. La plupart des gens avec qui je travaille m'auraient sauté à la gorge quand j'ai fait ce commentaire sur les chiennes qu'on dresse, à l'entrée. Encore un peu de patience. On peut encore faire durer cette conversation quelques minutes, et il n'a pas encore signé mon formulaire.

J'acquiesçai, même si c'était difficile. Le compliment aidait plutôt.

Lee, qui ne s'était pas rassis, alla prendre sa veste et l'enfila.

—Je suis désolé, monsieur Hue. Nous allons devoir remettre cette petite conversation à une autre fois.

—Non, monsieur. (David resta immobile.) Nous allons en finir tout de suite.

Il y eut du tumulte dans le couloir. Chad, le vampire charmeur, entra en trébuchant. Je me levai d'un bond. Il ravala ses premiers mots – qui s'annonçaient frénétiques – en nous voyant David et moi.

—Chad, dit Lee. (Sa voix trahissait son léger agacement à voir son acolyte échevelé.) Voulez-vous bien raccompagner M. Hue et son assistante jusqu'à leur voiture?

—Oui, monsieur.

La maison était silencieuse. Je réprimai un sourire. Une fois, Ivy avait vaincu tout un étage d'agents du BFO. À moins que Lee dispose d'un paquet de gars cachés dans les recoins de la maison, je ne tarderais pas à récupérer mes charmes et à lui passer les menottes.

David ne bougeait pas. Il était debout devant le bureau de Lee et, plus ça allait, plus il devenait lycanthrope dans son attitude.

—Monsieur Saladan. (Il poussa le formulaire vers Lee avec deux doigts.) Si vous voulez vous donner la peine.

Les joues de Lee virèrent au rouge. Il sortit un stylo de la poche intérieure de sa veste et signa le papier de l'écriture la plus grosse et la plus illisible possible.

—Dites à vos supérieurs que je serai dédommagé pour ma perte, dit-il en laissant le document sur le bureau pour que David soit obligé de le ramasser. Il serait dommage que votre compagnie se trouve financièrement en délicatesse au cas où certaines de vos possessions les plus chères seraient endommagées.

David ramassa le formulaire et le rangea dans sa mallette. Je me tenais derrière lui, légèrement sur le côté ; je sentis la tension grandir en lui, et je le vis reporter son équilibre sur l'avant de ses pieds.

—C'est une menace, monsieur Saladan ? Je peux transférer votre déclaration au département des contentieux.

Une détonation sourde vint s'écraser sur mon oreille interne. Chad sursauta. L'explosion était lointaine. Lee regarda un mur comme s'il pouvait voir à travers. Je haussai les sourcils. Ivy.

—J'ai juste un autre document à vous faire signer.

David sortit un papier plié en trois de la poche de sa veste.

—Nous n'avons plus le temps, monsieur Hue.

David le fixa. Je l'entendis presque grogner.

—Ça ne prendra… qu'un moment. Grace, j'ai besoin de votre signature ici. Ensuite, celle de M. Saladan… ici.

Surprise, je m'avançai, les yeux baissés sur le papier que David dépliait sur le bureau. J'écarquillai les yeux. Le document stipulait que j'avais été témoin de la présence de la bombe sur la chaudière. Il me déplaisait que la compagnie de David s'intéresse davantage au bateau qu'aux gens qui étaient dessus, mais bon, vous connaissez les assureurs.

Je pris le stylo et levai les yeux sur David. Il haussa légèrement les épaules. Il y avait un nouvel éclat dans ses yeux – un éclat dur. Malgré sa colère, je crois qu'il s'amusait.

Le cœur battant, je signai du nom de Rachel. En rendant le stylo à David, je tendis l'oreille, à l'affût d'éventuels bruits de bagarre. Ils ne devaient pas être loin et, si tout se passait bien dehors, nous ne les entendrions peut-être pas entrer. Lee avait l'air tendu. Mon estomac se noua.

—À votre tour, monsieur, dit David d'un ton sarcastique en tournant la feuille pour que Lee puisse la lire. Signez, comme ça je pourrai clore votre dossier et vous ne me reverrez jamais.

Je me demandai si c'était la réplique qu'il sortait à tous ses clients. Je mis la main dans la poche intérieure de ma veste d'emprunt et en sortis le mandat qu'Edden m'avait rapporté l'après-midi même.

Lee signa le document d'un geste brusque et agressif. Je discernai le grondement de satisfaction à peine audible que poussa David. Alors seulement, Lee regarda ma signature. Il blêmit sous son bronzage et ses lèvres s'entrouvrirent.

—Fils de pute, jura-t-il.

Il leva les yeux sur moi, puis sur Chad, qui attendait dans un coin. Je lui tendis mon mandat avec un grand sourire.

—Ce papier-ci est de ma part, dis-je gaiement. Merci David. Vous avez ce qu'il vous faut?

David recula d'un pas en rangeant son formulaire.

—Il est à vous.

—Fils de pute! répéta Lee. (Un rictus d'incrédulité lui déforma les lèvres.) Vous ne savez donc pas rester morte?

Je retins ma respiration dans un sursaut – il venait de puiser l'énergie d'une ligne.

—À terre, m'écriai-je en poussant David avant de me jeter en arrière.

Le garou fit un soleil et alla s'écraser au sol. Je glissai sur une longue distance – presque jusqu'à la porte. L'air crépita et un choc se répercuta en moi. À quatre pattes, je me tournai vers l'horrible tache violette qui dégoulinait par terre. *Par le Tournant, qu'est-ce que c'est que ce truc?* me demandai-je en me relevant précipitamment et en tirant sur ma jupe, qui s'était retroussée.

Lee fit un signe à Chad, qui semblait intimidé.

—Qu'est-ce que tu attends pour te charger d'eux? cria-t-il d'un ton dégoûté.

Chad cligna des yeux et se dirigea vers David.

—Pas lui, crétin! hurla Lee. La femme!

Chad s'arrêta net, se tourna et tendit les mains vers moi.

Bon sang, mais où est Ivy?

Ma cicatrice s'enflamma de plaisir, mais bien que ce soit perturbant, je n'eus aucun problème à coller le talon de ma main dans le nez de

Chad. J'eus un mouvement de recul en sentant le cartilage se déchirer. Je détestais casser des nez. C'était une impression écœurante.

Chad hurla de douleur et se pencha en avant en plaquant ses mains pleines de sang contre son visage. Je me penchai aussi et lui donnai un coup de coude dans la nuque, puisqu'il me la tendait si gentiment. En trois secondes, Chad était à terre.

Je relevai la tête en me massant le coude et vis que David m'observait, très intéressé. J'étais entre Lee et la porte. Je souris et chassai de mes yeux les cheveux qui avaient échappé à mon chignon. Lee était un sorcier de lignes ; il y avait toutes les chances qu'il soit très lâche face à la douleur physique. Il ne sauterait pas par la fenêtre, à moins d'y être vraiment obligé.

Lee appuya sur le bouton de l'interphone.

— Candice ?

Sa voix était un mélange de colère et de menace.

Haletante, je me léchai le pouce avant de le pointer vers Lee.

— David, il vaudrait peut-être mieux que vous partiez. Ça va devenir dangereux.

Ma bonne humeur s'accentua encore quand la voix de Kisten répondit à l'interphone, sur fond de cris de douleur et de bruits de lutte.

— Candice est occupée, mon vieux. (Je reconnus le son de l'attaque d'Ivy ; Kisten émit un petit sifflement de compassion.) Désolé, chérie. Tu n'aurais pas dû t'égarer. Ouh là, ça doit faire mal. (Il revint à l'interphone.) Je peux peut-être t'aider ? demanda-t-il d'une voix amusée et avec son accent plus bidon que jamais.

Lee coupa la communication. Il me regarda en ajustant sa veste. Il avait l'air confiant. Ce n'était pas bon signe.

— Lee, dis-je. On peut employer la manière douce ou la manière forte.

Il y eut un bruit de bousculade dans le couloir. Je me rapprochai de David en voyant quatre hommes entrer en trombe. Ivy n'était pas là. Mes charmes non plus. Par contre, ils avaient tout un tas de flingues – tous pointés sur nous. *Merde.*

Lee sortit de derrière son bureau en souriant.

— Je suis pour la manière douce, jeta-t-il d'un ton si suffisant qu'il me donna envie de lui en coller une.

Chad se mit à bouger. Lee lui donna un coup dans les côtes.

— Debout, ordonna-t-il. Le garou a un papier dans sa veste. Récupère-le.

David se crispa. L'estomac noué, je reculai d'un pas pendant que Chad se relevait en titubant. Le sang dégoulinait de son nez sur son costume bon marché.

— Donnez-le-lui, dis-je à David. Je le récupérerai.

— Ça, je ne crois pas, intervint Lee tandis que David donnait le document à Chad. (Ce dernier le remit à Lee non sans l'avoir au préalable souillé de son sang ; le sorcier rejeta ses cheveux en arrière et sourit de ses dents blanches scintillantes.) Désolé pour votre accident.

Je jetai un coup d'œil à David. Aux propos de Lee, je compris que nous n'allions pas tarder à mourir.

Lee essuya le sang du document sur la veste de Chad. Il plia la feuille en deux, la rangea dans une de ses poches et partit vers la porte.

— Descendez-les, dit-il avec désinvolture. Extrayez les balles et jetez-les sous la glace de la rivière, en aval du port. Nettoyez la pièce. Je vais aller dîner tôt. Je serai de retour dans deux heures. Chad, tu viens avec moi. Il faut qu'on parle.

Mon cœur battait la chamade, et je sentais que David était de plus en plus tendu. Il ouvrait et serrait les poings, comme s'il avait des douleurs aux mains. C'était peut-être le cas. Je retins mon souffle en entendant les sbires de Lee enlever la sécurité de leurs armes.

— *Rhombus !* m'écriai-je.

Le mot se perdit dans le tonnerre des armes qui se déchargeaient.

Chancelante, je puisai l'énergie de la ligne la plus proche. C'était celle de l'université, et elle était énorme. Je sentis la poudre. Je me redressai en me tâtant frénétiquement. Je n'avais mal nulle part hormis aux oreilles. David était blême, mais je ne lus aucune douleur dans ses yeux. Un voile scintillant d'au-delà de l'épaisseur d'une molécule nous entourait. Voûtés, les quatre hommes se redressèrent. J'avais levé mon cercle à temps, et leurs balles avaient ricoché sur eux.

— Qu'est-ce qu'on fait, maintenant ? interrogea l'un d'eux.

— J'en sais foutre rien, répondit le plus grand.

— Débrouillez-vous ! hurla Lee depuis le rez-de-chaussée.

— Eh, toi ! dit Ivy d'une petite voix impérieuse. Où est Rachel ?

Ivy est en bas ! Je regardai mon cercle, impuissante. J'étais prise au piège.

— Vous pouvez en prendre deux ? demandai-je à David.

—Donnez-moi cinq minutes pour me transformer et je les prends tous, répondit-il.

C'était à la limite du grognement.

Des bruits de lutte montèrent du rez-de-chaussée. À vue de nez, il devait y avoir une douzaine de personnes et un vampire en colère. L'un des hommes regarda ses acolytes et sortit en courant. Il en restait trois. Un coup de feu retentit.

—On n'a pas cinq minutes, dis-je en me crispant. Prêt?

Il acquiesça.

Je brisai mon lien avec la ligne d'énergie et le cercle tomba.

—Maintenant! m'écriai-je avec une grimace.

David bougea si vite qu'il était flou. Je me jetai sur le plus petit et donnai un coup de pied dans son pistolet pendant qu'il essayait de reculer. C'était mon entraînement contre sa magie, et mon entraînement fut le plus rapide. Son flingue glissa sur le sol. Il plongea pour le récupérer. L'idiot. Je plongeai à sa suite et lui donnai un coup de coude dans les reins bien avant qu'il ait atteint son arme. Le souffle coupé, il se retourna pour me faire face. Dieu, qu'il était jeune.

Je serrai les dents, le pris par la tête et la frappai par terre. Il ferma les yeux et son corps cessa de bouger. Ouais, c'était pas très classe, mais j'étais légèrement pressée par le temps.

Un coup de feu me fit me retourner.

—Je vais bien! aboya David.

Il se releva de sa position accroupie avec la rapidité d'un garou et donna un coup de son petit poing puissant au dernier sorcier encore debout. Les yeux de ce dernier se révulsèrent, ses doigts inertes lâchèrent son arme et il bascula pour s'affaler sur le corps du premier homme que David avait assommé. Bon sang, c'était vraiment un rapide!

Mon cœur battait très vite et j'avais les oreilles qui sifflaient. Ils n'avaient eu le temps de tirer qu'une fois avant que nous les mettions hors d'état de nuire.

—Vous en avez eu deux, le félicitai-je. (J'étais comme enivrée par notre effort conjoint.) Merci!

Haletant bruyamment, David s'essuya les lèvres et se baissa pour ramasser sa serviette.

—Je dois récupérer mon formulaire.

Nous enjambâmes les sorciers KO. David sortit avant moi. Il s'arrêta net en plissant les yeux. Un homme appuyé à la balustrade visait Ivy. David le frappa violemment avec sa mallette en grognant. Il toucha le sorcier à la tête. L'homme se retourna en titubant. Je virevoltai et lui donnai un coup de pied dans le plexus solaire. Il tomba en arrière contre la balustrade en faisant de grands moulinets avec les bras.

Je ne m'arrêtai pas pour voir s'il avait son compte. Je dévalai l'escalier, laissant à David le soin de lui arracher son pistolet. Ivy parait les attaques de Candice. Le sac qui contenait mes charmes était à ses pieds. Il y avait trois corps allongés sur le carrelage. Ce pauvre Chad ne passait pas une très bonne journée.

—Ivy! appelai-je lorsqu'elle projeta Candice dans un mur, ce qui lui laisserait le temps de me répondre. Où est Lee?

Ses yeux étaient noirs et ses lèvres retroussées. Candice lui sauta dessus en poussant un grand cri outragé. Ivy sauta pour s'accrocher au lustre et son pied entra en contact avec la mâchoire de Candice, l'envoyant dans le décor. Il y eut un bruit de craquement en provenance du plafond.

—Attention! m'écriai-je depuis la dernière marche de l'escalier.

Ivy se balança et atterrit avec une grâce irréelle en position accroupie pendant que le lustre allait s'écraser au sol. Il se brisa en mille morceaux, envoyant des éclats de verre et de cristal aux quatre coins de la pièce.

—La cuisine! haleta Ivy. Il est dans le garage. Avec Kisten.

Candice me regarda de ses yeux noirs haineux. Un filet de sang s'échappa de sa bouche ; elle le lécha. Puis elle regarda mon sac de sorts. Elle se prépara à courir le ramasser… mais Ivy jaillit.

—Vas-y! cria Ivy en faisant une prise à son adversaire, qui était de plus petite taille.

Je m'exécutai. Le cœur battant, je contournai au pas de course le cadavre du lustre, prenant mon sac de sorts au passage. Derrière moi s'éleva un cri de panique et de douleur. Je m'arrêtai après un dérapage sur le carrelage. Ivy avait cloué Candice au mur. Je sentis mon sang quitter ma tête. Je l'avais déjà vue faire. Seigneur, je l'avais moi-même vécu.

Candice se cabra, se débattit pour se libérer, de plus en plus frénétique dans ses mouvements. Mais Ivy la maintenait en place, aussi inflexible qu'une poutrelle d'acier. La force de Piscary la rendait inépuisable, et la peur de Candice alimentait sa soif de sang. J'entendis une série de coups de feu dans la direction de ce que je supposais être le garage. Effrayée, je m'arrachai au spectacle de la violence d'Ivy. Elle avait vampé. Complètement. Elle s'était perdue.

La bouche sèche, je traversai la cuisine déserte en courant jusqu'à la porte du garage. Candice hurla de nouveau. Son cri terrifiant se termina dans un gargouillis. Je n'avais pas voulu ça. Pas du tout.

Je fis volte-face en entendant des bruits de pas derrière moi, mais c'était seulement David. Il était blême, mais il courait vers moi sans ralentir. Il avait un pistolet à la main.

— Est-ce qu'elle l'a…, demandai-je en sentant ma voix trembler.

Il posa la main sur mon épaule et me força à avancer. Des rides lui barraient le visage et lui donnaient l'air vieux.

— Allez-y, dit-il d'une voix rauque. Elle couvre vos arrières.

Dans le garage, j'entendis des éclats de voix masculines, puis un nouvel échange de coups de feu. Accroupie à côté de la porte, je fouillai mon sac de charmes. Je me passai tout un tas d'amulettes autour du cou et coinçai mes menottes dans la ceinture de ma jupe. Je sentis le poids rassurant de mon pistolet à air comprimé dans ma main. Quatorze petits bébés faisaient la sieste dans son réservoir, et l'arme contenait assez de propergol pour tous les tirer de leur sommeil.

David jeta un coup d'œil par la porte et se remit à l'abri.

— Cinq hommes avec Saladan derrière une voiture noire, à l'autre bout du garage. Je crois qu'ils essaient de la démarrer. Votre petit ami est de notre côté. Je pense qu'on peut le rejoindre en courant vite. (Il me regarda me battre avec mes sorts.) Bon Dieu, mais à quoi ça sert, tout ça ?

Mon petit ami ? pensai-je en rampant vers la porte. Mes amulettes traînaient par terre. *Bon, faut avouer que j'ai couché avec lui.*

— Il y en a une pour la douleur, chuchotai-je. Une autre pour ralentir les saignements. Une autre pour détecter les charmes noirs avant de me les payer, encore une autre pour…

Je fus coupée par le bruit du moteur de la voiture noire. *Merde.*

— J'aurais pas dû demander, grommela David en me suivant de près.

Le cœur battant, je me risquai à me relever et à marcher voûtée. Je pris une bouffée de l'air frais du garage sombre en m'abritant derrière une Jag gris métal criblée de balles. Kisten releva la tête. Il était assis par terre, une main comprimant le bas de sa poitrine. Sous ses cheveux teints en blond, son regard était voilé par la douleur. Du sang coulait sous sa main. J'eus soudain froid, et ce ne fut pas seulement à cause du garage qui n'était pas chauffé. Il y avait quatre hommes à terre autour de lui. L'un d'eux bougea. Kisten lui donna des coups de pied dans la tête jusqu'à ce qu'il se tienne tranquille.

— De mieux en mieux, murmurai-je en m'approchant de Kisten.

La porte du garage s'ouvrit en gémissant, et les cris de nos adversaires couvraient presque le bruit du moteur. Mais, pour l'instant, je ne m'intéressais qu'à Kisten.

— Tu vas bien ?

Je lui passai deux amulettes autour du cou. Je me sentais mal. Il n'était pas censé être blessé. Ivy n'était pas censée se retrouver forcée à vider quelqu'un de son sang. Les choses ne s'étaient pas du tout déroulées comme prévu.

— Chope-le, Rachel, dit Kisten avec une grimace de douleur. Je survivrai.

La voiture recula dans un grand couinement de pneus. Paniquée et déchirée, je regardai à tour de rôle les fuyards et Kisten.

— Chope-le ! insista ce dernier.

Ses yeux bleus se plissèrent sous l'effet de la douleur.

David le fit s'allonger au sol. D'une main, il maintenait celle de Kisten sur sa blessure. De l'autre, il fouilla la poche intérieure de sa veste et en sortit un portable. Il l'ouvrit et tapa le numéro des secours.

Kisten hocha la tête et ferma les yeux en voyant que je me relevais. La voiture avait reculé jusqu'à l'espace central du garage. Elle démarra… puis cala. Folle de colère, je sortis de mon abri et m'avançai d'un pas lourd vers le véhicule de nos adversaires.

— Lee ! hurlai-je.

Le moteur crachota et finit par redémarrer. Les roues firent un dérapage sur le pavé mouillé. Ma mâchoire se crispa. Je serrai le poing et puisai dans une ligne. L'énergie me parcourut, remplit mes veines de cette sensation de force sidérante. Je plissai les yeux.

— *Rhombus*, proférai-je en écartant les doigts et en faisant les gestes adéquats.

Mes jambes se dérobèrent sous moi et je poussai un cri de douleur lorsque l'énorme quantité d'énergie nécessaire à la création d'un cercle de cette taille me traversa. Comme je ne pouvais canaliser une telle quantité d'un coup, le surplus me brûla. Il y eut un horrible bruit de tôle qui se plie et de pneus qui couinent. Le son me déchira, se fixa dans ma mémoire pour hanter mes cauchemars. La voiture avait frappé mon cercle de plein fouet, mais c'était elle qui avait cédé, pas moi.

Une fois mon équilibre recouvré, je repris ma marche vers la voiture pendant que les hommes se déversaient du véhicule broyé. Sans ralentir, je visai avec mon pistolet à air comprimé et appuyai sur la détente avec une lenteur méthodique. J'en abattis deux avant que la première balle siffle à côté de ma tête.

— Vous me tirez dessus? hurlai-je. Vous me tirez dessus!

Je descendis le tireur avec un charme, ce qui ne laissait que Lee et deux hommes. L'un d'eux leva les mains. Lee le vit faire et, sans la moindre hésitation, lui tira dessus. La détonation me frappa comme si j'avais été touchée par la balle.

Le teint du sorcier vira au gris et il s'effondra au milieu de l'allée pavée en s'appuyant contre la voiture et en essayant d'empêcher son sang de sortir de son corps.

Je m'arrêtai, transpercée par la colère. Je me calmai, visai Lee et appuyai sur la détente.

Il se releva en murmurant quelques mots en latin et en faisant des gestes magiques. Je me jetai de côté pour esquiver, mais il visait le projectile, qui fut dévié sur la droite. Restant accroupie, je tirai de nouveau. Lee dévia ma bille en me regardant avec condescendance. Les mouvements de ses mains se firent plus sinistres. J'écarquillai les yeux. *Merde, je vais devoir en finir très vite.*

Je me jetai sur lui et poussai un jappement de surprise quand le dernier vampire me percuta violemment. Nous roulâmes à terre. Je me battis de toutes mes forces pour éviter qu'il me fasse une prise. Je grognai pour me donner de la force et, à l'aide d'un dernier coup de pied particulièrement sauvage, je me libérai. Je fis une roulade, me remis sur pieds et reculai pour reprendre mon souffle. Mes séances d'entraînement avec Ivy me revinrent à l'esprit et me procurèrent à la fois un regain d'espoir et de désespoir. Je n'avais jamais réussi à la battre. Pas vraiment.

Le vampire attaqua en silence. Je plongeai sur le côté et m'écorchai le coude en déchirant la veste de Mme Aver. Il fut aussitôt sur moi. Je fis une roulade en me protégeant le visage, puis, une fois que j'eus retrouvé mon souffle, je le repoussai à coups de pied. Je ne sentis plus mon cercle résonner en moi. Je l'avais percuté et il était tombé. Je me sentis immédiatement vide. J'avais perdu ma connexion avec la ligne.

Je me levai d'un bond et fis un écart pour éviter la balayette du vampire. *Bon sang, il ne fait même pas d'efforts!* Mon pistolet était derrière lui. Lorsqu'il se jeta sur moi, je me laissai tomber par terre et roulai sur moi pour le récupérer. Je soufflai violemment en sentant le métal glacé dans ma main.

—Tu es fait, connard! criai-je en faisant volte-face pour lui en coller une en pleine figure.

Ses yeux s'écarquillèrent puis se révulsèrent. J'étouffai un cri et roulai de nouveau pour ne pas me retrouver sous son corps emporté par son élan. Il s'effondra sur le sol pavé avec un bruit mouillé. Du sang s'écoula de sous sa joue. Il s'était cassé quelque chose.

—Dommage que tu travailles pour un tel salopard, soufflai-je en me remettant sur pieds.

Je relevai la tête et dus y regarder à deux fois. Mon visage devint inerte et je laissai pendre mon pistolet au bout de mon doigt. J'étais entourée par huit hommes, et chacun d'eux était à trois bons mètres de moi. Lee se tenait derrière eux. Il rajustait le bouton de sa veste, l'air odieusement satisfait. Je fis la grimace en essayant de reprendre ma respiration. Ah oui. J'avais brisé mon cercle. *Merde de merde, à combien de fois je vais devoir m'y reprendre pour l'arrêter, ce mec?*

Essoufflée et percluse de douleurs, je vis Kisten et David qui ne bougeaient plus, au fond du garage; ils avaient trois pistolets braqués sur eux. J'avais huit hommes autour de moi. Ajoutez-y les cinq que je venais de mettre HS. Kisten en avait eu au mois quatre. Sans oublier les gars au premier étage. Et je ne savais même pas combien Ivy en avait éliminé. Ce type s'était préparé pour une putain de guerre.

Je me redressai lentement. Je pouvais m'en sortir.

—Mademoiselle Morgan?

La voix de Lee était bizarre, au milieu de la neige fondue qui gouttait du débord du garage. Le soleil était caché par la maison. Rester immobile me fit frissonner.

—Il reste quelque chose dans votre petit pistolet?

Je regardai mon arme. Si j'avais bien compté – et il me semblait que c'était le cas –, il restait huit charmes dans le réservoir. Huit charmes inutiles, puisque Lee pouvait tous les dévier. Et, même s'il ne le faisait pas, je n'avais quasiment aucune chance de descendre autant d'hommes sans m'en prendre une. Enfin, en respectant les règles du jeu...

—Je vais lâcher mon flingue, dis-je.

Lentement, avec soin, j'ouvris le réservoir et le vidai des boules de peinture bleue qu'il contenait, puis je lançai l'arme à Lee. Sept boules minuscules rebondirent et allèrent se coincer entre les pavés rouges. Sept boules officielles, et une dans le creux de ma main. *Seigneur, il faudra bien que ça marche. Mais ne m'attachez pas les mains – je vais en avoir besoin.*

Je levai mes mains tremblantes et reculai en faisant rouler la petite bille froide dans ma manche. Elle vint se loger au niveau du coude. Au signal de Lee, les hommes qui m'entouraient convergèrent vers moi. L'un d'eux me prit par l'épaule, et je dus me faire violence pour ne pas le frapper. *Je suis calme, docile. Il est inutile de m'attacher.*

Lee vint se coller sous mon nez.

—Idiote de fille, lâcha-t-il avec mépris.

Il se toucha le front. Il avait une coupure toute neuve juste à la naissance de ses cheveux noirs.

Il prit son élan, et je me forçai à ne pas bouger. Il me gifla du revers de la main. Je me laissai faire sans broncher. M'efforçant de rester calme, je me redressai là où son coup m'avait laissée. Les hommes autour de moi riaient, mais dans mon dos mes mains s'activaient. La bille retourna se loger dans ma paume. Je regardai Lee, puis les billes disséminées sur les pavés. Quelqu'un se baissa pour en ramasser une.

—Vous avez tort, haletai-je à l'intention de Lee. Je suis une idiote de sorcière.

Lee suivit mon regard et vit les billes.

—*Consimilis*, commençai-je en puisant de l'énergie dans une ligne.

—À terre! s'exclama Lee en poussant les hommes qui étaient autour de lui.

—*Calefacio!* hurlai-je.

Je donnai un coup de coude au sorcier qui me tenait et fis une roulade au sol. D'une simple pensée, je fis apparaître mon cercle, qui se referma avec un claquement aigu. Des shrapnels bleus constellèrent l'extérieur de la bulle. Les billes de plastique avaient explosé sous l'effet de la chaleur, projetant de la potion de sommeil bouillante dans tous les sens. Je regardai entre mes bras, et vis que tout le monde était à terre à part Lee, qui s'était servi de ses hommes comme de boucliers. Dans le garage, Ivy était penchée, haletante, au-dessus des corps des trois derniers vampires. Nous les avions tous eus. Il ne restait que Lee. Et il était à moi.

Je me relevai en souriant et brisai mon cercle en stockant son énergie dans mon chi.

— Rien que toi et moi, mon beau surfeur, dis-je en jetant en l'air la bille que j'avais utilisée comme objet de focalisation et en la rattrapant. C'est toi qui jettes les dés ?

Le visage rond de Lee prit une expression parfaitement calme. Il cessa de bouger, puis, sans l'ombre d'une émotion, puisa de l'énergie.

— Fils de pute, jurai-je en me jetant sur lui.

Je le bousculai violemment et il tomba à plat sur les pavés. Dents serrées, il m'agrippa par le poignet et le serra jusqu'à ce que je lâche la bille.

— Tu vas te la fermer ! hurlai-je.

J'étais couchée sur lui. Je lui enfonçai le coude dans la gorge pour l'empêcher de parler. Il se débattit, remonta la main pour me gifler. Je laissai échapper un sifflement de douleur ; il m'avait frappée sur le bleu que m'avait fait Algaliarept. Je l'attrapai à mon tour par le poignet et lui passai une menotte. Je le retournai sur le ventre, lui fis mettre le bras dans le dos. Je lui coinçai le genou dans le dos pour qu'il ne puisse plus bouger et lui passai la seconde menotte.

— J'en ai marre de ces conneries ! m'exclamai-je. Personne ne me jette de charmes noirs, et personne ne me coince sur un bateau sur le point d'exploser. Personne ! Tu m'entends ? Putain, mais pour qui tu te prends, pour débarquer comme ça dans ma ville en croyant que tu vas mettre la main dessus ? (Je le remis sur le dos et sortis le document de David de sa veste ; je le brandis haut, tel un trophée.) Et ça, c'est pas à toi !

— Prête à faire un petit voyage, sorcière ? railla Lee.

Ses yeux étaient assombris par la haine et il avait un filet de sang au coin de la bouche.

Yeux écarquillés, je le sentis tirer de l'énergie de la ligne à laquelle il était déjà relié.

— Non ! m'écriai-je en comprenant ce qu'il était en train de faire.

Ce sont des menottes du BFO, pensai-je, m'en voulant pour ma bêtise. Étant fabriquées par le BFO, elles n'étaient pas dotées du cœur en argent des menottes du SO. Il pouvait sauter. Il pouvait sauter dans une ligne à condition de savoir comment faire. Et, apparemment, il savait.

— Rachel ! cria Ivy.

Sa voix et la lumière se coupèrent avec une soudaineté terrifiante.

Un voile d'au-delà m'enveloppa. Je ne pouvais plus respirer. Je repoussai Lee et essayai d'arracher la gangue qui m'emprisonnait les lèvres. Le cœur battant sauvagement, je sentis sa magie me traverser, dessiner les lignes physiques et mentales qui me définissaient. L'obscurité du néant me submergea et je fus prise de panique en m'apercevant que j'étais disséminée en bien des endroits et nulle part à la fois. J'étais au bord de la folie, incapable de respirer, de penser.

Le retour soudain dans mon corps m'arracha un cri. L'obscurité se retira dans les recoins de mon âme. Je pouvais enfin respirer.

Lee me donna un coup de pied. Je fis une roulade pour prendre mes distances et me retrouvai à quatre pattes, heureuse d'avoir retrouvé mes membres. Le froid mordant de la roche traversait mes bas. Le souffle court, j'inhalai. L'odeur de cendre de l'air me fit tousser. Le vent me souffla les cheveux dans les yeux. Les endroits de ma peau qui étaient exposés gelèrent. Remplie d'appréhension, je levai la tête. À voir la lumière rubiconde qui enveloppait les décombres au milieu desquels je me trouvais, je n'étais plus dans l'allée de Lee.

—Et merde…, murmurai-je en regardant le soleil couchant entre les restes d'immeubles en ruine.

J'étais dans l'au-delà.

Chapitre 32

J'esquivai un nouveau coup de pied destiné à mes côtes, provoquant un éboulement de pierres couvertes de givre. Le soleil, rouge et malingre, se glissa derrière la silhouette d'un immeuble en ruine. On aurait dit la tour Carew. À proximité reposaient les restes de ce qui aurait pu être une fontaine. *On est place de la Fontaine?* m'étonnai-je.

— Lee, murmurai-je avec effroi. Il faut qu'on parte d'ici.

Il y eut un «bing» et Lee sortit ses bras de derrière son dos. Son costume, bien que sale, semblait déplacé au milieu de ce champ de ruines. Le bruit étouffé mais bien réel d'une pierre qui tombait me fit tourner la tête. Lee jeta les menottes dans la direction du bruit. Nous n'étions pas seuls. *Merde.*

— Lee! sifflai-je. (*Oh, mon Dieu, si Al me trouve je suis morte.*) On pourrait retourner chez nous?

Il sourit en repoussant ses mèches de ses yeux. Il se laissa glisser sur un amas de décombres et scruta l'horizon déchiqueté.

— Vous n'avez pas l'air bien, constata-t-il. (La puissance de sa voix dont les rochers glacés nous renvoyaient l'écho me fit grimacer.) C'est la première fois que vous venez dans l'au-delà?

— Oui et non, répondis-je en frissonnant.

Je me relevai et tâtai mes genoux écorchés. Mes bas étaient filés et je saignais. Je me tenais au milieu d'une ligne. Je la sentais bourdonner; je pouvais presque la voir, tellement elle était puissante. Je croisai les bras pour me tenir chaud et sursautai en entendant un nouvel éboulement. Je ne pensais plus du tout à arrêter Lee – je pensais uniquement à fuir de là. Mais je ne savais pas traverser les lignes.

Un autre rocher, plus gros cette fois-ci, tomba. Je fis volte-face et scrutai du regard les décombres givrés.

Les mains sur les hanches, Lee leva la tête et contempla en plissant les yeux les nuages au dessous rougeoyant, comme si le froid ne le gênait pas.

— Des démons inférieurs, dit-il. Plutôt inoffensifs, sauf quand on est blessé ou ignorant.

Je m'éloignai imperceptiblement du rocher.

— C'est une mauvaise idée, de rester ici. Rentrons, et finissons-en comme des gens normaux.

Il me fixa.

— Que m'offrez-vous en échange ? railla-t-il en haussant les sourcils.

Cela me rappela la fois où mon petit copain m'avait amenée dans une grange et m'avait menacée de me planter là en me disant que si je refusais de coucher, je n'avais qu'à me débrouiller pour rentrer par mes propres moyens. Je lui avais pété le doigt pour récupérer la clé de son van ; j'avais pleuré comme une madeleine pendant tout le trajet de retour. Ma mère avait appelé la sienne et ça n'avait pas été plus loin, à part que je m'étais fait charrier tout le reste de l'année scolaire. On m'aurait peut-être un peu plus respectée si mon père avait cassé la gueule du sien, mais il n'en avait pas été question. Je ne pensais pas que le fait de casser le doigt de Lee suffirait à me ramener chez moi, cette fois.

— Je ne peux pas, murmurai-je. Vous avez tué tous ces gens.

Il secoua la tête avec un reniflement de mépris.

— Vous salissez ma réputation. Je vais me débarrasser de vous.

Ma bouche s'assécha. Je venais de comprendre comment ça allait finir. Il allait me livrer à Algaliarept, ce salaud.

— Ne faites pas ça, Lee, dis-je d'une petite voix effrayée. (Je sursautai en entendant des bruits rapides de griffes sur la roche.) On lui doit tous les deux quelque chose. Il peut vous prendre aussi facilement que moi.

Lee balaya quelques pierres du pied pour se ménager une zone nette.

— Nooon, des deux côtés des lignes, on raconte que c'est vous qu'il veut. (Lee sourit en me dévisageant de ses yeux d'autant plus noirs sous cette lumière rouge.) Mais, par précaution, je vais commencer par vous affaiblir un peu.

—Lee, murmurai-je en me voûtant pour me protéger du froid.

Il se mit à grommeler des paroles en latin. L'énergie de ligne qui illuminait sa main projetait des ombres sinistres sur son visage. Je fus prise d'une panique soudaine. Je n'avais nulle part où fuir dans les trois secondes qui allaient suivre.

Tout à coup, j'entendis les cliquetis de choses tapies dans l'ombre. J'en eus le souffle coupé. Je levai les yeux et vis une sphère d'énergie qui se dirigeait droit sur moi. Si je créais un cercle, Al le sentirait. Si je la déviais, Al le saurait. Du coup, comme une idiote, je restai plantée sans rien faire et me laissai percuter de plein fouet.

Une onde de feu balaya ma peau. Je basculai la tête en arrière, bouche ouverte en quête d'air. Ce n'était que de l'énergie de ligne qui débordait de mon chi. *Tulpa*, pensai-je en me laissant tomber. Maintenant, l'excédent avait un endroit où se loger.

Le feu s'éteignit instantanément et l'énergie courut se réfugier dans la sphère qui l'attendait à l'intérieur de ma tête. Quelque chose changea en moi, et je compris que je venais de commettre une erreur. Les choses qui nous entouraient couinèrent avant de détaler.

J'entendis un léger « pop ». Je me redressai, le cœur battant. Je relâchai l'air que j'avais inspiré sous la forme d'un ruban de vapeur blanche. La silhouette leste d'Al, noire sur le fond rouge du soleil couchant, était assise au sommet d'un bâtiment en ruine. Il nous tournait le dos.

—Merde, jura Lee. Qu'est-ce qu'il fait déjà là ?

Je me tournai vers lui en entendant un léger raclement sur le pavé. Il traçait un cercle avec une craie métallisée – la version *made in* sorcier du bon vieux ruban adhésif argenté. Ça allait donner un cercle parfaitement imperméable. Mon pouls s'accéléra lorsque le voile violet et noir s'éleva entre nous. Lee souffla bruyamment, rangea sa craie et me regarda avec confiance.

Prise d'un frisson violent, je regardai les éboulis rougis par le coucher de soleil tout autour de moi. Je n'avais rien pour faire un cercle. J'étais morte. J'étais du même côté des lignes qu'Al. Notre dernier contrat ne valait plus rien.

Al se retourna en sentant le cercle de Lee se dresser. Mais son regard se fixa sur le mien.

—Rachel Mariana Morgan, dit-il avec une lenteur délibérée et d'un ton jouisseur. (Une cascade d'énergie s'abattit sur lui et son costume se transforma en ce qui me semblait être une tenue complète de cavalier anglais, avec le fouet, les bottes cirées montant à mi-mollet, et tout.) Mais qu'est-ce que tu as fait à tes cheveux ?

— Salut, Al, répondis-je en reculant.

Il fallait que je me tire de cet endroit. *On n'est nulle part mieux que chez soi*, pensai-je en sentant le vrombissement de la ligne au milieu de laquelle je me tenais, me demandant si cela servirait à quelque chose de faire claquer mes talons pour passer de l'autre côté de l'arc-en-ciel[1]. Lee l'avait fait, lui. Pourquoi, oh oui, pourquoi en étais-je incapable ?

Lee irradiait presque de satisfaction. Mon regard se porta sur Al, qui descendait avec précaution de l'amas de décombres sur lequel il se trouvait pour rejoindre le sol de la grande place.

La place, pensai-je. L'espoir me fit un nœud dans la gorge. Je me retournai et cherchai à me placer. Je manquai de tomber plusieurs fois en écartant du pied les morceaux de roche pour trouver ce que je cherchais. Si la ville dans laquelle nous nous trouvions était le reflet de Cincinnati, alors nous étions en plein milieu de la place de la Fontaine. Et, si c'était le cas, un cercle absolument parfait était dessiné au sol. Il allait de la rue au parking – ce qui signifiait qu'il était vraiment gigantesque.

Ma respiration s'accéléra lorsque mon pied révéla un vieil arc violet incrusté dans les pavés. *C'est le même. C'est le même !* Dans ma frénésie, je remarquai qu'Al avait presque atteint le sol. Je me dépêchai de puiser de l'énergie dans la ligne. Elle s'engouffra en moi avec le goût brillant des nuages et de l'aluminium. *Tulpa*, pensai-je. Avec l'énergie du désespoir, je m'efforçai d'accumuler assez de puissance pour clore un cercle de cette taille avant qu'Al comprenne ce que je faisais.

Je me raidis en sentant un véritable torrent d'énergie de ligne s'engouffrer en moi. Je me laissai tomber sur un genou et poussai un grognement. Al se dressa de toute sa hauteur. Son visage d'aristocrate prit une expression neutre. Il avait lu dans mon regard ce que j'avais l'intention de faire.

— Non ! s'écria-t-il en s'élançant vers moi.

Je me baissai pour toucher le cercle et prononcer mon mot d'invocation.

Un souffle m'échappa et j'eus l'impression de déborder de mon propre corps. Une vague miroitante d'or translucide s'éleva du sol,

---

1. Référence au *Magicien d'Oz*. (*NdT*)

coupant en deux les rochers et autres débris d'immeubles, et forma un dôme bourdonnant qui alla se refermer loin au-dessus de ma tête. Je me laissai tomber sur les fesses et contemplai mon cercle, bouche bée. *Sainte merde, j'ai clos le cercle de la place de la Fontaine.* Je venais de fermer un cercle de dix mètres de diamètre, alors qu'il était prévu pour être créé sans problème par sept sorciers. Mais, apparemment, c'était faisable seul. Question de motivation.

Al fit un dérapage contrôlé en battant des bras pour éviter de s'écraser sur mon cercle. Une légère vibration métallique retentit dans l'air crépusculaire. Elle frôla ma peau comme une vague de poussière. Étonnée, je m'aperçus que c'était un bruit de cloches. De grosses cloches sonores, à la vibration profonde. C'était mon cercle qui les avait fait sonner.

Mes genoux tremblaient sous l'effet de l'adrénaline. Les cloches sonnèrent de nouveau. Al se redressa, l'air furieux, à moins d'un mètre du bord. La tête penchée, ses fines lèvres serrées, il attendit que meure le troisième carillonnement. La puissance de l'énergie qui me traversait déclina. Bientôt, elle ne fut guère plus qu'un vrombissement subtil au milieu du silence nocturne d'une profondeur effrayante.

— Joli cercle, apprécia Al. (Il avait l'air à la fois impressionné, ennuyé et intéressé.) On va bien s'amuser à jouer à pousse-toi-de-là-que-je-t'attrape.

— Merci. (Je me crispai en le voyant retirer son gant; il tapota mon cercle du doigt, envoyant des ondes concentriques sur toute sa surface.) Ne le touche pas! crachai-je.

Il ricana sans cesser de le tapoter tout en se déplaçant, à la recherche d'un point faible. Mon cercle était gigantesque; il finirait peut-être par en trouver un. Qu'avais-je fait?

Je coinçai mes mains sous mes aisselles pour me tenir chaud. Je regardai Lee, toujours dans son propre cercle, doublement protégé à l'intérieur du mien.

— On peut encore repartir, dis-je d'une voix tremblante. Aucun de nous deux n'est obligé de devenir son familier. Si nous…

— Mais enfin, vous êtes bête ou quoi? (Il passa le pied à travers son cercle, provoquant sa dissolution.) Je veux me débarrasser de vous. Je veux payer mon dû pour me débarrasser de ma cicatrice de démon. Bon sang, mais pourquoi je prendrais la peine de vous sauver?

Je frissonnai en sentant le froid mordant du vent pénétrer ma chair.

—Lee! m'exclamai-je en me retournant pour garder un œil sur Al. (Il était passé derrière nous, toujours à la recherche d'un point faible dans mon cercle.) On doit partir!

Le petit nez de Lee se plissa en sentant une odeur d'ambre brûlé, et il rit.

—Non. Je vais vous réduire en bouillie, et ensuite je vais vous livrer à Algaliarept, comme ça il considérera ma dette comme remboursée. (Impudent, sûr de lui, il regarda Al, qui avait cessé de tester mon cercle et restait planté là, un sourire béat sur le visage.) Est-ce que ça conviendra?

Un nœud s'installa dans mon estomac: un rictus mauvais et artificiel déforma les traits de statue du démon. Un tapis aux ornements élaborés et un fauteuil XVIIIe au velours bordeaux apparurent derrière lui. Al s'installa sans se départir de son sourire. Le soleil dans ses derniers retranchements lui donnait l'apparence d'une tache rouge au milieu des bâtiments en ruine.

—Stanley Colin Saladan, commença-t-il en croisant les jambes, nous sommes d'accord. Livre-moi Rachel Mariana Morgan, et je considérerai effectivement que ta dette est payée.

Je me passai la langue sur les lèvres. Elles se refroidirent sous l'effet du vent glacial. Tout autour, les cliquetis de griffes avaient repris de plus belle; les choses se rapprochaient, attirées par les cloches que j'avais fait sonner et l'obscurité grandissante. Un petit bruit de caillou me fit faire volte-face. Nous n'étions pas seuls dans mon cercle.

Lee sourit. Je m'essuyai les mains sur mon tailleur d'emprunt et me redressai. Il avait raison d'être confiant – c'était un maître des lignes, et il avait devant lui une sorcière de terre privée de ses charmes – mais il ne savait pas tout. Al ne savait pas tout. Mince, moi-même je ne savais pas tout, mais j'avais au moins connaissance d'une chose qu'ils ignoraient. Et, quand cet horrible soleil rouge aurait disparu derrière les immeubles en ruine, le familier d'Al ne serait pas celui qu'on pensait.

Je voulais survivre. Dans l'immédiat, le fait que donner Lee à Al soit immoral n'avait absolument aucune importance. J'y réfléchirais plus tard, recroquevillée avec une tasse de chocolat à la main en tremblant à l'évocation du souvenir de cette soirée. Mais, pour gagner, j'allais d'abord devoir perdre. Ça allait faire sacrément mal.

—Lee, l'implorai-je une dernière fois. Sortez-nous de là!

Seigneur, faites que j'aie raison.

—Ah, ces filles, ricana-t-il en tirant sur sa veste souillée pour la défroisser. Toujours à pleurnicher en attendant qu'on les sauve.

—Lee ! Attendez !

Il s'approcha de trois pas et me lança une boule de brume violette.

Je plongeai de côté. Elle me frôla à hauteur de poitrine et alla s'écraser sur les restes de la fontaine. Un morceau se détacha de cette dernière avec un craquement. Un nuage de poussière s'éleva, rouge dans l'obscurité de plus en plus dense.

En me retournant, je m'aperçus que Lee tenait ma carte de visite – celle que j'avais donnée au videur à bord du bateau. *Merde. Il a un objet de focalisation.*

—Ne faites pas ça, dis-je. Vous n'allez pas aimer la manière dont ça va se terminer.

Lee secoua la tête et ses lèvres se mirent à bouger.

—*Doleo*, lança-t-il à haute voix.

Le mot d'invocation fit vibrer l'air autour de nous. Il fit des gestes magiques avec ma carte à la main.

Je me redressai avec un sursaut et réprimai un gros gargouillis avant qu'il m'échappe. Mes tripes se nouèrent, et la douleur me fit me plier en deux. Je m'efforçai de respirer pour la surmonter et me redressai, chancelante. Je ne trouvai rien à répliquer. J'avançai d'un pas incertain pour essayer de me libérer de la souffrance. Si je parvenais à le frapper, peut-être s'arrêterait-elle. Si je récupérais ma carte, il ne pourrait plus me cibler et serait obligé de lancer ses sorts à la main.

Je me jetai sur Lee. Nous roulâmes à terre. Les pierres qui jonchaient le sol me rentrèrent dans la chair. Lee me repoussa du pied et je fis une nouvelle roulade sous les applaudissements d'Al, applaudissements étouffés par ses gants blancs. La douleur me troublait – toute réflexion était impossible. *Illusion*, pensai-je. C'était un charme de ligne. Seule la magie de terre était capable d'infliger des souffrances bien réelles. Ce n'était qu'une illusion. Haletante, je forçai le charme à quitter mon corps à la force de ma seule volonté. Je refusais de me laisser impressionner par une chimère.

Mon épaule m'élançait plus qu'elle l'aurait dû. Je me concentrai sur la douleur véritable et forçai la souffrance fantôme à disparaître. Voûtée, je regardai Lee à travers mes cheveux – cette saleté de chignon était complètement défait.

—*Inflex*, dit Lee avec un sourire. (Il acheva son sort en bougeant les doigts ; j'attendis, crispée, que quelque chose se produise, mais je ne ressentis rien de particulier.)

— Sacrebleu ! s'exclama Al depuis son fauteuil. Très joli. Épatant, même !

Je me remis sur pieds en luttant pour étouffer les derniers vestiges de douleur. J'étais de nouveau dans la ligne ; je le sentais. Si j'avais su comment voyager de l'autre côté, j'aurais pu mettre fin à tout ça. *Bibbiti bobbiti boo*, pensai-je. *Abracadabra.* Mince, j'aurais volontiers remué mon nez, si j'avais pensé que ça pourrait marcher. Mais rien n'y faisait.

Autour de moi, les choses invisibles étaient de plus en plus agitées, encouragées par la nuit tombante. Un rocher se fracassa derrière moi. Je fis volte-face. Mon pied glissa et je tombai en criant. Je fus prise de nausée lorsque ma cheville se tordit. Je la saisis à deux mains et retins mon souffle en sentant des larmes de douleur me monter aux yeux.

— Très joli ! applaudit Al. La malchance, c'est très difficile. Mais retire ton charme. Je ne veux pas d'une maladroite dans ma cuisine.

Lee fit une série de gestes, et un tourbillon empestant l'ambre brûlé me souleva les cheveux. La gorge serrée, je sentis le charme se briser. Ma cheville m'élançait, et les pierres glacées me rentraient dans les fesses. Il m'avait jeté un sort de malchance, ce fils de pute...

Je serrai les dents et pris appui sur un rocher pour me relever. J'avais déjà explosé Ivy avec une décharge d'au-delà pur ; je n'avais pas besoin d'objet de focalisation pour faire la même chose avec Lee. De plus en plus en colère, je me redressai de toute ma hauteur en fouillant ma mémoire pour retrouver comment on faisait. J'avais toujours procédé d'instinct. La peur et la colère mêlées m'aidèrent. Je fis passer l'au-delà de mon chi dans mes mains. Elles me brûlaient, mais je tins bon ; je tirai encore plus d'énergie de la ligne, jusqu'à avoir l'impression que mes mains tendues étaient carbonisées. Furieuse, je comprimai l'énergie brute en une boule de la taille d'une balle de base-ball.

— Connard, murmurai-je.

Je lui jetai la boule en titubant. Il fit un saut de côté, et mon projectile d'énergie dorée alla frapper mon cercle. Je sentis une vague de fourmillements balayer mon corps, et mon cercle disparut sans que je puisse rien faire.

— Bon sang de bonsoir ! hurlai-je.

Je n'avais pas pensé au fait que mon sort, intimement lié à mon aura, briserait mon cercle. Terrifiée, je me tournai vers Al. Si je ne parvenais pas à dresser un nouveau cercle à temps, j'allais devoir les affronter tous les deux. Mais le démon était toujours assis ; il regardait derrière moi, bouche bée, ses yeux de bouc écarquillés au-dessus de ses lunettes teintées.

Je me retournai juste à temps pour voir ma boule frapper de plein fouet un immeuble proche. Une détonation étouffée me secoua. Je mis une main sur ma bouche. Un morceau de la taille d'un bus se détacha du bâtiment et tomba avec une lenteur irréelle.

— Idiote de sorcière, s'exclama Lee. Il nous arrive droit dessus !

Je fis volte-face et courus, bras en avant pour me frayer un chemin dans les décombres. Le contact des rochers fêlés par le gel m'engourdissait les mains. Le sol trembla. Je dérapai et tombai. Un épais nuage de poussière s'éleva dans l'air.

Je me relevai, prise d'une quinte de toux, tremblant de tout mon corps. J'avais mal aux doigts au point de ne pas pouvoir les bouger. Lee était de l'autre côté du nouvel amas de pierres ; il me regardait haineusement, et peut-être même avec un soupçon de peur dans les yeux.

Il parla en latin. Je fixai du regard la carte de visite qu'il agitait ; je ne pouvais qu'attendre, impuissante, en écoutant les battements de mon propre cœur. Il fit un geste et ma carte prit feu. Il y eut un éclair de lumière, comme lorsque de la poudre explose. Je me détournai en me cachant les yeux. Les cris perçants des démons mineurs me vrillèrent les oreilles. Perdant l'équilibre, je basculai en arrière. J'avais des taches rouges devant les yeux. Ces derniers étaient ouverts, et des larmes me ruisselaient sur les joues. Je n'y voyais rien. Je n'y voyais plus rien !

J'entendis quelqu'un dévaler un tas de pierres. Je poussai un petit jappement en me prenant une manchette. Je répondis à l'aveuglette, mais faillis tomber lorsque ma main ne rencontra que le vide. Une peur débilitante s'installa en moi. Je n'y voyais plus. Il avait pris ma vue !

On me poussa. Je tombai en envoyant un grand coup de pied. Il toucha mon assaillant, qui tomba à son tour.

— Salope, grogna-t-il.

Je poussai un cri ; il venait de m'arracher une poignée de cheveux avant de filer.

— Encore ! l'encouragea gaiement Al. Montre-moi ce que tu sais faire !

— Lee ! m'écriai-je. Ne faites pas ça !

Le rouge devant mes yeux persistait. *Je vous en prie, faites que ce ne soit qu'une illusion.*

Lee prononça des mots sombres aux sonorités obscènes. Une odeur de cheveux brûlés m'arriva aux narines.

Soudain assaillie par le doute, je sentis mon cœur se serrer. Je n'allais pas y arriver. Il allait me laisser pour morte. Il n'y avait aucune chance que je gagne ce combat. Oh, mon Dieu… pourquoi y avais-je seulement cru ?

—Tu la fais douter, dit Al depuis l'obscurité. (Son ton était vaguement interrogateur.) C'est un charme très complexe. Quoi d'autre ? Tu sais lire l'avenir ?

—Je peux regarder le passé, répondit Lee d'une voix essoufflée non loin de moi.

—Oh ! jubila Al. J'ai une idée merveilleuse ! Fais-la se rappeler la mort de son père !

—Non…, murmurai-je. Lee, si vous êtes capable de compassion… Je vous en prie.

Mais il se remit à psalmodier de sa voix haïssable. Je grognai, la douleur mentale s'ajoutant à la souffrance physique tandis que je tombais en moi-même. Papa. Papa s'approchant de son dernier soupir. L'impression de sa main sèche dans la mienne, sa force évanouie. J'étais restée – rien n'aurait pu me faire partir. J'étais présente quand il rendit son dernier souffle. J'étais présente quand son âme fut libérée, me laissant livrée à moi-même. Trop tôt. Bien top tôt. Ça m'avait rendue forte et imparfaite à la fois.

—Papa.

Mes sanglots me firent mal dans la poitrine. Il avait fait son maximum pour ne pas partir, mais c'était perdu d'avance. Il avait tenté un sourire, mais il était cassé.

—Oh, papa, dis-je plus doucement en sentant les larmes monter.

J'avais essayé de le garder à mes côtés, mais j'avais échoué.

Une noire dépression s'éleva dans mes pensées et m'attira plus avant en moi-même. Il m'avait quittée. J'étais seule. Il était parti. Personne, depuis, n'avait de près ou de loin rempli le vide qu'il avait laissé. Personne ne le remplirait jamais.

Secouée par des sanglots, je sentis l'horrible souvenir de cet instant où j'avais compris qu'il était parti emplir mon cœur. Ce n'était pas le moment où ils m'avaient arrachée à lui, à l'hôpital, mais deux semaines plus tard ; après avoir battu le record du huit cents mètres de l'école, j'avais cherché son sourire fier dans les gradins. Il n'y était pas. C'est à cet instant que j'avais compris qu'il était mort.

— Superbe, murmura la voix cultivée d'Al à mon oreille.

Je laissai sa main gantée me prendre par le menton et me relever la tête. Malgré mes yeux qui clignaient, je ne le voyais pas. Mais je sentais la chaleur de sa main.

— Tu l'as complètement brisée, s'extasia le démon.

Lee respirait bruyamment. Manifestement, ça lui avait demandé beaucoup d'énergie. Je ne parvenais pas à m'arrêter de pleurer. Les larmes me dégoulinaient sur les joues, refroidies par le vent glacial. Al me lâcha. Je me roulai en boule à ses pieds sur le sol jonché de décombres. Peu m'importait ce qui suivrait. *Oh, mon Dieu, papa.*

— Elle est à toi, déclara Lee. Retire ta marque.

Je sentis les bras d'Al m'enlacer, me soulever. Je n'eus pas d'autre choix que de me serrer contre lui. J'étais transie de froid, et il était parfumé au Old Spice. Je savais que c'était un effet de sa cruauté et de son esprit tordu, mais je ne pouvais que le serrer contre moi en sanglotant. Il me manquait. Seigneur, comme il me manquait.

Rachel, dit la voix de mon père tout droit tirée de mes souvenirs. (Je me mis à pleurer de plus belle.) *Rachel. Il n'y a plus rien à faire ?*

— Rien, sanglotai-je.

Tu es sûre ? insista mon père d'un ton doux et attentionné. *Tu as fait tellement d'efforts, ma petite sorcière. Tu es sûre que tu l'as combattu de toutes les manières possibles et que tu as échoué ?*

— J'ai échoué, affirmai-je entre deux sanglots. Je veux rentrer à la maison.

Chhh, m'apaisa-t-il. Au milieu de mon obscurité, je ne sentais que sa main fraîche sur moi. *Je vais te ramener à la maison et te mettre au lit.*

Je sentis Al se mettre en mouvement. J'étais défaite, mais pas fichue. Mon esprit se rebellait. Il voulait que je m'enfonce plus avant dans le néant, mais j'avais encore ma volonté. C'était Lee ou moi, et j'avais trop besoin de ce chocolat sur le canapé d'Ivy, avec en prime une pelletée de bonnes excuses.

— Al, murmurai-je, Lee devrait être mort.

Il m'était un peu moins difficile de respirer. Les souvenirs de la mort de mon père retournaient lentement se cacher dans les replis de mon cerveau, un à un. Ils y étaient restés si longtemps enterrés qu'ils n'eurent aucun mal à retrouver leur place, en prévision de longues soirées solitaires à venir.

—Chut, Rachel, dit Al. Je vois bien ce que tu as cherché à faire, en laissant Lee te massacrer, mais tu es tout à fait capable d'utiliser la magie démonique. On n'a jamais vu une sorcière qui pouvait faire ça. (Il éclata de rire, et sa joie me glaça.) Et tu es à moi. Tu n'es pas à Newt, ni à qui que ce soit d'autre. Rien qu'à moi.

—Et ma marque de démon? protesta Lee en nous suivant à quelques mètres de distance.

Il me donnait envie de pleurer. Il était mort, et il ne le savait même pas.

—Lee aussi en est capable, chuchotai-je.

Je recommençai à discerner le ciel. En clignant abondamment des yeux, je voyais même la silhouette sombre d'Al qui se découpait sur les nuages zébrés de rouge. Le soulagement me gagna, repoussant les dernières traces de doute pour découvrir un soupçon d'espoir. Les charmes d'illusion de la magie des lignes agissaient à court terme, à moins qu'on leur donne un lieu de résidence permanent dans de l'argent.

—Goûte-le, repris-je. Goûte son sang. Le père de Trent l'a réparé, lui aussi. Il est capable d'utiliser la magie démonique.

Al s'arrêta net.

—Que je sois trois fois béni. Vous êtes deux?

Il me lâcha et ma hanche percuta un rocher. La douleur m'arracha un cri.

J'entendis Lee hurler de peur et de surprise. Je fis volte-face à l'endroit même où Al m'avait abandonnée. Je regardai par-dessus un monticule de débris. En me frottant les yeux, je parvins à voir le démon griffer le bras de Lee de son ongle aiguisé. Le sang dégoulina. Je sentis la nausée monter.

—Je suis désolée, Lee, murmurai-je en me recroquevillant sur moi-même. Je suis vraiment désolée.

Algaliarept émit un son guttural très grave. Un gémissement de plaisir.

—Elle a raison, dit-il en sortant le doigt de sa bouche. Et en plus, tu es meilleur qu'elle en magie de lignes. Je vais plutôt te prendre toi.

—Non! hurla Lee. (Al le rapprocha violemment de lui.) C'est elle que tu voulais! Je te l'ai donnée!

—Tu me l'as donnée, je t'ai retiré ta marque, et maintenant je te prends. Vous êtes tous les deux capables d'utiliser la magie démonique. Je pourrais passer des décennies à me battre avec cette fille maigrelette et invivable sans arriver à faire entrer les sorts que tu connais déjà dans sa petite tête. Tu as déjà essayé de lancer une malédiction démonique?

—Non! s'écria Lee en se débattant. Je ne peux pas!

—Tu pourras. Attends, conseilla Al en le laissant tomber par terre. Tiens-moi ça.

Je me bouchai les oreilles et me recroquevillai. Lee hurlait encore et encore. Ses cris étaient aigus, à vif; ils frottaient les parois intérieures de mon crâne comme un cauchemar. J'eus l'impression que j'allais vomir. J'avais livré Lee à Al pour sauver ma vie. Que Lee ait fait de même avec moi ne me faisait pas me sentir mieux.

—Lee, dis-je en pleurant. Je suis désolée. Seigneur, je suis désolée.

Lee cessa brusquement de crier. Il s'était évanoui. Al se tourna vers moi en souriant.

—Salut, chérie. Je n'aime pas être à la surface quand la nuit tombe. Bonne chance à toi.

J'écarquillai les yeux.

—Je ne sais pas rentrer!

—Pas mon problème. Allez, au revoir.

Je m'assis droite. Le froid glacial des pierres me donna l'impression de s'insinuer en moi. Lee revint à lui avec un jacassement discordant. Al le prit sous le bras, me fit un signe de tête et disparut.

Une pierre dévala d'un monticule et roula jusqu'à mes pieds. Je clignai des yeux et me les frottai, avec pour seul résultat de me mettre de la poussière et des miettes de cailloux dans la cornée.

—La ligne…, murmurai-je.

Peut-être que si je me mettais dans la ligne… Lee avait fait le voyage depuis l'extérieur d'une ligne, mais je devais apprendre à marcher avant de courir.

Un mouvement en marge de ma conscience attira mon attention. Le cœur battant, je tournai précipitamment la tête, mais ne vis rien. Je m'efforçai de me calmer et m'appuyai pour me relever. Mon souffle se coupa – des lames de couteau chauffées à blanc me transpercèrent la cheville. Je me laissai retomber au sol. Dents serrées, je décidai d'y aller à quatre pattes.

Je m'aperçus que le tailleur de Mme Aver était couvert de la poussière et du givre récoltés sur les rochers alentour. Je m'agrippai à un bloc qui affleurait du sol et m'en servis pour me tirer en avant. Je parvins à me redresser à moitié. Mon corps tremblait à la fois de froid et sous le coup de ce qui me restait d'adrénaline. Le soleil était quasiment couché. Un bruit d'éboulement me poussa à me dépêcher. Ils se rapprochaient.

Un léger «pop» me fit relever la tête. Il y eut de nouveaux bruits d'éboulements de graviers et de pierres – les démons inférieurs détalaient pour aller se cacher. Mon souffle se coupa ; derrière le rideau de mes cheveux, je discernai une petite silhouette en violet foncé assise en tailleur devant moi. Un bâton étroit qui devait faire ma taille était posé en travers de ses cuisses. La silhouette était drapée dans une robe – pas un peignoir, mais plutôt comme un mélange classe de kimono et du genre de truc que portent les cheiks, souple comme du lin mais en plus vaporeux. Un chapeau rond avec des côtés droits et un dessus plat était posé sur sa tête. Plissant les yeux à cause de la faible lumière, je m'aperçus qu'il y avait à peu près trois centimètres entre le liseré doré de la robe et le sol.

Quoi encore ?

—Mais enfin, c'est vraiment infernal ! Qui vous êtes ? demandai-je en me traînant d'un pas en avant. Est-ce que vous allez me ramener chez moi à la place d'Al ?

—«Mais enfin, c'est vraiment infernal», répéta-t-il d'une voix à la fois rauque et légère. Oui, c'est le mot.

Comme il ne me frappait pas avec son bâton noir gravé, ne me lançait pas de mauvais sort et ne me faisait pas même une grimace, je décidai de l'ignorer et de recommencer à me traîner. Je fus étonnée d'entendre un craquement de papier. Je coinçai le papier plié en trois de David dans la ceinture de ma jupe. Il allait sans doute vouloir le récupérer.

—Je suis Newt, déclara-t-il. (Je ne parvenais pas à situer d'où venait son accent, cette drôle de manière de prononcer ses voyelles ; en tout cas, il sembla déçu que je l'ignore.) Et, non, je ne te ramènerai pas chez toi. J'ai déjà un démon familier. Algaliarept a raison ; tu as pratiquement perdu toute utilité, dans ton état actuel.

Un démon en guise de familier ? Ouh là, ça ne devait pas rigoler.

Je poursuivis mon chemin en grognant. J'avais mal aux côtes, aussi devais-je me les tenir. Haletante, je levai les yeux. Un visage lisse, ni vieux ni jeune – un peu comme… rien, en fait – vint à ma rencontre.

—Ceri a peur de vous, dis-je.

—Je sais. Elle est très perceptive. Elle va bien ?

Une vague de peur me traversa.

—Laissez-la tranquille.

Il écarta une mèche de cheveux de mes yeux. J'eus un mouvement de recul. Bien que je sente ses doigts fermement appuyés contre mon front, j'avais l'impression qu'ils pénétraient mon cerveau. Il me dévisageait de ses yeux noirs, avec sa drôle d'expression curieuse et sans rides. J'affrontai son regard.

—Tes cheveux devraient être rouges, remarqua-t-il. (Il sentait les pissenlits écrasés.) Et tes yeux sont verts comme ceux de mes sœurs, pas marron.

—Vos sœurs ? répondis-je d'un ton rusé.

En cet instant, j'étais prête à lui donner mon âme contre une amulette antidouleur. Seigneur, j'avais mal partout, à l'intérieur comme à l'extérieur. Je m'assis hors de sa portée. Newt était étrangement gracieux, et sa tenue ne me donnait aucun indice sur son sexe. Il portait un collier d'or noir dont le dessin n'était ni masculin ni féminin. Je baissai les yeux sur ses pieds nus qui lévitaient au-dessus du sol jonché de débris. Ils étaient étroits et fins mais assez laids. Masculins ?

—Vous êtes un garçon ou une fille ? finis-je par demander d'un air dubitatif.

Newt fronça les sourcils.

—Ça change quelque chose ?

Au prix d'un gros effort, je levai la main jusqu'à ma bouche et suçai la peau à l'endroit où une pierre venait de m'entailler.

Pour moi, ça changeait quelque chose.

—Ne le prenez pas mal, mais pourquoi vous restez là sans rien faire ?

Le démon sourit, ce qui me laissa penser que la raison était forcément mauvaise.

—Il y a des paris en cours sur ta capacité à apprendre à utiliser les lignes avant le coucher du soleil. Je suis ici pour m'assurer que personne ne triche.

Une montée soudaine d'adrénaline m'éclaircit l'esprit.

—Qu'est-ce qui se passera, quand le soleil se couchera ?

—Tout le monde pourra t'avoir.

Un rocher roula d'un monticule à proximité. Je me remis en mouvement.

— Mais vous, vous ne voulez pas de moi ?

Le démon secoua la tête et s'éloigna légèrement en lévitant.

— Peut-être que si tu me disais pourquoi Al a pris l'autre sorcier plutôt que toi, ça pourrait m'intéresser. Je… ne m'en souviens plus.

L'inquiétude qui perçait dans sa voix m'intrigua. Un peu trop d'au-delà dans la cervelle, peut-être ? Je n'avais pas le temps de papoter avec un démon à la masse, si puissant soit-il.

— Vous lirez ça dans le journal. Je suis occupée, déclarai-je en recommençant à me traîner.

Un rocher de la taille d'une voiture tomba juste devant moi et me fit faire un bond sur place. Le sol trembla et de petits éclats de pierre vinrent me piquer le visage. Je regardai le rocher, puis Newt, qui ajustait sa prise sur son bâton avec un sourire plaisant et innocent. J'avais mal à la tête. *Bon, OK, j'ai peut-être un peu de temps.*

— Euh, Lee est capable d'utiliser la magie démonique, dis-je.

Je n'estimai pas nécessaire de lui dire que moi aussi, j'en étais capable.

Les yeux noirs de Newt s'écarquillèrent.

— Déjà ? s'étonna-t-il.

Soudain, son expression s'assombrit. Il était en colère – non pas contre moi, mais contre lui-même. J'attendis qu'il déplace le rocher. Ce qu'il ne fit pas. J'inspirai à grand coup, puis j'entrepris de contourner Newt, car il semblait avoir oublié mon existence. La sensation de danger qui émanait de sa frêle silhouette grandissait. Mes tripes se nouaient et j'avais la chair de poule. J'avais l'impression très nette que j'étais uniquement en vie parce que j'éveillais la curiosité d'un puissant démon.

Espérant que Newt m'avait oubliée, j'avançai en m'efforçant d'ignorer la douleur dans ma cheville. Je glissai et retins mon souffle lorsque le plat de mon bras percuta une pierre. Une onde de douleur le parcourut. Le gros rocher était juste devant moi. Je rassemblai mes forces et me mis à genoux. Faisant fi de la brûlure dans ma cheville, je me levai en me tenant au rocher.

Il y eut un bruissement d'air, et Newt fut à côté de moi.

— Ça t'intéresse de vivre éternellement ?

Sa question me fit frissonner. Mince, Newt ne se désintéressait pas de moi. En fait, c'était le contraire.

— Non, murmurai-je.

Main tendue, je quittai le rocher en boitant.

—Moi non plus, ça ne m'intéressait pas, jusqu'à ce que j'essaie.

Le bâton de séquoia frappa le sol. Newt s'était mis en mouvement pour rester à ma hauteur. Bizarrement, ses yeux noirs étaient plus vivants que tout ce que j'avais vu dans ma vie, ce qui ne fit rien pour améliorer ma chair de poule. Il y avait quelque chose qui n'allait pas chez lui – vraiment. Je n'arrivais pas à mettre le doigt dessus, jusqu'à ce que je m'aperçoive qu'à l'instant même où j'avais cessé de le regarder, je ne parvenais plus à me rappeler à quoi il ressemblait, abstraction faite de ses yeux.

—Je sais quelque chose qu'Algaliarept ignore, dit Newt. Je me souviens, maintenant. Tu aimes les secrets. Et tu sais les garder. Je sais tout de toi ; tu as peur de toi-même.

Je dérapai. La douleur aiguë qui monta de ma cheville me fit serrer les dents. La ligne était juste devant. Je la sentais. Le soleil avait commencé à s'enfoncer à l'horizon ; il avait déjà à moitié disparu. Il lui fallait sept minutes pour se coucher à partir du moment où il atteignait la terre. Trois minutes et demie. J'entendais la respiration des démons inférieurs qui nous encerclaient. *Dieu, aide-moi à me sortir de là.*

—Tu as raison d'avoir peur de toi-même, reprit Newt. Tu veux savoir pourquoi ?

Je relevai la tête. L'ennui l'avait rendu fou, et il cherchait de la distraction. Je n'avais aucune envie qu'il s'intéresse à moi.

—Non, murmurai-je.

J'avais de plus en plus peur. Un sourire mauvais traversa son visage. Il passait plus vite d'une émotion à l'autre qu'un vampire défoncé au Soufre.

—Je crois que je vais raconter une bonne blague à Algaliarept. Et, quand il aura fini de mettre ce sorcier en pièces pour se consoler de ce qu'il a perdu, je marchanderai avec lui pour que cette cicatrice qu'il t'a laissée soit mienne.

Mes mains se mirent à trembler. Malgré mes efforts, je ne pus les en empêcher.

—Vous ne pouvez pas faire ça.

—Si, je peux. J'en ai bien envie. (Newt fit un moulinet paresseux avec son bâton et envoya une pierre rouler dans l'obscurité ; il y eut un cri de douleur presque félin, puis des bruits d'éboulements de tous côtés.) Et alors, j'en aurai deux, reprit le démon à sa propre intention.

Parce que tu ne seras pas capable de trouver comment traverser les lignes, et tu devras acheter ton ticket de départ. Et c'est moi qui te le vendrai.

Les choses qui nous observaient poussèrent un cri outragé qu'elles réprimèrent bien vite.

Horrifiée, je m'arrêtai net. La ligne était toute proche, je le sentais.

— Tu veux vivre, chantonna Newt d'une voix plus grave. Tu ferais n'importe quoi pour ça. N'importe quoi.

— Non, murmurai-je. (J'étais terrifiée, car je savais qu'il avait raison.) J'ai vu Lee le faire. Moi aussi, je peux y arriver.

Newt posa le bout de son bâton par terre. Ses yeux noirs brillaient.

— Tu ne trouveras pas. Tu n'es pas prête à y croire – pas encore. Tu vas devoir passer un marché… avec moi.

Effrayée, je vacillai, et mon pas suivant me fit entrer dans la ligne. C'était comme un ruisseau, chaud et généreux, qui me remplissait. Presque à bout de souffle, je chancelai en voyant les yeux tout autour de moi se plisser avec avidité et colère. J'avais mal. Il fallait que je parte de là. L'énergie de la ligne me traversait en bourdonnant, paisible et réconfortante.

On n'est nulle part mieux que chez soi.

Newt prit une expression moqueuse, mais ses yeux aux pupilles noires me regardaient avec rancœur.

— Tu n'y arriveras pas.

— Si.

Un voile noir passa – je faillis m'évanouir. Des yeux verts brillaient depuis les ombres les plus profondes. Ils étaient près. Très près. La puissance de la ligne vrombissait en moi.

On n'est nulle part mieux que chez soi, on n'est nulle part mieux que chez soi, on n'est nulle part mieux que chez soi, pensai-je désespérément en m'imprégnant d'énergie et en la stockant dans ma tête. J'avais traversé les lignes avec Lee. Je l'avais vu faire. Il n'avait eu qu'à penser à l'endroit où il voulait se rendre. Je voulais rentrer chez moi. Pourquoi ça ne fonctionnait pas ?

Mes genoux se mirent à trembler lorsque je vis une première silhouette noire étrangement maigre sortir lentement, avec hésitation, de l'obscurité. Newt la regarda, puis se tourna vers moi en levant un sourcil.

— Une faveur, et je te renvoie chez toi.

Oh, Seigneur. Pas encore.

—Laissez-moi tranquille! hurlai-je.

Je lançai un caillou dont les arêtes me rentrèrent dans les doigts sur la forme qui s'approchait. Ce faisant, je faillis tomber. Je parvins à rétablir mon équilibre avec un soupir qui ressemblait fort à un sanglot. Le démon inférieur se baissa pour éviter le tir, puis se redressa. Trois autres paires d'yeux luisaient derrière lui.

Soudain, je sursautai. Newt venait d'apparaître devant moi. Il n'y avait plus de lumière. Ses yeux noirs me percutèrent, pénétrèrent mon âme, s'y agrippèrent et pressèrent ma peur, qui remonta à la surface sous forme de bulles.

—Tu n'y arriveras pas. Tu n'as pas le temps d'apprendre, dit le démon.

Je frissonnai. J'étais face à la puissance brute, tourbillonnante. L'âme de Newt était si noire qu'elle était presque invisible. Je sentais son aura m'enserrer, commencer à s'insinuer dans la mienne par la simple volonté de Newt. Il pouvait me prendre de force, si ça lui chantait. Ce n'était rien. Ma volonté n'était rien.

—Accepte mon aide, ou tu mourras au milieu de cet amas crasseux de promesses brisées, reprit le démon. Mais je ne pourrai pas te renvoyer chez toi avec un lien aussi mince. «Chez toi», ça ne suffit pas. Pense à Ivy. Tu l'aimes plus que cette maudite église.

Sa franchise était plus cinglante que n'importe quelle douleur physique.

Poussant des cris de colère aigus, les ombres s'amassèrent et s'élancèrent.

—Ivy! hurlai-je en acceptant le marché.

À la force de ma seule volonté, je me liai à elle: l'odeur de sa sueur quand nous nous entraînions, le goût de ses cookies au Soufre, le bruit de ses pas, son haussement de sourcils quand elle essayait de ne pas rire.

Je reculai en sentant la présence noire de Newt envahir ma tête. *À combien d'erreurs peut-on survivre?* Cette pensée rebondit, cristalline, dans les confins de mon crâne, mais je n'aurais su dire qui l'avait formulée.

Newt me fit expirer tout l'air de mes poumons, et mon esprit tomba en morceaux. J'étais partout et nulle part. La déconnexion totale de la ligne se répercuta en moi; j'existais dans chacune des lignes du continent. *Ivy!* pensai-je de nouveau. Je commençai à paniquer, mais soudain je me souvins d'elle. Je m'agrippai à sa volonté inébranlable, à ses désirs tragiques. *Ivy. Je veux retrouver Ivy.*

Pris d'une jalousie sauvage, Newt rassembla mon âme en un morceau. Je retins mon souffle et me bouchai les oreilles lorsqu'une grosse détonation me secoua. Je basculai en avant et tombai à quatre pattes sur des dalles grises. Des gens hurlèrent, et il y eut ce que je reconnus comme étant un grand choc métallique. Des papiers volaient en tous sens, et j'entendis quelqu'un hurler qu'il fallait appeler la SO.

—Rachel, s'écria Ivy.

Je levai les yeux sous le rideau de mes cheveux et découvris que je devais être dans le hall d'un hôpital. Ivy était assise sur une chaise en plastique orange. Elle avait les yeux rouges et les joues sales. Elle me regardait avec les yeux comme des soucoupes. David était avec elle. Il était sale, dépeigné, et avait le sang de Kisten sur les mains et la poitrine. Un téléphone sonna. Personne n'y répondit.

—Coucou, dis-je faiblement. (Mes bras se remirent à trembler.) Euh, quelqu'un pourrait s'occuper de moi? Je ne me sens pas très bien.

Ivy se leva d'un bond et tendit les mains vers moi. Je basculai vers l'avant. Ma joue heurta le carrelage. La dernière chose dont je me souviens, c'est de ma main touchant la sienne.

Chapitre 33

— J'arrive ! criai-je.

Je pressai le pas en traversant le sanctuaire sombre pour aller ouvrir la porte. Mes Moon Boots laissaient de petites mottes de neige inversées derrière moi. La grosse cloche de dîner qui nous servait de sonnette tinta de nouveau. J'accélérai le rythme.

— J'arrive. Arrêtez un peu de sonner cette cloche, bon sang, ou les voisins vont appeler la SO.

L'écho de la cloche n'avait pas cessé que je posais déjà la main sur la poignée avec un bruissement de mon manteau en nylon. J'avais froid au nez et mes doigts étaient gelés. Je n'étais pas restée assez longtemps au chaud dans mon église pour les réchauffer.

— David ! m'exclamai-je en le voyant sur le seuil peu éclairé.

— Salut, Rachel.

Il était beau avec ses lunettes, son manteau long, mal rasé et son chapeau de cow-boy saupoudré de neige. Très à l'aise, aussi. La bouteille de vin qu'il tenait aidait. Un homme plus âgé en jean et veste en cuir se tenait à côté de lui. Il était plus grand que David, élancé et ridé. Je lui lançai un regard dubitatif. Une mèche de cheveux blancs comme neige dépassait de son chapeau. Il tenait une brindille – sans aucun doute un présent symbolique pour le bûcher du solstice, derrière l'église. Je compris qu'il s'agissait d'un sorcier. *L'ex-partenaire de David ?* me demandai-je. Une limousine ronronnait paresseusement derrière eux, mais je les soupçonnais d'être venus dans la quatre-portes bleue qui était garée devant.

—Rachel, dit David. (Mon attention se reporta sur eux.) Je vous présente Howard, mon ancien associé.

—Heureuse de vous rencontrer, Howard, déclarai-je en tendant la main.

—Tout le plaisir est pour moi. (Il retira son gant et me tendit sa main tachée et légèrement ridée.) David m'a beaucoup parlé de vous, et je me suis invité. J'espère que ça ne vous dérange pas.

—Pas du tout, dis-je en toute simplicité. Plus on est de fous, plus on rit.

Howard me secoua trois fois la main avant de la lâcher.

—Il fallait que je vienne, reprit-il avec un éclat dans ses yeux verts. Je n'ai pas tous les jours l'occasion de rencontrer une femme qui court plus vite que David et arrive à supporter ses méthodes de travail. Vous vous en êtes bien sortie, avec Saladan.

Je ne m'étais pas attendue que sa voix soit si profonde. J'avais de plus en plus l'impression d'être évaluée.

—Merci, dis-je avec un léger embarras. (Je m'écartai du cadre de la porte en signe d'invitation.) Tout le monde est derrière, près du feu. Entrez. C'est plus facile de traverser par l'église que de passer par le jardin, avec cette neige.

Howard entra, suivi d'une bouffée de séquoia pendant que David tapait ses bottes par terre. Ce dernier regarda le nouveau panneau au-dessus de la porte et hésita.

—Sympa, apprécia-t-il. C'est nouveau ?

—Oui. (Comme l'humeur était à la détente, je me penchai au-dehors pour jeter un coup d'œil à la plaque en cuivre gravée boulonnée à la façade de l'église ; l'ampoule unique qui y était fixée baignait le seuil de sa douce lueur.) C'est un cadeau de solstice pour Ivy et Jenks.

David fit un petit bruit d'approbation teintée de compréhension. Je ramenai mon attention à la plaque. «Charmes vampiriques SARL ; Tamwood, Jenks et Morgan.» J'adorais ça, et je n'avais vu aucun inconvénient à payer un rab pour faire fabriquer la plaque en urgence. Ivy avait ouvert de grands yeux, quand je l'avais attirée sur le perron pour la voir, l'après-midi même. J'avais eu l'impression qu'elle allait pleurer. Je l'avais prise dans mes bras sur le palier, car elle avait manifestement envie de faire de même mais avait eu peur que j'interprète mal son geste. Bon sang, c'était mon amie. Je pouvais bien la prendre dans mes bras si ça me chantait.

—J'espère que ça va contribuer à faire taire la rumeur selon laquelle je suis morte, dis-je en le faisant entrer. Le journal n'a vraiment pas perdu de temps pour publier ma rubrique nécrologique, mais, comme je ne suis pas une vampire, ils ne veulent pas me mettre dans la rubrique « Ils sont de retour » à moins que je les paie.

—Allez comprendre, lança David. (Comprenant qu'il se moquait de moi, je lui lançai un regard désapprobateur tandis qu'il tapait une dernière fois des pieds avant d'entrer.) Vous êtes plutôt bien, pour une morte.

—Merci.

—Vos cheveux sont presque redevenus normaux. Et le reste?

Je fermai la porte, flattée par l'inquiétude qui perçait dans sa voix. Howard attendait au milieu du sanctuaire. Il embrassait du regard le piano d'Ivy et mon bureau.

—Je m'en sors. Je suis amoindrie, mais ça s'améliore. Par contre, pour mes cheveux... (Je coinçai une mèche brun rougeâtre derrière mon oreille – je portais le bonnet en laine que ma mère m'avait donné dans l'après-midi.) Sur la boîte, ils disaient que la teinture partait au bout de cinq shampooings, déclarai-je amèrement. J'attends encore.

Jusque-là, je ne pensais plus à mes cheveux. Un peu agacée que David m'ait rappelé leur existence, je partis en direction de la cuisine. Les deux hommes m'emboîtèrent le pas. En réalité, mes cheveux étaient le cadet de mes soucis. La veille, j'avais trouvé sur la voûte plantaire de mon pied gauche une cicatrice en forme de cercle barré – une forme qui m'était familière. C'était le signe que je devais un service à Newt. J'étais redevable auprès de deux démons, mais j'étais en vie. J'étais en vie, et je n'étais la familière de personne. Et puis, dans le fond, porter la marque à cet endroit de mon corps, c'était mieux que de me réveiller avec un grand N tatoué au milieu du front.

David ralentit en voyant les assiettes pleines de friandises posées sur la table. L'espace réservé à Ivy s'était réduit à moins d'un mètre carré; le reste était occupé par les cookies, les fondants, les assiettes anglaises et les biscuits.

—Servez-vous, dis-je. (Je refusais de me laisser abattre par des choses qui échappaient pour l'instant à mon contrôle.) Vous voulez passer votre vin au micro-ondes avant que nous sortions? proposai-je en mangeant une tranche de salami. On peut le mettre dans une carafe pour le chauffer.

J'aurais pu utiliser mon nouveau charme, mais il était peu fiable et j'en avais assez de me brûler la langue.

David reposa lourdement la bouteille de vin sur la table.

—Vous le buvez chaud? demanda-t-il en fixant le micro-ondes d'un œil horrifié.

—Ivy et Kisten, oui. (Je touillai brièvement le cidre épicé qui chauffait sur le poêle pendant que le garou hésitait.) On peut en chauffer la moitié et garder le reste au frais dans un tas de neige, si vous voulez.

—Très bien, dit David en manipulant de ses doigts courts l'aluminium qui entourait le bouchon.

Howard avait commencé à se remplir une assiette, mais il sursauta en voyant David le regarder avec insistance.

—Hmmm! fit soudain le vieux sorcier sans lâcher son assiette. Ça vous dérange si je sors me présenter? (Il secoua la branche et l'assiette en carton en guise d'explication.) Ça fait un bout de temps que je n'ai pas vu de bûcher de solstice.

Je souris.

—Ressortez tout droit. La porte est en face, dans le salon.

David et Howard échangèrent un nouveau regard et le sorcier quitta la pièce. J'entendis au loin des voix le saluer lorsqu'il ouvrit la porte. David expira lentement. Il se passait quelque chose.

—Rachel, dit-il. J'ai un papier à vous faire signer.

Mon sourire se figea.

—Qu'est-ce que j'ai fait? C'est parce que j'ai cassé la voiture de Lee?

—Non, répondit-il en baissant les yeux.

Mon estomac se noua. *Oh, mon Dieu, c'est si grave que ça?*

—Qu'est-ce qu'il y a? demandai-je.

Je posai la cuiller dans l'évier et me tournai en croisant les bras.

David baissa la fermeture Éclair de son manteau, sortit un papier plié en trois d'une poche intérieure et me le tendit. Il commença à le déplier en prenant sa bouteille.

—Vous n'êtes pas obligée de le signer, si vous n'en avez pas envie, précisa-t-il en me regardant de sous son chapeau de cow-boy. Je ne serai pas vexé. Vraiment. Vous pouvez dire non. Ça ira.

J'avais froid; lire la déclaration établie en des termes simples me donna chaud. Je levai la tête et croisai son regard anxieux.

—Vous voulez que je sois membre de votre meute? m'étonnai-je.

—Je n'en ai pas, s'empressa-t-il d'expliquer. Vous seriez la seule personne à en faire partie. Je suis et je reste un solitaire. Mais ma compagnie ne virera jamais un titulaire s'il s'agit d'un mâle ou d'une femelle alpha.

Comme je ne trouvais rien à lui répondre, il se dépêcha de meubler le silence.

—Ça… euh… ça m'ennuie d'avoir essayé de vous corrompre. Ce n'est pas comme si on était mariés, mais ça vous donne accès à une assurance à travers moi. Et si l'un de nous deux est hospitalisé, on a accès à son dossier médical, et on a notre mot à dire sur les soins s'il est inconscient. Je n'ai personne pour prendre ce genre de décisions pour moi, et je préférerais que ce soit vous plutôt qu'un tribunal ou mes frères et sœurs. (Il haussa les épaules.) Et en plus, vous avez le droit de venir au pique-nique de la compagnie.

Je baissai les yeux sur le papier, puis revins à David, puis de nouveau au papier.

—Et votre ancien associé ?

Il regarda le texte.

—Il faut une femelle, pour former une meute.

—Ah. (Je fixai le formulaire.) Pourquoi moi ? (J'étais à la fois honorée et perplexe.) Il doit y avoir des tas de femmes garous qui sauteraient volontiers sur l'occasion.

—C'est vrai. Et c'est bien le problème. (Il recula et s'appuya contre le plan de travail central.) Je ne veux pas d'une meute. C'est trop de responsabilités. Trop de liens. Les meutes, ça s'agrandit. Et, même si je me lançais avec un garou en expliquant bien que l'accord ne vaut que sur le papier, elle s'attendrait à certaines choses, de même que sa famille. (Il regarda le plafond ; ses yeux trahissaient son âge.) En ne voyant pas ces choses se produire, ils se mettraient à la traiter comme une putain plutôt que comme une femelle alpha. Je n'aurai pas ce problème avec vous. (Il me regarda dans les yeux.) Si ?

Je clignai des yeux en sursautant légèrement.

—Euh, non.

Je lui fis un petit sourire en coin. *Femelle alpha ? Voilà qui me va comme un gant.*

—Vous avez un stylo ? demandai-je.

David souffla légèrement. Son soulagement se lisait dans ses yeux.

—Il nous faut trois témoins.

Je ne pus m'empêcher de sourire. *Attends qu'Ivy l'apprenne. Elle va être furax.*

Nous nous tournâmes tous deux vers la fenêtre en voyant une grosse flamme et en entendant quelqu'un crier. Ivy remit une branche dans le bûcher, qui repartit. Elle se prenait à la tradition du bûcher de solstice, tradition entretenue par ma famille, avec un enthousiasme déconcertant.

—Là, comme ça, je ne vois pas trois personnes qui pourraient témoigner, dis-je en fourrant le papier dans une de mes poches de derrière.

David hocha la tête.

—On n'est pas obligés de régler ça ce soir. Mais la fin de l'année fiscale approche, et il faudrait qu'on le fasse avant le début de la prochaine, comme ça vous pourrez profiter de vos avantages, et vous aurez droit à une ligne dans le catalogue.

J'étais sur la pointe des pieds afin d'attraper une carafe à vin. David tendit le bras et la prit pour moi.

—Il y a un catalogue? m'étonnai-je en retombant sur mes pieds.

Il écarquilla les yeux.

—Vous préférez rester anonyme? C'est plus cher, mais d'accord.

Je haussai les épaules, ne sachant trop quoi en penser.

—Que vont dire les gens quand je vais débouler au pique-nique avec vous?

David versa la moitié de la bouteille de vin dans la carafe et mit cette dernière au micro-ondes.

—Rien. De toute façon, ils me traitent déjà comme un chien enragé.

Sans cesser de sourire, je me remplis une tasse de cidre. Ses motifs – obtenir la sécurité de l'emploi – étaient peut-être partiaux, mais nous y gagnerions tous les deux. Ce fut donc de bien meilleure humeur que nous gagnâmes la porte de derrière, lui avec son vin chaud et sa demi-bouteille, moi avec mon cidre épicé. La chaleur de l'église avait eu raison de mes frissons. Je le précédai dans le salon.

David ralentit en découvrant la pièce à l'éclairage tamisé. Ivy et moi l'avions décorée; il y avait du violet, du rouge, de l'or et du vert partout. Sa chaussette en cuir m'avait semblée bien seule, accrochée à la poutre de la cheminée; aussi, pour lui tenir compagnie, je m'en étais acheté une en laine rouge et verte avec une clochette au bout – elle englobait toutes les fêtes auxquelles j'étais censée recevoir des cadeaux. Ivy avait même punaisé une petite chaussette blanche pour Jenks. Elle l'avait prise dans la collection de poupées de sa sœur, mais le gros pot de miel que nous lui destinions ne rentrerait jamais dedans.

Le sapin de noël d'Ivy brillait d'un halo éthéré dans un coin du salon. Je n'en avais jamais eu, et je me sentais honorée qu'elle m'ait permis de l'aider à l'agrémenter de décorations en papier de soie. Nous y avions passé la nuit entière, en écoutant de la musique et en mangeant le pop-corn qui aurait dû se retrouver accroché à une ficelle.

Il n'y avait que deux cadeaux sous le sapin : un pour moi, un pour Ivy. Tous deux étaient de la part de Jenks. En partant, il avait laissé le cadeau de l'une dans la chambre de l'autre.

Je tendis la main vers la poignée de la porte toute neuve, un nœud dans la gorge. Nous avions déjà ouvert nos paquets – la patience n'était pas notre fort. Ivy s'était assise et avait fixé la poupée Mimi Mords-Moi, la mâchoire serrée, ne respirant que très superficiellement. Pour moi, ce n'était guère mieux : j'avais failli pleurer en découvrant la paire de téléphones portables qu'il avait achetée. L'un était pour moi, et l'autre, beaucoup plus petit, pour lui. D'après la facture qui était restée dans la boîte, il les avait fait activer le mois précédent ; il avait même entré un raccourci pour son numéro dans mon appareil.

Je tins la porte ouverte pour laisser passer David, la gorge serrée. J'arriverais à le faire revenir à la maison. Même si je devais louer les services d'un pilote d'avion pour écrire mes excuses dans le ciel, j'y arriverais.

— David, lançai-je au moment où le garou passait devant moi, si je vous donne quelque chose, vous le ferez passer à Jenks ?

Il me regarda depuis la première marche.

— Peut-être, répondit-il prudemment.

Je fis la grimace.

— Ce sont juste des graines. Je n'ai rien trouvé dans mon livre sur le langage des fleurs pour lui dire : « Je suis désolée, je suis une connasse. » Alors j'ai opté pour des myosotis pour qu'il pense à moi.

— D'accord, dit-il d'un ton plus décidé. Je peux faire ça pour vous.

— Merci.

Ce ne fut guère plus qu'un murmure, mais je suis sûre qu'il l'entendit malgré les éclats de voix qui saluèrent son arrivée.

Je lui pris son vin chaud et le mis près du feu. Howard avait l'air de passer un bon moment à discuter avec Keasley et Ceri. Il jetait des coups d'œil dubitatifs à Takata, qui était tapi à l'ombre du chêne.

—Venez, dis-je à David alors que Kisten essayait d'attirer son attention. (La sœur d'Ivy jacassait à côté de lui, et il avait l'air épuisé.) Je vais vous présenter Takata.

L'air de minuit était vif, sec au point d'en être presque douloureux. Je souris à Ivy en l'entendant essayer d'enseigner à Ceri l'art de faire un «reviens-y». Déconcertée, l'elfe ne comprenait pas comment du chocolat pris en sandwich entre un produit céréalier sucré et une confiserie molle pouvait être bon. Ce sont ses mots, pas les miens. J'étais certaine qu'elle changerait d'avis après en avoir mangé un.

Je sentis que Kisten me regardait par-dessus le feu qui faiblissait. Je réprimai un frisson. La lumière des flammes allait et venait sur son visage amaigri – ce qui lui donnait presque plus de charme – par son séjour à l'hôpital. Sous les assiduités du vamp, mes pensées pour Nick s'étaient réduites à une douleur à peine perceptible. Kist était là ; Nick, non. En réalité, ça faisait des mois que Nick n'avait pas vraiment été là. Il n'avait pas appelé, n'avait pas envoyé de carte de vœux pour le solstice, et il avait intentionnellement omis de me laisser un moyen de le joindre. Il était temps pour moi de passer à autre chose.

Takata était assis sur la table de pique-nique. Il se décala au cas où nous voudrions l'imiter. Le concert, plus tôt dans la soirée, s'était déroulé sans anicroche et, comme Lee n'était plus dans le coin, Ivy et moi y avions assisté depuis les coulisses. Takata avait dédié *Rubans rouges* à notre firme, et la moitié de la foule avait allumé son briquet en hommage, pensant encore que j'étais morte.

J'étais contente que Takata soit présent, même si je l'avais invité pour plaisanter. Il semblait apprécier de pouvoir rester tranquillement installé dans un coin sans que personne se pâme devant lui. J'avais déjà vu son regard ; Ivy avait le même quand elle planifiait une course. Je me demandai s'il y aurait, dans son prochain album, un morceau parlant d'étincelles au milieu des bras d'un chêne noirci par le givre.

—Takata, dis-je. (Notre présence l'arracha à ses pensées.) J'aimerais vous présenter David Hue. C'est l'expert en assurances qui m'a aidée à débusquer Saladan.

Takata retira son gant et tendit sa longue main aux os fins au garou.

— David, heureux de vous rencontrer. On dirait que vous êtes sorti indemne de la dernière course de Rachel.

David fit un grand sourire, mais sans découvrir ses dents.

— Dans l'ensemble, répondit-il en lâchant la main de Takata. (Il recula d'un pas.) Même si je dois avouer que c'était moins que certain quand ils ont commencé à sortir leurs flingues. (Il simula un frisson et se tourna vers le feu pour se réchauffer.) C'était trop pour moi, ajouta-t-il à mi-voix.

J'étais heureuse qu'il ne bégaie pas et qu'il ne regarde pas la star avec des yeux comme des soucoupes ou, pire, qu'il ne saute pas dans tous les sens en couinant comme Erica l'avait fait – du moins jusqu'à ce que Kisten l'empoigne et la traîne loin de Takata.

— David! appela Kisten quand mes pensées me firent regarder dans sa direction. On pourrait parler de mon bateau? Combien pensez-vous que ça me coûterait de l'assurer chez vous?

Le garou laissa échapper un gémissement de douleur.

— C'est le prix à payer quand on est dans les assurances, soupira-t-il doucement.

Je haussai les sourcils.

— Je crois qu'il veut juste qu'il y ait quelqu'un entre lui et Erica. Cette fille ne la ferme absolument jamais.

David se força à avancer vers Kisten.

— Vous ne me laisserez pas seul trop longtemps, hein?

Je souris.

— C'est une de mes responsabilités en tant que membre de votre meute? demandai-je.

Takata écarquilla les yeux.

— En fait, oui.

Il fit un signe à Kisten et partit le rejoindre, ne s'arrêtant que pour pousser du bout du pied une bûche dans le feu. Howard le regardait par-dessus le feu, l'œil brillant, moqueur.

Lorsque je me retournai vers Takata, ses sourcils épais étaient toujours levés.

— Vous faites partie de sa meute? s'étonna-t-il.

Je m'assis à côté de lui sur la table de pique-nique en acquiesçant.

— Des histoires d'assurance.

Je posai mon cidre et appuyai mes coudes sur mes genoux en soupirant. J'aimais le solstice, et pas seulement pour la nourriture et la fête. Cincinnati éteignait toutes ses lumières de minuit à l'aube, et c'était le seul moment de l'année où je pouvais contempler le ciel nocturne sans être parasitée par les éclairages de ville. Quiconque était pris à voler pendant le black-out était traité avec une grande sévérité, ce qui avait tendance à décourager les vocations.

—Comment allez-vous? demanda Takata à ma grande surprise. (J'avais presque oublié qu'il était à côté de moi.) J'ai entendu dire qu'on vous avait hospitalisée?

Je lui fis un sourire penaud. Je commençais à accuser le coup, après avoir passé plus de deux heures à hurler au concert, et ça devait se voir.

—Je vais bien. Ils ne voulaient pas me laisser sortir, mais la chambre de Kisten était dans le même couloir et, quand ils nous ont trouvés en train de… euh… en train de tester les contrôles du lit, ils ont décidé qu'on était tous les deux assez en forme pour partir.

Cette vieille infirmière de nuit revêche… À entendre l'esclandre qu'elle avait fait, on aurait dit qu'on était en train de faire des trucs pervers et… Oui, bon, enfin, c'était quand même une vieille revêche.

Takata me regarda du coin de l'œil. Me sentant rougir, j'enfonçai mon bonnet sur mes oreilles.

—Il y a une limousine devant, dis-je pour changer de sujet. Vous voulez que je leur demande de partir?

Il leva la tête et regarda les branches noires.

—Ils peuvent attendre. Ils ont des provisions de nourriture.

J'acquiesçai, plus détendue.

—Vous voulez du vin chaud?

Il sursauta et me dévisagea, l'air choqué.

—Non… Non, merci.

—Vous revoulez du cidre épicé, alors? proposai-je. Tenez, je n'ai pas touché au mien.

—Mettez-en juste une gorgée là-dedans, accepta-t-il en me tendant sa tasse vide.

Je la remplis à moitié. Je me sentais « spéciale », assise à côté de Takata avec la moitié de ma boisson dans sa tasse. Soudain, je me raidis en sentant une légère vibration en moi. Ne sachant pas de quoi il s'agissait, je restai immobile. Takata me regarda dans les yeux.

—Vous aussi, vous l'avez ressenti? demanda-t-il.

Je hochai la tête, mal à l'aise et un peu inquiète.

—Qu'est-ce que c'était?

La grande bouche de Takata se déforma en un large sourire moqueur.

—Le cercle de la place de la Fontaine. Joyeux solstice.

Il leva sa tasse et je fis de même automatiquement.

—Joyeux solstice, répondis-je.

Je trouvai étrange d'avoir senti le changement de saison. Ça ne m'était encore jamais arrivé, mais peut-être que d'avoir fermé le cercle en personne m'y avait rendue particulièrement sensible.

J'avais l'impression que tout allait pour le mieux dans le monde. En sirotant mon cidre, je vis par-dessus le rebord de ma tasse que David m'implorait du regard. La bouche d'Erica fonctionnait sans interruption, et Kisten tenait le garou par l'épaule et essayait de lui glisser quelques mots entre ceux de la jeune fille.

—Excusez-moi, dis-je en descendant de la table. David a besoin d'aide.

Takata ricana. Je passai devant le feu sans me presser. Bien qu'il ne cesse de parler à David, Kisten me dévorait du regard. Je sentis une chaleur naître dans mon ventre.

—Erica, lançai-je en arrivant à leur hauteur. Takata veut te jouer une chanson.

Takata se leva d'un bond en me lançant un regard paniqué quand la jeune fille couina. Kisten et David semblèrent soulagés de la voir contourner le feu au pas de course pour rejoindre la star.

—Dieu merci, murmura Kisten pendant que je m'asseyais à la place d'Erica. Cette fille ne s'arrête même pas pour respirer.

Je me rapprochai de Kisten avec un petit reniflement, mis ma jambe contre la sienne pour l'encourager. Il passa un bras autour de mes épaules, comme je le désirais, et m'attira contre lui. Il exhala discrètement, et un frisson remonta le long de ma colonne vertébrale. Je sus qu'il l'avait ressenti quand ma cicatrice se manifesta.

—Arrête ça, murmurai-je.

Malgré mon embarras, sa prise se raffermit.

—Je ne peux pas m'en empêcher, dit-il en inspirant. Quand est-ce que tout le monde s'en va?

—Au lever du soleil, répondis-je en posant ma tasse. L'absence renforce l'amour dans ton petit cœur.

—Ce n'est pas à mon cœur, que tu manques, souffla-t-il.

Sa remarque me donna un nouveau frisson.

—Alors, comme ça…, commença-t-il à voix haute en s'apercevant que David commençait à se sentir de trop. D'après ce que m'a dit Rachel, vous lui avez demandé de faire semblant d'être votre partenaire, histoire de toucher deux salaires en échange de tarifs d'assurance préférentiels?

—Euh, oui…, hésita David en baissant la tête pour que son chapeau cache ses yeux. À ce propos…

Kisten me fit sursauter en passant sa main froide sous mon manteau pour me toucher la taille.

—J'aime ça, murmura le vampire (bien sûr, il ne parlait pas des petits cercles que dessinaient ses doigts et qui commençaient à me donner chaud). C'est inventif. Tout à fait mon genre d'hommes.

David releva la tête.

—Vous voulez bien m'excuser, marmonna-t-il en tripotant ses lunettes. Je n'ai pas encore dit bonjour à Ceri et Keasley.

Je ricanai et Kisten m'attira à lui.

—Faites donc ça, Rantanplan, dit-il.

Le garou trapu s'arrêta net et fronça les sourcils d'un air menaçant, puis reprit son chemin, ne s'arrêtant que pour prendre un verre de son vin.

Mon sourire s'effaça lentement. L'odeur du cuir devint évidente, mélangée à l'arôme âpre de la cendre. Je me pressai contre Kisten.

—Tiens, dis-je à voix basse sans quitter le feu des yeux. David veut me faire signer un document pour que je fasse partie de sa meute.

Il en eut le souffle coupé.

—Tu rigoles, s'exclama-t-il en m'écartant de lui pour mieux me voir.

Ses yeux bleus étaient écarquillés et son expression était un mélange de surprise et de questionnement.

Je baissai les yeux sur mes doigts froids, que je glissai dans les siens.

—J'aimerais que tu sois témoin de la signature.

—Ah.

Il se tourna vers le feu et bougea un bras pour s'appuyer en s'écartant légèrement de moi.

Soudain, je compris ce qui le gênait.

—Mais non, gros bêta, dis-je en riant et en poussant son bras. C'est pour être membre d'une meute, pas pour créer un lien interespèces.

Je ne vais pas me marier avec lui, par le Tournant. C'est seulement un accord légal pour que je sois assurée à travers lui et qu'il ne se fasse pas virer. Il demanderait bien à une femelle garou, mais il ne veut pas d'une vraie meute, et c'est ce qu'il risquerait d'avoir.

Kisten expira longuement. Je sentis sa main retrouver sa douceur.

— Bien, déclara-t-il en me serrant contre lui. Parce que tu es ma femelle alpha à moi, cocotte – tu n'es à personne d'autre.

Je lui lançai un regard lourd de sens, ce qui n'était pas évident dans la mesure où j'étais pratiquement sur ses genoux.

— Cocotte ? répétai-je sèchement. Tu sais ce que j'ai fait au dernier mec qui m'a appelée comme ça ?

Il me serra d'encore plus près.

— On verra ça plus tard, chérie. (Son chuchotement provoqua en moi de délicieuses sensations.) Il ne faudrait pas qu'on choque tes amis.

Je suivis son regard et vis que Keasley et Howard se moquaient de Ceri, qui essayait de manger son « reviens-y » sans s'en mettre partout.

— Tu seras mon témoin ?

— Pas de problème. (La main qui enserrait ma taille se raffermit.) Je trouve ça bien, de créer des liens. (Il laissa retomber son bras ; je suivis de nouveau son regard pour m'apercevoir qu'Ivy nous fusillait des yeux.) Ivy n'est peut-être pas du même avis, par contre.

Soudain inquiète, je m'écartai de lui. Ivy se leva, et à longues foulées rapides elle gravit l'escalier du perron et retourna dans l'église. Elle claqua la porte si fort que la guirlande fixée dessus se décrocha.

Erica, qui n'avait pas remarqué le départ de sa sœur, approcha un banc du feu avec force gesticulations. La conversation s'anima. Keasley et Ceri se rapprochèrent de Takata pendant qu'il sortait la guitare qu'il avait apportée avec lui, mais qu'il avait ignorée jusque-là. Il s'installa et ses longs doigts, rendus paresseux par le froid, se mirent en mouvement. C'était agréable. Très agréable. Il ne manquait que les remarques de ce gros malin de Jenks et un nuage de poussière pixie.

Je soupirai. Les lèvres de Kisten effleurèrent mon oreille.

— Tu le feras revenir, dit-il dans un souffle.

J'étais surprise qu'il ait lu dans mes pensées.

— Tu en es sûr ?

Je le sentis hocher la tête.

— Quand ce sera le printemps, il pourra sortir et il reviendra. Il a une trop haute opinion de toi pour ne pas t'écouter une fois que son orgueil blessé aura commencé à guérir. Mais je connais bien les gens qui ont un ego démesuré, Rachel. Tu vas devoir ramper.

—Ça ne me gêne pas, murmurai-je.

—Il pense que c'est sa faute, continua Kisten.

—Je le persuaderai du contraire.

Je sentis son souffle derrière mon oreille.

—C'est comme ça que je t'aime.

Les sensations qu'il éveillait en moi me firent sourire. Je regardai l'ombre d'Ivy derrière le carreau de la cuisine, puis Takata qui nous jouait un impromptu de son cru. Et d'un. Il restait deux témoins à trouver. Et ils promettaient d'être les plus difficiles à convaincre. Je ne pouvais pas vraiment demander à Ceri ou à Keasley. Les témoins devaient mettre leur numéro de sécurité sociale sur le formulaire. Ceri n'en avait pas, et je n'avais pas besoin de demander à Keasley pour savoir qu'il ne voudrait pas mettre le sien. Étant donné qu'il ne recevait jamais de chèques du gouvernement, je le soupçonnais de faire le mort.

—Tu peux m'excuser? chuchotai-je en voyant l'ombre d'Ivy se troubler lorsqu'elle fit couler de l'eau bouillante dans l'évier.

Kisten me lâcha. Avant de me détourner, je croisai le regard bleu de Takata, submergé par une émotion inconnue.

Je m'arrêtai pour raccrocher la guirlande de cèdre avant d'entrer. Je fus frappée par la chaleur de l'église. Je retirai mon bonnet et le jetai dans l'âtre noir. J'entrai dans la cuisine et trouvai Ivy appuyée contre le plan de travail, tête baissée, les coudes dans les mains.

—Salut, dis-je en hésitant à entrer.

—Montre-moi ce contrat.

Elle tendit la main et releva la tête.

Je restai un instant bouche bée.

—Mais... mais comment..., bégayai-je.

Un petit sourire amer apparut sur son visage l'espace d'une seconde.

—Le son se propage mieux au-dessus des flammes.

Embarrassée, je sortis le document de ma poche. Il était à la fois froid à cause du temps et réchauffé par mon corps. Elle le prit, sourcils froncés, puis me tourna le dos pour le déplier. Je ne pus m'empêcher d'avoir la bougeotte.

—Euh, donc, j'ai besoin de trois témoins, expliquai-je. J'aimerais que tu en sois.

— Pourquoi ?

Elle ne se retourna pas. Ses épaules étaient crispées.

— David n'a pas de meute. S'il s'en trouve une, ils ne pourront plus le virer aussi facilement. Il pourra garder son job tout en continuant à travailler en solo, et moi je serai assurée à travers lui. C'est seulement deux cents dollars par mois, Ivy. Il ne cherche rien de plus, sinon, il aurait demandé à une garou.

— Je sais. Ma question, c'est pourquoi me demander de témoigner à moi ? (Elle se tourna enfin, le papier à la main, et la vacuité de son regard me rendit mal à l'aise.) Pourquoi est-il si important pour toi que ce soit moi qui le signe ?

J'ouvris la bouche, puis la refermai. Mes pensées se posèrent sur ce que Newt m'avait dit. Mon chez-moi n'avait pas constitué un lien assez fort ; Ivy, si.

— Parce que nous sommes partenaires, répondis-je en rougissant. Parce que mes actes ont des répercussions sur toi.

Ivy prit un stylo dans son pot à crayons et en fit sortir la mine. Je me sentis soudain idiote de lui demander de signer un document qui offrait à David ce qu'elle attendait de moi : un lien reconnu.

— J'ai vérifié ses antécédents quand tu étais à l'hôpital, dit-elle. Il ne fait pas ça pour que tu l'aides à se sortir d'un problème préexistant.

Je haussai les sourcils. Je n'avais pas pensé à ça.

— Il m'a assurée que je n'aurais pas de fil à la patte. (J'hésitai un instant.) Ivy, c'est avec toi que je vis.

J'essayais de la rassurer sur le fait que notre amitié n'avait pas besoin d'une signature sur un document pour être réelle. En plus, nos deux noms figuraient au-dessus de la porte. Les deux.

Elle resta silencieuse, le visage vide de toute émotion. Ses yeux marron ne clignaient pas.

— Tu lui fais confiance ? demanda-t-elle.

Je hochai la tête. Sur ce coup-là, j'étais bien obligée de me fier à mon instinct.

L'ombre d'un sourire apparut sur ses lèvres.

— Moi aussi.

Elle écarta un plateau de cookies et écrivit son nom, lentement mais de manière presque illisible.

— Merci, dis-je.

Elle me rendit le document. Je vis la porte de dehors s'ouvrir par-dessus son épaule. Ivy releva la tête, et son regard se radoucit lorsqu'elle reconnut la manière qu'avait Kisten de taper des pieds sur le paillasson pour débarrasser ses semelles de la neige accumulée dessous. Il nous rejoignit, David sur les talons.

— Alors, on signe ou pas ? lança-t-il.

La tension dans sa voix me laissa penser qu'il était près à argumenter si Ivy refusait de signer.

Elle ouvrit et referma son stylo à une telle vitesse qu'il vibra.

— J'ai déjà signé. C'est à toi.

Il bomba le torse et prit le stylo en souriant, puis il ajouta sa signature très masculine sous celle d'Ivy. Il écrivit son numéro de sécurité sociale avant de tendre le stylo à David.

Ce dernier s'inséra entre eux – il avait l'air petit, au milieu de leurs deux grandes silhouettes gracieuses. Il écrivit son nom entier avec un soulagement évident. Mon pouls s'accéléra au moment où je pris à mon tour le stylo. Je rapprochai le document.

— Alors, dit Kisten tandis que je déposais ma signature. À qui vas-tu demander d'être le troisième témoin ?

— À Jenks, dîmes Ivy et moi à l'unisson.

Je relevai le nez du document. Nos regards se croisèrent et je refermai le stylo.

— Vous voulez bien lui demander pour moi, David ?

Le garou prit le papier, le plia avec soin et le rangea dans une poche intérieure de son manteau.

— Vous ne voulez pas demander à quelqu'un d'autre ? Il ne voudra peut-être pas.

Je jetai un coup d'œil à Ivy et me redressai en coinçant une mèche de cheveux derrière mon oreille.

— Il fait partie de notre firme, dis-je. S'il veut passer l'hiver à bouder dans le sous-sol d'un garou, libre à lui, mais il ferait mieux de ramener son petit cul de pixie dans les parages au retour des beaux jours, ou il va me gonfler royalement. (Je pris une grande inspiration avant d'ajouter :) Et peut-être que ça le convaincra que c'est un membre important de l'équipe et que je suis désolée.

Kisten recula d'un pas comme pour se dédouaner de toute responsabilité.

— Je lui demanderai, décida David.

La porte de derrière s'ouvrit et Erica déboula, les joues rouges, les yeux pétillants.

—Eh! Vous venez? Il est prêt à jouer! Bon sang, il est chaud et prêt à jouer, et vous, vous bouffez à l'intérieur? Amenez vos culs dehors!

Ivy regarda la neige que sa sœur avait rapportée sur le parquet, puis me regarda moi. David se mit en mouvement. Il poussa la vamp gothique fofolle dehors et la suivit. Kisten fit de même. Leur conversation était entêtante de bonne humeur. Takata se mit à jouer. J'écarquillai les yeux en entendant Ceri entonner un chant de Noël encore plus vieux qu'elle de sa voix cristalline. Elle chantait carrément en latin. Je haussai les sourcils et regardai Ivy.

Elle remonta la fermeture de son manteau et prit ses mitaines sur le plan de travail.

—Tu es sûre que ça ne te gêne pas? insistai-je.

Elle acquiesça.

—Demander à Jenks de signer ce papier, ça pourrait bien être la seule manière de faire entrer dans son crâne épais qu'on a besoin de lui.

Je fis la grimace et la précédai en réfléchissant à un moyen de faire comprendre à Jenks à quel point j'avais eu tort de ne pas lui faire confiance. J'avais échappé au piège d'Algaliarept et réussi à me débarrasser d'une de mes marques démoniques et à couper le lien de familier qui m'unissait à Nick – bien que ça n'ait plus guère d'importance, à présent. J'étais sortie avec le célibataire le plus puissant de la ville et j'avais pris un petit déjeuner avec lui. J'avais sauvé une elfe de mille ans, appris à être ma propre familière, découvert que j'étais méchamment bonne au craps. Sans compter que j'avais couché avec un vampire sans me faire mordre. Pourquoi avais-je l'impression que forcer Jenks à me reparler allait être plus dur que toutes ces choses réunies?

—On le fera revenir, murmura Ivy dans mon dos. Je te le jure.

Je descendis les marches couvertes de neige et m'imprégnai de la nuit pleine de musique et d'étoiles en me le jurant aussi.

BRAGELONNE, C'EST AUSSI LE CLUB :

Pour recevoir la lettre de Bragelonne annonçant nos parutions et participer à des rencontres exclusives avec les auteurs et les illustrateurs, rien de plus facile !

Faites-nous parvenir vos noms et coordonnées complètes, ainsi que votre date de naissance, à l'adresse suivante :

Bragelonne
35, rue de la Bienfaisance
75008 Paris

club@bragelonne.fr

Venez aussi visiter notre site Internet :
http://www.bragelonne.fr
Vous y trouverez toutes les nouveautés, les couvertures, les biographies des auteurs et des illustrateurs, et même des textes inédits, des interviews, des liens vers d'autres sites de Fantasy et de SF, un forum et bien d'autres surprises !

Achevé d'imprimer en novembre 2008
N° d'impression L 72594
Dépôt légal, novembre 2008
Imprimé en France
35294239-1